井巷施工技术

闫建军　主编

山西出版传媒集团
山西人民出版社
山西科学技术出版社

图书在版编目（CIP）数据

井巷施工技术 / 闫建军主编. -- 太原 ：山西人民出版社，山西科学技术出版社 2014. 8

山西省煤炭中等职业教育系列教材

ISBN 978-7-203-08517-1

Ⅰ. ①井… Ⅱ. ①闫… Ⅲ. ①巷道施工-培训岗位-教材 Ⅳ. ①TD263

中国版本图书馆CIP数据核字(2014)第092701号

井巷施工技术

主　　编： 闫建军
责任编辑： 武　静

出 版 者： 山西出版传媒集团·山西人民出版社·山西科学技术出版社
地　　址： 太原市建设南路21号
邮　　编： 030012
发行营销： 0351-4922220　4955996　4956039
0351-4922127（传真）　4956038（邮购）
E-mail: sxskcb@163.com 发行部
sxskcb@126.com 总编室
网　　址： www.sxskcb.com

经 销 者： 山西出版传媒集团·山西人民出版社
承 印 厂： 山西惠民印务有限公司

开　　本： 787mm×1092mm　1/16
印　　张： 27.5
字　　数： 400千字
印　　数： 1—3000册
版　　次： 2014年8月 第1版
印　　次： 2014年8月 第1次印刷
书　　号： ISBN 978-7-203-08517-1
定　　价： 48.00元

《山西省煤炭中等职业教育系列教材》编委会

前　言

为认真落实山西省政府、山西省煤炭厅对煤炭行业从业人员素质提升的指示精神，适应山西省煤炭资源整合、企业兼并重组后现代化矿井建设对技术技能型人才的迫切需求，推进全省煤矿从业人员"人本安全、培训教育、素质提升"工程实施，促进煤矿企业人才队伍"变招工为招生"素质专业化目标实现，按照课程改革、课堂教学改革方案的要求，加快中等职业教育"送教下矿"培养模式的教材改革，使之适应煤炭工业机械化、信息化、现代化建设的人才需求，按照煤矿生产、建设、安全管理实际和对从业人员的具体要求，在认真调研、广泛征求意见的基础上，我们组织骨干教师对2010版山西省煤矿关键岗位从业人员中等职业教材进行了重新修订。

本系列教材在编写修订过程中着重突出以下特点：1.参照教学计划和教学大纲执行两个课改方案要求；2.新技术、新装备、新工艺单独成章，提高学生对现代化矿井的综合认知；3.将"山西省煤矿六个标准"按各专业要求编入其中，并融入"人人都是通风员"的思想理念；4.编入了企业现场实用的系统知识、技能、工艺；5.教材每章均按系统理论、核心知识点、专业技能训练三部分编写，突出技能训练内容，同时编有复习题，新增了讨论题，力求实现理论联系实际的教学目的；6.本系列教材力求简洁、实用、通俗易懂。

本书主编：闫建军

编写人员在教材修订过程中，得到了有关领导和专家的支持、帮助，并参考了大量的文献资料和煤矿企业技术资料。在此，向提供帮助的有关专家、领导及企业表示诚挚的感谢！

希望各位教师、企业工程技术人员、专家能够结合煤矿企业发展现状，将更为先进的、适用的专业技术内容提供给我们。

由于时间仓促，编者水平有限，书中难免有不妥之处，恳请广大师生、企业工程技术人员批评指正。

目 录

第五章 巷道断面设计

第六章 矿用工程材料

第七章 巷道掘进爆破技术

第八章 掘进通风和防尘

第九章 装岩与调车

第十章 巷道支护

第十一章 巷道施工组织与管理

第十二章 采区巷道和采区煤仓施工

第十三章 硐室及交岔点

第十四章 特殊条件下的巷道施工

第十五章 立井施工

第十六章 立井井筒延深

第十七章 矿用气动轴流局部通风机

第十八章 山西省煤矿“六个标准”涉及内容

第一章　岩石的性质与工程分级

第一部分　系统理论知识

在矿山生产的掘进过程中，既要进行掘进破岩，又要对井下的空间进行必要的维护。因此破碎岩石和防止岩石破碎就成为井巷工程中要解决的一对主要矛盾。这样就要求我们必须对岩石的物理力学性质有所了解，从而制定出科学的岩石分级和围岩分类方法，以便为设计、施工和成本预算提供依据。

第一节　概述

一、岩体的组成

研究岩石性质时，常用到岩石、岩块与岩体这三个术语。一般认为：岩块是指从地壳岩层中切取出来的小块体；岩体是指地下工程周围较大范围内的自然地质体；岩石则是不分岩块与岩体的泛称。

从煤矿采掘角度来看，岩体包括以下三部分：

(一)岩石

岩石是由一种或多种矿物组成的。每种矿物都各有其一定的内部结构和比较固定的化学成分，因而也各具一定的物理性质与形态。所以，岩石性质与它的矿物组成有关。

(二)地下水

地下水充填于岩石的孔隙、层理、节理、裂隙、断层甚至溶洞之中。地下水可使岩质软化，强度降低，与井巷工程的设计方案、施工方法与工期、工程投资以及工程长期使用有着密切的关系。

(三)瓦斯

瓦斯是指从井下煤体和围岩中涌出以及生产过程中产生的以甲烷(CH_4)为主的有毒、有害气体的总称。它产生于煤层而又扩散到附近的岩体。

二、岩石的生成及结构、构造

(一)岩石的生成

岩石按其生成原因不同可分为岩浆岩、沉积岩和变质岩三大类。煤系地层多属沉积岩，只有局部地段才有岩浆岩的侵入。沉积岩又叫水成岩，是指长期暴露于地表的岩石经过风化、剥蚀、搬运、沉积、固结等成岩作用而形成的岩石，如泥岩、页岩、砂岩、砾岩、石灰岩等。建井工程中常把上述这些固结性岩石，统称为基岩；把覆盖在基岩上的第四纪松散性沉积物称为表土，如黄土、黏土、砂砾等。

沉积岩是煤矿井下最常见的岩石，最明显的特征是具有层状结构和层理，多种生物化石，硬度较小，风化后岩石较松软。煤层本身就是由植物遗体转变而成的沉积岩。煤层的顶板和底板多是由沉积岩组成的，煤矿的井巷工程绝大多数都布置在沉积岩中。因此，沉积岩与煤矿顶板管理极为密切。

(二)岩石的结构和构造

(1) 岩石的结构。岩石的结构是指决定岩石组织的各种特征的总合，即岩石中矿物颗粒的结晶程度，矿物或岩石碎屑颗粒的形状和大小，颗粒之间相互连结的状况，以及胶结物的胶结类型和特征。

对于煤矿中常见的碎屑沉积岩来说，根据岩石结构可分为以下几种：

①砾状结构：指粒径大于2mm的岩石碎屑结构类型，如砾岩；

②砂质结构：指粒径变化在2～0.0625mm之间的碎屑结构类型，如砂岩；

③粉砂质结构：指粒径在0.0625～0.0039mm之间的碎屑结构类型，如粉砂岩、页岩等；

④泥质结构：指粒径小于0.0039mm的碎屑结构类型，如泥岩、黏土岩等。

(2) 岩石的构造。岩石的构造是指岩石中矿物颗粒集合体之间，以及它与其他组成部分之间的排列方式和充填方式。常见的岩石构造有以下三种：

① 整体构造：岩石的颗粒相互严密地紧贴在一起，没有固定的排列方向；

② 多孔状结构：岩石颗粒彼此相接并不严密，颗粒之间有许多小空隙(微孔)；

③ 层状结构：岩石颗粒互相交替，表现出层次叠置现象(层理)。

第二节　岩石的物理力学性质

一、岩石的物理性质

(一)岩石的密度

岩石的密度是指在绝对密实状态下，单位体积内岩石的质量。岩石的密度取决于岩石的矿物成分。一般的，岩石的密度接近岩石矿物成分的密度。当其他条件相同时，岩石的密度在一定程度上与埋藏深度有关，靠近地表的岩石密度往往较小，而深部的岩石一般具有较大的密度。煤矿中常见的岩石密度见表1-1。

表1-1　　煤矿中常见的岩石密度

岩石名称	密度/g.cm^{-3}
砂石	2.6~2.75
页岩	2.57~2.77
石灰岩	2.48~2.85

(二)岩石的孔隙性

岩石的孔隙性是指岩石中孔隙和裂隙的发育程度，它通常用空隙比表示。空隙比就是岩石中的各种孔隙、裂隙体积的总和占岩石内固体部分实体总体积的百分比。煤矿中常见的岩石空隙比见表1-2。

岩石的孔隙性对岩石的其他性质有显著的影响。空隙比增大可使岩石的密度和强度降低，塑性变形和透水性增大。在掘进施工中，裂隙常导致发生冒顶片帮，同时裂隙也是导水和泄出瓦斯的通道。

表1-2 煤矿中常见的岩石空隙比

岩石名称	空隙比
板岩	0.001~0.0101
石灰岩	0.053~0.250
砂岩	0.031~0.429
页岩	0.111~0.538

（三）岩石的吸水性

岩石的吸水性是指遇水不崩解的岩石在一定的试验条件下吸入水分的能力，通常以岩石的吸水率表示。岩石的吸水率就是岩石在大气压力下吸入水的质量与岩石烘干质量的比值。

岩石吸水率的大小，取决于岩石所含的孔隙、裂隙的数量、大小、开闭程度及其分布情况。在工程上往往用吸水率的大小来评价岩石的抗冻性能。

当吸水率小于0.5%时，一般认为岩石是耐冻的。煤矿常见的吸水率见表1-3。

表1-3 煤矿常见岩石的吸水率

岩石种类	吸水率（%）	岩石种类	吸水率（%）
砂岩	0.20~12.19	花岗岩	0.1~0.92
页岩	1.8~3.0	石灰岩	0.1~4.45

（四）岩石的碎胀性

岩石的碎胀性是指岩石破碎后的体积将比整体状态下的体积增大的性质。岩石的碎胀用碎胀系数表示，就是岩石破碎后处于松散状态的体积和破碎前处于整体状态下的体积之比。

在井巷掘进中选用装载、运输、提升等设备的容器时，必须考虑岩石的碎胀系数。碎胀系数与岩石的物理性质、破碎后块度的大小及其排列状态等因素有关。如坚硬岩石破碎后块度较大且排列整齐，则碎胀系数较小；反之，如破碎后块度较小且排列较杂乱，则碎胀系数较大。煤矿中常见岩石的碎胀系数见表1-4。

表1-4 煤矿中常见的岩石的碎胀系数

岩石种类	碎胀系数	岩石种类	碎胀系数
碎煤	<1.20	黏土	<1.20
砂质页岩	1.60~1.80	硬砂岩	1.50~1.80
砂	1.06~1.15	黏土页岩	1.40

(五)岩石的耐磨性

岩石的耐磨性是指岩石表面抵抗磨损的能力。岩石的耐磨性用磨损率来表示。它是磨损前质量减去磨损后质量与岩石试件受磨面积之比。

二、岩石的力学性质

(一)岩石的变形性质

岩石的变形性质是岩石的主要力学性质。岩石在外力作用下首先发生变形,当外力增大超过某一数值(极限强度)时,就会导致岩石的破坏。所以岩石的变形和破坏是岩石在外力作用下力学性质变化过程中的两个阶段。

岩石的变形主要有以下3种状态:

(1)岩石的弹性变形。岩石在外力作用下发生变形,当取消外力后岩石变形能完全恢复的变形。

(2)岩石的塑性变形。岩石在外力作用下发生变形,取消外力后岩石变形仍然保留不能恢复的变形。

(3)岩石的脆性破坏。岩石在载荷作用下,在破坏前没有明显的塑性变形就突然破坏。

岩石的弹性、塑性和脆性不是绝对的,可随受力状态、加载速度、温度等条件而变化。例如,多数岩石在单向或三向低压压应力状态下表现出脆性,但在三向高压压应力状态下,脆性岩石在破坏前却表现出很大的塑性;在静荷载作用下产生塑性变形的岩石,在冲击荷载作用下脆性显著增长;在常温下表现为脆性的岩石,在高温下塑性显著提高。

岩石是兼有弹性与塑性的材料。岩石受力后既可能出现弹性变形,也可能出现塑性变形,而且弹性变形与塑性变形往往同时出现。

(二)岩石的强度性质

在荷载作用下岩石变形,达到一定程度就会破坏。岩石发生破坏时所能承受的最大荷载叫极限荷载,用单位面积表示则称为极限强度。岩石的强度性质也是岩石的主要力学性质。

(1)岩石的抗压强度。

岩石试件在压缩时能承受的最大压应力值叫做岩石的抗压强度。岩石的抗压强度是目前在煤矿中研究岩石分类、确定破坏准则以及表达围岩坚硬强度时常采用的指标。

岩石的抗压强度又分为两类:岩石试件在单向压缩时能承受的最大压应力值叫做岩石的单向抗压强度,岩石试件在三向压应力作用下能承受的最大轴向应力叫做岩石的三向抗压强度。

影响岩石强度的因素很多,例如岩石的组成成分、颗粒大小、胶结情况、生产条件、层理构造、孔隙度、温度、湿度、风化程度、受力状态和时间等。

(2)岩石的抗拉强度。

岩石试件在拉伸时能承受的最大拉应力值叫做岩石的抗拉强度。岩石的抗拉强度,主要受其内部因素的影响,如果组成岩石的矿物强度高,颗粒之间的联结力强且空隙不发育,则其抗拉强度高。

由于岩石的抗拉强度远小于抗压强度，在受载不大时就可能出现拉伸破坏，因此岩石的抗拉强度对井下巷硐失稳等问题有重要的意义。

(3)岩石的抗剪强度。

岩石试件能承受的最大剪应力值叫做岩石的抗剪强度。它也是反映岩石力学性质的主要参数之一。

(4)岩石各种强度之间的关系。

根据实验研究，岩石在不同受力状态下的各种强度值，一般符合下列由大到小的顺序：三向等压抗压强度，三向不等压抗压强度，双向抗压强度，单向抗压强度，抗剪强度，抗拉强度。

岩石的强度越高，其抵抗外力使其变形、破坏的能力越强，则巷道越稳定。有的巷道就利用围岩本身的强度而不支护，就可以维持巷道的稳定。

(三)岩石的硬度

岩石的硬度是指岩石表面抵抗其他较硬物体压入或刻划的能力。岩石的硬度常采用刻划法测定。硬度与抗压强度有联系又有区别。对于凿岩，岩石的硬度比抗压强度更具有实际意义，因为钻具对孔底岩石的破碎方式多数情况下是局部压碎，所以硬度指标更接近反映钻凿岩石的实质和难易程度。

(四)岩石的可钻性和可爆性

可钻性和可爆性是用来表示钻眼或爆破岩石的难易程度的一种概念，是岩石物理力学性质在钻眼或爆破的具体条件下的综合反映。

岩石的可钻性和可爆性，常用工艺性指标来表示。例如，可以采用钻速、钻每米炮眼所需要的时间、钻头的进尺、钻每米炮眼磨钝的钎头数或破碎单位体积岩石消耗的能量等来表示岩石的可钻性；采用爆破单位体积岩石所消耗的炸药、爆破单位体积岩石所需的炮眼长度、单位质量炸药的爆破量或每米炮眼的爆破量等来表示岩石的可爆性。上述工艺性指标，必须在相同条件下(除岩石条件外)来测定，才能进行比较。

第三节　岩石的工程分级

为了能有效破岩和合理进行井巷支护，就必须在研究岩石的物理力学性质的基础上对岩石进行工程分级，并以此作为选择破岩和井巷支护方法的科学依据，以便进行工程设计，选择施工方法、设备、机具与器材，制定生产定额和材料消耗定额等。

一、强度分级法

岩石工程分级的方法很多。我国矿山普遍沿用的岩石工程分级方法是按岩石坚固性进行分级的方法，即所谓普氏岩石分级法。

苏联学者M.M.普罗托吉雅可诺夫于1926年提出用“坚固性”这一概念作为岩石工程分级的依据。普氏认为，岩石的坚固性在各方面的表现是趋于一致的，难碎的岩石不论用什么方法都难于破碎，容易破碎的岩石不论用什么方法都易于破碎。因此，普氏提出用一个综合性的指标"坚固性系数f"来表示岩石破坏的相对难易程度,通常称为普氏岩石坚固性系数。根据系数f值的大小,将岩石分为10级共15种,见表1-5。

普氏岩石工程分级法来自实践,简单明确,使用方便,因而多年来在苏联、我国及一些东欧国家得到广泛应用。不过它没有反映岩体的特征。关于岩石坚固性在各方面表现趋于一致的观点,对于少数岩石也不尽适用。一般来讲,普氏岩石分级法对于松散岩体比较适用,而在坚固的裂隙发育较少的岩体中计算结果偏大则不适用。如何研究制定出一种既科学简明又易于测定的岩石分级法,是矿山科研工作的一项重要任务。

表1-5　　普氏岩石工程分级

类别	坚硬程度	岩石特征	普氏系数f
Ⅰ	极硬岩石	极硬、极致密、韧性最大的石英岩与玄武岩,及其他特坚硬的岩石	20
Ⅱ	很硬岩石	很硬的花岗岩、石英斑岩、硅质页岩,比上述石英岩略弱的石英岩,最硬的砂岩和石灰岩	15
Ⅲ	硬岩石	花岗岩(紧密的)、花岗质岩石,很硬的砂岩和石灰岩,石英质矿脉,硬的砾岩,很硬的铁矿石。	10
Ⅲa	硬岩石	石灰岩(坚硬的),不硬的花岗岩,硬的砂岩,硬大理岩,黄铁矿、白云岩	8
Ⅳ	相当硬的岩石	普通砂岩,铁矿石	6
Ⅳa	相当硬的岩石	砂质页岩,片状砂岩	5
Ⅴ	中硬岩石	硬质黏土页岩,不坚硬的砂岩和石灰岩,软的砾石	4
Ⅴa	中硬岩石	各种不坚硬的页岩,致密的泥灰岩	3.0
Ⅵ	相当软的岩石	软页岩与软的石灰岩,白垩、岩盐、石膏、冻土、无烟煤,普通的泥灰岩,破碎的砂岩,胶结的卵石和砂砾,掺石土	2.0
Ⅵa	相当软的岩石	碎石土,破碎的页岩,结块的卵石和碎石,坚硬的煤,硬化黏土	1.5
Ⅶ	软岩石	致密的黏土,中硬的煤,硬的冲积土,黏土质土壤	1.0
Ⅶa	软岩石	轻砂质黏土,黄土、砾石,软煤(f=0.6～1)	0.8
Ⅷ	土质岩石	腐殖土、泥煤,轻砂质黏土,湿砂	0.6
Ⅸ	松散岩石	砂、岩屑、小砾石、堆积土、松散土,开采出的煤	0.5
Ⅹ	流砂性岩石	流砂,沼泽土,含水黄土,其他含水土壤(f=0.1～0.3)	0.3

二、围岩分类法

随着采矿业、水电工程和其他地下工程技术的迅速发展,单纯地采用强度分级有一定的局限性,不能全面反映煤矿巷道围岩岩体的质量和地压的影响。经工程实践与理论研究得出,围岩的稳定性主要取决于岩体的结构和岩体强度,煤炭部门根据锚喷支护与施工的需要和煤矿岩层的特点,制定了围岩分类,见表1-6。

表1–6　　围岩分类

围岩分类		岩层描述	巷道开掘后围岩的稳定状态（3～5m跨度）	岩种举例
类别	名称			
Ⅰ	稳定岩层	完整坚硬岩层，Rb＞60MPa，不易风化，层状岩层层间胶结好，无软弱夹层	围岩稳定，长期不支护无碎块掉落现象	完整的玄武岩、石英质砂岩、奥陶纪灰岩、茅口灰岩、大冶厚层灰岩
Ⅱ	稳定性较好岩层	完整且比较坚硬岩层，R_b=40～60MPa。层状岩层，胶结较好；坚硬块状岩层，裂隙面闭合，无泥质充填物，R_b＞60MPa	围岩基本稳定，较长时间不支护会出现小块掉落	胶结好的砂岩、砾岩、大冶薄层灰岩
Ⅲ	中等稳定岩层	完整的中硬岩层，R_b=20～40MPa，层状岩层以坚硬层为主，夹有少数软岩层比较坚硬的块状岩层，R_b=40～60MPa	能维持一个月以上稳定，会产生局部岩块掉落	砂岩、砂质页岩，粉砂岩、石灰岩、硬质凝灰岩
Ⅳ	稳定性较差岩层	较软的完整岩层，R_b＜20MPa，中硬的层状，岩层中硬的块状岩层，R_b=20～40MPa	围岩的稳定时间仅有几天	页岩、泥岩、胶结不好的砂岩、硬煤
Ⅴ	不稳定岩层	易风化潮解剥落的松软岩层 各类破碎岩层	围岩很容易产生冒顶片帮	岩质页岩、花斑泥岩、软质凝灰岩、煤、破碎的各类岩石

注：1.岩层描述将岩层分为完整的、层状的、块状的、破碎的4种。完整岩层，层理和节理裂隙的间距大于1.5m；层状岩层，层与层间距小于1.5m；块状岩石，节理裂隙间距小于1.5m、大于0.3m；破碎岩层，节理裂隙间距小于0.3m。

2.当地下水影响围岩的稳定性时，应考虑适当降级。

3.R_b为岩石的饱和抗压强度。

三、岩心质量指标分级法（R.Q.D）

钻探时将钻孔中直接获取的岩心的总长度，扣除破碎岩心和软弱夹泥的长度，再与钻孔总长度相比。具体计算岩心长度时，只计算大于10cm的坚硬和完整的岩心。

分类	优质的	良好的	好的	差的	很差的
R.Q.D.(%)	90~100	75~90	50~75	25~50	0~25

第二部分　专业核心知识点

1.岩体的组成:岩石、地下水、瓦斯。

2.岩石的结构和构造:

(1)岩石的结构:砾状结构、砂质结构、粉砂质结构、泥质结构。

(2)岩石的构造:整体构造、多孔状结构、层状结构。

3.岩石的物理性质:岩石的密度、岩石的孔隙性、岩石的吸水性、岩石的碎胀性、岩石的耐磨性。

4.岩石的力学性质:岩石的变形性质、岩石的强度性质、岩石的硬度、岩石的可钻性和可爆性。

5.岩石的工程分级:强度分级法、围岩分类法、岩心质量指标分级法(R.Q.D)。

复习题

1.岩石和岩体有何区别？岩体由什么组成？
2.岩石的物理力学性质有哪些？其含义是什么？
3.普氏岩石分级法的实质是什么？它与围岩分类法在应用上有什么区别？

技能训练题

掌握岩石的单轴抗压强度的测定。

讨论题

为什么煤大多埋藏在沉积岩之中。

要点：

煤是古代植物埋藏在地下经历了复杂的生物化学和物理化学变化逐渐形成的固体可燃性矿产，是一种固体可燃有机岩。俗称煤炭。

形成过程：

在地表常温、常压下，由堆积在停滞水体中的植物遗体经泥炭化作用或腐泥化作用，转变成泥炭或腐泥；泥炭或腐泥被埋藏后，由于盆地基底下降而沉至地下深部，经成岩作用而转变成褐煤；当温度和压力逐渐增高，再经变质作用转变成烟煤至无烟煤。

泥炭化作用是指高等植物遗体在沼泽中堆积经生物化学变化转变成泥炭的过程。腐泥化作用是指低等生物遗体在沼泽中经生物化学变化转变成腐泥的过程。腐泥是一种富含水和沥青质的淤泥状物质。冰川过程可能有助于成煤植物遗体汇集和保存。

煤的形成年代——在整个地质年代中，全球范围内有三个大的成煤期：

(1)古生代的石炭纪和二叠纪，成煤植物主要是孢子植物。主要煤种为烟煤和无烟煤。

(2)中生代的侏罗纪和白垩纪，成煤植物主要是裸子植物。主要煤种为褐煤和烟煤。

(3)新生代的第三纪，成煤植物主要是被子植物。主要煤种为褐煤，其次为泥炭，也有部分年轻烟煤。

第二章　井巷地压

第一部分　系统理论知识

第一节　地压概念

一、井巷地压概念

地下岩体在开挖之前，由于自重引起的应力(原岩应力)是处于平衡状态的。当开掘巷道或进行回采时破坏了原来的应力状态，引起岩体内部的应力重新分布。它表现为巷道周围的岩体产生变形、移动甚至破坏，直到岩体内部重新形成一个新的应力平衡状态为止。在此过程中，巷道本身或架设在其中的支护物会受到各种力的作用。井巷地压就是指在地下岩体中进行采掘活动，而引起的作用在井巷、硐室等周围岩体中或支护物上的压力，简称地压。巷道地压一般可简单地分为:巷道顶压、侧压和底压。

在井巷地压作用下，会引起各种力学现象，如围岩变形或挤入巷道、岩体离散、移动、顶板下沉和冒落、底板鼓起、支架严重变形或损坏，以及大量岩层和地表发生移动及塌陷等。这种由于井巷地压作用，使巷道围岩和支架的变形和破坏的现象，称为地压现象，也称压力显现。

在大多数情况下，井巷地压会给地下掘进工作造成不同程度的危害。为了不至于影响正常的井巷掘进工作和保证安全生产，就必须采取各种技术措施加以控制。包括对巷道的工作空间进行维护，对软弱或破碎的岩石进行加固，用各种方法使巷道工作空间得到卸压。这种人为地调节、改变和利用井巷地压作用的各种措施，称为矿山压力控制，简称压力控制。

二、原岩应力状态

井巷地压是因井巷开掘后岩体中应力的重新分布引起的，研究开挖后巷道周围的应力，首先必须研究巷道所在的岩体区域内的原岩应力。

地下岩体中没有受到井巷和采场等地下工程影响的岩体称为原岩体，简称原岩。自然存在于原岩内而与任何人为因素无关的应力称为原岩应力。原岩处于复杂的受力状态，承受着上部岩石的自重引起的应力、地质构造引起的应力、遇水后因物理化学变化引起的应力等等。原岩应力按产生的原因主要分为自重应力和构造应力。由于岩体的上覆岩层的重力所引起的应力，称为自重应力;由于地质构造运动而引起的应力，称为构造应力。另外还有岩体中包含水和瓦斯所引起的应力，也能影响岩体内的应力大小与分布。

所有上述因素中，显然自重应力是主要的，构造应力则决定于该地区的地壳运动方式，有时影响面也较大。在井巷掘进之后，掘进空间周围岩体的应力都要进行重新分布。了解原岩应力是分析掘进后空间的周围应力重新分布的基础。

(一)自重应力

处于一定深度的原岩体,承受着上部岩体的重力,由这个重力所引起的单位面积上的内力,就是自重应力。

在地表取一个水平的直角坐标x、y,以深度方向为z轴,在地表下Z米岩体处取一个与坐标方向相一致的微小的单元立方体,它的垂直方向自重应力σ_z就是单位面积上的岩柱重力,岩柱体积为1×1×z,岩体的容重为γ,如图2-1所示。在上覆岩层重力作用下,这个单元体上所受的垂直应力z:

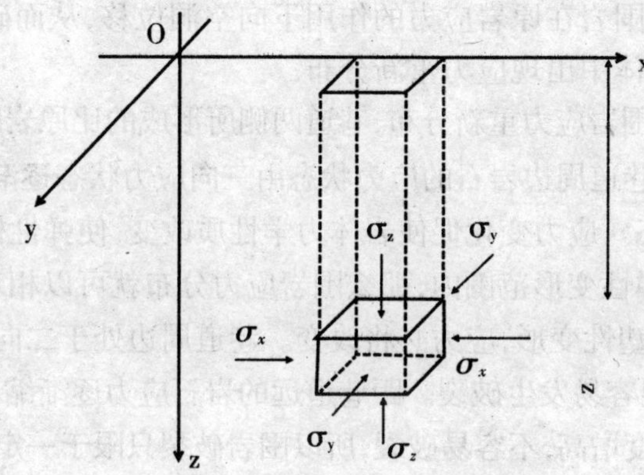

图2-1　原岩的自重应力状态

$$\sigma_z=\frac{1\times1\times z\gamma}{1\times1}=\gamma z \tag{2-1}$$

式中　γ——上覆岩层的容重,$\gamma=\dfrac{w}{v_0}=\dfrac{mg}{v_0}=\rho_o g$(g为重力加速度),kN/m³;

Z——单元体所在位置离地表的深度,m。

(二)构造应力

地下原岩体在形成时或形成后,经历或正在经历着各种地质构造运动,这种由于地质构造运动而引起的应力,称为构造应力。地质构造运动使局部岩层处于构造应力场中。显然,任何一种构造痕迹都反映着一定性质的构造应力的作用。地质构造应力是看不到的,但地质构造应力所造成的痕迹,如断层、褶皱等却保留在岩体中,它的走向与形成它的方向有着一定的关系,可以根据各种构造的力学性质判断构造应力的方向。地质构造的形态虽然是多种多样的,地质构造应力也是复杂多变的,但对于每一个具体构造来说,不外乎是由压应力、拉应力或剪应力形成的,故构造应力可以分成压应力构造、拉应力构造和剪应力构造。构造应力具有以下特点:

(1)一般情况下构造应力主要是水平应力,以压应力为主。

(2)分布很不均匀,主应力的大小和方向常有很大变化。

(3)岩体中的构造应力具有明显的方向性,通常两个方向的水平应力值(σ_x、σ_y)是不相等的。

(4)水平构造应力可能比自重产生的水平应力大几倍到几十倍,而且往往浅部的倍数比深部大。故在浅部开采时,构造应力显得比自重应力更为重要。

(5)在坚硬岩层中,出现构造应力一般比较普遍;在软岩中,储存构造应力很少。

第二节　围岩的应力分布和变形位移

一、围岩的应力分布

原岩应力是自重应力与构造应力的叠加,在井巷掘进之前,原岩应力状态处于三向应力平衡状态——原岩应力状态,它们沿着垂直方向和水平方向传递。在岩体内开挖巷道以后,岩体内形成了空洞,巷道围岩在原岩应力的作用下向空洞位移,从而破坏了原岩体三向应力平衡状态,使巷道周围岩体中出现应力重新分布。

开挖巷道以后,岩体围岩应力重新分布,巷道两侧所形成的比原岩应力大的集中应力又叫支撑压力。巷道开挖后,巷道周边岩石的应力状态由三向应力状态逐渐转为二向应力状态,巷道周边就是二向应力状态。应力变化促使岩体力学性质改变,使弹性极限和强度降低。如果应力变化以后围岩仍在弹性变形范围内,那么围岩应力分布就可以相对稳定下来。如果应力超过弹性变形范围,产生塑性变形,应力必将改变。巷道周边处于二向应力状态,与单向受力状态一样,岩体呈脆性,很容易发生破裂。距巷道远的岩石应力逐渐缩小下降到原岩应力状态时的垂直应力值,岩体强度增高,不容易破裂,所以围岩破裂只限于一定范围。

巷道开掘后,在巷道两侧形成支撑压力。巷道围岩处于弹性变形状态时,围岩是稳定的,如果岩石强度高(坚硬的砂岩或石灰岩),此时巷道甚至可以不必支护,就是架设支架,所受压力也极其有限,其垂直应力分布如图2-2所示。如果出现破裂区,随时都有冒落危险,破裂范围越大,巷道越不容易维护。按围岩变形的大小、类形等状况,把巷道周边的围岩体分成两个区域,一个是破裂区(非弹性变形区),另一个是裂隙区(弹性变形区)。当破裂区内的围岩应力达到极限应力时,围岩开始破裂,岩块破碎冒落,为了保持巷道形状必须施加以外部的力量,即进行巷道支护。对于均质而软弱的弹性岩体,巷道开挖后,在破裂区内应力降低称为应力降低区a;超过破裂区进入裂隙区后应力增高并出现峰值,此为应力升高区b;随着岩体远离地下巷道,巷道对于岩体的应力扰动越来越小,接近于原始应力状态,此为原岩应力区c,如图2-3所示。

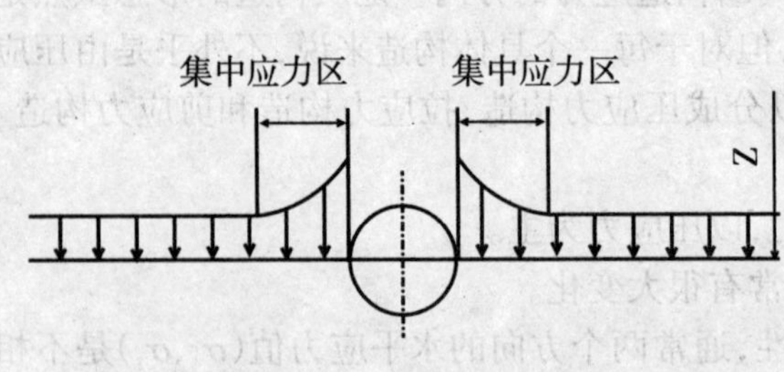

图2-2　巷道两帮应力集中

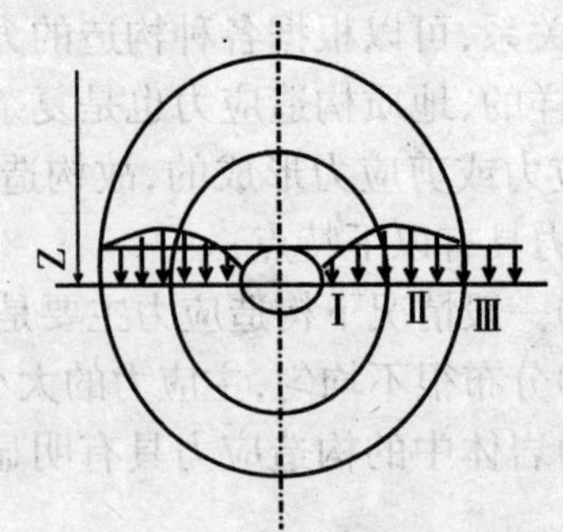

图2-3　巷道围岩应力分布示意图

Ⅰ——应力降低区;Ⅱ——应力升高区;Ⅲ——原岩应力区

二、巷道围岩的变形位移

巷道开挖以后，首先产生弹性变形，在经过一段时间以后，变形结束，巷道围岩仍在弹性变形范围内，不影响巷道的使用；如果变形继续发展直至巷道周边应力越过了弹性极限，就会在巷道周边首先产生塑性变形甚至于发生破裂，形成破裂区，如果立即采取有力的支护措施，非弹性变形发展到一定范围，也能稳定下来；如果不采取支护措施或措施不力，破裂区则会继续发展，围岩的非弹性变形也逐渐增大，巷道周边破裂的岩块将会冒落。冒落以后，相当于扩大了巷道，围岩变形破裂必然继续扩大。因此，围岩的变形是由于开挖巷道后围岩应力重新分布的结果。

围岩的弹性变形对巷道并没有多大影响，而围岩的破碎主要是由塑性变形所引起的，围岩塑性变形区域越大，围岩变形也越大。在形成塑性变形区的过程中，围岩向巷道空间显著位移，随着掘进时间的延长，围岩变形速度将日趋缓和。当掘进引起的围岩应力重新分布并趋向稳定后，由于岩层的变形性质，围岩变形还会随时间而缓慢地不断增长，但其变形速度比巷道初掘期间小得多。

围岩的变形与原岩应力、巷道位置及形状尺寸、围岩的力学性质等有密切的关系。变形的大小首先取决于原岩的应力，而原岩应力的大小与深度成正比，所以巷道深度越大，变形越大。在同一深度条件下，构造应力较大的地区，变形也较大。不同方向的巷道，原岩应力不相同，变形也不相同，如平行于岩层走向的运输巷比垂直于岩层走向的石门的变形较大。巷道围岩由几种不同力学性质的岩石组成时，强度指标较弱的岩石，变形较大。层理发育的围岩，由于层理面强度较弱，产生的变形也较大。

围岩的变形移动较大时，往往会引起巷道顶板、底板和巷道两帮的变形和破坏。

（一）巷道顶板的变形和破坏

在水平或倾斜层状结构岩体中，在上覆岩层重力作用下，顶板岩石弯曲下沉，岩层下部出现裂缝或断裂。若裂缝和断裂继续增大，顶部的岩石就破裂，而后产生顶板冒落，最后趋于稳定的边界都形成拱形，成为冒落拱或自然平衡拱。自然平衡拱的形成过程，就是顶板破碎岩石的冒落过程。

1.顶板规则冒落

岩石一般沿破裂面滑落，如果冒落高度小于破裂范围，冒落拱如图2-4所示。软岩的内摩擦角较小，拱顶较尖。如果冒落拱高度达到破裂带边缘，冒落拱就由破裂范围与破裂面组成，成为马蹄形，如图2-5所示。如果有层理面等弱面，冒落拱在保持基本形状不变的情况下，可迁就弱面滑落，如图2-6所示。

2.顶板不规则冒落

层理面发育的围岩，由于破裂带范围的不均匀发展，可使冒落拱偏转成不对称形状，如图2-7所示。对于块状结构的围岩，可能沿着弱面大块滑落，完全不成拱形，如图2-8所示。

总之，岩石沿破裂面与弱面冒落，原因相同，形状既有一定的规则，又是多变的。岩石冒落以后，少数由于巷道形状的改变，或者破碎岩石互相的镶嵌作用，可以维持稳定，大多数情况又会发生新的破裂带，如不采取措施，冒落又会进一步发展，以至于冒落拱高达十几米。

由于自重的作用，巷道上方的破裂带发展更快。

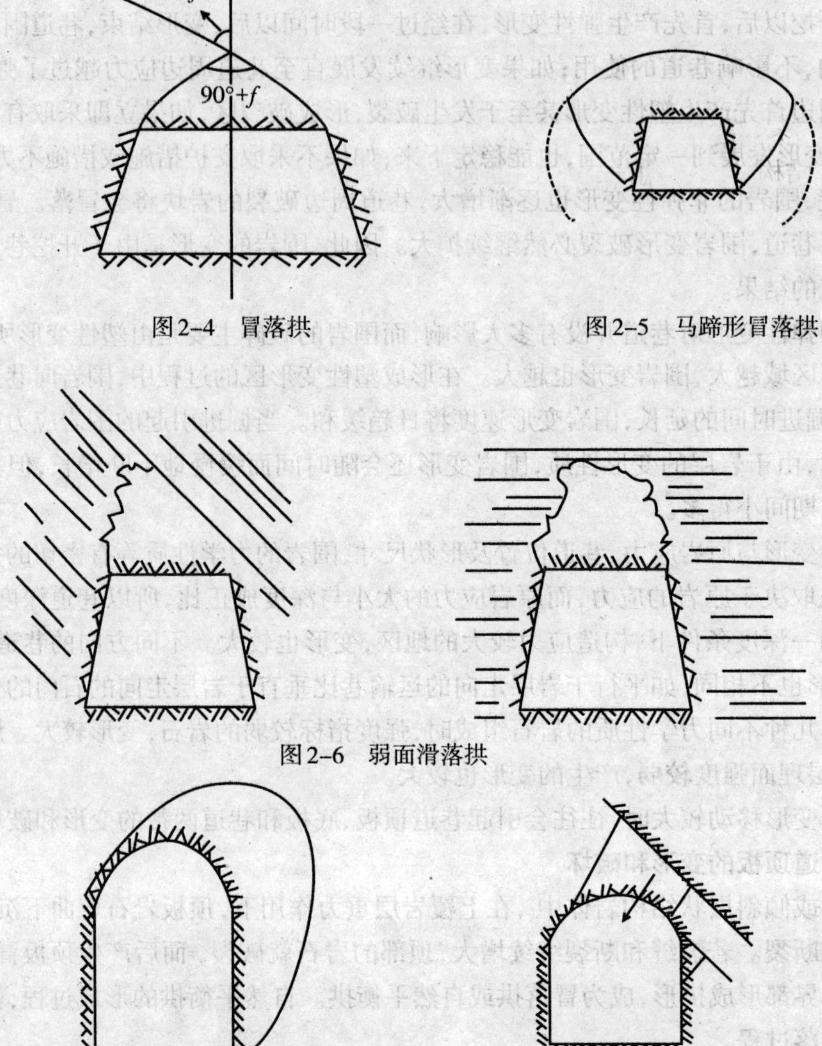

图2-4　冒落拱

图2-5　马蹄形冒落拱

图2-6　弱面滑落拱

图2-7　不对称冒落拱

图2-8　冒落不成拱形

(二)巷道底板的变形和破坏

1.底板塑性鼓胀

在整体结构的软岩中，底板为强度较低的黏土泥岩，在底压作用下产生塑性鼓胀变形，有水的作用时更为严重。

2.底板鼓裂

在层状结构的硬黏土质岩石中，底板为中等强度的砂质黏土页岩或砂质页岩，在底压作用下产生塑性鼓裂变形。

(三)巷道两帮的变形和破坏

1.巷道两帮鼓帮

在整体结构或层状结构的岩层或煤层中,由于巷道上部压力不断传给两帮,两帮受压而形成两帮侧鼓。随来压条件及岩层组成情况不同,鼓帮可能出现在两帮中部或靠近底部。

2.巷道开裂或破坏

在整体结构岩层中,由于巷道顶角或底角处剪应力超过岩石强度而造成巷道帮出现剪切劈裂。

在急斜埋藏和薄层状结构岩层中,两帮在顶压和侧压联合作用下向巷道空间鼓出,并逐渐失稳而破坏,形成巷道鼓帮折断。

3.巷道片帮

巷道周围为抗压、抗剪能力差的较软弱岩层或煤体时,因层面光滑、平直,易造成巷道一侧沿层理面片帮。

第三节　围岩压力及其影响因素

一、围岩压力

巷道掘进后,原岩应力的平衡状态遭到了破坏,从而引起了一定范围内围岩应力的重新分布和岩体弹性潜能的释放,形成了应力集中,造成一定范围内围岩的变形位移,形成了塑性松弛区,改变了围岩的物理力学性质。有的甚至引起较大位移,使围岩由塑性转化为松动破裂,产生松动压力,导致围岩局部破坏和整体失稳,塌方冒顶。支架的作用就是阻挡岩石的变形和位移,或承受松动岩石的重量,为避免出现巷道失稳现象,需采取相应的加强支护措施,防止围岩冒顶。围岩压力是指巷道周边岩石抵抗围岩变形的能力,即支承物所承受的松动破碎圈范围内岩石的变形压力。从狭义上讲,围岩压力也称为支承压力。

从巷道围岩空间状态而言,巷道是由顶板、底板和两帮组成的一个复合结构体,结构的各部分在井巷地压作用下的受力状态不同,其围岩性质也往往存在着很大的差异,因而巷道顶、底、帮的稳定状态往往具有明显的结构特征。

巷道开掘以后,暴露出来的顶板岩石,类似双支梁一样支承上部岩石压力。由于上覆岩石的压力使顶板梁向下弯曲,靠近巷道顶板的岩石承受拉力而裂缝或断裂,如图2-9(a)所示,随着裂缝或断裂的增多、扩大,岩石就开始冒落,它的压力也将逐渐降低,而作用在巷道两帮岩石上的压力却逐渐增加,如图2-9(b)、(c)所示。当顶板破碎岩石冒落到一定范围而形成自然平衡拱时,就停止冒落,如图2-9(d)所示,这时顶板又处于新的平衡状态,巷道上部的压力,通过拱顶传到巷道两帮岩石上。顶板冒落那部分岩石作用在支承物上产生的压力称为顶压。

当顶板结构为较弱的页岩,其他部位为砂岩时,巷道顶板层会发生明显的弯曲和下沉,它直接影响到巷道两帮上部的稳定,若顶板过度弯曲下沉必将导致其断裂和破碎,故顶板软弱结构是巷道支护的重点。顶压的大小就是冒落拱内破碎岩石的重力。顶压的大小,决定于冒落拱的大小，而冒落拱的大小与顶板岩石的性质、巷道的宽度有关。岩石松软、巷道宽度大、顶压大；反之，岩石坚硬、巷道狭窄，则冒落拱小、顶压小。

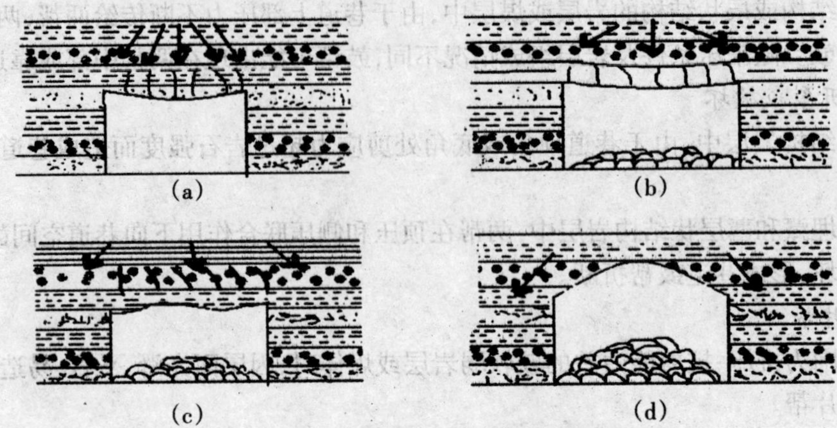

图2-9　巷道顶压的产生

在自然平衡拱形成过程中，巷道上部压力不断传给巷道两帮。若巷道两帮岩石坚硬，则两帮不被压坏，当巷道两帮结构为软弱岩层时，巷道围岩变形主要表现为两帮岩层在垂直集中压力作用下的内移，两帮变形在中部比较突出，则巷道两帮发生移动，即所谓片帮，巷道支护的重点在两帮，如图2-10所示。这部分垮落的岩石所产生的水平分力，就是巷道的侧压，即冒落拱内破碎岩石自重的侧压力。其大小与两帮岩石的性质、巷道高度和上部压力的大小有关。

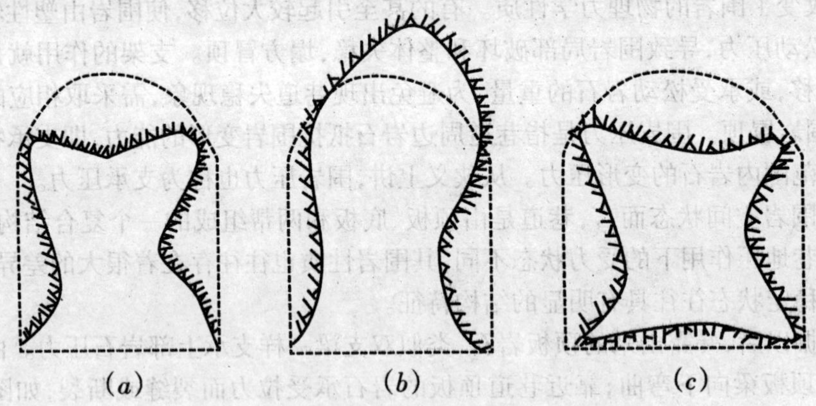

图2-10　巷道侧压引起的两帮挤进

(a)顶板下沉两帮挤进；(b)拱顶起尖两帮挤进；(c)顶底板移近两帮挤进

巷道的侧压得到新的平衡之后，新的自然平衡拱仍将上部的压力传给巷道两帮，再传给底板。当巷道底板结构为软弱岩层时，底板在水平集中压力挤压下的底鼓(图2-11)变形十分明显，围岩控制的重点将是底鼓。有时底板岩石具有遇水膨胀特性(如黏土页岩)，当巷道积水，也会因岩石膨胀而产生底压。底压严重时，可使巷道严重变形，为此底压严重的地区，常使用特殊形状断面的巷道，如圆形、椭圆形断面巷道。

图 2-11 巷道底鼓

根据上述三种围岩压力产生的原因可知，侧压和底压都是由顶压引起的，而顶压与巷道的掘进及支护关系更为密切。因此，在生产实践中，对于顶压所引起的围岩变形移动现象，应特别注意。

二、影响围岩压力因素的分析

巷道围岩压力是受多种因素影响的，它随岩体的地质条件、围岩的变形位移特征、原岩应力状态、巷道的性质及支护结构、工程环境和施工工艺的不同而变化。这些因素可概括为两大类，即地质因素和掘进技术因素。采区内的巷道多受动压（采动）影响，开拓巷道多受静压影响。现以基本不受采动影响的静压开拓巷道为例，分析影响围岩压力的典型因素。

（一）围岩变形位移特征

由围岩变形所引起的围岩压力，根据变形的大小来判别压力的大小，变形最大的方向，即是通常所说的来压方向。巷道围岩岩体包括三部分：顶板、底板、两帮。这三部分的岩性可能相差很大，而且稳定状况也各有区别。实践证明，任何一条巷道的变形和破坏都是先从稳定性程度较差的一部分开始并扩展延续的，逐渐影响其他部分，最终导致巷道的整体性破坏。

围岩压力是围岩变形和破碎引起的，其大小决定于围岩破裂带的大小。巷道四周破裂带大小不同，各方向的围岩压力也不同。各种岩石的强度都有一定的时间效应，掌握围岩位移与时间的基本关系，围岩的位移速度、位移量以及围岩位移趋于稳定的时间，对认识围岩压力的产生、发展趋势具有重要意义。

（1）巷道掘进后，围岩首先产生弹性变形。经过一段时间后，围岩因风化、地下水等作用，力学性质降低，致使围岩不稳定，则在巷道周边最先进入塑性变形，在形成塑性变形区的过程中，围岩向巷道空间显著位移。围岩压力从围岩发生变形时开始产生，并随着围岩变形位移量的发展而明显增大。

（2）随掘进时间的延长，围岩变形速度将日趋缓和。当掘进引起的围岩应力重新分布趋向稳定后，由于岩层的变形性质，围岩变形还会随时间而缓慢地不断增长，但其变形速度比巷道初掘期间小得多。在此期间，围岩压力也将缓慢增长并趋于稳定。这一阶段的围岩压力主要是由围岩变形和位移所引起的。

（3）当巷道周边岩石为较软岩层时，因岩石强度较低，围岩受力后易产生变形和破坏，直至岩石冒落，此时围岩压力显著增大。

（4）围岩开始冒落到完成，围岩压力将从高峰值逐渐降低并趋于稳定。这一阶段的围岩压力主要是由围岩破碎引起的。

由此可见，巷道围岩压力随围岩变形移动及破碎过程，将经过掘巷期间从产生到明显增大→缓慢增大→趋向稳定→岩石破碎冒落期间显著增大→逐渐降低→趋向稳定6个时期。认识到这种巷道围岩从掘进巷道到围岩破坏期间压力变化的动态过程，对于正确选择支护结构类型，及时发挥支护的作用，防止围岩的不利影响，是非常有用的。

（二）巷道埋深

随着开掘巷道深度的逐渐增大，一是巷道上覆岩石重量逐渐增大，原岩应力增大，围岩变形的大小首选取决于原岩应力，而原岩应力的大小与深度成正比。所以巷道埋深越大，变形越大，围岩压力也越大。二是底板软弱时，深部巷道更容易出现底鼓现象，使底鼓成为深部矿井巷道维护的难题之一。三是随着埋深的增加，地温升高，促使岩石从脆性向塑性转化，也容易使巷道围岩产生塑性变形。

在同一深度条件下，构造应力较大的地区，围岩压力因变形增大而显著增大。

（三）支架刚度

变形地压是指塑性区围岩发生离层之前，由于围岩非弹性位移挤压支架而产生的地压。为了限制围岩的变形和阻止塑性区进一步扩展，巷道掘进后必须采取一定的支护措施，此时的围岩压力就是指支承压力。所以围岩压力与支架的刚度有密切关系。可以设想两种极端情况，一是支架的刚性很大，相当于巷道内原有岩体的刚度，在开掘巷道以后，立刻架设这种支架，不允许围岩变形，这时支架的压力，即为原岩应力，这是支架上压力的极大值；另一种情况是支架毫无抵抗围岩变形的能力，围岩将不断变形破碎，将巷道充满，这时全部破碎岩石重量压在支架上，而且还要承担新的平衡状态下传来的应力，这又是一个极值。实际支架当然是处于两者之间，这种支架压力P与围岩变形μ之间的关系，可以用图2-12表示。

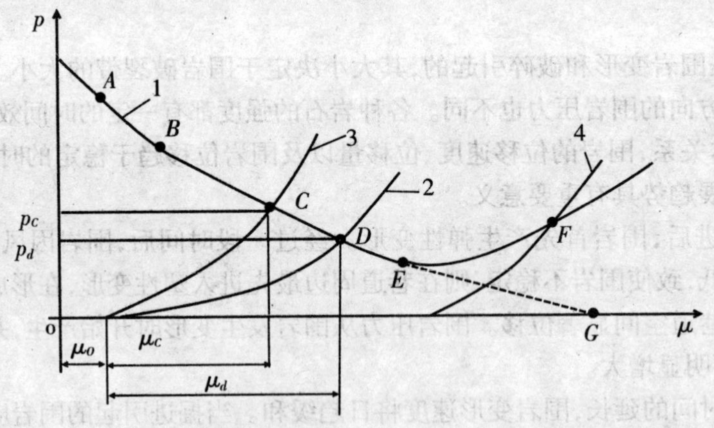

图2-12　支架压力与围岩变形关系

1——围岩位移曲线；2——柔性支架；3——刚性支架；4——松动后支护曲线

图中AB段为围岩的弹性变形，BG段为围岩的塑性变形区。塑性变形区是一种极不稳定的状态，稍有扰动，即可失去平衡。围岩一旦坍塌，相当于扩大了巷道，破裂带又进一步扩大，作用于支架上的压力自然也将增加，所以E点（E点表示巷道开始破碎冒落）以后曲线又回升。如果支架与围岩紧密接触并有一定的柔性(可缩性),当围岩周边向巷道空间位移时,支架与围岩共同变形并逐渐受到愈来愈大的压缩,因而支架对围岩的支护反力也愈来愈大,从而限制围岩位移的发展,当围岩周边位移量达到某一值时(如图2-12中的u_0+u_d),两条曲线交于D点,就是围岩与支架共同作用的工作点。此时围岩在支护反力P_d的作用在达到平衡状态,支架受到与P_d大小相等的围岩压力。如果使用刚度大的支架(曲线3),达到稳定平衡时与围岩位移曲线1相交于C点,此时围岩周边位移量(u_0+u_c)较小,但需支架提供的支护反力P_c比P_d大得多,也就是刚度大的支架将承受较大得地压,这就要求所选用的支架有足够的强度,其支护费用必然增高。如果待围岩有一定变形后再安设支架,或围岩与支架之间有一定的间隙,则相当于把支架特性曲线向右移动,如图中曲线4,其工作点F也可能较低,但往往处于E后的回升段。

支承压力与地面建筑上的负载不同,不是一个定值,而是一个变值。它不仅与围岩性质有关,而且还与支架的刚性有关,这就是围岩—支架共同作用原理。当工作点位于AE段,支承压力主要是由围岩变形引起的,在E点以后,则除了变形引起的压力外,破裂岩石的重量占有很大比重。所以以过高的变形地压为条件来选取支架是不合理的,只要适当的高出P_E(E为松动点)就可以,以免围岩变形过大产生离层而导致松动地压。

由此可得出控制变形地压的具有指导意义的三点原则:

1.控制支架刚度

在软岩或高应力区掘进巷道,为避免出现过大的变形地压,必须控制支架的刚度。如:采用锚喷支护、可伸缩支架等。

2.控制架设的时间

支架架设过早,围岩的的自承作用没有得到充分发挥,支架将承受过大的压力;过迟,围岩产生松动而不能自稳,既不安全,又不经济。故支架的合理架设时间,应满足支架承受的变形地压最小,又不使围岩发展到松动阶段。

3.既控制支架刚度又控制架设时间

当前普遍推广应用的"新奥法"就是控制这两种因素的。在巷道掘进后,立即进行锚喷支护围岩,待变形地压逐渐趋于稳定时,再进行架设跨度大的内层支架。变形地压逐渐趋于稳定的时间,可由现场观察确定。

第二部分　专业核心知识点

1.巷道围岩的变形移动和破坏。

2.巷道围岩的应力分布。

3.按围岩的变形量判断巷道的稳定状态。

4.控制变形地压的具有指导意义的三点原则。

复习题

1.什么是巷道地压？
2.岩体的原始应力和围岩应力分布有什么区别？
3.什么是围岩压力？影响因素有哪些？
4.巷道顶板、底板、两帮的变形与破坏的形式有哪些？

技能训练题

根据你矿巷道实际情况合理选择支架的刚度和架设时间，并作图说明。

讨论题

根据所学的巷道地压知识开展井巷维护讨论。

要点：

井巷破坏的主要原因是开掘后重新分布的围岩应力超过了岩体的强度，因此，井巷维护的基本原则是提高围岩强度，降低围岩应力，改善围岩的应力状态，以便充分利用围岩的自身抗力去支撑井巷地压。在井巷施工中，采用快速掘进，爆破掘进采用光面爆破和预裂爆破，钻进机掘进以及特殊掘进中的注浆和化学加固等施工方法，均可相对提高围岩强度；降低开掘过程对围岩的削弱程度。此外还应：

（1）选择合理的井巷位置。尽可能选在地质和水文地质条件较好没有软弱夹层的岩体中；尽量避开回采的影响；主要巷道应布置在崩落带以外，并保持一定距离。

（2）选择合理的井巷断面形状和尺寸。圆形与椭圆形井巷断面的应力集中程度最低，巷道断面越高，巷道两侧的压力越大，巷道两侧应采用圆弧形断面；巷道断面越宽，巷道顶部的压力越大，巷道顶部应采用圆弧形断面，以减少应力集中。

（3）选择合理的支护类型。对于以变形地压为主的巷道，应选择可缩性大的柔件支架，如锚喷支护、可缩性钢支架及在钢性支架的棚梁和棚腿的接触面、砌碹巷道的肩部加入可缩性材料如橡胶等。对于以松动地压为主的巷道，则可选用有足够强度的刚性支架来支撑松动岩石的重量，如石料砌碹、钢木支架、钢筋混凝土支架等。

（4）确定合理的支护时间。

（5）改善巷道围岩应力状态，减小巷道周边应力集中。巷道断面的最大尺寸应沿着最大来压方向布置；最大来压方向的巷道周边应尽量选用曲线形状。

第三章　钻眼机具

第一部分　系统理论知识

井巷施工首先要破碎岩石，常用的破岩方法有机械破岩和爆破破岩两种。目前，井巷掘进破岩仍以钻眼爆破法为主。钻眼机械按使用的能源可分为：风动、电动、液压、内燃四种；按破岩机理可分为：冲击式、旋转式和旋转冲击式三类。我国煤矿主要采用的钻眼机械是冲击式风动凿岩机（风钻）和旋转式电钻。

第一节　冲击式凿岩机

冲击式凿岩机械，按安设与推进方式可分为：手持式、气腿式、向上式和导轨式四种。

手持式凿岩机可以钻凿任意方向的炮眼，但需要人力支承与推进，劳动强度大，现基本淘汰。

气腿式凿岩机的机身下有一个气腿，起支承和推进作用，主要用来钻凿水平和倾斜的炮眼。它操作灵活，适应性强，劳动强度小，故使用最为广泛。定型产品有YT−23、YT−24、YT−26型等。

向上式凿岩机的尾部固定有一个可伸缩的气腿，它既是支架又是推进器。劳动强度小。主要用于掘进反井、煤仓及安设锚杆时自下向上钻凿与水平成60°～90°的炮眼。

导轨式凿岩机由于质量大，冲击力大，需与凿岩台车（钻车）或凿岩柱架配套使用，可钻凿水平及各种方向的炮眼。国产风动凿岩机的主要技术特征见表3−1。

表3−1　国产风动凿岩机的主要技术特征

类型	型号	阀型	质量/kg	气缸直径/mm	活塞行程/mm	冲击功/J	扭矩/N·m	冲击频率/次·min^{-1}	耗气量/m^3·min^{-1}	附注
气腿式	YT−23	环	24	76	60	>60	>15	2100	<3.6	钎尾均为B22mm×108mm；气压0.5Mpa；风管内径除YT−24为19mm外，均为25mm；水管内径13mm，钻眼深度5mm
	YT−24	控	24	70	70	>60	>13	1800	<2.9	
	YT−26	控	26	75	70	>70	>15	2000	<3.5	
	YTP−26	无	26.5	95	50	>60	>18	2600	<3.0	
向上式	YSP−45	环	44	95	47	70	18	2700	<5	

续表

导轨式	YGP-28	控	28	95	50	90	> 40	2700	< 5.0	钎尾B22mm × 108mm；孔径38~48mm；孔深6m
	YGP-35	控	36	85	80	105	38	2650	< 5	钎尾B25.4mm × 159mm；孔径38 ~ 52mm；孔深6m
	YG-40	控	36	85	80	100	105	1600	< 5	钎尾D32mm × 97mm；孔径40~55mm；孔深15m
	YGZ-90	无	90	125	62	200	> 120	2000	< 11	钎尾D38mm × 97mm；孔径50~80mm；孔深30m

注：1.按凿岩机产品型号编制方法，型号的意义：Y——凿岩机，T——气腿，P——高频，G——导轨，S——向上，Z——独立回转，数字表示机重。

2.冲击频率在2500次/min以上者为高频凿岩机。

一、冲击式凿岩机破岩原理

凿岩机是利用压气推动机体内的活塞前后移动打击钎子完成钻眼工作的。它的破岩原理(钻孔形成过程)如图3-1所示。

钎刃在冲击力F的作用下侵入岩石，凿出深度为h的沟槽Ⅰ-Ⅰ，随后将钎子转动一角度β，再次冲击，此时不但凿出沟槽Ⅱ-Ⅱ，而且两条沟槽之间的三角岩石块，也将由冲击时产生的水平分力H剪切掉。为使钎刃始终作用在新的岩面上，破碎下来的岩石碎屑必须及时排除。冲击、转杆、排粉，往复循环地持续进行，便可凿出圆形炮眼。凿岩机是利用冲击机构、旋转机构和排粉系统来完成上述三个任务的。当然它还设有润滑系统和操纵系统，对凿岩机进行润滑和控制。

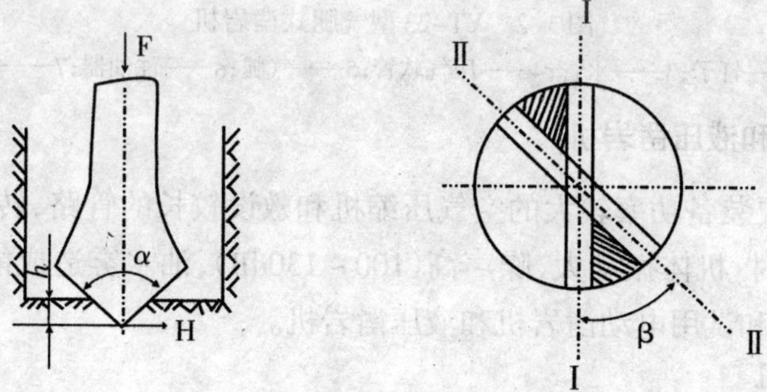

图3-1　冲击破岩原理

二、风动凿岩机

风动凿岩机类型虽多，但结构大同小异。现以YT-23型气腿凿岩机为例，说明其构造和动作原理。

YT-23型气腿凿岩机外形如图3-2所示。主机由柄体、缸体和机头三大部分组成，利用两根螺杆固装在一起。

柄体又名后盖，它由柄体、把手、水针、操纵阀、水阀、换向阀、调压阀等部件组成。操纵阀控制机器运转；调压阀掌握气腿的推力；换向阀控制气腿的减压放气。

机身由缸体和缸体内的棘轮、螺旋棒(来复棒)、阀柜、阀、阀套、活塞、导向套、消音罩等组成。依靠这些部件,实现配气、冲击和转钎动作。

机头部分由机头、转动套、钎尾套和钎卡等组成,它起着传递扭矩和卡钎的作用。

风动凿岩机的动作原理是压气经柄体进入配气机构,由配气阀交替地将压气导入缸体的后腔或前腔,推动活塞作高速往返运动,不断冲击钎尾。钎子的转动是在活塞作回程运动的同时靠螺旋棒旋转带动的。同时压力水经由孔道、水针、钎杆中心孔直达眼底将岩粉混合成泥浆排出眼孔。

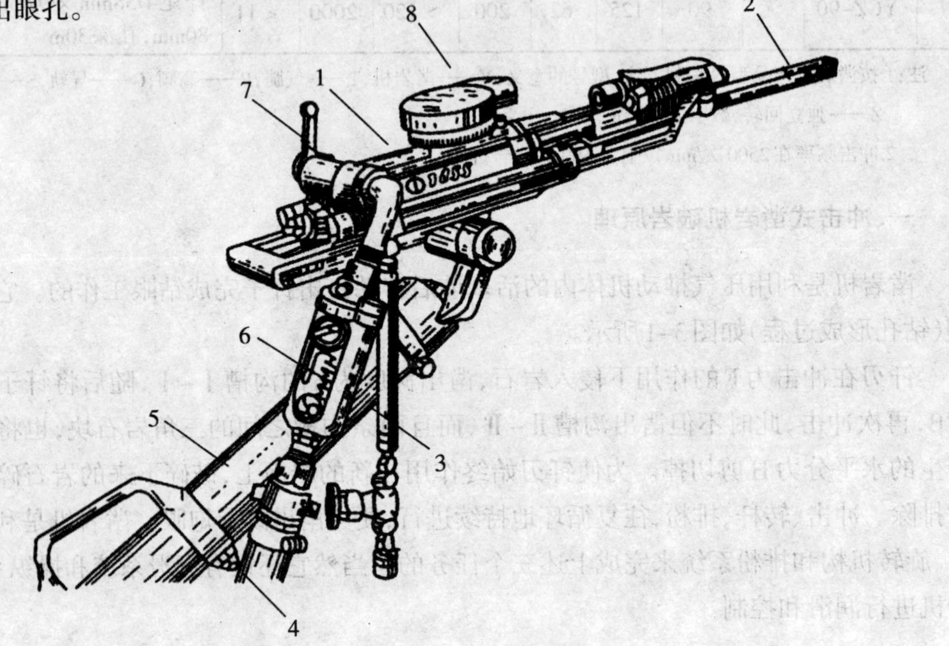

图3-2　YT-23型气腿式凿岩机

1——凿岩机主机;2——钎子;3——水管;4——压气软管;5——气腿;6——注油器;7——操纵阀;8——消音罩

三、电动凿岩机和液压凿岩机

风动凿岩机需要装备功率较大的空气压缩机和敷设较长的管路,转换和传送能量效率较低。凿岩机工作时 机体振动大,噪声高(100~130dB),油水雾造成能见度差。目前,国内外都在研制、生产和试用电动凿岩机和液压凿岩机。

(一)电动凿岩机

电动凿岩机是以电能为动力,其总效率高,动力消耗少,噪音和振动小。为了把电动机的回转运动转换为复冲击运动,常采用的结构形式有偏心块与活塞压气式两种。电动机为矿用隔爆水冷式,可用于煤矿井下,但从2012年起煤矿井下严禁使用支腿式电动凿岩机。电动凿岩机技术特征见表3-2。

(二)液压凿岩机

液压凿岩机以液压油为动力,油压比压气压力大得多,一般在10MPa以上,所有运动部件都浸在油液中工作,润滑条件好,液压油可循环使用。液压凿岩机的钻速高,一般可比风动凿岩机钻速提高2倍多。无排气噪声,噪声降低10~15dB,消除了水雾油雾,工作环境得到改善。它可以钻较深和直径较大的炮眼。液压凿岩机的构造与风动凿岩机基本一样,也是由冲击机构、转钎机构及排粉机构等组成。

表3-2 电动凿岩机的类型及技术特征

技术特征	型号	
	YD-2	YD-30
质量/kg	30	30
凿眼直径/mm	34~43	38
凿眼深度/m	4	4
适用岩石/	6~10	6~10
冲击功/J	>29.4	≥44.1
冲击频率/Hz	44	33~35
扭矩/N·m	>15	≥18
凿岩速度/m·min^{-1}	—	0.15
钎杆转速/r·min^{-1}	—	140
电动机:功率/kW	2.0	2.5
频率/Hz	50	50
电压/V	127	380
转速/r·min^{-1}	2640	2840
隔爆性能	隔爆、水冷	不隔爆、水冷
钎杆规格/mm	B22或B25	B22
水管内径/mm	13	13
冲洗水管水压/MPa	0.2~0.3	0.3~0.5
外形尺寸(长×宽×高)/mm	570×380×230	678×267×170
支腿	水腿式ST-140	手摇支架
最大长度/mm	Ⅰ2880Ⅱ2185	
最小长度/mm	Ⅰ1680Ⅱ1335	—
最大推进力/N	1375	—
附属设备	三缸活塞泵,电缆控制箱,六芯矿用隔爆插销	SDK-380/2~3漏电控制箱

液压凿岩机的冲击机构包括活塞、缸体和配油机构,工作原理与气动凿岩机基本相似,通过配油机构,使液压油交替作用于活塞两端,并形成压差,迫使活塞在缸体内作往复运动,完成冲击钎子、破碎岩石的功能。而且活塞的冲击功可通过改变供油压力或活塞冲程进行调节。

它的旋转机构大多采用独立的外回转机构,用液压马达驱动,并经减速齿轮减速,带动钎子回转。

液压凿岩机排粉可用压气、水或气水混合进行。为了提高凿岩速度,多采用压力高、流量大的冲洗水排粉。供水方式有中心供水与旁侧供水两种。中心供水时,活塞中空;旁侧供水时,钎尾有径向水孔。

与风动凿岩机相比,液压凿岩机主要有以下优点:

(1)钻速提高2~3倍以上;

(2)没有排气,消除了排气噪声,噪声降低10~15dB;

(3)可消除油雾水汽,改善工作环境;

(4)可钻较深和大直径的钻孔。

液压凿岩机多为高频重型导轨式凿岩设备,一般要和凿岩台车配套使用,利用台车上的导轨和推进机构实现推进。

四、提高凿岩效率的措施

提高凿岩效率是凿岩工作的中心问题。其主要措施如下：

(1)合理选择与正确使用凿岩机。操作应保持平稳,不得硬别,并要加强保养与维修凿岩机,保证凿岩机正常运转。

(2)保证气压。工作面气压应不低于0.5MPa。实践表明,气压降低0.1MPa,相应钻进速度要降低30%左右。因此,必须尽量减少管路损失,进气胶管不要过长,防止压气漏损,同时要合理确定凿岩机工作台数。气压过高也不好,它会引起凿岩机剧烈振动,使零部件磨损加快,耗气量增大。

(3)合适的轴向推力。轴推力不足,凿岩机振动加大,容易损坏机件,又由于钎子前后窜动钎头不能经常和眼底岩石接触,故不能保证凿岩机的冲击能量有效地用于破碎岩石;轴推力过大,增加了钎子回转阻力,降低回转速度和冲击功,也将导致钻进缓慢,甚至引起停钻。在一定条件下,各类凿岩机均有相应的最优轴推力,轴推力大小主要取决于凿岩机的气缸直径和使用气压。若气缸直径大、气压高,则所需施加的轴推力大。如YT-23、YT-24型凿岩机的轴推力需800～1000N,YTP-26、YT-26型需1200～1300N。

(4) 水压要适当。水压要低于风压0.1～0.2MPa,且打眼时供水不能中断。

(5) 钎子选择要合适。钎子要合格,钎头锐利,钎杆正直,钎尾硬度准确,光洁度合适,水孔正圆,一般来说钎头直径越大,打眼速度越慢。

(6)正确确定眼径和眼深。炮眼直径和深度加大,钻速必然下降,气腿式凿岩机适合的炮眼直径为38～46mm,眼深不宜超过5m。

(7)改善劳动组织,提高凿岩的工时利用率,减少辅助作业时间。

(8)快速排除故障。在凿岩过程中,不可避免地会出现故障,及时消除故障是保证钻眼工作顺利进行和提高凿岩工时利用率的重要措施。因此必须熟悉各种故障产生原因并掌握其处理方法,见表3-3。

表3-3　**手持式、气腿式、向上式凿岩机常见故障及处理方法**

<table>
<tr><th>故障分类</th><th>故障现象</th><th>故障原因</th><th>处理方法</th></tr>
<tr><td rowspan="2">凿岩速度降低</td><td>钻速明显下降,发生闷响,有时停钻</td><td>工作气压低</td><td>(1)测定工作气压,如不足0.5MPa时,应削减同时工作的凿岩机台数或其他耗气作业机械,及处理管路漏气现象
(2)气管内径要符合要求,长度应不超过12m(气腿式)或25m(向上式)</td></tr>
<tr><td>气腿推力不足,伸缩不灵,机器后跳</td><td>(1)气腿角度不合适
(2)气腿外弯曲、变形
(3)架体与外管螺纹联结不紧,气腿内气管端部两个小密封胶圈损坏或丢失
(4)架体内回程孔被油污及脏物堵塞
(5)活塞胶碗磨损或丢失
(6)换向阀上的密封胶圈安装不正或磨损窜风
(7)快速缩回扳机端部的顶杆磨秃,尺寸缩短,搬扳机时,顶杆不起作用</td><td>(1)加大气腿与工作面的角度
(2)及时调整伸缩外管的弯曲、变形
(3)定期检查和更换已磨损的密封胶圈
(4)选用较硬、耐磨性好的尼龙材料制品或更换扳机、换向阀和顶杆</td></tr>
</table>

续表

<table>
<tr><td rowspan="2">凿岩速度降低</td><td>活塞转动不灵或研缸，机器发热，甚至停钻</td><td>(1)润滑油牌号选择不当
(2)注油器调油针没调好,润滑油流量不充分
(3)活塞大端与气缸内径、活塞小端与导向套内径的配合间隙太小
(4)注油器油路小孔被堵死
(5)活塞、气缸、导向套等质量差,或棱角外有飞边毛刺
(6)机体内进入砂石等脏物</td><td>(1)按凿岩机型号及环境温度,正确选用润滑油
(2)调好注油器中的调油针,拧紧固定螺母
(3)按照活塞与气缸的制造公差,选用适当的配合间隙
(4)清洗注油器油路小孔,采用干净的润滑油
(5)更换零部件时,要清除飞边毛刺
(6)清除机体内脏物,凿岩机停止工作后放置时,要防止砂石脏物从排气口或气管接头进入机体内</td></tr>
<tr><td>(1)工作时从排气口向外排水
(2)从机头端部向外流水</td><td>(1)水的压力高于压气力
(2)水针后部胶圈损坏
(3)钎杆中心孔堵塞
(4)注水阀外圆上安装的密封胶圈磨损
(5)水针焊缝中间裂开
(6)水针尺寸短,不能进入钎尾
(7)压缩空气中含水</td><td>(1)采用降水压或降低水源水位(使之低于压气压力0.1～0.2Mpa)
(2)定期检查和及时更换已密封的胶圈、水针套及气针垫
(3)疏通钻杆中心孔或换合格钻杆
(4)采用符合图纸要求、质量良好的水针
(5)合理安设油水分离器,及时排出积水</td></tr>
<tr><td>活塞使用寿命短</td><td>(1)活塞端面打堆、打裂
(2)活塞打断</td><td>(1)制造质量不好,材质不适合或热处理不当
(2)钎尾硬度太高或钎尾断面不平直,造成活塞端面局部受力
(3)钎套内六方孔磨损,钎尾摇摆
(4)压缩空气压力过高,或开动时给气过猛
(5)钎尾长度不足,产生打空</td><td>(1)换用质量合格的活塞
(2)严格要求钎尾加工质量,磨钎尾的砂轮粒度不能太粗
(3)不能使用内六方磨损超限的钎套
(4)合理调节凿岩机使用气压</td></tr>
<tr><td>水针损坏</td><td>从机头向外流水，影响正常润滑与工作</td><td>(1)钎套内六方孔已磨损,造成钎尾摆动
(2)钎尾中心孔过小或歪斜</td><td>(1)钎套内六方孔磨损超限时应及时更换
(2)加工钎尾时要符合要求
(3)水针质量要符合要求</td></tr>
<tr><td>气水联动失灵</td><td>(1)排气口喷雾
(2)从机头向外流水
(3)转动时快时慢</td><td>(1)注水阀小圆上安装的密封胶圈损坏
(2)注水阀后部弹簧失效,当压气停止后,弹簧不能关闭水路
(3)注水阀的密封胶圈,经油浸后涨大,故开动操纵阀接通压气时,打不开水路
(4)注水阀体的通水孔堵死
(5)水压太高,故关闭操纵把手时不能关闭水路</td><td>(1)经常检查注水阀的密封胶圈,如损坏应及时更换
(2)水压不能超过0.3MPa
(3)注水阀体和注水阀,要经常清洗和除锈</td></tr>
<tr><td>断钎</td><td>经常断钎</td><td>(1)管路气压太高
(2)骤然大开车
(3)钎子弯曲
(4)钎子过渡角太大
(5)钎尾有热处理裂纹</td><td>(1)采取降压措施
(2)应缓慢启动
(3)调整钎子
(4)增大过渡圆角使之达到15°
(5)改进钎尾加工工艺</td></tr>
<tr><td>不易启动</td><td>(1)从机头向外流水
(2)声音不对
(3)跳闸
(4)机器抖动</td><td>水针被撤掉
润滑油太浓或太多
水注入机体内</td><td>补装水针
调节适当
查找原因及时排除</td></tr>
</table>

第二节　冲击式钻眼工具

冲击式钻眼工具是用来破碎岩石的工具，又称钎子。它由活动钎头1、钎杆2、钎尾4和钎肩3组成。钎子有整体钎子与组合钎子两种。整体钎子由于钎刃强度低、不耐用、损耗大、钎头修磨搬运工作量大等缺点，已很少使用，广泛使用的是组合钎子(图3-3)。

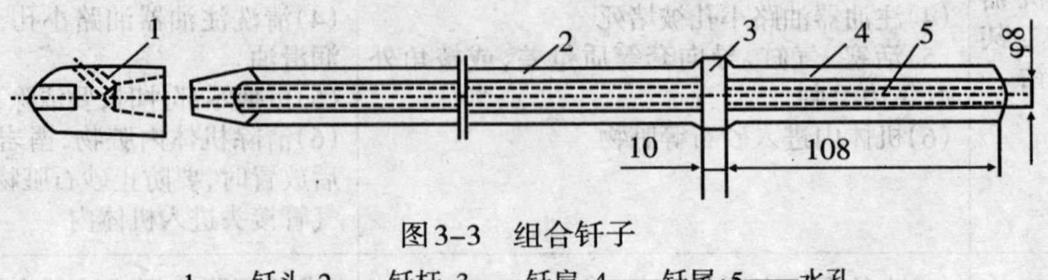

图3-3　组合钎子

1——钎头；2——钎杆；3——钎肩；4——钎尾；5——水孔

一、钎头

钎头是直接破碎岩石的部分。它的形状、结构、材质和加工工艺等是否合理，都直接影响凿岩效率和本身的磨损。钎头要求锋利、坚韧耐磨、排粉顺利、制造及修磨简便，而且成本要低。

(一)钎头的形状

钎头的形状较多，现常用的有一字形和十字形，钎头镶有硬质合金片，如图3-4(a)、(b)。近年来镶硬质合金齿的球齿钎头，如图3-4(c)，已开始使用。

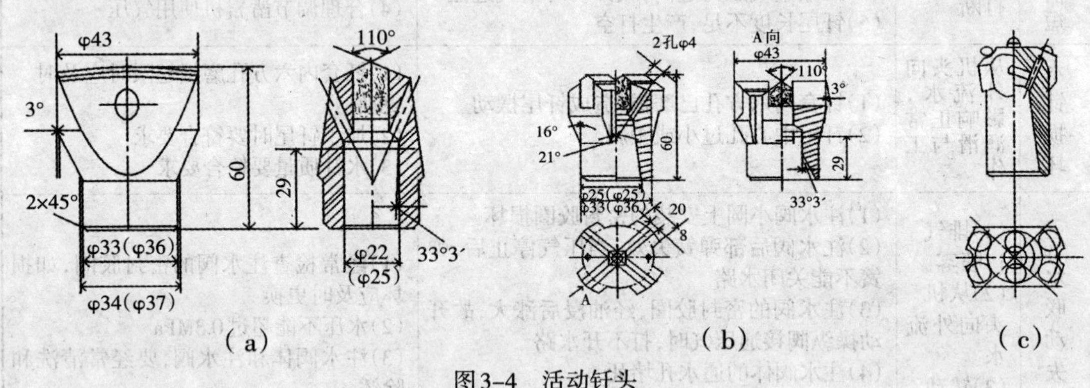

图3-4　活动钎头

(a)一字形钎头；(b)十字钎头；(c)球齿钎头

一字形钎头冲击力集中，一次凿入岩石的深度大，凿速较快，制造和修磨工艺简单，应用广泛。缺点是凿裂隙性岩石时易夹钎，径向磨损较快，有时凿出的炮眼不圆，开眼困难。

十字形钎头克服了一字形钎头的缺点，但凿速一般较低，而且合金片的用量大，制造与修磨工艺复杂。

球齿钎头在钎头体上镶嵌几颗球形或锥形硬质合金齿而成。它的优点是：可根据眼底面积合理布置球齿，使冲击能量在眼底均匀分布，破岩率高；开眼容易、不易夹钎、炮眼圆；重复破岩少，岩屑呈粗颗粒状，粉尘少；耐磨；凿岩速度较快等。球齿钎头适用于磨蚀性较高的硬脆岩层中凿眼。

(二)钎头结构与几何参数

(1)刃角。即钎头两个刃面的夹角,刃角的变化范围一般在90°~120°,且多为110°。刃角小,易凿入岩石,钻速快,但易磨钝和碎裂;刃角大,钎刃强度高,耐磨性好,却增加了钎刃凿入岩石的阻力,钻速慢。通常在坚硬岩石开凿时,刃角可大些,防止崩刃及减轻磨损;在软岩开凿时,刃角可小些,以提高凿眼速度。

(2)隙角。即钎头体两侧面的倾角。它可以减少钎头与眼壁的摩擦,能避免卡钎。隙角过小,容易卡住钎头;隙角过大,钎头会产生崩角,且径向易磨损。一般隙角为3°,球齿钎头隙角在7°左右。

(3)钎刃。为避免冲击时钎刃两端承受弯曲应力而掉角,一字形的钎刃不做成平直,而做成曲率半径约为180mm的弧形。同理,球齿钎头的周边齿一般向外倾斜30°~35°。

(4)钎头直径。为保证药卷顺利装入炮眼,钎头直径(初始直径)一般为38~43mm。

(5)排粉沟和吹洗孔。排粉沟是排出炮眼底部岩粉的沟槽,一般布置在钎头的顶部和侧面,沟槽断面应保证岩粉浆以不小于0.5m/min的速度外流。吹洗孔可布置在钎头中心或两侧,以便吹洗岩粉,其总断面积不应小于钎杆中心孔的断面积。

(三)硬质合金片的选择

钎头体上镶焊的是钨钴类硬质合金,这类合金是将碳化钨粉末与钴粉按一定比例配合,压制成形后经高温烧结而成的。这种钨钴合金具有碳化钨的高硬度、高耐磨性、高抗压强度,又具有钴的良好韧性。常用硬质合金片的主要特征见表3-4。

表3-4　钨钴类硬质合金片主要性能

合金牌号	成分/%		主要性能				
	碳化钨	钴	抗压强度/MPa	洛氏硬度(不小于)/HRA	抗弯强度(不小于)/MPa	热导率/W.(m.K)$^{-1}$	适用条件
YG-6	94	6	—	89.5	13.7	60.7	硬煤及较软岩石
YG-6C	94	6	—	91	13.2	—	软和较软岩石
YG-8	92	8	52.9	89	14.7	59	软和较软岩石
YG-8C	92	8	—	88	17.2	—	中硬岩石
YG-11	89	11	47	88	16.7	67	中硬、中上等坚硬岩石
YG-11C	89	11	—	89	19.6	—	坚固岩石
YG-15	85	15	—	89	19.6	70.3	最坚固岩石

冲击式凿岩机常用的牌号为YG-8C、YG-11C、YG-11、YG-15。Y表示"硬"质合金拼音字头,G表示钴。后面的数字为合金中含钴的百分数。C表示"粗"晶粒合金。合金硬度和耐磨性随钴的含量而改变,含钴量少则硬度和耐磨性增高,韧性降低;含钴量大,则韧性好,硬度及耐磨性降低;含钴量相同时,碳化钨粉末颗粒越细越耐磨,但也越脆;晶粒粗则韧性好。

(四)钎头与钎杆的连接

钎头与钎杆的连接方法有两种:螺纹连接和锥形连接。螺纹连接加工较复杂,安装、拆卸不便,已很少使用。采用较多的是锥形接头(图3-5),即用钎杆前部的锥形梢头与钎头上的锥窝依靠摩擦力楔紧，一般锥体角为1°30′~3°30′，锥形角为3°~7°。前端应留有6~8mm间隙，以免损坏钎头。

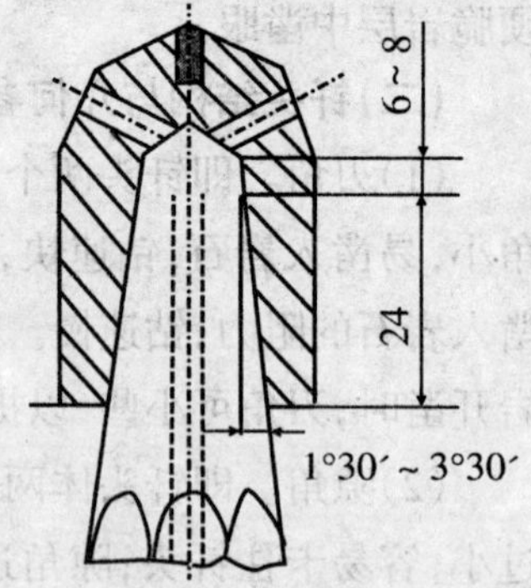

图3-5　钎头与钎杆的锥形连接

二、钎杆

（一）钎杆的作用与受力分析

钎杆是传递冲击功与回转力矩的细长杆体。冲击时又由于横向振动产生弯曲应力。在凿岩过程中，钎杆在每分钟高达2000多次的重复冲击力的作用下，承受着冲击疲劳应力、弯曲应力、扭转应力和矿井水的侵蚀等，因此很容易产生疲劳破坏，使钎杆折断。

钎杆的破坏，常从某一薄弱的横断面上（如淬火时产生的微小裂纹，中心孔不圆正，钢材中偶有粗大晶粒等）形成疲劳核心开始，工作中又不断发展扩大，这是导致钎杆折断的根源。因此，必须注意材料的严格选择。

（二）钎杆的选择

钎杆横断面形状有中空六角形与中空圆形两种，以中空六角形B22、B25（B指边至边的尺寸，单位mm）使用最多，中空圆形D32、D38（D指直径，单位mm）多用于重型导轨式凿岩机上。过去我国使用的钎钢是中空碳7（ZKT7）和中空碳8（ZKT8）等碳素工具钢，疲劳强度低，易产生裂缝、折断，寿命短。近年来，开始推广使用中空合金钢，钢种有：中空8铬（ZK8Cr）、中空55硅锰钼（ZK55SiMnM$_O$）和中空40锰钼钒（ZK40M$_N$M$_O$V）等。这些合金钢具有强度高、抗疲劳性能好、耐磨蚀等优点。虽然价格较贵，但使用寿命要比碳素工具钢高3~5倍，因此使用很多。钎杆的材料选择见表3-5。

表3-5　钎杆的选择

钢种	钢号		钎杆断面形状尺寸	适用条件			
	牌号	代号		凿岩机	钎杆类型	岩石性质 ʃ	钻眼深度
碳素钢	中空碳7	ZKT7	B22 B25	B22适用于手	小钎杆	6~12	浅孔
碳素钢	中空碳8	ZKT8	B22 B25	持式	小钎杆	6~12	浅孔
碳素钢	中空碳9	ZKT9	B22 B25	气腿式	小钎杆	6~12	浅孔
硅锰钢	中空硅锰	ZKSiMn	B22 B25	向上式	小钎杆	6~12	浅孔
铬钢	中空8铬	ZK8Cr	B22 B25	B25适用于轻	小钎杆	6~12	浅孔
硅锰钼钢	中空55铬硅锰钼	ZK55SiMnMo	B22 B25	型导轨式	小钎杆	6~12	浅孔
锰钼钒钢	中空40锰钼钒	ZK40MnMoV	D32 D38	重型导轨式	接杆钎 耳式钎	6~18	中深孔
硅锰钼钒钢	中空35硅锰钼钒	ZK35SiMnMoV	D32 D38	重型导轨式	接杆钎 耳式钎	6~18	中深孔

三、钎尾和钎肩

钎尾是直接承受活塞冲击和扭转并传递能量的部分。钎尾形状、规格如图3-6所示。

钎尾横断面尺寸应与凿岩机的转动套筒正好配合，过紧卸装不便；过松容易磨损转动套，并且易使钎杆产生横向振动与弯曲应力而折断。

钎尾的长度必须准确。过长会缩短活塞冲程，降低冲击功；过短会使活塞冲击功无力，降低凿岩速度。气腿式凿岩机使用的钎尾长度为108mm，其偏差规定为±0.1mm。为了保证凿岩机活塞与钎尾完全对准冲击，钎尾端面应垂直钎杆轴线并要平整。

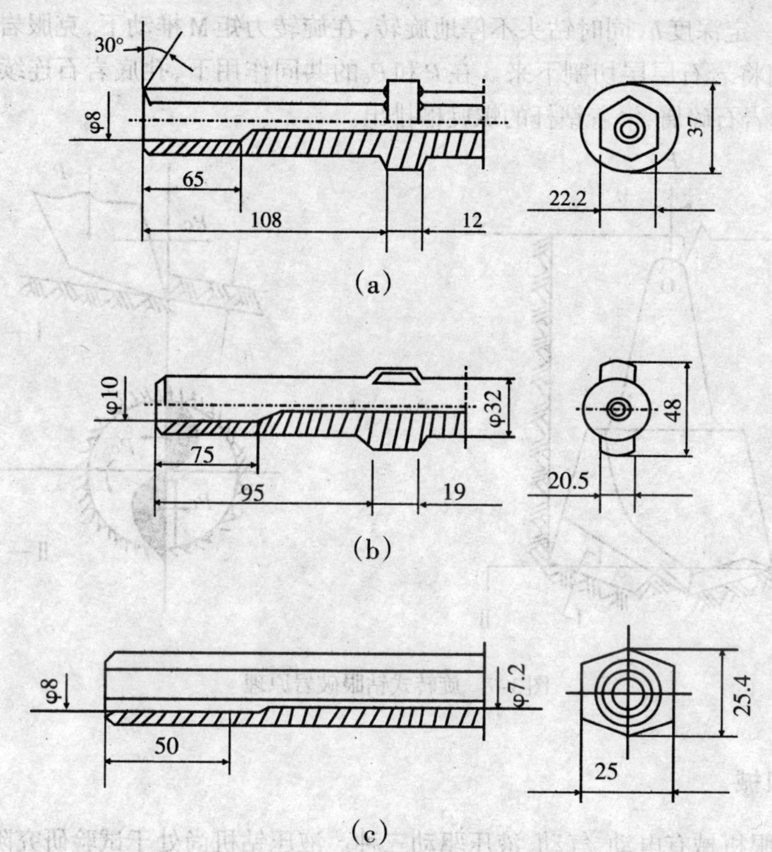

图3-6　钎尾和钎肩的构造

(a)环形钎肩；(b)耳形钎肩；(c)无钎肩

钎尾的淬火硬度应略低于活塞硬度，以保证两者具有较长的寿命。淬火硬度过软容易被打堆，淬火硬度过硬则会损坏活塞。一般钎尾端面硬度应控制在HRC49～55。

钎尾中心孔应予扩大并达到规定深度，以保证水针顺利插入钎尾并在钎尾转动时不发生接触。

钎肩是用来限制钎尾插入机体的长度，并使钎卡能卡住钎杆不致从迁尾套中脱落。其形状、规格如图3-6所示。六角形钎杆用环形钎肩，圆钎杆用耳形钎肩。向上式凿岩机用的钎子没有钎肩，因机头内有限定钎尾的砧柱。

第三节　旋转式钻眼工具

一、破岩原理

旋转式钻眼破岩原理如图3-7所示。钻头在轴向压力P的作用下，克服岩石的抗压强度并侵入岩石一定深度h，同时钻头不停地旋转，在旋转力矩M推动下，克服岩石的抗剪切强度，钻头向前将岩石层层切割下来。在P和P_c的共同作用下，孔底岩石连续沿螺旋线破坏，切削下来的岩石碎屑，沿着钻杆的螺旋槽排出。

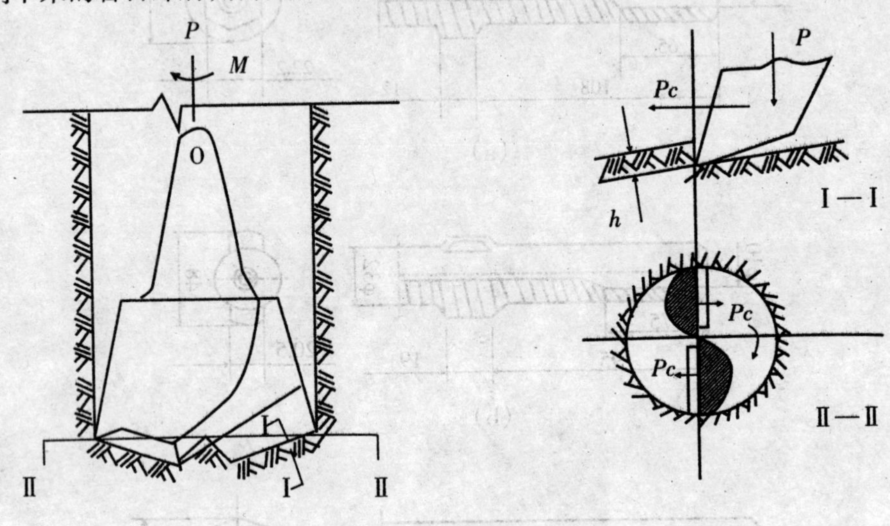

图3-7　旋转式钻眼破岩原理

二、钻眼机械

旋转式钻眼机械有电动、气动、液压驱动三种。液压钻机尚处于试验研究阶段。大量使用的是电钻。

电钻按使用条件和推进方式，分为手持式煤电钻和支架式岩石电钻两种。

(一)煤电钻

煤电钻由电动机、减速器、开关、手柄、散热风扇和外壳组成。如图3-8所示。它采用三相交流异步笼型封闭感应电动机，电压为127V，功率一般为1.2kw。减速器一般由二级外啮合圆柱齿轮减速。散热风扇装在机轴后端，与电动机同步运行。

煤电钻的外壳用铸铝合金制成，电动机、减速器、开关均密封在外壳内，严密隔爆。壳外设有轴向散热片，由风扇冷却。后盖两侧设有手柄，手柄上设有开关扳手，手柄包有绝缘橡胶，以防触电，同时必须配备综合保护装置。

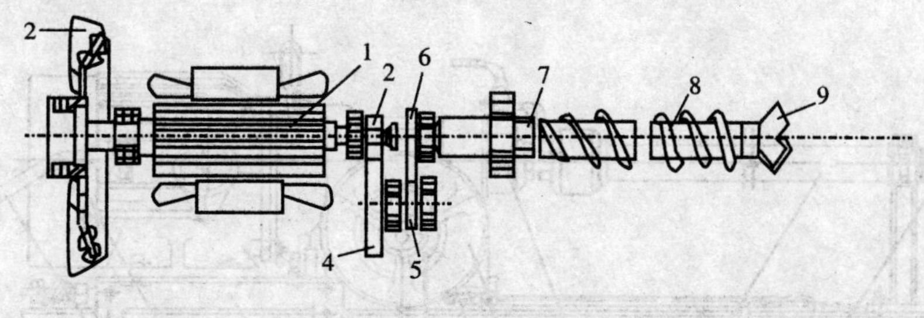

图3-8 煤电钻内部结构

1——电动机；2——散热风扇；3、4、5、6——减速器齿轮；7——电钻心轴；8——钻杆；9——钎头

为了降低粉尘，制成MZ-12S型中孔供水式煤电钻。它是MZ-12型煤电钻的派生系列产品，该产品属矿用隔爆型。钻眼时，由供水开关控制，通入适量清水，经空心麻花钻杆，在钻杆端部的空心钻头处喷水，喷水后其平均粉尘浓度仅为干式钻眼时粉尘浓度的5%。

煤电钻适用于煤层和$f<4$的软岩中钻眼。国产煤电钻的技术特征见表3-6。

表3-6 **煤电钻技术特征**

技术特征	型号				
	MZ-12	MZ-12S	SD-12	MZ-12A	MSZ-12
质量/kg	15.25	≤15	18	15.5	13
功率/kw	1.2	1.2	1.2	1.2	1.2
电钻效率/%	79.5	80.43	75	76	74
额定电压/V	127	127	127	127	127
额定电流/A	9	9	9.1	9	9.5
相数	3	3	3	3	3
电动机转速/$r\cdot min^{-1}$	2850	2820	2750	2820	2800
电钻转速/$r\cdot min^{-1}$	640	600	620/420	520	630
电钻扭矩/N·m	17.2	19	17.6/26	20.69	18
外形尺寸（长×宽×高）/mm	366×318×218	355×328×255	427×314×354	340×318×220	310×300×200
钻孔直径/mm	38~45	38~45	36~45	38~45	36~45
适用条件	中硬及硬煤	中硬及硬煤	中硬及硬煤	—	中硬及硬煤
最高供水压力/MPa	—	1~1.5	—	—	—
供水流量/$L\cdot min^{-1}$	—	0~5	—	—	—
密封寿命/h	—	1000	—	—	—

注：M——煤；Z——钻；S——手持；D——电；数字12——额定功率1.2kw；数字后S——湿式

（二）岩石电钻

岩石电钻由于电机容量大，质量大，钻进时需要很大的轴推力，故必须有自动推进与支撑设备。

岩石电钻安装在特制的导轨上，由电动机、减速箱、牵引装置、机壳和供水装置组成（图3-9）。电动机经减速后带动涡轮涡杆，通过摩擦离合器，带动链轮在链条上正反转动，从而带动岩石电钻沿导轨前后移动。

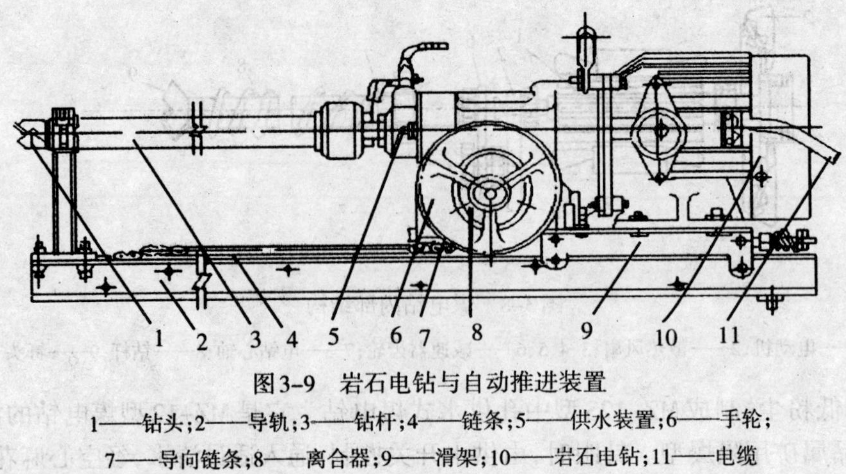

图3-9 岩石电钻与自动推进装置

1——钻头;2——导轨;3——钻杆;4——链条;5——供水装置;6——手轮;
7——导向链条;8——离合器;9——滑架;10——岩石电钻;11——电缆

岩石电钻采用六角中空钢钎,湿式钻眼,其破岩方式仍为旋转式。与冲击凿岩机相比,岩石电钻有直接用电、设备简单、噪音低等优点。但在坚硬的岩石中使用时,要求有很大的轴推力和旋转力矩,而且钻头极易磨损,故效率难以提高。在f=4~6的岩石中钻眼比较适宜。岩石电钻的技术特征见表3-7。

表3-7 岩石电钻的技术特征

技术特征	型号		
	EZ-20	红卫	YZ-23
质量/kg	45	37	35
功率/kw	2.0	2.0	2.0
额定电压/V	127/380	380	380
额定电流/A	13/4.4	4.5	4.7
电动机转速/$r \cdot min^{-1}$	2790	2800	2820
电钻速度/$r \cdot min^{-1}$	240/360	240/360	240/360
推进速度/$mm \cdot min^{-1}$	单384/576,双192/288	280/525	264/468
最大推力/N	6860	6860	6860
冷却方式	风冷	风冷	水冷
供水方式(炮眼)	侧向	侧向	侧向
防爆性能	防爆	不防爆	防爆
推进方式	钢绳	链条	链条
适用范围	f≤10	f≤10	f≤10

三、钻眼工具

(一)钻头

钻头是直接破岩的部分,工作时要承受很大的轴推力和扭力矩,故要求它坚固、耐磨,具有适当的几何形状尺寸。钻头有两翼的也有三翼的。最通常的是两翼钻头,如图3-10所示。它由刃、钻头体部和连接部组成。构造钻刃部分镶有硬制合金片,每块合金片都有主刃1及副刃2。

由主刃构成主刃夹角φ,由副刃构成副刃夹角Φ,由主刃和副刃构成主副刃夹角φ_1。φ_1

越小越易压入岩石，但也越易磨损。在煤和软岩中钻眼φ_1应小些，在硬岩中应大些。它的大小一般为90°～120°。

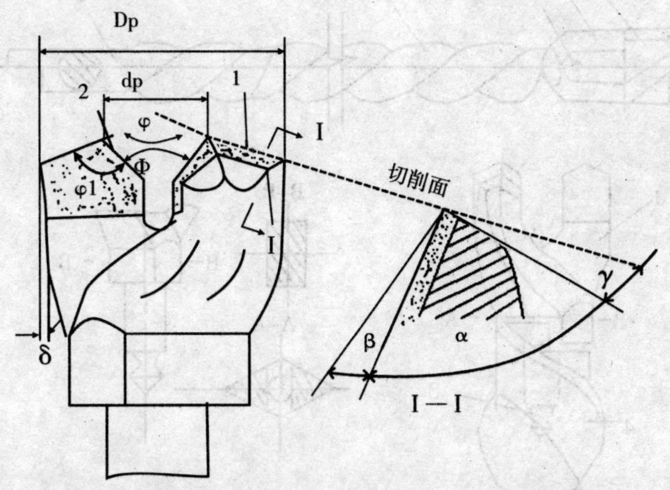

图3-10 电钻钻头几何形状示意图

从一个钻刃的剖面图上（图中Ⅰ－Ⅰ剖面）看，钻刃和切削面构成几个角度：

(1) 刃角α。α越大钻刃越坚固耐磨；α越小越锐利，越易压入岩石，但强度降低，磨损快。一般钻煤时α取60°，钻硬煤和岩石时α取90°

(2) 后角γ。它是为减少钻刃与眼底岩石之间的摩擦而设的一个角度。γ越大摩擦越小，但钻翼的强度越低，所以γ不宜过大，一般为5°～20°，但当前角为负值时，γ可增大到30°。

(3) 前角β。$\alpha+\gamma<90°$，则β为正值；$\alpha+\gamma>90°$，则β为负值。钻煤时β约为15°，钻岩石时可为0°或负值。

(4) 隙角δ。为了减小钻头侧面与炮眼壁之间的摩擦，钻头体还应设有隙角δ。

钻头直径D取决于药卷直径，一般为38～45mm。

(二)钻杆

钻杆的作用是向钻头传递轴推力和旋转扭矩。

煤电钻钻杆由菱形或矩形断面的碳素工具钢(T_7、T_8)扭制而成，俗称麻花钻杆（图3-11）。钻眼时，岩粉能自动沿钻杆上的螺旋沟槽排出。矩形断面的钻杆，强度较小，但排粉能力大，适用于煤层中钻眼。菱形断面的钻杆，虽然排粉能力低一些，但强度较大，故应用较多。钻杆前部的方槽与销钉孔是用来插入和固定钻头的，必须与钻头的尺寸相符合，钻头插入后用销钉固定。钻杆尾部要车成圆柱形，以插入电钻的套筒内，其直径与长度应与电钻的钎套筒尺寸相吻合。

当采用MZ-12S型中心孔供水湿式煤电钻时，要选用中空麻花钻杆和空心钻头。

岩石电钻钻杆，要求强度高，能承受较大的轴推力和扭矩，又多采用湿式排粉，一般都采用六角中空钢或中空圆钢制作。

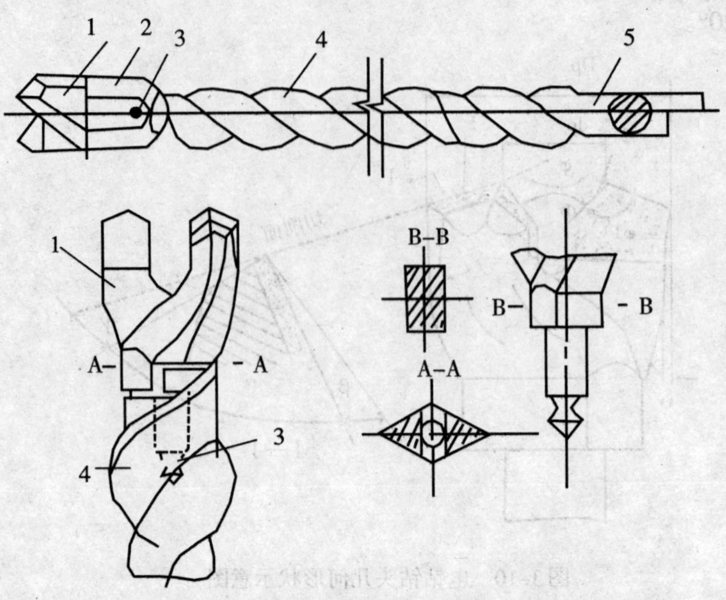

图3–11 麻花钻杆钻头

1——钻头；2——钻杆方槽；3——销钉孔；4——麻花钻杆；5——钻杆尾

四、影响旋转式钻眼速度的因素

(一)轴推力与钻速的关系

在钻头转速固定不变的条件下，钻头在轴推力逐渐增大时，压入岩石的深度呈跳跃式增加，当压力小于某一临界值时，钻头进入岩石表面研磨区，岩石只作弹性或塑性变形，并不破碎。在该区域内，钻速很低，而比功耗很大。

轴推力超过临界值后，岩石进入疲劳破碎过渡区，但仍未达到岩石极限强度或压入硬度时，旋转钻头多次与岩石冲击接触，使岩石产生微裂纹，钻速开始缓慢增加，比功耗明显下降。

当轴推力使割刀顶端与岩石接触面上的压力大于岩石抗压强度时，割刀开始压入岩石，进行体积破碎，切割厚度和钻速将随轴推力增大而近似直线上升，而比功耗虽继续下降，但不明显。该区称为钻削破岩区。

当轴推力超过极限值后，岩石处于重复破碎状态，加上温度升高等原因钻头磨损加快，这时轴推力增加，钻速不再增大，甚至下降，比功耗也开始增加，该区称为阻塞区。图3–12所示的曲线表示轴推力与钻速的关系。

从以上规律可得出结论：当转速固定时，所给轴推力必须保证钻头在钻削破岩区内进行钻进。

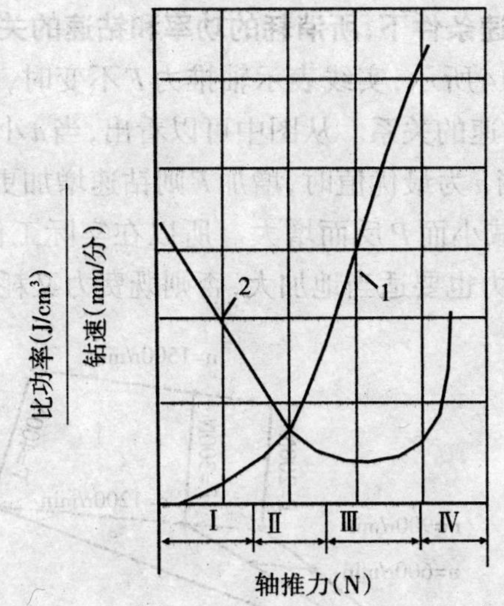

图3-12　钻速比功耗与轴推力的关系

1——钻速与轴推力的关系曲线；2——比功耗与轴推力的关系曲线；

Ⅰ——表面研磨区；Ⅱ——疲劳破碎过渡区；Ⅲ——钻削破岩区；Ⅳ——阻塞区

(二)转速对钻速的影响

当轴压一定时，在煤层中钻眼，钻头转速n和钻速的关系如图3-13所示。从曲线中可见，随转速增加，钻速不断增高，破碎过程加快，超过一定范围后温度加剧，刃尖切割岩石时，岩石变形没有充裕的时间向前传递，而且切削下来的岩石碎屑也来不及排除，造成岩屑积滞重复破碎，摩擦阻力加大，钻速反而下降。因而对一定强度的岩石有一个最优转速，此时的钻速最大，功耗最小。

最优钻速的数值取决于岩石的坚固程度，在不同岩性下钻孔，由于岩石的力学性质发生了改变，钻孔速度也要相应地变化。岩石强度越高，钻头所要克服的阻力越大，最优转速也就越低，相应钻速也就越低。

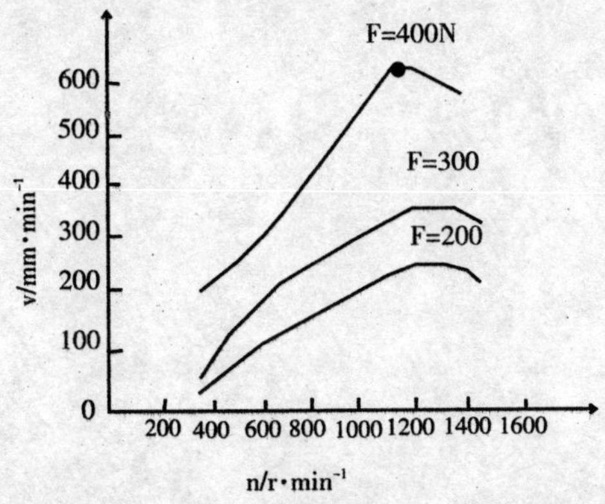

图3-13　电钻转速n对钻速的影响

（三）在不同轴推力和转速条件下，所消耗的功率和钻速的关系

在煤层中钻眼，如图3-14所示，实线表示轴推力F不变时，电钻功率P和钻速的关系；虚线表示转速不变时，P和钻速的关系。从图中可以看出，当n小于最优值时，增加F将使钻速增加很快而P增加不多；当n为最优值时，增加F则钻速增加更快而P增加甚微；当n大于最优值时，增加F将使钻速减小而P反而增大。所以在实际工作中，应选择最优的电钻转速，不要过分加大转速，轴推力也要适当地加大，否则既费力又耗能，钻速反而下降。

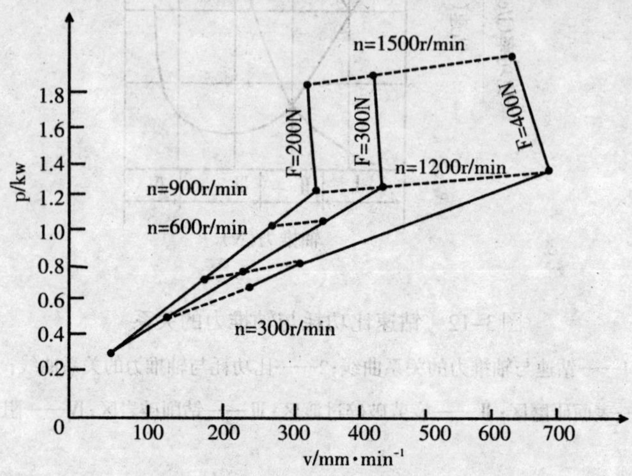

图3-14　电钻轴推力和转速变化时消耗的功率P和钻速的关系

第二部分 专业核心知识点

1.冲击式凿岩机破岩原理;气动凿岩机、电动凿岩机和液压凿岩机以及提高凿岩效率的措施。

2.冲击式凿岩工具,包括钎头、钎杆、钎尾和钎肩。

3.旋转式钻眼工具破岩原理、钻眼机械、钻眼工具及影响旋转式钻眼速度的因素。

第三部分 专业技能训练

一、钻眼机具的选择

(1)煤矿使用的钻眼机械有凿岩机和电钻两大类。煤矿使用的电钻主要有煤电钻和岩石电钻两种,煤电钻通常在煤巷中使用;岩石电钻可在f<10的岩巷中使用,但目前在煤矿很少使用。

岩巷掘进可供选择的凿岩机按动力分风动、电动、液压、内燃四种。目前煤矿普遍采用的为风动凿岩机。

(2)钎头的选择。钎头有一字形和十字形,钎头镶有硬质合金片,如图3-4(a)、(b)。近年来镶硬质合金齿的球齿钎头,如图3-4(c)已开始使用。

二、常用钻眼机具使用维护

(一)气腿凿岩机

1.注意事项

(1)新机使用前,必须拆卸,用煤油清洗内部零件,除去零件表面的防锈油脂,重新装配零部件时,各零部件配合面必须涂润滑油,两个长螺栓螺母应均匀拧紧;整机装配好后插入钎杆,用于单向转动应无卡阻现象,并应空车轻运转或在低气压(0.3MPa)下运转5min左右,检查运转是否正常。同时检查各操作手柄和接头是否灵活可靠,避免机件松脱伤人。

(2)开机之前接装钎子、风、水管,均应吹净孔管内和接头处脏异物,以防污物进入机体内,使零件磨损或水路堵塞。

(3)开机之前注油器要装足润滑油,并调好出油量,并注意盛油器皿的清洁。耗油量控制在2.5mL / min ~ 3mL / min为宜,即在正常润滑条件下,每隔1h加一次油,油量过大或过小都对机器不利,禁止无油作业。出油量大小由注油器上的油阀调节,油阀逆时针旋转油量增大,顺时针旋转油量减小直至关闭油路。机器停止运转时,应关闭注油器以防止润滑。

(4)机器开运时应轻运转开动,在气腿推力逐渐加入的同时逐渐全运转凿岩。不得在气腿推力最大时骤然全运转,禁止长时间空车全运转,以免零件擦伤和损坏。把钎时以轻运转为宜。

(5)垂直向上凿孔时,必须注意安全。开眼时,让钎具稍稍前倾。开眼后,让主机与气腿靠到位,使整机直线钻进。在上山和下山巷道,应利用巷道坡度,钻出与顶板垂直的岩孔。

(6)机器用后应先卸掉水管进行轻运转,以吹净机体内残余水滴,防止内部零件锈蚀。

(7)凿岩机使用三天,最多一周后,就要拆开清洗。拆卸工作要在固定的清洁环境中进行,并按规定程序操作,严禁随意敲打零件。

(8)双级气腿,勤加维护。凿岩时要防止岩石擦伤中筒,每班凿岩毕,要用水冲洗掉中筒内活塞杆表面的黏附异物,涂刷润滑油,并用手拉动,使其伸缩自如。

(9)经常拆装的机器,在正常凿岩过程中,两个长螺栓螺母易松,应注意及时拧紧,以免损坏内部零件。气腿与主机铰接处,大螺母必须拧紧,而小螺母是用来调节铰接松紧程度的，切勿拧得太紧。

(10)已经用过的机器，如果长期存放，应全部拆卸，零件清洗吹净，涂防锈油封存。

2.打眼工操作技术

(1)在钻眼过程中，工作人员必须精力集中，注意观察钻进情况。

钻眼时必须严格按照爆破说明书的规定，认真掌握炮眼的眼位、方向、角度和深度。

(2)打眼工站在钻机侧后方，一手把住手柄，一手操纵开关，两腿前后错开，保持身体平衡，注视前方钻杆，缓送气腿阀门，使气腿蹬到实处，并达到一定的支撑力。

(3)撑杆工站在钻机一侧，距离工作面400～600mm，两手抓稳钻杆，对准标好的眼位，两腿前后叉开站稳，以防断钎伤人，向打眼工发出开机信号。

(4)开眼时，必须使钎头落在实岩上，如有浮矸，应处理好后再开眼。

(5)开钻时，应把凿岩机操作阀开到轻运转位置，待眼位固定，并钻进20～30mm后，撑杆工两手松开，退到机身后侧监护，再开到中运转位置钻进，钻到50mm深钻头不至脱离眼口时，再全速钻进。

(6)钻眼时，应先开水，后开气门(气水联动的例外)，打眼过程中，给水要适量均匀，以岩粉呈稀糊状排出为宜。多台作业，禁止交叉打眼，禁止钻眼钻杆下有人。

(7)凿岩机钻眼过程中，要经常检查气水管接头是否牢固，有无脱扣现象。如接得不好，应先停钻，处理好后再开钻。

(8)钻眼时，凿岩机、钻杆与钻眼方向要保持在同一个垂面上，推力要均匀，不要用力过大，下钻眼要适当提钻减压，以防夹钻断钎。

(9)掌握好钻孔的深度和角度，达到要求深度时，减速撤钻。

(10)小开阀门，停止向前推力，使钻杆缓慢旋转，缓慢向怀中拉钻机，同时缩气腿，使钻杆在旋转中退出炮眼。此时，撑杆工待钻杆钻速减慢时，站在钻杆一侧，协助打眼工把钻杆退出炮眼。

(11)打眼工在撑杆工的协助下，重新定钻—钻眼—退钻杆，循环作业，直到炮眼全部打完。

(12)钻杆与钻头连接要牢固，钻眼过程中，发现合金片脱落，必须及时更换钎头，不得继续钻眼。

(13)钻眼时，撑杆工不准戴手套，袖口必须扎紧，毛巾必须塞到工作服领口里面并扣好领扣，防止钻杆扭缠伤人。

(14)钻眼工打眼时，万一断了钎子，应迅速抱住凿岩机，以免造成人身事故。

(15)眼位过高，钻架高度不够时，必须搭设牢固的工作台，在工作台上打眼。

(16)在坡底大于20°的上山工作面钻眼时，要搭设水平工作台，在台上钻眼，后边设横木挡住。

(17)下山工作面钻眼时，如工作面有水，应先排净，并清理浮碴，见实底，禁止在水中钻眼，以免触发残瞎炮。

(18)在下山工作面钻眼，每打一个眼，拔出钻杆后，应及时插入木塞，以防堵眼。

(19)在钻眼过程中，如突然停气、停水不能打眼，应将钻机取下，拔出钻杆，防止卡钻压弯钻杆。

(20)钻眼过程中,如发现岩层出水、瓦斯涌出异常现象时,要停止打眼,不得拔出钻杆,迅速报告区矿调度室。

(21)钻眼时不准装药,严禁打眼与装药同时作业。

(22)严禁在残瞎炮眼位上加深打眼。

(23)钻完眼后要逐个验收,凡不符合规定的必须补打。

(24)钻完眼后,应先关水阀,使风钻空运动,以吹净其内部残存的水滴,防止零件锈蚀。然后将钻眼工具设备等全部撤到安全地点存放。

(25)验收合格的眼,要逐个用压气吹眼器吹干净。操作者站在眼侧,其他人全部撤离工作面。吹毕,将气水管撤到安全地点盘放整齐。

(26)两台或多台钻机作业时,应按作业规程规定的区域、顺序打眼,防止相互干扰。

(二)煤电钻

煤电钻是直接以电能为动力,连续旋转切削破碎岩石的钻眼机械。

使用煤电钻时应保持均匀的推力,开眼后即将推进方向保持正直,不能歪扭别劲。如果工作时电钻温度太高(>50℃)或声音不正常(例如有冲击声、摩擦声以及因一相接触不良产生的"嗡嗡"声等),均应停止使用,并送机修单位检查。钻眼完毕应拔掉防爆插头,并将电钻和电缆撤到安全地点,以免爆破时砸伤。钻眼时如果遇到坚硬物体(例如煤层中的夹矸、黄铁矿结核等),应该放慢推进速度,以免电机超负荷运转,使得温度过高甚至烧毁。

1.使用煤电钻时的安全要求

(1)应带齐所用工具、备品和零件(钻杆、钻头、钳子、螺丝刀和铁丝等)。

(2)电钻外壳壳体应无裂纹、破伤,螺栓紧圈;开关应灵活可靠,主轴旋转方向正确,声音正常。

(3)电钻电缆不能有网结,防止胶皮破伤漏电,并用麻绳悬吊在巷道一帮,间距3~5m,悬垂松紧适度,剩余的电缆要选择安全的地点盘好。

(4)进行风流、瓦斯检测,工作面无风或风流中瓦斯浓度达到1%时,必须停止用电钻打眼。

(5)做到敲帮、问顶,工作面顶帮、支架应完整安全,上班无丢炮、瞎炮。发现问题应及时处理,确保钻眼的安全。

(6)掌钻人员自身的胶鞋应良好无破损,要做到"三紧"、"两不要",即:衣角、袖口、领口紧,不要带布、线手套,不要把毛巾漏在外面,应扎好放在领子内。

2.煤电钻操作要求

煤电钻操作中要注意的事项,归纳为一句话,就是"四勤"、"四要"、"一集中"。

(1)"勤闻"。嗅觉要灵敏,特别要注意烧电机的臭味和接头连电的烧胶皮臭味。

(2)"勤看"。随时注意检查煤壁、顶板、支架变化情况,观察设备工具和钻进状态,掘进时应照准中线操作。

(3)"勤听"。随时听顶板和电钻钻进声音,有奇声异响时,立刻停钻处理。

(4)"勤动手"。随时敲帮问顶,处理伞檐和顶板浮石,钻进时要注意多排粉。

(5)“要平”。把钻端平,全身用力,身体保持平衡。入钻、推进、退钻都要平,不让电钻上下左右摇摆,电钻正对打眼方向,钻杆沿着直线前进,钻杆才不会弯曲或卡死,炮眼才能打平、打直。

(6)“要稳”。抱钻要稳,情绪要稳。冷静地听钻进声音,判断变化,如声音清脆,就要增加推力,快打眼;如声音奇异,就需少用力,并向外拉动钻机使钻空转,排一排煤粉再向前推进。

(7)“要均”。任何时候都要均匀用力使钻,不得用猛力推。

(8)“要准”。打眼角度方向要准。钻进时要按角度要求对准方向操作,保持钻杆在炮眼口中心转动。打上部眼时就注意看准下部眼位,退钻后立刻对准下部眼位入钻。

(9)“精力集中”。操作时精力要高度地集中,时刻注意对钻孔的规格质量要求。注意安全生产,防止精神松懈发生事故。

3.有下列情况之一时,不准打眼

(1)工作面风流中瓦斯浓度达到1%时。

(2)发现煤层内有连续小煤炮声响或有大量瓦斯涌出,有煤与瓦斯突出的征兆时。

(3)冲击地压危险工作面打眼过程中,出现卡钻杆、孔内冲击以及爆孔等动力现象时。

(4)发现煤层变潮、煤质松软,又挂红、挂汗、空气变冷、出现雾气、水叫、顶板来压、片帮严重、底板臌起或产生裂隙,出现涌水、水色发浑、有臭味等异状的透水预兆时。

(5)打眼时突然遇压力水从钻孔流出时(此时严禁抽动钻杆)。

(6)悬顶距离、探顶距离或端面距离超过作业规程的规定时。

(7)支护不齐全、不牢固时。

(8)在自溜运输工作面,打眼处的上方正在出煤时。

(9)抵抗线小于0.5m(岩石0.3m)时。

对前4项,如情况紧急,必须发出警报,撤出所有受威胁地点的人员。

(三)掘进凿岩台车

掘进凿岩台车是一种在车体上安装数个钻臂(通常是2~4个)用以架支凿岩机的机械。钻臂可以任意转向,以适应工作面上任何位置、任何方向的钻眼工作。台车的使用,可使钻眼工作全部机械化、自动化,劳动效率很高。

台车有机械和液压两种。液压台车的自动化程度高,多台凿岩机可以集中控制,机械台车的设备简单,加工容易。台车主要结构有行走设备和回转钻臂等。

行走设备分轨轮、履带、轮胎三种。台车在工作面可用卡轨器(手动、风动、液压)固定于轨道上,或用固定气缸、液压千斤顶固定于顶底板上,使钻眼时不致移动。

钻臂回转由转柱推动,上下由俯仰油缸推动,导轨的摆动由水平摆角油缸推动,回转油缸可使推进器翻转180°,以利于钻边眼和底眼,另有补偿油缸用于将导轨紧顶在工作面上。因有四连杆机构,所以当推进器调到水平位置后,不管钻臂上下左右如何摆动,均能使推进器保持水平,使钻凿的炮眼保持平直。水平摆角油缸、俯仰油缸及升降油缸均设有液压锁,使钻臂和导轨移动到某一位置后,绝不会因震动或发生故障而移动。

在台车上还有供气、供水、供油、液压系统,以及控制台、行走机构、照明等设备,故其构造比较复杂。

三、钻眼的要求

(1)打眼要掌握“准、平、直、齐”四要点,即点眼要准确,掌钎要平,眼要直,眼底要落在一个垂直面上,爆破后工作面要齐整。

(2)为确保达到“准”的要求,每次打眼前,必须将中腰线引到工作面,找出巷道轮廓线来,然后按爆破图表标出每圈炮眼布置线和每个炮眼位置。眼位要准,与图表的误差不允许大于30mm。

(3)为确保达到“平、直、齐”的要求,打眼前要量好钎长,标好记号。打眼时,先按巷道中心线打好第一个炮眼,插入炮杆,作为打好其他炮眼的导向标准,点眼人点完眼后,到凿岩机后掌握方向。

(4)要定人,定钻,定出每部钻打眼的顺序。

(5)打2.5m以上的顶眼,要使用合适的高凳子和接长钻腿,以便把钻掌稳、掌准、掌平。

复习题

1.钻眼机械是怎样分类的?常用的有哪些?

1.冲击式凿岩的原理是什么?

2.提高凿岩效率的措施有哪些?

3.旋转式钻眼破岩原理是什么?

4.影响旋转式钻眼速度的因素有哪些并进行分析。

5.凿岩机钎子的钎头和钎尾各有什么要求?

技能训练题

对凿岩机进行钎杆、钎头的拆装训练,练习操作风动凿岩机。

讨论题

凿岩机钻眼作业中常发生哪些问题?怎样进行预防处理?

要点:

(1)钻眼时,凿岩机左右摇摆,气腿忽升忽降,操作不稳,造成炮眼不直。这时需改进操作技术,保证钻眼平直。

(2)炮眼打在岩石层节理、裂隙中,被松动的岩块卡住。预防和处理办法是,定眼位时避开裂缝。在松动岩石处理后再开眼,在缝隙发育的岩中,采用十字形钎头。

(3)钎杆质量不好,钻眼时变形。克服这种情况,要注意凿眼深度超过1.8~2.0米时,采用钎子组,并保证钻杆平直。

(4)岩粉排除不畅,钎子被岩粉堵塞。预防措施应在钻眼中注意炮眼排粉情况,排粉不畅时,要加强排粉。

第四章　爆破材料与爆破原理

第一部分　系统理论知识

第一节　爆炸和炸药的一般特性

一、概述

四大发明之一的黑火药,对人类社会生产力的发展起了重要的作用。炸药的应用和爆破技术的发展历史悠久。

有学者把这一漫长的发展史划为三个不同的时期:

(一)黑火药时期(公元7世纪~18世纪)

几千年前,燧人氏钻木取火开始了人类对火的利用,继而进入煤和石油燃烧的利用。当今已进入原子能的时代,从某种意义上讲,人类是从火中繁荣起来的。在利用火的技术中,火炸药的利用独树一帜。

直到18世纪末,黑火药还是唯一的炸药品种,统治了一千多年。 1799年雷汞的发现和应用标志着黑火药时代的结束。

(二)奠基时期(1800年~1949年)

19世纪基础化学的发展促进了炸药化学的研究,一些工业炸药相继问世。值得纪念的是:1867~1875年伟大的化学家诺贝尔发明了硝化甘油炸药、硝化棉炸药和雷管,推动了爆破技术向生产建设的广阔领域发展。

20世纪初,人类经历了两次世界大战。炸药的研究和生产达到了鼎盛时期,从另一个角度讲也推动了炸药和爆破技术的发展。这一时期的主要标志为雷管、导火索、导爆索的广泛应用。

(三)现代化时期(1950年起)

其主要标志为:微差爆破技术、导爆管起爆、乳化油炸药、静态爆破、控制爆破等技术的发展与成熟。

近代,由于广泛运用各学科领域的新成就和现代化的精密仪器,更由于采矿、航天、军工、水电建筑以及医疗、救灾对爆破技术的应用的特殊要求,爆破技术出现了日新月异的局面。

二、爆炸现象及其分类

物质发生急剧变化,瞬间放出大量能量,对周围介质做功,使之发生破坏,同时可能伴随声、光、热效应的现象,称为爆炸。这种现象称为爆炸现象。

特点:大量能量在有限的体积内突然释放或急剧转化。

外部特征：由于介质受震动，伴有声、光、热等效应。

如矿井瓦斯煤层爆炸、炸药爆炸和锅炉爆炸等。一般根据爆炸产生的原因和特点，爆炸现象可分为三类：物理爆炸、核爆炸和化学爆炸。

（一）物理爆炸

爆炸时仅发生物态的急剧变化，物质的化学成分不改变，称为物理爆炸。如蒸汽锅炉爆炸、汽车轮胎爆炸和氧气瓶爆炸等。

（二）核爆炸

由某些物质的原子核发生裂变或聚变引起的爆炸，称为核爆炸。如原子弹和氢弹爆炸。

（三）化学爆炸

爆炸时不仅发生物态变化，而且物质的化学成分也发生变化的称为化学爆炸。如瓦斯或煤层的爆炸、炸药爆炸。

二、炸药的主要特性及炸药爆炸的三要素

在外界能量作用下，自身进行高速的化学反应，同时产生大量的高温高压气体和热量，这种物质称为炸药。

（一）炸药的主要特性

其主要特性如下：

1.具有相对稳定性和化学爆炸性

当炸药未受外界能量作用时，常温下处于相对稳定状态，保证其加工、运输及储存使用的安全。但炸药的物质结构属化学不稳定体系，一旦受到外界能量作用，就打破了原来的平衡结构，经化学反应转化为爆炸。

2.在微小的体积中蕴藏有巨大的能量

单位质量的炸药爆炸时放出的热量要比单位质量的普通燃料燃烧时放出的热量要小，但在极短的时间（0.1 ~ 1ms）内单位容量的炸药爆炸比单位容量的普通燃料缓慢燃烧放出的热量大数百万倍，即炸药具有很高的能量密度。

3.能够依靠自身的氧实现爆炸反应

炸药主要由碳、氢、氧、氮四种元素组成，它爆炸时与普通燃料燃烧时不同，不需要外界供氧，只靠自身的氧就可以进行爆炸反应。

（二）炸药爆炸的三要素

炸药爆炸必须具备以下三个基本条件：即放热性、生成气体产物和反应的高速度。这是构成爆炸的必要条件，缺一不可，故称为爆炸反应的三要素。

1.反应的放热性

炸药爆炸过程放出大量热量是对周围介质做功的能源，放热不足或吸热反应都不能维持反应自动传播，也不能形成爆炸。

2.反应的高速度

炸药爆炸反应是由冲击波激起的，其爆炸速度可达每秒数千米，在反应区内炸药变成爆炸气体的时间只需几微秒。由于爆炸反应的速度极高，反应结束瞬间，其能量几乎全部聚集

在炸药爆炸前所占据的体积内,因而能够达到很高的能量密度。炸药发生爆炸变化所达到的能量密度比一般燃料燃烧时达到的能量密度要高数百至数千倍。正是由于这个原因,爆炸过程才具有巨大的做功能力和强烈的破坏效应。

这是爆炸反应区别于其他化学反应的一个显著特点。

3.生成气体产物

爆生气体是做功的介质,反应生成大量的气体,而且气体在高温高压状态下迅速膨胀对外做功,这是炸药能量转化的过程。如果物质的反应热很大,但没有气体产物形成,就不会具有爆炸性。

炸药爆炸必须具备上述三个条件,三者相互作用,缺一不可。放出的热使温度上升,促使反应加快;反过来,高速反应又促使产生大量的气体和放出热量,气体的压力和温度急剧上升。所以高温、高压、高速是炸药爆炸的重要特点。

三、炸药化学变化的形式

爆炸并非炸药唯一的化学变化形式。由于反应方式和引起化学变化的环境条件不同,一种炸药可能具有三种不同形式的化学变化,即缓慢分解、燃烧和爆炸。

(1)缓慢分解。炸药在常温条件下,若不受其他外界能量作用,常以缓速进行分解反应,但反应过程中不产生火、光和声响,不易被察觉,对外界没有作用。环境温度越高,分解越显著。其特点是:炸药内各点温度相同;在全部炸药内反应同时进行,没有集中的反应区;分解时可以吸热,也可以放热,决定于炸药的类型和环境温度。炸药在储存期间,缓慢分解不仅使炸药变质,若分解过程是放热的,放出热量不能及时散去,将促使温度不断升高,分解速度加快,当温度升到爆发点时,缓慢分解就会转化为燃烧或爆炸。因此,储存期间,必须采取措施,控制温度、湿度和压力,防止发生自燃和自爆事故。

(2)燃烧。与其他可燃物一样,炸药在一定的条件下也会燃烧,不同的是炸药的燃烧不需要外界提供氧,也就是说,炸药可以在无氧环境中正常燃烧。与缓慢分解不同,炸药的燃烧过程只是在炸药的局部区域(即反应区)内进行并在炸药内一层层地传播。炸药的快速燃烧(每秒数百米)又称爆燃。爆燃属热传导过程。

保存期间要注意改善通风条件,防止炸药在密闭条件下燃烧。一旦炸药着火,切不可用沙土掩埋,因为炸药本身含有氧化剂,不需要外界供氧,密闭反而会导致压力升高,使燃烧加速,甚至引起爆炸。

(3)爆炸。炸药的爆炸过程与燃烧过程类似,化学反应也只是在反应区内进行并在炸药内按一定速度一层层地自行传播。反应区的传播速度称为爆速。在炸药的爆炸过程中,若爆速高且保持定值,就称为稳定爆炸,稳定爆炸又称为爆轰。否则称为不稳定爆炸,简称爆炸。因为爆炸是靠冲击波的作用来传递能量和激起化学反应的,爆炸产物的运动方向与反应区运动方向相同,产生数千至数万兆帕的压力。

炸药的上述三种化学变化形式,在一定条件下,都是能够相互转化的,缓慢分解可发展为燃烧、爆炸;反之,爆炸也可转化为燃烧。

第二节　炸药的爆炸性及其测定

一、炸药的起爆与传爆

通常把利用一种炸药装药(如雷管或起爆药柱)的爆炸引起与它直接接触的另一种炸药装药爆炸的现象称为起爆。习惯上称起爆的装药为主发装药,被起爆的装药为被发装药。使炸药活化发生爆炸反应所需的最低的能量(活化能)称为起爆能或初始冲能。

在地下工程爆破中利用雷管的爆炸冲能,首先在炸药某些局部造成热点,在热点处的炸药首先发生热分解,同时放出热量,放出的热量又促使炸药的分解速度迅速增加。如果炸药中形成热点数目足够多,且尺寸又足够大,热点的温度升高到爆发点后,炸药便在这些点被激发并产生爆炸,同时进一步扩展。

(一)殉爆

殉爆是带有雷管的主发药包爆炸时,由于冲击波的作用引起相隔一定距离的另一同种药包也爆炸的现象。在炸药生产、储存和运输过程中,必须防止炸药产生殉爆,以确保安全。但在工程爆破中,则必须保证炮眼内相邻药卷完全殉爆,以防止产生半爆不爆,降低爆破效果。

炸药殉爆的难易程度决定于炸药对冲击波作用的感度,通常用殉爆距离表示。其定义是主发装药与被发装药之间能发生殉爆的最大距离称为殉爆距离。不爆炸的最小距离称殉爆安全距离。

殉爆距离一般可通过实验来确定(图4–1)。在捣实的沙土地面上用木棍压出一个半圆形的坑。在坑的一端放置一个装有雷管的主发药包,相隔一定距离放置另外一个未装雷管的药包。主发药包起爆后,如果另一药包也爆炸,就加大距离再试,直到找出能连续发生三次殉爆的最大距离,以厘米表示,即为该炸药的殉爆距离。

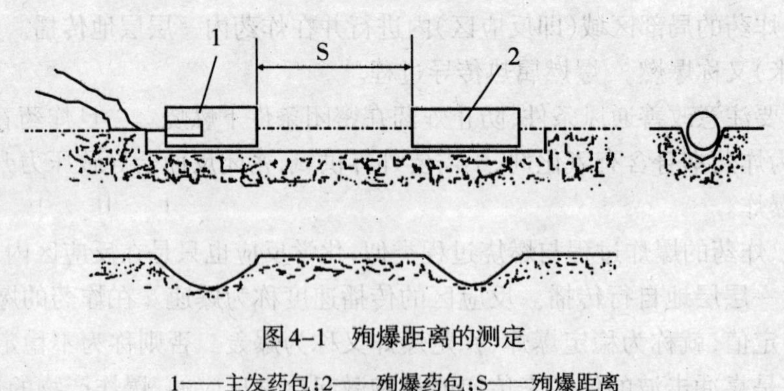

图4–1　殉爆距离的测定

1——主发药包;2——殉爆药包;S——殉爆距离

(二)传爆

炸药由起爆到爆炸结束的过程中,爆炸反应在炸药中自行传播的过程叫做传爆。

地下工程爆破大都用雷管的起爆能来起爆炸药,雷管的作用仅在于使它临近的局部炸药分子爆炸。至于整个药包能否完成爆炸,则取决于炸药爆炸的稳定传播。也就是说,炸药的爆轰是冲击波在炸药中传播而引起的，而在冲击波作用下快速化学反应所释放出的能量又支持了冲击波的传播，使其波速保持恒定而不衰减。这种伴随有化学反应的冲击波，称为爆轰波，其波速称为爆速。爆速是衡量炸药质量的重要指标，它反应了炸药爆轰（又称爆震，它是一个伴有大量能量释放的化学反应传输过程）的性能。

1.影响稳定爆轰的主要因素

（1）药卷直径。在一定范围内，炸药的爆速和传爆稳定性是随装药直径增加而增加的。炸药爆轰所产生的能量并未全部用于传爆，有一部分径向逸散到药卷周围产生空气冲击波或应力波。药卷直径越小，逸散出去的这部分能量所占的比例越大。因此，当药卷直径小到一定程度时，传爆性极差，甚至自行熄爆，这时的直径称为临界直径。将药卷直径自临界直径逐渐增大，爆速也逐渐提高，最后达到了稳定值。此后，药卷直径再增大，爆速也不会提高，这时的直径称为极限直径。

（2）炸药密度。对单质炸药而言，密度增加，则爆轰压力也增高，爆轰也更加稳定，因此，加大密度能使爆轰更加稳定。混合炸药则常有一个最佳密度，超过之后爆速则要降低。矿用炸药都是由几种混合成分组成的炸药，它们一般都存在一个最佳密度区，在此范围内，可以保证炸药传爆的稳定。炸药密度过大或过小，都会使爆速下降，传爆不稳定，甚至拒爆。《煤矿安全规程》规定，在装药时不得冲撞或捣实炸药，就是为了避免因改变药卷密度而导致爆破事故的发生。

（3）起爆冲能。炸药起爆后，并不是一开始就达到了稳定传爆状态，通常都要有一段加速过程。起爆能越小，炸药的敏感性就越低，这段过程就越长。如果再有其他不利因素影响，就可能不起爆或中途停止爆轰，不利于爆破安全。足够的起爆能是保证传爆稳定性的重要条件。足够的起爆能，使爆速很快达到最大值，传爆很快处于稳定状态。起爆能达到一定值后，爆速就不再提高。

（4）其他因素。在炸药的传爆过程中，其他诸如药包外壳的强度、炸药的粒度、变质程度以及填塞质量等，都对炸药能否爆轰有明显的影响。

2.间隙效应

药卷较多时，常常不能全部传爆，总要留下一些残药。实验表明，在药卷与孔壁之间存在一定间隙，特别是间隙较大时，常发生传爆不良的现象，这一现象称为间隙效应。它直接影响爆破效果。解决的办法有：减小炮眼直径；或在药卷上隔一定距离套上硬纸板做成的隔环；或在药卷中心扎一轴向孔；或隔一定距离用炮泥或黄油糊上，加粗药卷直径；或采用水胶及乳化炸药等。

二、炸药的爆炸作用

炸药爆炸时对周围介质（例如岩石）的各种机械作用统称为爆炸作用。炸药的爆炸作用可分为动、静作用两部分。利用炸药爆炸产生的冲击波和应力波造成的破坏作用称为动作用，以炸药的猛度来表示，其大小取决于炸药的爆速；利用爆生气体的静压或膨胀做功造成的破坏或抛掷作用称为静作用，以炸药的爆力来表示，其大小主要取决于炸药的爆热。动作用和静作用的共同作用表示炸药的威力。

一般认为，炸药都具有动（冲击）和静（膨胀）两种作用。在脆性硬岩中冲击作用对岩石的破坏起主导作用;在韧性软岩中膨胀作用对岩石的破坏起主导作用。因为在脆性硬岩中爆生的冲击波和爆轰波传播速度快,形成的冲击破坏作用大;而在韧性软岩中爆生冲击波和爆轰波传播速度慢,形成的冲击破坏作用小。这就是常说的“脆性硬岩不吃药,韧性软岩吃药多”和“炸药吃硬不吃软”的道理。

(一)猛度与测定

炸药的猛度是指炸药爆炸对周围介质的冲击粉碎能力,也就是冲击波的作用强度。一般来说,炸药的密度和爆速越高,猛度也越高,冲击粉碎能力越强。

爆破不同性质的岩石,应选用不同猛度的炸药。一般来说,岩石的声阻抗愈大,炸药猛度应愈高。爆破声阻抗较小的岩石或进行土壤抛掷爆破时,炸药猛度不宜过高。若炸药猛度过高,可采用空气柱间隔装药或不耦合系数较大的不耦合装药,以减小作用在炮眼壁上的初始压力,从而降低炸药的猛度作用。

猛度的试验测定方法有多种,其原理都是找出与爆轰压或头部冲量相关的某个参量作为炸药猛度的相对指标。较普遍采用的测定方法是铅柱压缩法(如图4-2)。爆炸后测量铅柱压缩尺寸作为猛度的数据,单位为毫米。

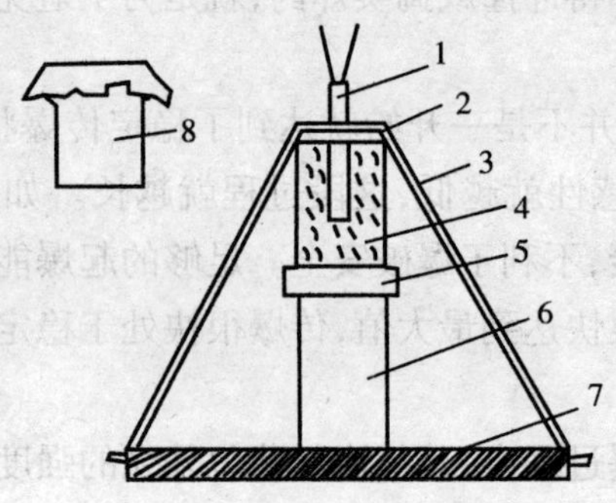

图4-2 炸药猛度的测定

1——8号雷管(插入药包深度为15mm左右);2——纸盖板(纸厚1.3~2mm,ø38~ø39mm,中央留孔ø7.5mm);
3——系绳(固定用);4——药包(纸筒ø40mm,纸厚0.2mm,内装50g待测炸药,装药密度与药卷同);
5——钢片(ø41mm,厚10mm,粗糙度3.2);6——铅柱(ø40mm,高60mm,粗糙度6.4,要求端面平行);
7——钢(厚20mm,短边长200mm,粗糙度6.4);8——爆炸后被压缩的铅柱

(二)爆力与测定

炸药爆炸时对周围介质做功的能力称为爆力,它是由炸药能量转化而来的,主要取决于炸药爆炸时产生的气体量和放热量。

测定炸药爆力的方法常用铅柱扩孔法,试验装置如图4-3所示,爆炸后可用量筒向孔内注水测得梨形容积,从中减去原孔眼体积和雷管扩孔体积,即得炸药的爆力数据,其单位为毫升。

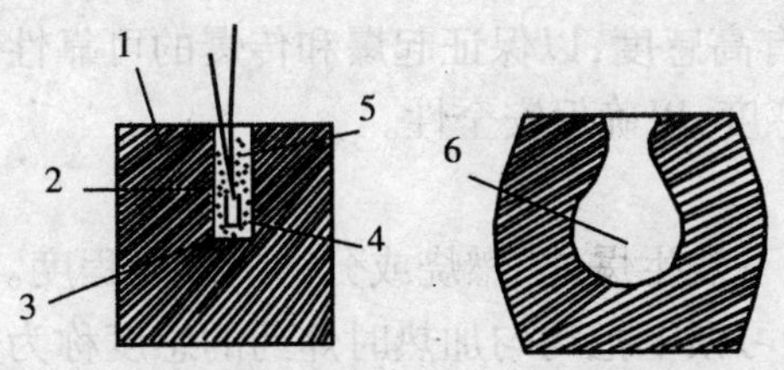

图4-3　炸药爆力的的测定

1——铅铸(ø200mm,高200mm精铅铸制);2——孔眼(ø25mm,深125mm);3——炸药(重10g,装入ø24mm的锡箔箱内);4——雷管(8号);5——石英砂(144孔/cm²筛下砂);6——起爆后铅铸被扩大的形状

(三)爆速与测定

爆速是指炸药被起爆后,在其本身内的爆轰波的直线传播速度。爆速的测定如图4-4所示,在药卷上取A、B两点并精确量出距离,用直径0.1~0.3mm的漆包线双股扭成两根探针(下端剪开不通电)分别插入A、B处,并连接在爆速仪的导线上。药卷起爆后,探针的漆包线被爆轰波高温烧坏,先后向仪器输入计时开始和终止信号,这段时间由数码管显示出来。将距离除以爆轰波通过它需要的时间,即得爆速值。

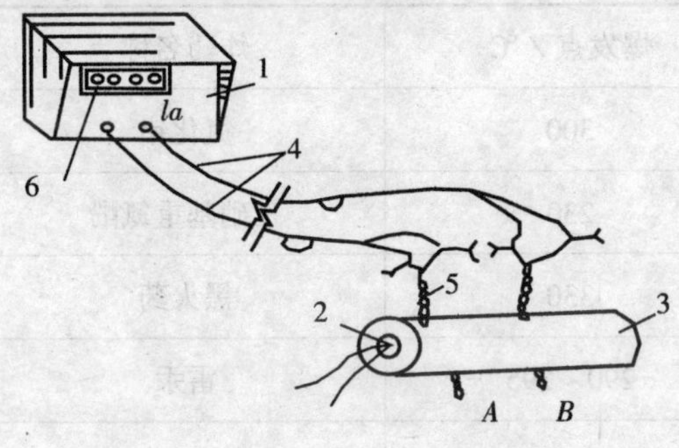

图4-4　用BS-1型爆速仪测定爆速

1——爆速仪;2——雷管;3——药包;4——导线;5——探针;6——时间显示数码管

我国把爆速小于3000m/s,猛度小于10mm的炸药列为低威力炸药;爆速大于4000m/s,猛度大于16mm的炸药列为高威力炸药;界于二者之间的列为中威力炸药。

三、炸药的敏感度

爆破材料在外界能量作用下发生爆炸的难易程度叫做起爆感度,称为感度。各种炸药的感度相差非常大,如半冻结的硝化甘油胶质炸药只要轻轻弯折一下就会爆炸;而对硝酸铵炸药施加冲击、摩擦、点火则几乎不能使它发生爆炸。炸药感度高低是以激起炸药爆炸反应所需起爆能的多少来衡量的。

不同种类的炸药对不同形式起爆能的感度差异很大,如梯恩梯炸药对起爆能的感度较低,但对电火花的感度则较高。为正确利用炸药的感度特性,将炸药感度区分为:热感度、机械感度、冲击感度、起爆冲能感度和静电火花感度。

在工程实践中,人们在需要高感度炸药的同时,又希望炸药具有低感度的特性。也就是说，希望炸药在使用的时候具有高感度，以保证起爆和传爆的可靠性；而在生产、贮存、运输等非使用场合，炸药又具有低感度，以确保安全性。

(一)热感度

热感度是炸药在热能作用下发生爆炸、燃烧或分解的难易程度。热能作用的方式主要有两种：均匀加热和火焰点火，习惯上把均匀加热时炸药的感度称为热感度(热安定)，把火焰点火时的炸药感度称为火焰感度。

1.热安定

热安定是炸药在均匀加热条件下发生爆炸、燃烧和分解的难易程度。热安定通常用炸药的爆发点表示。

(1)热安定度的检测是将炸药试样在75℃条件下加热48h，称量其失重的百分数，并与质量可靠的炸药的失重百分数作对比。

(2)炸药在一定的受热条件下，经过一定的延滞期，发生爆炸时加热介质的最低温度，这个温度值称为炸药的爆发点。很显然，爆发点越高，则说明该炸药的热感度越低，爆发点越低，表明炸药的感度越高。表4-1列出了一些炸药的爆发点。

表4-1　　一些炸药的爆发点

炸药名称	爆发点／℃	炸药名称	爆发点／℃
硝铵炸药	300	氮化铅	330～340
黑索金	230	三硝基重氮酚	150～151
EL系列乳化炸药	330	黑火药	290～310
梯恩梯	290～295	雷汞	170～180
硝化甘油	300	特屈儿	195～200

2.火焰感度

火焰感度是炸药在明火作用下发生爆炸的难易程度。火焰感度用上限距离和下限距离表示。火焰感度的检测是将0.05g炸药试样用导火索点燃，记录能起爆时导火索末端部距试样的距离，若实验6次100%全爆的最大距离叫上限距离，若6次100%全不爆的距离叫下限距离，它表示炸药的安全性。

(二)机械感度

炸药的机械感度是指炸药在机械作用下发生爆炸的难易程度。机械作用的形式很多，如冲击、摩擦、挤压、针刺等机械作用的敏感度。

1.冲击感度

在机械冲击的作用下，炸药发生爆炸的难易程度称为炸药的冲击感度。

冲击感度常以落锤仪测定，即以10kg落锤自250mm高度自由下落，冲击放在击发装置内的0.05g炸药试样，重复25次，用25次实验中炸药试样发生爆炸的百分率表示被试炸药的冲击感度。冲击感度很高的起爆药，即用弧形落锤仪检测。一些炸药的冲击感度见表4-2。

表4-2　　一些炸药的冲击感度

炸药名称	爆炸百分率／%	炸药名称	爆炸百分率／%
2号岩石硝铵炸药	50	黑索金	75～80
3号煤矿硝铵炸药	44	梯恩梯	4～8
EL系列乳化炸药	≤8	黑火药	50

2.摩擦感度

在机械摩擦的作用下，炸药发生爆炸的难易程度称为炸药摩擦感度。摩擦感度常利用摆试摩擦仪来测定，即以1500g摆重锤，摆角90°，摩擦0.02g炸药试样，平行试验25次，观察炸药爆炸的百分率。一些炸药的摩擦感度见表4-3。

表4-3　　一些炸药的摩擦感度

炸药名称	爆炸百分率／%	炸药名称	爆炸百分率／%
2号岩石硝铵炸药	16～20	黑索金	90
3号煤矿硝铵炸药	24～36	梯恩梯	0
EL系列乳化炸药	0	黑火药	—
二硝基重氮酚	100	雷汞	100

（三）起爆冲能感度

起爆冲能感度又称为爆轰感度或起爆感度，指炸药对爆轰冲击波（即激发冲击波）的敏感程度。在工程爆破中，习惯上用雷管感度来区分工业炸药的起爆感度。凡能用1发8号工业雷管可靠起爆的炸药称其具有雷管感度，凡不能用1发8号工业雷管可靠起爆的炸药称其不具有雷管感度。地下工程爆破所采用的炸药必须能由8号雷管直接引爆，其爆轰感觉常用殉爆距离来表示。例如，硝酸铵非常钝感，对较小的冲击功毫无反应，加热只会平静燃烧，用雷管也不能直接起爆，只有硝酸铵与可燃物或敏化剂混合，才能把它当炸药看待。

（四）静电感度

静电感度指炸药对静电的敏感程度。炸药属于绝缘物质，所以在相互摩擦时会发生电子转移，使失去电子的物质带正电，获得电子的物质带负电。若在生产或压气装药时，不采取安全措施，会产生很高电压（35kV）的静电，当聚集到足够大的时，就会放电产生电火花，形成高温高压的离子流，造成引燃或引爆炸药事故。

（五）炸药敏感度的影响因素

炸药的感度一方面与自身的结构和物理化学性质有关，另一方面还与炸药的物理状态和装药条件有关。对于爆破工程技术人员来讲，了解炸药的物理状态和装药条件对其感度的影响是十分必要的。炸药的物理状态和装药条件对感度的影响主要表现在以下几个方面：

（1）炸药温度的影响：随着温度的增高，炸药的各种感度都增加，在高温介质中爆破应引起充分重视。

（2）炸药物理状态与晶体形态的影响：铵梯炸药受潮结块时，感度明显下降；硝化甘油炸药冻结时，晶体形态发生变化，敏感度明显提高。硝铵类炸药因硝酸铵原料结晶不同而影响感度。

(3)炸药颗粒度的影响:炸药的颗粒度主要影响炸药的爆轰感度,一般颗粒越小,炸药的爆轰感度越大。例如100%通过2500g的梯恩梯极限起爆药量为0.1g,而从溶液中快速结晶的超细梯恩梯的极限起爆药量为0.04g。对于工业炸药,一般各组分越细,混合越均匀,则它的爆轰感度越高。

(4)装药密度的影响:装药密度主要影响起爆感度和火焰感度。通常,随着装药密度的增加,炸药的起爆感度和火焰感度都会下降。粉状铵梯炸药的装药密度大于1.2g/cm^{3}时,容易出现拒爆;密度大于1.5g/cm^{3}时,易达到极限密度而压死。

(5)附加物的影响:在炸药中掺入附加物可以显著地影响炸药的机械感度,附加物对炸药机械感度的影响主要取决于附加物的性质,即硬度、熔点及粒度等。当附加物的硬度较高时(如石英砂、碎玻璃),可能使炸药的机械感度增高,这类物质叫增感剂。另外一类较软且热容量大的物质,如水、石蜡等,掺入后使炸药感度降低,这类物质称为钝感剂。

四、爆轰产物与有毒气体

(一)炸药的爆轰产物

绝大多数炸药由碳、氢、氧、氮四种元素组成,其中碳、氢为还原剂,氧为氧化剂,而氮则是载氧体。某些炸药还含有氯、硫、金属及其盐类。

大多数炸药的爆炸反应为氧化还原反应,反应终了瞬间的化学反应产物叫做炸药的爆轰产物。主要有H_2O、CO_2、CO、氮氧化物等气体,若炸药内含有硫磺、金属粉(铝、镁)或氯时,产物中还会有硫化氢、氯化氢或金属氯化物等。

爆轰产物进一步与外界空气、岩石等互相作用而生成的产物共同体叫做爆炸产物,通常称为炮烟。

(二)炸药的氧平衡

氧平衡是指炸药中所含的氧用以完全氧化其所含的可燃元素后所多余或不足的氧量。氧平衡用每克炸药中剩余或不足氧量的克数或百分数来表示。炸药主要由C、H、O、N四种元素组成。炸药的爆炸过程,实质就是氧元素与碳氢元素生成CO_2、CO和H_2O等新产物的氧化反应,而且所需的氧来自炸药本身,这就发生了一个炸药中所含氧量够不够将碳元素和氢元素完全氧化的问题。所谓完全氧化是按发热量最大的理想条件来考虑的,如果碳被氧化成二氧化碳,氢被氧化生成水,氮尽量不被氧化,也就不生成有毒有害气体。

氧平衡大于零时为正氧平衡;等于零时为零氧平衡;小于零时为负氧平衡。

1.零氧平衡

因氧和可燃元素都得到了充分利用,故在理想反应条件下,能放出最大热量,而且不会生成有毒气体称为零氧平衡。

2.正氧平衡

不能充分利用其中的氧量,而且多余的氧和游离氮化合时,产生吸热反应,生成具有强烈毒性,并对瓦斯与煤尘爆炸起催化作用的氮氧化合物,称为正氧平衡。

3.负氧平衡

因氧量欠缺,不能充分氧化可燃元素,不能放出最大热量,爆炸产物中含有H_2和有毒的

CO气体，甚至出现固体碳，称为负氧平衡。但是，负氧平衡炸药的生成产物中含双原子气体较多，能够增加生成气体的数量。

（二）有毒有害气体

众所周知，CO和氮氧化物均属有毒气体，被人呼吸后引起中毒，为保护工人健康、维护井下作业环境，应尽量避免正氧平衡和负氧平衡的发生。即使零氧平衡的炸药，如果反应不完全，也会增大有毒气体含量。如果炸药外壳为涂蜡纸壳，由于纸和蜡均为可燃物，能夺取炸药中的氧，在氧量不充裕的情况下，将生成较多的CO。

第三节　矿用炸药

矿用炸药是民用炸药的一种，是以氧化剂和可燃剂为主体，按照氧平衡原理构成的爆炸性混合物。矿用炸药在各类矿山开采中得到了广泛的应用。矿用炸药分为三大类：第一类为煤矿许用炸药；第二类为岩石炸药；第三类为露天爆破工程中使用的炸药。

一、煤矿许用炸药

《煤矿安全规程》规定，井下爆破作业，必须使用煤矿许用炸药。所谓煤矿许用炸药是经主管部门批准，符合国家安全规程规定，允许在有瓦斯和（或）煤尘爆炸危险的煤矿井下工作面或工作地点使用的炸药。其选用应遵循下列规定：

（1）低瓦斯矿井的岩石掘进工作面必须使用安全等级不低于一级的煤矿许用炸药。

（2）低瓦斯矿井的煤层掘进工作面、半煤岩掘进工作面必须使用安全等级不低于二级的煤矿许用炸药。

（3）高瓦斯矿井、低瓦斯矿井的高瓦斯区，必须使用安全等级不低于三级的煤矿许用炸药。有煤（岩）与瓦斯突出的工作面，必须使用安全等级不低于三级的煤矿许用含水炸药。严禁使用黑火药和冻结或半冻结的硝化甘油类炸药。同一工作面不得使用2种不同品种的炸药。

（一）煤矿铵梯炸药

此种炸药分1、2、3号，号越小威力越大，号越大安全性越好。目前在施工中普遍使用的是2号和3号，其中2号用于低瓦斯矿，3号用于高瓦斯矿，煤与瓦斯突出矿井或工作面应使用被筒炸药或离子交换炸药。

铵梯炸药均为粉状，用涂蜡纸包裹为150g重量的圆柱形药卷，规格有ø32mm×190mm和ø35mm×170mm两种。药卷一端为平顶，另一端为聚能穴，利于传播。装药时应使聚能穴对准传爆方向。

煤矿许用铵梯炸药成分为硝酸铵（AN）氧化剂、梯恩梯（TNT）还原剂（又称敏化剂）、木粉可燃剂（又称疏松剂）、食盐消焰剂、石蜡或沥青抗水剂等。由于炸药的爆炸能量和冲击波强度受到一定限制，又接近零氧平衡，再加上消焰剂降低爆热、爆温和抑制火焰的作用，炸药中不许加入易燃烧的铝、镁等金属粉，其安全性符合标准规定。煤矿铵梯炸药的组成、性能爆炸参数见表4–4。

表4-4　　煤矿铵梯炸药的组成、性能与参数

组成、性能、参数		作用	煤矿铵梯炸药					
			1号	2号	3号	1号抗水	2号抗水	3号抗水
组成	硝酸铵／%	氧化剂	68 ± 1.5	71 ± 1.5	67 ± 1.5	68.5 ± 1.5	72 ± 1.5	67 ± 1.5
	梯恩梯／%	敏化剂、还原剂	15 ± 0.5	10 ± 0.5	10 ± 1.5	15 ± 0.5	10 ± 0.5	10 ± 0.5
	木粉／%	疏松剂兼还原剂	2 ± 0.5	4 ± 0.5	3 ± 0.5	1 ± 0.5	2.2 ± 0.5	2.6 ± 0.5
	食盐／%	消焰剂	15 ± 1.0	15 ± 1.0	20 ± 1.0	15 ± 1.0	15 ± 1.0	20 ± 1.0
	沥青／%	憎水剂	—	—	—	0.2 ± 0.05	0.4 ± 0.1	0.2 ± 0.05
	石蜡／%	憎水剂	—	—	—	0.2 ± 0.05	0.4 ± 0.1	0.2 ± 0.05
性能	水分不大于／%		0.3	0.3	0.3	0.3	0.3	0.3
	密度／$g.cm^{-3}$		0.95 ~ 1.1	0.95 ~ 1.1	0.95 ~ 1.1	0.95 ~ 1.1	0.95 ~ 1.1	0.95 ~ 1.1
	猛度／mm		12	10	10	12	10	10
	爆力／ml		290	250	240	290	250	240
	殉爆距离／cm		6	5	4	6	4	4
	爆速／$m.s^{-1}$		3509	3600	3262	3675	3600	3397
	氧平衡		0.20	1.28	1.86	0.004	1.48	1.12

(二)煤矿水胶炸药

水胶炸药是含水炸药,它是由氧化剂水溶液、水溶性的敏化剂和悬浮在溶液中的其他固体成分颗粒所组成的爆炸物(属于水包油型的范畴)。其中水溶液为连续相,悬浮的固体颗粒为分散相。水胶炸药使用硝酸甲铵和硝化乙二胺这种水溶性的敏化剂猛炸药,因而使爆轰感度大为增加,并且有威力高、安全性好、抗水性强、管道效应不明显、适应坚硬岩石深孔爆破的特点,深受现场欢迎。

煤矿许用水胶炸药分*SM*–I、*SM*–Ⅱ、*SM*–Ⅲ三种,号数越小威力越大,号数越大安全性越好。其中*SM*–I型适用于低瓦斯矿井,*SM*–Ⅱ适用于高瓦斯矿井,*SM*–Ⅲ适用于煤与瓦斯突出矿井。

水胶炸药由氧化剂硝酸铵和水溶液H_2O采用化学交联技术使其呈凝胶状态组成的饱和水溶液、敏化剂硝酸甲铵、表面活性剂十二烷基磺酸钠、稳定剂尿素等组成。其特点:

(1)抗水性强。粘弹性凝胶体具有包覆作用,这种作用既能阻止外部水的渗入,又能防

止硝酸铵等可溶性组分向水中扩散或被水沥滤。因而,水是使水胶炸药具有抗水性的重要组分。水胶炸药在10℃~25℃水中浸泡4h仍能用雷管起爆。

(2)密度和爆速高。密度为1.2g/cm³~1.25g/cm³,不但增加了体积威力,而且能沉入炮眼底部,将水排出炮眼,威力大。爆速2500m/s~4000m/s,猛度为15~20mm,爆力为360mL以上。

(3)使炸药在物理形态上具有流变性,在爆炸性能上具有稳定性。水的存在使这类炸药具有较好的流变性,能密实地填充炮眼空间,提高耦合作用,改善爆破效果。其次,水和胶凝剂、交联剂一起构成具有粘弹性的凝胶体系,使炸药各组分均匀地分散于其中,防止了固液分离,保持炸药性能的相对稳定性。

(4)安全性好。水的热容量较大,蒸发时要吸收2553J/g的蒸发潜热。水使水胶炸药的敏感度降低(对机械作用、火花均不敏感,产生的毒气少),大大提高了炸药的安全性,为这类炸药的现场混制和装药机械化创造了条件。其安全性均高于3号煤矿铵梯炸药。煤矿水胶炸药药性见表4-5。

表4-5 煤矿水胶炸药特性

炸药名称	密度/g.cm⁻³	爆速/m.s⁻¹	爆炸能/J.g⁻¹	用途
SMⅡ-1	1. 62	4018	703	高瓦斯矿井硬煤爆破
SMⅡ-2	0. 87	3556	696	高瓦斯矿井软煤爆破
SMⅡ-3	0. 73	4138	758	高瓦斯矿井硬煤夹矸爆破
SMⅡ-4	1. 72	4200	807	高瓦斯矿井硬岩爆破
SMⅢ-1	1. 02	3453	546	煤与瓦斯突出矿井软岩爆破
SMⅢ-2	1. 02	3384	480	煤与瓦斯突出矿井软煤爆破
SMⅢ-3	1. 02	2792	440	煤与瓦斯突出矿井软煤爆破

(二)煤矿乳化炸药

乳化炸药是通过乳化剂的作用,使以硝酸盐为主的氧化剂水溶液微滴均匀地分散在含有气泡或多孔性的油相连续介质中形成的油包水型膏状含水炸药。根据瓦斯矿井生产的安全性,煤矿乳化炸药分为5级,目前生产的主要有2、3、4级三种。2级适用于高瓦斯矿井,3级适用于煤与瓦斯突出矿井,4级适用于煤与瓦斯突出最危险的矿井。在使用时根据矿井瓦斯等级选用,不得相互混用。

乳化炸药的氧化剂为硝酸铵和硝酸钠饱和水溶液,敏化剂采用猛炸药,发炮剂或空心微球用于提高含水炸药的敏感度。可燃剂主要是柴油和石蜡。乳化剂常用斯本-80,能在氧化剂水溶液中形成油包水溶乳状体系,还有少量添加剂,是乳化促进剂、晶形改性剂和稳定剂之类的物质。

乳化炸药的猛度、爆速和感度均较高,可以用一只8号雷管起爆,密度在较宽范围内(1.05g/cm³~1.30g/cm³)可调,且具有良好的抗水性,加工使用安全,可在现场直接混制,实现装药机械化。但它的缺点是爆力低，只能用于软岩和煤层爆破工作。一些乳化炸药的组成及性能见表4-6。

表4-6　　**一些乳化炸药的组成与性能**

组成与性能		炸药型号				
		RL-2	EL-103	RJ-1	MRY-3	CLH
组成	硝酸铵／%	65	53~63	50~70	60~65	50~70
	硝酸钠／%	15	10~15	5~15	10~15	15~30
	尿素／%	2.5	1.0~2.5	—	—	—
	水／%	10	9~11	8~15	10~15	4~12
	乳化剂／%	3	0.5~1.3	0.5~1.5	1~2.5	0.5~2.5
	石蜡／%	2	1.8~3.5	1~4	3~6	1~8
	燃料油／%	2.5	1~2	1~3	蜡	油
	亚硝酸钠／%	—	0.1~0.3	0.1~0.7	0.1~0.5	—
	甲胺硝酸盐／%	—	—	5~20	—	—
	添加剂／%	—	—	0.1~0.3	0.4~0.1	0~4
性能	猛度／mm	12~20	16~19	16~19	16~19	15~17
	爆力／mL	302~304	—	301	—	295~330
	爆速／$m.s^{-1}$	3600~4200	4033~4600	4500~5400	4500~5200	4500~5500
	殉爆距离／cm	5~23	12	9	8	—

（四）离子交换炸药

离子交换炸药是我国现有煤矿安全炸药中安全度最高的品种，它具有一种“选择爆轰”的独特性质，在不同的爆破条件下，它会自动调节消焰剂的有效数量和作用。例如，在炮眼内爆炸强烈，交换盐的反应更强，生成的氯化钠更多，安消焰降温的作用更强；反之，爆炸能量自动降低，减少爆热和爆温，避免引爆瓦斯。因为硝酸钠和氯化铵的混合物在通常情况下，交换盐比较安定，不发生化学变化，但在爆炸的高温、高压的条件下，交换盐就会发生反应，进行离子交换，生成氯化钠和硝酸铵。氯化钠弥散在爆炸点周围，起消焰作用，能有效降低爆温和抑制引燃瓦斯，而同时生成的硝酸钠作为氧化剂加入爆炸反应。一些离子交换炸药的组成及性能见表4-7。

表4-7　　**一些离子交换炸药的组成及性能**

组成与性能		1号	2号	3号	4号	5号
组成	硝酸脂／%	10	10	20	15.8~18.8	14
	硝酸铵／%	—	—	17	—	—
	硝酸钠／%	54.5	54.6	34	40.5~49.5	46.2
	氯化铵／%	34	34.4	22	28~30	28
	木粉／%	1	0.5	—	1~3	2.5
	其他／%	0.5	0.5	7	3.5~6.5	8.3
性能	密度／$g.cm^{-3}$	1.1	0.85	0.85	1.3	1.1~1.25
	爆力／mL	85	—	210	175	130~170
	爆速／$m.s^{-1}$	—	—	2300	—	1900~2000

（五）被筒炸药

以煤矿许用炸药为药芯，外面包有由消焰剂（氯化钠、氯化钾等）做成的被筒而制成的安全性等级比原来药芯炸药高的煤矿许用炸药。

当被筒炸药的药芯爆炸时，被筒内包裹的食盐被爆碎，并在高温下形成一层食盐薄雾，笼罩着爆炸点，使之与瓦斯隔离，因而可用于高瓦斯矿井或煤与瓦斯突出矿井中。该炸药的消焰剂含量可高达药芯质量的50%，这样既提高了安全性，又解决了加盐后降低爆炸性能和爆轰不稳定的矛盾。

被筒炸药工艺比较复杂，工序较多，药卷直径大，容易吸潮，装药时被筒易破裂，药包之间不易传爆。目前，只使用于爆炸处理堵塞的溜煤眼和煤仓。

二、岩石炸药

岩石炸药使用于无瓦斯和煤尘爆炸危险的井巷掘进中，它比煤矿许用炸药威力高，适用于硬岩或中硬岩爆破，坚硬岩爆破应选用高威力炸药或水胶炸药。

（一）岩石铵梯炸药

这种炸药属于中威力炸药，目前我国生产的品种有1号、2号和抗水2号、抗水3号及抗水4号等类型。其中以2号和抗水2号应用最为普遍，抗水4号是新研制的品种，威力最大，适用于爆破硬岩。1号、2号岩石铵梯炸药适用于爆破中硬岩，3号适用于软岩，抗水型适用于涌水或淋水工作面，但还应套加防水套。

岩石铵梯炸药由硝酸铵、梯恩梯和木粉3种成分组成，根据梯恩梯含量不同制成4种型号。岩石铵梯炸药保质期为6个月。岩石铵梯炸药的组成与性能见表4-8。

表4-8　　岩石铵梯炸药的组成与性能

组成与性能		1号	2号	2号抗水	3号抗水	4号抗水
组成	硝酸铵／%	82 ± 1.5	85 ± 1.5	84 ± 1.5	86 ± 1.5	81.2 ± 1.5
	梯恩梯／%	14 ± 1	11 ± 1	11 ± 1	7 ± 1	18 ± 1
	木粉／%	4 ± 0.5	4 ± 0.5	4.2 ± 0.5	6 ± 0.5	—
	石蜡／%	—	—	0.4 ± 0.1	0.5 ± 0.1	0.4 ± 0.1
	沥青／%	—	—	0.4 ± 0.1	0.5 ± 0.1	0.4 ± 0.1
性能	爆速／m.s^{-1}	—	3600	3750	—	—
	爆力／mL	350	320	320	280	360
	猛度／mm	13	12	12	10	14
	殉爆距离／cm	6	5	5	4	8

（二）岩石水胶炸药

岩石水胶炸药分高威力1号、2号，中威力3号和铝100型4种。其组成与性能见表4-9。

表4-9　　岩石水胶炸药的组成与性能

组成与性能		高威力1号	高威力2号	中威力3号	铝100型
组成	硝酸铵／%	40 ~ 50	40 ~ 50	40 ~ 50	48 ~ 53
	梯恩梯／%	—	—	—	0 ~ 20
	硝酸钠／%	8 ~ 13	8 ~ 13	8 ~ 13	8 ~ 13
	硝酸甲胺／%	25 ~ 30	25 ~ 30	25 ~ 30	—
	水／%	8 ~ 12	8 ~ 12	8 ~ 12	9 ~ 15
	田箐粉／%	0.8 ~ 1.2	0.8 ~ 1.2	0.8 ~ 1.2	0.5 ~ 1.5
	铝粉／%	3 ~ 6	—	—	—
	活性炭／%	—	—	—	0 ~ 6
	黑索金／%	—	5 ~ 8	—	—
	亚硝酸钠／%	0.1 ~ 0.2	0.1 ~ 0.2	0.1 ~ 0.2	—
	交联剂／%	0.05 ~ 0.1	0.05 ~ 0.1	0.05 ~ 0.1	0.1 ~ 0.3
	延时剂／%	0.02 ~ 0.06	0.02 ~ 0.06	0.02 ~ 0.06	—
	稳定剂／%	0.1 ~ 0.4	0.1 ~ 0.4	0.1 ~ 0.4	—
	消焰剂／%	—	—	—	—
性能	爆速／m.s^{-1}	4360	4400	3590	4150
	爆力／mL	330	330	—	355
	猛度／mm	18	20.1	15	16.96
	殉爆距离／cm	25	25	12	20

三、露天炸药

露天炸药目前有1号、2号、3号露天炸药和1号、2号、3号露天抗水炸药及露天铵油炸药。这类炸药和岩石炸药基本相同,只是梯恩梯含量少、威力低,适用于露天爆破剥离和煤岩松动爆破。对爆生有害气体要求不严,也不考虑对煤层和瓦斯的引爆问题。

第四节 起爆材料

在爆破工作中,任何炸药都需要借助起爆材料,并按一定起爆过程引爆炸药,完成爆破工程,并要求做到安全爆破。起爆材料有雷管、导爆索和导爆管等。《煤矿安全规程》规定:在采掘工作面,必须使用煤矿许用瞬发电雷管或煤矿许用毫秒延期电雷管。最后一段的延期时间不得超过130ms。不同厂家生产的不同品种的电雷管,不得掺混使用。不得使用导爆管或普通导爆索,严禁使用火雷管。

一、雷管

雷管是由外界能激发,并可靠地引起其起爆材料或猛炸药爆轰的起爆材料。按点火形式可分为火雷管和电雷管。由于煤矿的特殊性,井下只使用煤矿许用电雷管。

(一)瞬发电雷管

通电后瞬时爆炸的电雷管叫瞬发电雷管。瞬发电雷管由火雷管和电点火元件组装而成。

(1)普通瞬发电雷管。普通瞬发电雷管的主要结构有:管壳、加强帽、起爆药、加强药及电引火装置。

管壳用纸、铜、复铜轧制而成,纸壳管壁厚1mm,铜与复铜壳壁厚0.2mm,有一定强度,保护起爆药不受潮,稳定爆轰。常用的8号电雷管外径7mm,长度45mm,一端为电引火装置,另一端封闭压成半球形聚能穴。

加强帽用0.2mm厚的铜片冲制而成,其作用是配合管壳封闭管内装药,减少起爆药的暴露面积,防止起爆药受潮,并可在雷管中形成一个封闭小室,以利于起爆药爆炸时增加压力,从而提高起爆能力。中心传火孔直径应大于2mm。

起爆药用热感度很高的二硝基重氮酚(DDNP),因为它的爆发点很低(165℃),保证雷管炸药的准确性。为使雷管爆炸后有足够的起爆能引爆炸药,雷管中除装有0.3g的起爆药外,还装有1g左右的单质猛炸药黑索金(RDX)作加强药,加强雷管的起爆能力。

普通瞬发电雷管由火雷管和电点火元件组装而成。结构上分直插式和药头式两种形式。药头式电点火元件由脚线、塑料塞、桥丝和引火药头组成,我国早期均用引火药头式,硫磺封口。近期多采用直插式构造,直插式电点火元件没有引火药头,桥丝直接插入松装的起爆药中,并取消了加强帽,简化构造工序。但直插式桥丝(糠铜丝)易被DDNP腐蚀,目前,多用镍铬丝做桥丝。桥丝为一段直径40~50μm的糠铜丝或镍铬合金丝,垂直焊接在两根脚线的末端。因为桥丝材料的电阻率很大(桥丝电阻:糠铜丝为1Ω,镍铬合金丝3Ω左右),起爆电流通过时就发生高热而发火引爆雷管。脚线由两根直径为0.45~0.5mm的塑料绝缘铜线或铁线组成,一般长度为2m,其电阻为每米0.5Ω左右,脚线电阻共2Ω。雷管全电阻为脚线电阻与桥线电阻之和,糠铜丝雷管为3Ω左右,镍铬丝雷管为5Ω左右。

瞬发电雷管的作用原理：起爆时电流通过桥丝，由桥丝灼热点燃引火头（药头式）或起爆药（直插式），一旦引燃后，即使电流中断也能使起爆药和雷管爆炸。引火药头由氯酸钾、木炭、二销基重氮酚、骨胶制成。普通瞬发电雷管构成如图4–5所示。

普通瞬发电雷管只能用于无瓦斯工作面，主要用于炮采工作面，在小断面煤巷或半煤岩巷掘进工作中也可采用。随光面爆破技术的发展和推广，普通瞬发电雷管有被淘汰的趋势。

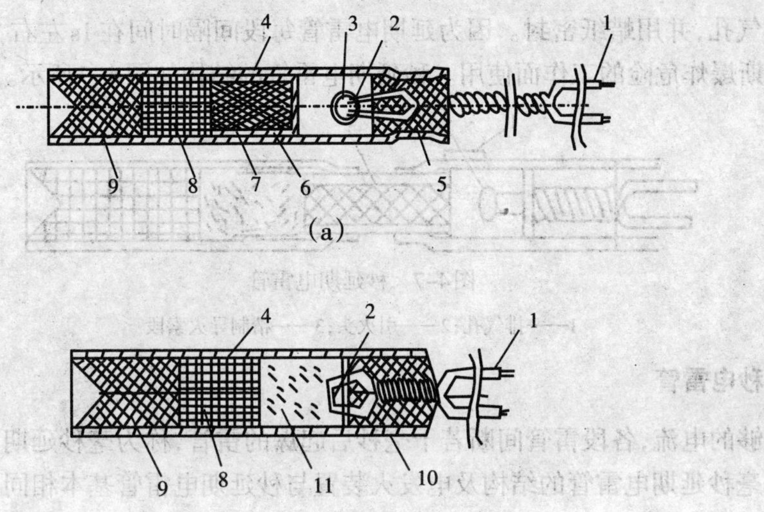

图4–5　普通瞬发电雷管

（a）引火头式；（b）直插式

1——脚线；2——桥丝；3——引火头；4——管壳纸垫；5——密封塞；6——加强帽；

7——压装DDNP；8——二遍药；9——头遍药；10——硫磺柱；11——散装DDNP

（2）煤矿瞬发电雷管。在有瓦斯及煤尘爆炸危险的工作面，采用普通瞬发电雷管容易产生灼热碎片或残渣引爆瓦斯。所以不采用铁壳或铝壳雷管，并不使用聚乙烯塑料脚线，雷管底部不压制聚能穴而改为平底，避免聚能流或金属射流，并在加强药中加入1%~6%的氯酸钾或碳酸钠消焰剂，避免高温火焰引爆瓦斯。

煤矿瞬发电雷管的结构（图4–6）与普通瞬发电雷管基本相同，适用于各级瓦斯等级的矿井和起爆各种煤矿炸药。

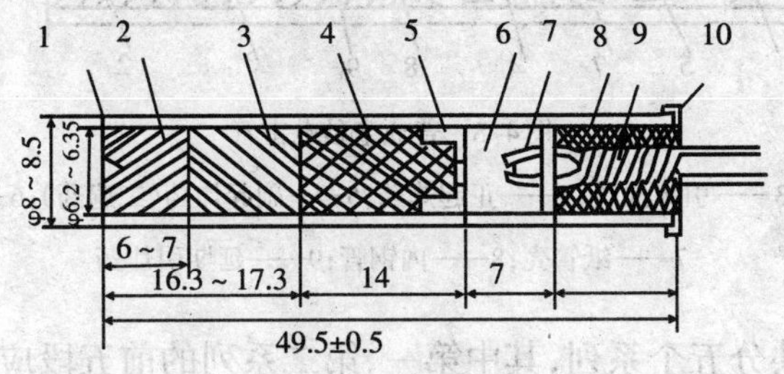

图4–6　煤矿瞬发电雷管

1——纸管壳；2——黑索金（加氯化钾）；3——黑索金；4——二硝基重氮酚；5——加强帽；

6——引焰球；7——镍铬丝；8——塑料柱；9——脚线；10——铁箍

(二)秒延期电雷管

通入足够的电流,各段雷管间隔数秒才爆炸的雷管,称秒延期电雷管。

秒延期电雷管的构造及电发火装置与瞬发电雷管基本相同,不同的是在电点火元件和火雷管之间增加了一段延期药或缓燃剂。一般通过调整精制导火索的长度或调整其黑火药成分配比,改变燃烧速度而达到不同延期秒量。为了及时排放导火索燃烧产生的气体,在管壳上开有排气孔,并用蜡纸密封。因为延期电雷管每段间隔时间在1s左右,共7段,不能在有煤尘与瓦斯爆炸危险的工作面使用。秒延期电雷管的结构如图4-7所示。

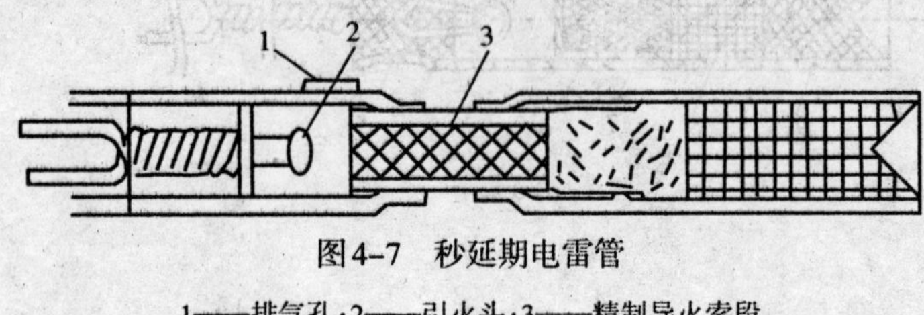

图4-7 秒延期电雷管

1——排气孔;2——引火头;3——精制导火索段

(三)毫秒电雷管

通入足够的电流,各段雷管间断若干毫秒后起爆的雷管,称为毫秒延期电雷管,简称毫秒电雷管。毫秒延期电雷管的结构及电发火装置与秒延期电雷管基本相同,只是延期药和延期秒量不同而已。因毫秒延期时间短、精度高,不能用导火索,而是用氧化剂、可燃剂和缓燃剂混合物做延时药,并通过调整配比达到以毫秒量级不同的时间间隔。按其用途可分为普通和煤矿两种类型的毫秒延期电雷管。

(1)普通毫秒延期电雷管。延期药由氧化剂铅丹Pb_3O_4、还原剂硅铁FeSi按3:1的比例混合,加入0.5%~4%的缓燃剂硫化梯来调整燃速。为便于装药,常用酒精和骨胶做黏合剂造粒。普通毫秒电雷管的延期装置是内铜管,爆炸后会产生灼热颗粒,故不能用于有煤层与瓦斯爆炸危险的工作面。内铜管的作用是固定和保护延期药,并作为容纳延期药燃烧时产生气体的气室,以保证延期药在压力不变的情况下稳定燃烧。普通毫秒电雷管构造如图4-8所示。

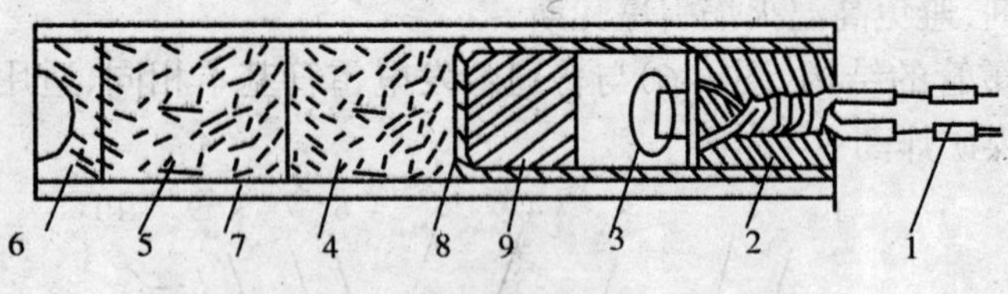

图4-8 普通毫秒电雷管

1——脚线;2——硫磺;3——引火药头;4——正起炸药;5——副起炸药(二遍药);6——副起炸药(头遍药);7——纸管壳;8——内钢管;9——延期引炸药

普通毫秒电雷管共分五个系列,其中第一、第二系列的前五段应用普遍,总延期量不超过130ms。第三、第四系列间隔时间为100ms和300ms,属分秒电雷管,适用于立井井筒的深孔爆破。第五系列是发展中的一种高精度短间隔的毫秒电雷管,前八段的总延期时间不超过130ms。普通毫秒电雷管延期时间见表4-10。

表4-10　普通毫秒电雷管延期时间　ms

段别	第一系列	第二系列	第三系列	第四系列	第五系列	脚线颜色
1	<5	<13	<13	<13	<14	灰红
2	25±5	25±10	100±10	300±30	10±2	灰黄
3	50±5	50±10	200±20	600±40	20±3	灰蓝
4	75±5	75±15	300±20	900±50	30±4	灰白
5	100±5	100±15	400±30	1200±60	45±6	绿红
6	125±5	150±20	500±30	1500±70	60±7	绿黄
7	150±5	200±20	600±40	1800±80	80±10	绿白
8	175±5	250±25	700±40	2100±90	110±15	黑红
9	200±5	310±30	800±40	2400±100	150±20	黑黄
10	225±5	380±35	900±40	2700±100	200±25	黑白

(2)煤矿毫秒延期电雷管。煤矿毫秒延期电雷管在煤矿许用瞬发电雷管的基础上，增加一个5芯铅管体的延期元件制成，5根药心呈五角星排列。铅管延期体内装入延期药，构成延期装置(元件)，替代了内铜管，雷管爆炸时不会喷出炽热颗粒，避免引爆瓦斯，此种雷管有两个系列，第一系列只生产五段，第二系列生产九段，总延期时间不超过130ms，煤矿毫秒电雷管的延期时间见表4-11。

表4-11　煤矿毫秒电雷管的延期时间　ms

段别	第一系列	第二系列
1	<13	<4
2	25	13
3	50	25
4	75	38
5	110(100)	50
6	—	63
7	—	75
8	—	93(88)
9	—	110(100)

煤矿毫秒电雷管是实现毫秒爆破的一种起爆器材，尤其全断面一次爆破，更显示出它的优越性，并适应各级瓦斯等级的矿井。煤矿毫秒电雷管的结构如图4-9所示。

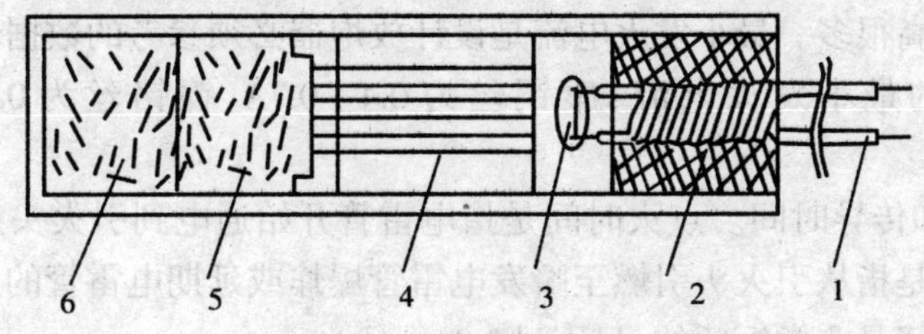

图4-9　煤矿毫秒电雷管

1——脚线；2——铜管体；3——引火头；4——铅管延期体；5——正起爆药6——副起爆药

(四)抗杂散电流电雷管

在爆破地点附近，若有较多电器设备和导电线路，就难免产生漏电，使部分电流分散流入岩石或金属设施中,形成所谓的杂散电流。杂散电流有时可高达几百毫安甚至几安培,一旦流入电雷管,就可能发生爆炸。为避免杂散电流,需使用抗杂散电流电雷管。抗杂散电流电雷管主要有以下几种形式:

(1)无桥丝电雷管。在电发火装置中取消桥丝,使脚线直接插在点火药上,点火药中加入一定的导电物质,当脚线两端电压较小时,点火药电阻很大,通过的电流很小,点火药升温也很小,不足以引起点火药燃烧;当电压超过一定值后,点火药的电阻迅速下降,电流增大,点火药升温高而被点燃。这种雷管在杂散电流影响下不会被引爆,但必须使用动力电源或GM-2000型高能发爆器才能引爆。另外还有一种无桥丝电雷管,则是利用电极间高压放电来引燃普通非导电性引火头的。

(2)低阻桥丝电雷管。它和普通毫秒电雷管的区别在于它用低电阻值的紫铜丝代替镍铬桥丝,基本上满足井下抗杂散电流的要求。但它电阻很小,不易用爆破测量仪表检查电爆网路,也不能用普通发爆器起爆。

(3)容抗电雷管。在普通电雷管中串接一个小电容,用以隔断直流电并对50赫交流电流有较大的容抗值。这种雷管须采用高频电源来引爆。

(五)电雷管的主要性能参数

(1)电雷管的全电阻。雷管全电阻是指脚线电阻与桥丝电阻的总和。它是设计和计算电爆网路的基本参数。在同一电爆网路中必须经过测试选定电阻值相近的雷管,尤其串联网路,各个雷管的电阻值差:糠铜桥丝雷管的电阻值差不得超过0.3Ω,镍铬桥丝雷管的电阻值差不得超过0.8Ω,以保证可靠起爆。不同厂家、不同日期、不同型号的电雷管即使电阻相同或相近,也不能混用。

(2)最大安全电流。技术标准中,以50 mA 恒定直流电通入雷管5min,不引爆任何一发雷管的最大电流值,称最大安全电流,它的实际意义在于保证爆破安全,是选用量测仪表的重要参数。

国产电雷管的最大安全电流:康铜丝为0.3 ~ 0.55A,镍铬丝为0.125 ~ 0.175A,远大于50mA。

(3)最小发火电流。在技术标准中,以700 mA 恒定直流电通入单个雷管持续300ms,必须起爆的电流为最小发火电流。为使起爆可靠,必须保证通过单个雷管的电流大于700mA。对于多发雷管的网路,由于要求全部雷管都要爆炸,所以,通过各个雷管的电流必须比最小发火电流高很多。最小发火电流是设计放炮器必须参考的数据。

国产电雷管的最小发火电流:康铜丝为0.4 ~ 0.7A,镍铬丝为0.2 ~ 0.25A,也小于700mA。

(4)点火时间和传导时间。点火时间是指电雷管开始通电到引火头点着的时间称为点燃时间。传导时间是指从引火头引燃至瞬发电雷管爆炸或延期电雷管的延期元件被点燃所需的时间。传导时间是非常短暂的,只不过2.3ms。

(5)串联准爆电流。能使规定发数的串联电雷管全部起爆的规定恒定直流电流称为串联准爆电流。在技术标准中,直流电起爆时,串联准爆电流值,康铜丝雷管为2A,镍铬丝雷管为1.5A。使用交流电起爆时,糠铜丝雷管为4A,镍铬丝雷管为3A。对于串联电路,通以准爆电流,一发雷管先爆并不会立即破坏网路,因为它爆炸要经过几毫秒的传导时间之后才会爆炸，在这段时间内，其他雷管只要能陆续地发火，即使切断电源，也不会影响它们爆炸。对于并联电路，一发雷管先爆并不会立即破坏其他雷管的电路，必须再经一段时间，岩石移动了，才会砸坏电路。这个时间比破坏串联电路时间要长，因此串联准爆电流必定也能满足并联的要求。

二、导爆索、继爆管和导爆管

(一)导爆索

导爆索是一种以猛炸药为药芯，用来传递爆轰波的索状起爆材料，如图4－10。导爆索的芯药与雷管的主装药都是黑索今或太安，可以把导爆索看作是一个"细长而连续的小号雷管"。导火索喷出的火焰和机械冲击不能可靠地将导爆索引爆，必须使用雷管或起爆药柱、炸药等大于雷管起爆能力的起爆材料将其引爆。

导爆索分为两个品种：一种是以棉线、纸条为包缠物，沥青为防潮层的棉线导爆索，其直径不大于6.2mm，其结构与工业导火索类似；另一种是以化学纤维或棉线、麻线等为内包缠物，外层涂敷热塑性塑料的塑料导爆索，其直径不大于6.0mm。塑料导爆索更适用于水下爆破作业。

导爆索芯药为不少于11.0g/m的黑索今或太安。导爆索与导火索的最大区别在于导爆索传递的是爆轰波而不是火焰，导爆索的传爆速度不小于6000m/s。为区别于导火索，导爆索的表面均涂以红色涂料。

目前常用的棉线导爆索有普通导爆索和安全导爆索。煤矿生产中常采用安全导爆索。

(1)普通导爆索。普通导爆索的药芯密度为1.2g/cm^3，药量为12g/m～14g/m，爆速不低于6500m/s，外径为6.2mm，具有一定的防水耐热性能。导爆索的有效期为3年。在采掘工作面严禁使用。

(2)安全导爆索。安全导爆索在结构上与普通导爆索相似，它和普通导爆索不同之处在于黑索金药芯中添加适量的消焰剂(氯化钠)，从而使安全导爆索爆轰过程中产生的火焰小、温度低，不会引起瓦斯、煤尘爆炸。

安全导爆索的外径为7.3mm，药量为12g/m，消焰剂为2g/m，其爆速为6000m/s以上，能可靠起爆铵梯炸药。用导爆索起爆，药包内无雷管，不受杂散电流影响，也便于装药和处理瞎炮，尤其利于深孔爆破，无间隙效应。

导爆索起爆装药群时，可将导爆索敷设成网路。由于导爆索爆速很高，无论采用哪种网路形式，都能使各装药几乎同时爆炸。为达到毫秒延期爆破的目的，可在导爆索网路中安置继爆管。

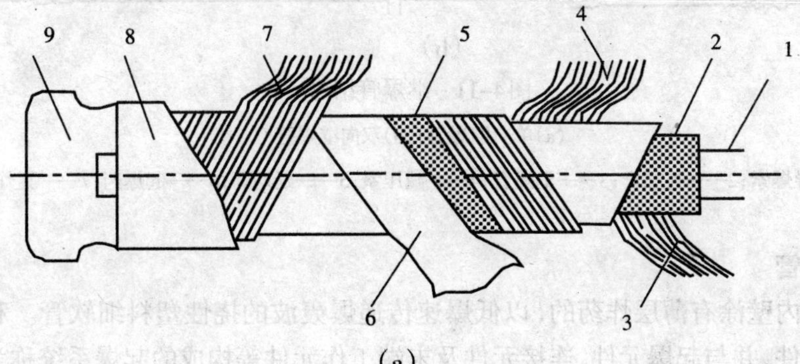

(a)

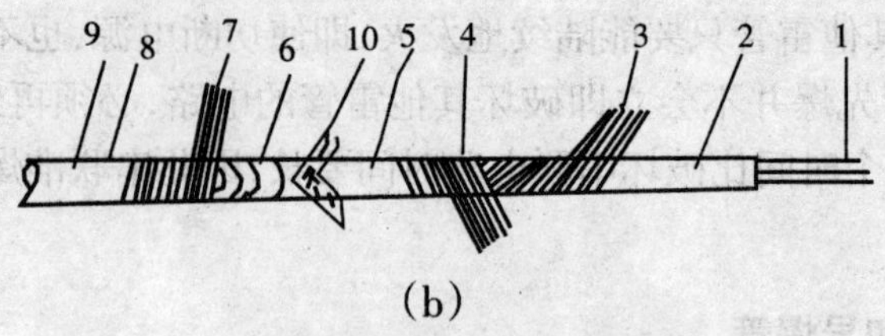

(b)

图4–10　棉线导爆索结构

(a)普通导爆索；(b)矿用导爆索

1——芯线；2——芯药；3——内层线；4——中层线；5——沥青层；6——纸条层；7——外层线；8——涂料层；9——防潮帽或防潮层；10——消焰剂

(二)继爆管

继爆管是一种专门和导爆索配合使用的毫秒起爆材料，利用继爆管的毫秒延期继爆作用和导爆索配合进行毫秒爆破。

继爆管结构如图4–11所示，实际上就是由消爆管和不带点火装置的毫秒延期元件的火雷管组成的，并分为单向和双向。

单向继爆管的作用原理是：首端导爆索爆炸的冲击波和高温气体通过消爆管和减压室后，压力和温度下降，形成一股热气流，可以点燃延期药又不至击穿延期药而发生早爆。延期药燃尽瞬间，雷管爆炸，从而引爆连接在尾端的导爆索，实现毫秒延期爆破的目的。因为单向继爆管的传爆是有方向性的，所以首尾两端的导爆索不可接错，只能从消爆管端传向雷管，否则不能传爆。

另有双向继爆管，其消爆管两端都装有延期药和起爆药，两个方向均可传爆，使用时不会因方向接错而拒爆。继爆管不能用于有煤尘与瓦斯爆炸危险的工作面。

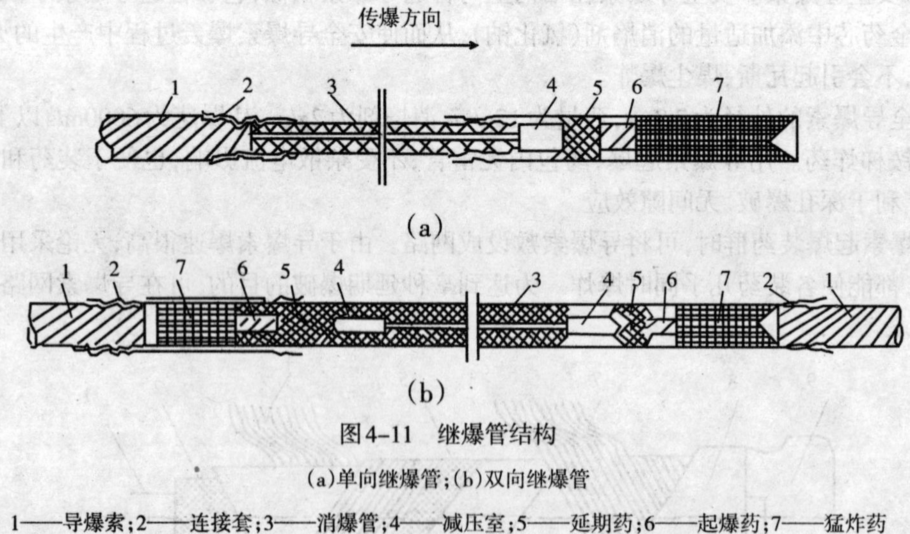

图4–11　继爆管结构

(a)单向继爆管；(b)双向继爆管

1——导爆索；2——连接套；3——消爆管；4——减压室；5——延期药；6——起爆药；7——猛炸药

(三)导爆管

导爆管是内壁涂有薄层炸药的，以低爆速传递爆轰波的挠性塑料细软管。利用塑料导爆管为传爆元件，并与起爆元件、连接元件及末端工作元件等构成的起爆系统称为塑料导爆管起爆系统,简称导爆管起爆系统。

导爆管的传爆速度为(1650±50)m/s~(1959±50)m/s。其适用的环境温度为-40℃~50℃,常温下能承受68.6N静拉力,在经扭曲、打结后(管腔不被堵死)仍能正常传爆。

导爆管在受到足够强度的激发冲量作用后,在起爆的瞬间可以看到管内,爆轰波似一闪光通过导爆管。此时向前传递的冲击波是一条不稳定爆轰波,该爆轰波在导爆管中传播约300mm后转变为稳定爆轰波,此后,爆轰波的传播速度将保持恒定,形成稳定传爆。爆轰波在导爆管出口端部喷出可以引爆火雷管,但不能直接引爆工业炸药。导爆管的传爆不会破坏环境,传爆后的管壁亦无破损。

导爆管本身不具有爆炸危险性,在火焰和机械碰撞的作用下不能被起爆,可以作为非危险品运输。

1.导爆管起爆系统具有如下优点

(1)不受杂散电流及各种感应电流的影响,适合于杂散电流较大的露天或地下矿山爆破作业。

(2)爆破网路的设计、操作简便,不需进行网路计算。

(3)作为主要耗材的导爆管为非危险品,储运方便、安全。导爆管雷管可以在现场自行加工,简单易行,成本低廉。

(4)可以同时起爆的炮孔或装药的数量不受限制,既可用于小型爆破,也适用于大型的深孔爆破、硐室爆破。

2.导爆管起爆系统尚具有以下不足

(1)导爆管雷管及爆破网路无法用仪表进行检查,只能凭外观检查网路的质量情况。

(2)《煤矿安全规程》规定:在采掘工作面不得使用导爆管。

第五节 电起爆方法

电起爆方法是通过由电雷管、导线和起爆电源三部分组成的起爆网路来实现的爆破方法。

一、导线

根据导线在起爆网路中的位置不同划分为母线(主线)、支线(区域线)、端线和脚线。

(一)母线

母线是指联接电源与区域线的导线,因它不在崩落范围内,一般用专用放炮线或两芯铜制电缆,母线可多次重复使用。

(二)区域线

区域线是指联接母线与联接线之间的导线,其规格与母线相同,长度以不崩伤母线为原则,一般为10~20m。因区域线经常受炮崩,应及时更换或包扎,以防漏电短路。对其要求与母线相同。

(三)联接线

联接线是指联接各串联组或并联组的导线,因位于工作面,直接受到炮击,常用截面为

2.5～4mm²的铜芯或铁芯塑料线。对其要求与母线相同。

(四)端线

端线是指用来接长雷管脚线,使之引出炮孔口的导线,常用截面为0.2～0.4mm²多股铜芯塑料皮软线。端线必须悬空,不淹水,不虚连,减小接头电阻。

(五)脚线

雷管原带聚氯乙烯导线,对其联接要求如下:

(1)未使用时必须处于扭结状态,不连线,不分开。

(2)脚线接头应对联接,不得顺向联接和留有须头,两根脚线的接头位置应错开并用胶布包扎好。

(3)脚线应在联接完毕后,经检查无误才能与联接线联接。其工作只准爆破工一人操作,无关人员要撤离到安全地点。

(4)联线工作必须严格执行一炮三检制和三人连锁放炮制度。

(六)对爆破母线和联接线的要求

(1)煤矿井下爆破母线必须符合标准。

(2)爆破母线和连接线、电雷管脚线、脚线和脚线之间的接头必须互相扭结并悬挂,不得与轨道、金属管、金属网、钢丝绳、刮板输送机等导电体相接触。

(3)巷道掘进时,爆破母线应随用随挂,不得使用固定爆破母线。特殊情况下,在采取安全措施后,不受此限。

(4)爆破母线与电缆、电线、信号线应分别悬在巷道两侧。如果必须挂在同一侧,爆破母线必须挂在电缆的下方,并应保持0.3m以上的距离。

(5)只准采用绝缘母线单回路爆破,严禁用轨道、金属管、金属网、水和大地作回路。

(6)爆破前,爆破母线必须扭结成短路。

(7)爆破母线外皮损伤,必须及时包扎,避免网路与外界相连,发生漏电、短路或雷管提前爆炸等意外事故。

(8)母线要有足够长度,满足躲炮距离。根据工程条件不同躲炮距离各异,一般情况下采煤工作面不小于75m,巷道不小于100m,深孔爆破不小于120m。

(9)严禁用四芯、多芯或多根导线做母线,不得用两根材质、规格不同的导线做爆破母线。

(10)爆破母线接头不应过多,以免增加网路电阻、断线、漏电或断路故障,每个接头要刮净锈垢后接牢,并用绝缘胶布包好。

(11)在井下,爆破母线要放在干燥安全的地点,使用后要升井干燥、检查,并定期作电阻测定和绝缘性能测定。

二、起爆电源

起爆电源指引爆电雷管所用的电源:交流电、直流电或发爆器。《煤矿安全规程》规定,煤矿井下只允许用发爆器起爆,在开凿或延伸通达地面的井筒时,无瓦斯的井底工作面,可使用其他电源起爆,但电压不得超过380V,并必须有电力起爆接线盒。

(一)发爆器

发爆器又叫放炮器,是起爆电雷管用的电源。目前煤矿所用发炮器都是电容式的。电容式发爆器种类和规格很多,但基本原理大致一样。一般为晶体管振动电路,将干电池的支流电改变为震荡交变电流,然后经变压器升压,再经整流后给主电容充电。当充电达到额定电压时,指示灯发亮,接通电路,利用电容瞬间放出所贮存的电能,使爆破网路在3~6ms内获得大量的发火电冲能而起爆电雷管。任何一种型号的起爆器,它所能引爆的电雷管最大数量是一定的,而且网路中电雷管的连接方式不同,起爆器所能引爆的雷管数量也不同。

发爆器的主要优点是:在爆破网路炸断之前它已自行切断电源,并把足够的起爆电能输送到爆破网路中。这样工作面的爆破网路就不会因线路断开而产生电火花,保证了工作面的爆破作业安全。

使用发爆器有如下要求:

(1)发爆器钥匙必须由爆破工随身携带,严禁插在发爆器上或转交他人。

(2)有煤尘与瓦斯爆炸危险的工作面,严禁同时使用两台发爆器。

(3)严禁在井下拆修发爆器或更换电池。

(4)严禁将两个接线柱联线短路,打火花检查有无残余电荷。

(5)严禁用发爆器检查导通母线。

表4-12　　MFBB型发爆器技术特征

项目	内容
起爆能力/发	100
电压峰值/V	1800
输出引燃冲量/A2. ms	≥8.7
供电时间/ms	4
充电时间/s	<20
电源/v	4.5
质量/kg	2

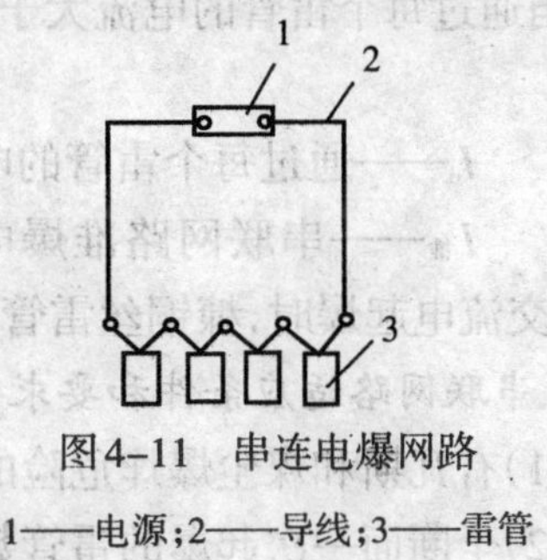

图4-11　串连电爆网路

1——电源;2——导线;3——雷管

(二)其他电源

虽然各种电源都能使电雷管引爆,但其中的有些电源(如干电池、蓄电池、小型发电机等)因存在这样或那样的缺点而不适宜作起爆电源。目前起爆电源除发爆器外,还有动力和照明电源。它们特别适合大量电雷管的并联、串并联爆破网路。

三、电爆网路的联接方式及计算

井巷掘进时,电爆网路联接方式有串联、并联和串并联等。

(一)串联

它是将各电雷管脚线连续地一个接一个连接起来(手拉手),然后将两端剩余的两根脚线与放炮母线接起来,再将母线接到电源上的连接方式(图4-11)。

1.串联电爆网路的优缺点

(1)网路准爆要求的总电流较小,适于用发爆器放炮,安全。

(2)母线电阻的大小对雷管起爆影响不太显著。

(3)联线简单容易操作,不易误联或漏联,便于用导通表检查。

(4)一发雷管断路时会导致全部拒爆,处理很麻烦。

(5)对雷管的电阻值差要求较严,二种不同雷管严禁混用。

(6)在瓦斯矿井使用安全。

2.串联网路电流

串联网路的总电阻为:

$$R=R_m+nr \tag{4-1}$$

式中 R_m——母线总电阻,Ω;

n——串联雷管个数;

r——每个雷管的电阻(包括桥丝电阻和脚线电阻),Ω。

串联网路的总电流为:

$$I=\frac{U}{R_m+nr} \tag{4-2}$$

式中 I——网路总电流,也就是通过每个雷管的电流,A;

U——放炮电源电压,V。

当通过每个雷管的电流大于串联准爆电流时,串联网路中的电雷管被全部引爆。

$$I=I_d \geqslant I_{准} \tag{4-3}$$

式中 I_d——通过每个雷管的电流,A;

$I_{准}$——串联网路准爆电流,A;直流电起爆时,糠铜丝雷管为2A,镍铬丝雷管为1.5A;交流电起爆时,糠铜丝雷管为4A,镍铬丝雷管为3A。

3.串联网路适应条件和要求

(1)有瓦斯和煤尘爆炸危险的采煤或掘进工作面均采用串联。

(2)全断面一次起爆的雷管数较少,发爆器的起爆能力满足实际校核条件。

要求:装药前对雷管逐个作导通检查;联线后应检查网路是否导通,电阻是否超限。

(二)并联

并联电路是将各个雷管的两根脚线分别联接到两根联接线上。这种联接方法又可分为分段并联和并簇联两种(图4-12)。

1.并联网路的优缺点

(1)电路的总电流大,发爆器无法起爆,须用线路电源起爆,并容易产生外露火花,在瓦斯矿井中禁用。

(2)母线、联接线 电阻值的大小及接头质量,对雷管的准爆影响很大,所以须使用断面足够大的母线,并接好每个接头。

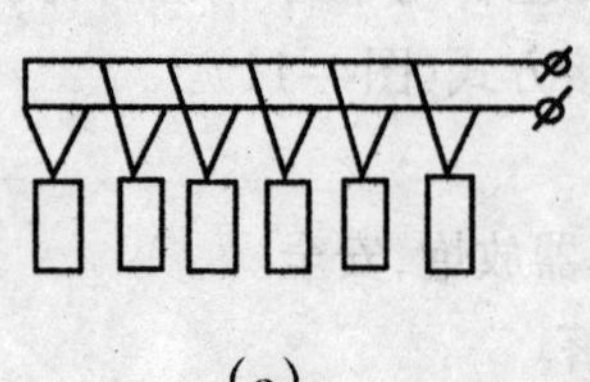

(a)

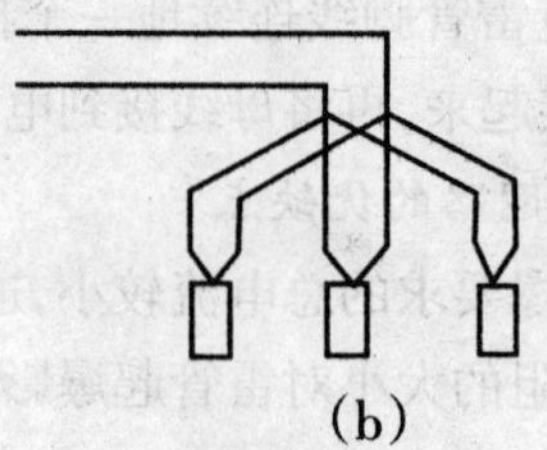

(b)

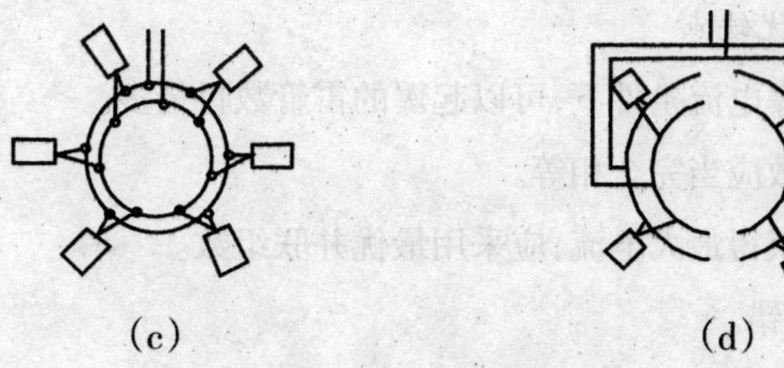

(c)　　　　　　(d)

图4-12　并联电爆网路

(a)分段并联；(b)并簇联；

(c)闭合反向分段并联；(d)两面供电的分段并联

(3)若有个别雷管不通不易用仪表查出，但不会因一个雷管不爆导致全部拒爆。

(4)并簇联(俗名两把抓)的联线特别迅速方便，但需要雷管脚线稍长才能联到一起。

(5)分段并联由于联接线有一定的电阻，容易使电流分配不均，只有在大直径井筒掘进时才使用。为减小联接线影响，常用闭合反向电路。

2.并联网路电流

并联网路总电阻为：

$$R=mR_m+r \tag{4-4}$$

式中　　m——并联电雷管的数目。

通过每个电雷管的电流：$I_d=\dfrac{U}{mR_m+r}\geqslant I_{准}$　　(4-5)

当此电流I_d满足准爆条件时，并联电路的雷管将全部被引爆。

3.并联网路适应条件

(1)立井或斜井井筒施工应采用并联，尤其涌水量较大时，显得更优越。

(2)采煤或掘进工作面检查瞎炮时，应采用并联，发爆器起爆。但由于发爆器输出电流很小，一次并联的雷管数一般不超过10发。

(三)串并联和并串联

串并联电路是将若干个雷管先行串联起来组成一个串联组，然后再将各组并联起来。工程中经常在同一药包内放置2发电雷管，将这些电雷管分别串联在一起，然后再并联，这样构成的串并联电路其起爆可靠性大为提高(图4-13)。

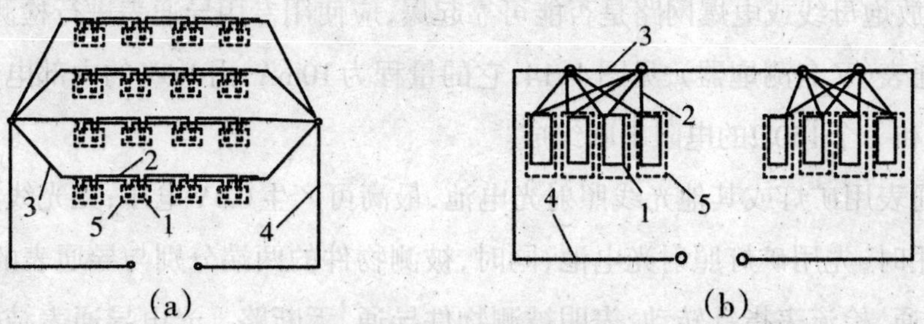

(a)　　　　　　(b)

图4-13　混合联接电爆网路

(a)串并联；(b)并串联

1——雷管；2——端线；3——区域线；4——主线；5——炮孔

1. 串并联和并串联的优缺点

(1)在同样电压和起爆电流条件下,可以起爆的雷管数目最多。

(2)各组串联的雷管数应当完全相等。

(3)为使每个雷管均获得最大电流,应采用最优并联组数。

(4)联线复杂,容易出错。

(5)串并联电路一般也应使用线路电源起爆。

2. 串并联和并串联网路电流

最优并联组数为:

$$m=\sqrt{\frac{N_r}{R_m}} \tag{4-6}$$

式中 N_r——雷管总数;

m——并联的组数,必须取整数。

网路总电流为(该式适用于各种联接电路):

$$I_d=\frac{U}{mR_m+nr}\geqslant I_{准} \tag{4-7}$$

式中 n——每串雷管的个数,$n=N_r/m$。

通过每个雷管的总电流为 $I=I_d\geqslant I_{准}$。 (4-8)

当电流I_d满足准爆条件时,串并联电路的雷管将全部引爆。

3. 串并联和并串联适应条件

(1)适应大断面硐室、全断面一次起爆,需用大功率发爆器。

(2)适应大规模爆破工程,还可采用多种变形方案,如串并并联或并串并联等。

四、电爆网路检测

(一)导通检测

电雷管、放炮母线或电爆网路是否能可靠起爆,应使用专用导通表进行检测。

光电导通表(又名测炮器),见图4-14,它的量程为10mA,由1.5V的内部电源(硒光电池或硅光电池)和一个150Ω的电阻串联组成。

光电导通表用矿灯或其他光线照射光电池,最高可产生0.5V电压;无光线照射,则不产生电压。使用时,先用矿灯照射光电池,同时,被测物件的两端分别与导通表的两个金属片相碰,回路接通,检流表指针转动,表明被测物件导通,无断路。光电导通表结构简单,体积小,操作方便,导通电流只有几十微安,远小于雷管的最大安全电流,可确保雷管导通检测的绝对安全。但使用后必须避光存放。

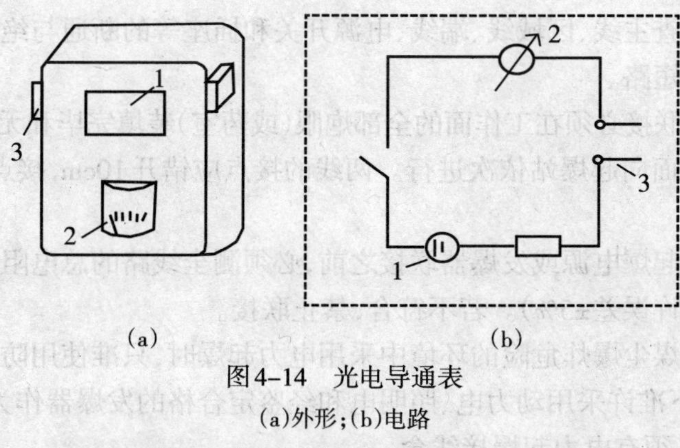

图4-14 光电导通表

(a)外形;(b)电路

1——硒光电池或硅光电池;2——检流计;3——金属片

(二)线路电桥检测

爆破线路电桥是用来检测电雷管及电爆网路的电阻值和是否导通的仪表。使用最多的是205型防爆专用仪表,如图4-15所示。

使用205型爆破电桥检测雷管或电爆网路时,先将其脚线或母线接在电桥的两个接线柱上,使转换开关指向"雷管"或"网路",用手按下按钮,同时旋转分划盘,若检流表的指针不动,则说明电雷管或网路不通;若检流表指针摆动,则表明电雷管或网路导通;当检流表指针居中时,可松开按钮,此时指针所指分划盘上的读数,即为被测雷管或电爆网路的电阻值。这种电桥测量电阻的范围是0.2~50Ω,工作电压远小于雷管的最大安全电流,安全可靠。

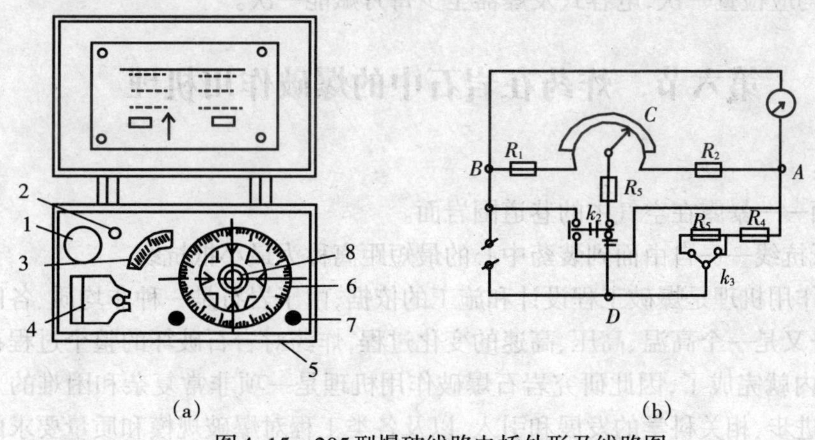

图4-15 205型爆破线路电桥外形及线路图

(a)外形;(b)线路图

1——转换开关;2——调整钮;3——检流表;4——电池室;5——外壳;6——分划盘;7——接线柱;8——按钮

五、敷设电爆网路时应注意的问题

(1)只准采用专用爆破电表导通网路和校核电阻。专用爆破电表的工作电流应小于30mA。必须在装药填塞完毕和无关人员撤离现场后,才准在作业面导通网路和校核电阻。

(2)爆破网路主线应设中间开关,并与其他电源线路分开敷设,应采用绝缘良好的导线,不准利用铁轨、铁管、钢丝绳、水和大地作爆破线路。露天爆破允许使用架设在电杆磁瓶上的裸露导线,但不准使用直流电机车的架空线。

(3)必须严格检查主线、区域线、端线、电源开关和插座等的断通与绝缘情况。在联入网路前,各自的两端应短路。

(4)爆破网路的联接必须在工作面的全部炮眼(或药室)装填完毕和无关人员全部撤至安全地点之后,由工作面向起爆站依次进行。两线的接点应错开10cm,接点必须牢固,绝缘良好。

(5)爆破主线与起爆电源或发爆器联接之前,必须测全线路的总电阻值。总电阻值应与实际计算值符合(允许误差±5%)。若不符合,禁止联接。

(6)在有瓦斯与煤尘爆炸危险的环境中采用电力起爆时,只准使用防爆型发爆器作为起爆电源。其他情况下准许采用动力电、照明电和经鉴定合格的发爆器作为起爆电源,但电压不得超过385V,并必须有电力起爆接线盒。

(7)用动力电源或照明电源起爆时,起爆开关必须安放在上锁的专用起爆箱内。起爆开关箱的钥匙和发爆器的钥匙在整个爆破作业时间里,必须由爆破工作领导人或由他指定的爆破员严加保管,不得交给他人。

(8)爆破作业场地的杂散电流值大于30mA时,禁止采用普通电雷管。

(9)地下金属矿的电力起爆,属一般爆破者,装起爆药包前必须撤除工作面的一切电源;属大爆破者,装起爆体前的停电范围由设计确定。露天硐室大爆破,装起爆药前应撤除各个硐室的电源。

(10)各种发爆器和用于检测电雷管及爆破网路电阻的爆破专用电表等电气仪表,每月以及大爆破前均应检查一次,电容式发爆器至少每月赋能一次。

第六节　炸药在岩石中的爆破作用机理

有关概念:

(1)自由面——暴露在空气中的巷道围岩面。

(2)最小抵抗线——自由面到装药中心的最短距离称为最小抵抗线。

岩石爆破作用机理是爆破工程设计和施工的依据,由于岩石是一种非均质、各向异性的介质,爆炸本身又是一个高温、高压、高速的变化过程,炸药对岩石破坏的整个过程在几十微秒到几十毫秒内就完成了,因此研究岩石爆破作用机理是一项非常复杂和困难的工作。随着测试技术的进步、相关科学的发展和引入,以及各类工程对爆破规模和质量要求的不断提高,岩石爆破作用原理的研究取得了积极的成果,在一定程度上反映了某些客观规律,对指导爆破设计和施工具有实际意义。

一、岩石爆破破岩理论

岩石爆破破坏机理的学说,依据其基本观点,可归纳为三种。

(一)爆生气体膨胀作用理论

这种学说从静力学观点出发,认为岩石的破碎主要是由于爆轰气体的膨胀压力引起的。这种学说忽视了岩体中冲击波和应力波的破坏作用,其基本观点如下:

药包爆炸时,产生大量的高温高压气体,这些爆炸气体产物迅速膨胀并以极高的压力作用于药包周围的岩壁上，形成压应力场。当岩石的抗拉强度低于压应力在切向衍生的拉应力时，岩石内将产生径向裂隙，裂隙从爆源附近以放射状伸展，形成裂隙圈。

作用于岩壁上的压力引起岩石质点的径向位移，由于作用力的不等引起径向位移的不等，导致在岩石中形成剪切应力。当这种剪切应力超过岩石的抗剪强度时，岩石就会产生剪切破坏。当爆轰气体的压力足够大时，爆轰气体将推动破碎岩块作径向抛掷运动。

(二)爆炸应力波反射拉伸作用力理论

这种学说以爆炸动力学为基础，认为应力波是引起岩石破碎的主要原因。这种学说忽视了爆轰气体的破坏作用，其基本观点如下：

炸药在岩体内爆炸时产生的爆轰波冲击和压缩着药包周围的岩壁，在岩壁中激发形成冲击波并很快衰减为压缩应力波，压缩应力波向外围传播，遇到自由面以拉伸应立波反射。由于岩体的抗拉强度远远小于其抗压强度，因此岩石在拉应力作用下产生破裂，从自由面向岩石内部一层层片落下来。其实验基础是岩石杆件的爆破实验，如图4-16所示。杆件爆破实验是用长条岩石杆件，在一端安置炸药爆炸，则靠炸药一端的岩石被破碎，而另一端岩石也被拉断成许多块，杆件中间部分没有明显的破坏。

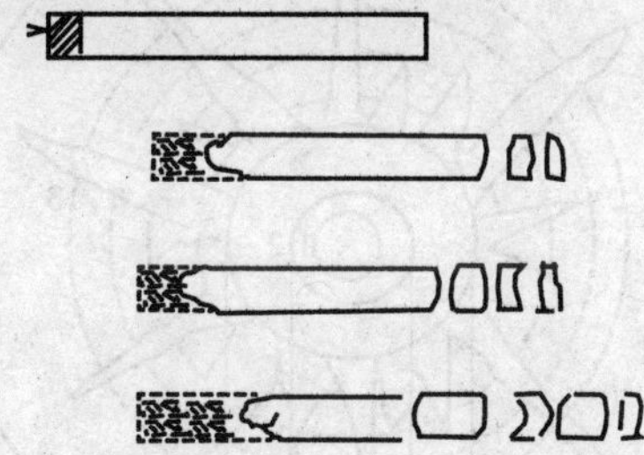

图4-16　不同药量的岩石杆件爆破试验

(1)爆破的内部作用。当药包在岩体中的埋置深度为W_C，并且其爆破作用刚好到达自由面时，称W_C为临界抵抗线。如果药包的埋置深度大于W_C，其爆破作用达不到自由面(严格说，这时没有“自由面”)，这种情况下的爆破作用叫作爆破的内部作用，相当于单个药包在无限介质中的爆破作用。岩石的破坏特征随离药包中心距离的变化而发生明显的变化。

根据岩石的破坏特征，可将耦合装药条件下，受爆炸影响的岩石分为三个区域(图4-17)：

① 粉碎区。炸药起爆后，药包附近的岩石受爆生气流的冲击，对于坚硬岩石，在此范围内受到粉碎性破坏，形成粉碎区；对于松软岩石(如页岩、土壤等)，则被压缩形成空洞，空洞表面形成较为坚实的压实层，这种情况下的粉碎区又称为压缩区。但粉碎区范围很小，只有药包半径的2~3倍。虽然粉碎区的范围不大，但由于岩石遭到强烈粉碎，能量消耗却很大。因此，爆破岩石时，应尽量避免形成压碎区。

②裂隙区。在应力波和爆轰气体的共同作用下，随着径向裂隙、环向裂隙和切向裂隙的形成、扩展和贯通，在紧靠粉碎区外就形成了一个裂隙发育的区域，称为裂隙区。

③ 震动区。裂隙区以外由于应力波继续衰减，应力波和爆轰气体的能量已不足以对岩石造成破坏，以致连裂隙也不能产生，只能使岩石产生震动，故称为震动区。这种小药量大

抵抗值的爆破，效果很差。

（2）爆破的外部作用。当药包的最小抵抗线小于临界值时，药包的爆破除产生内部作用外，还会使自由面方向上的岩石发生破坏，即药包的爆破产生了外部作用。当最小抵抗线较小时，应力波传到自由面衰减的程度还不太大，就在自由面处产生反射形成方向相反的拉伸应力波，并由自由面向爆源传播。当自由面处的反射拉伸波峰值应力大于岩石抗拉强度时，将从自由面向药包方向第一层剥落破坏，从新自由面反射回的拉伸应力波与入射压力波叠加后产生的拉应力再度大于岩石的抗拉强度时，将形成第二道平行于自由面的裂缝，使第二层岩石就发生片落，造成又一个新的自由面。这样一而再，再而三地从自由面向爆心一层一层地片落，就形成了爆破的外部作用，直到入射波与反射波的叠加拉应力小于岩石的抗拉强度为止。

由此可见，自由面在爆破破坏过程中起着重要作用，它是形成爆破破坏的重要因素之一。

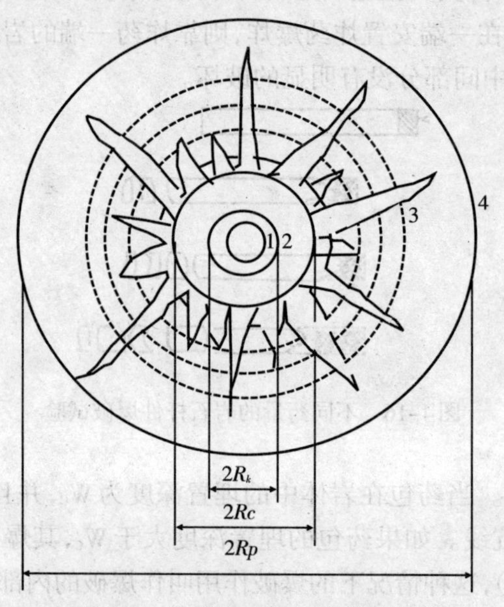

图4-17　装药在岩体内的爆破作用

1——扩大空腔；2——粉碎区；3——裂隙区；4——震动区；

R_k——空腔半径；R_c——压缩区半径；R_p——破裂区半径

（三）爆生气体和应力波综合作用理论

这种理论认为在应力波作用下，岩体内产生径向裂隙，爆生气体渗入已形成的径向裂隙内，起到气楔作用，使裂隙进一步扩展，同时反射拉伸波也同样加强了径向裂隙的扩展。这就是炸药爆炸的动作用和静作用在爆破过程中共同作用的体现。实际爆破中，爆生气体膨胀和应力波都对岩体起作用，良好的爆破效果是综合作用的结果。一般来说，坚硬岩石的爆破破坏，应力波的动作用是主要的；软岩的爆破破坏，爆生气体准静压力的作用是主要的；中硬岩的爆破破坏，是应力波动作用和爆生气体静作用综合作用的结果。

二、爆破漏斗

当单个药包在岩体中装药的最小抵抗线小于其临界抵抗时，可以观察到自由面上出现了岩体开裂、鼓起或抛掷现象。这种情况下的爆破作用叫作爆破的外部作用，其特点是在自由面上形成了一个倒圆锥形爆坑，称为爆破漏斗，如图4-19所示。

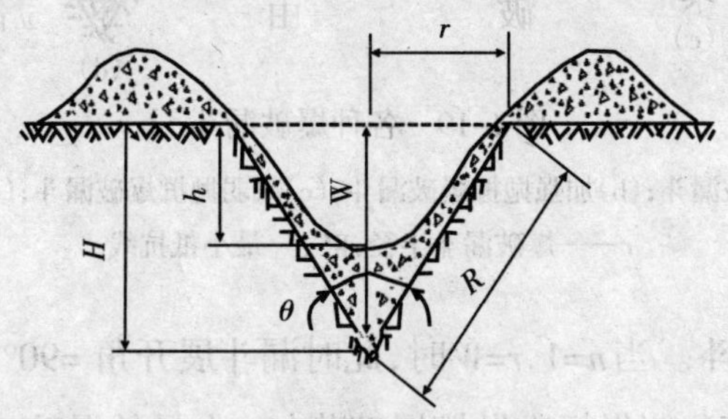

图4-18 爆破漏斗的几何要素

(一)爆破漏斗的构成要素，如图4-18所示

(1)自由面是指被爆破的岩石与空气接触的面，又叫临空面。

(2)最小抵抗线是指药包中心距自由面的最短距离。爆破时，最小抵抗线方向的岩石最容易破坏，它是爆破作用和岩石抛掷的主导方向。常用W表示最小抵抗线。

(3)爆破漏斗半径是指形成倒锥形爆破漏斗的底圆半径。常用r表示爆破漏斗半径。

(4)爆破漏斗破裂半径，又叫破裂半径，是指从药包中心到爆破漏斗底圆圆周上任一点的距离。用R表示爆破漏斗破裂半径。

(5)爆破漏斗深度。爆破漏斗顶点至自由面的最短距离叫爆破漏斗深度。用H表示爆破漏斗深度。

(6)爆破漏斗可见深度。爆破漏斗中碴堆表面最低点到自由面的最短距离叫爆破漏斗可见深度。如图中h所示。

(7)爆破漏斗张开角，即爆破漏斗的顶角，如图中的θ所示。

通常把最小抵抗线W、爆破漏斗半径r和爆破漏斗作用半径R称为爆破漏斗的三要素。

(二)爆破作用指数

在工程爆破中常把漏斗半径r与最小抵抗线W的比值称为爆破作用指数n，即$n=r/W$(或称为炮眼密集系数)。

爆破作用指数n在工程爆破中是一个极重要的参数。爆破作用指数n值的变化，直接影响到爆破漏斗的大小、岩石的破碎程度和抛掷效果。

根据爆破作用指数n值的不同，将爆破漏斗分为以下四种，同时也表明四种爆破类型。

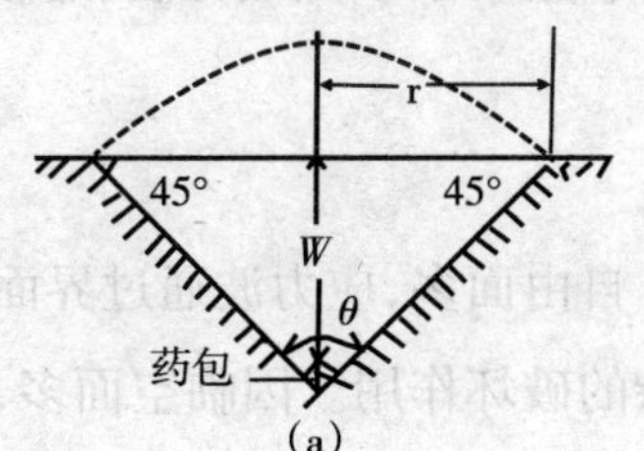

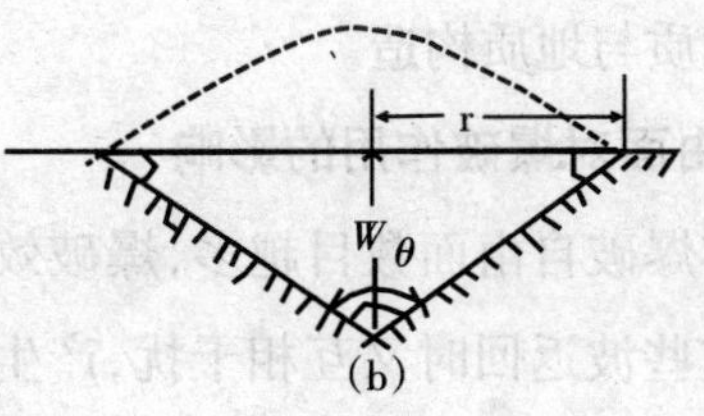

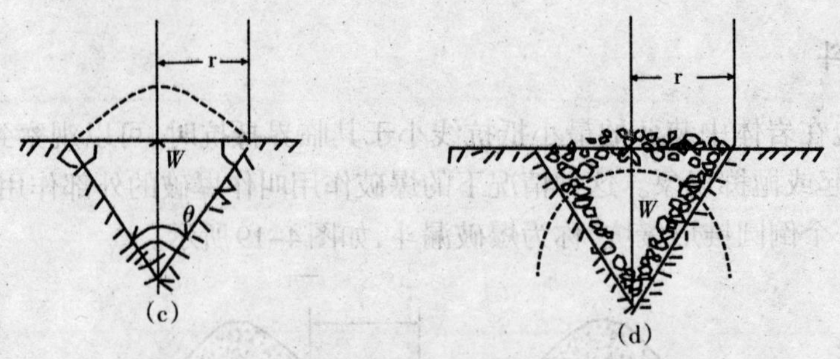

图4-19 各种爆破漏斗

(a)标准抛掷爆破漏斗;(b)加强抛掷爆破漏斗;(c)减弱抛掷爆破漏斗;(d)松动爆破漏斗

r——爆破漏斗半径;W——最小抵抗线

(1)标准抛掷爆破漏斗。当n=1,r=W时,此时漏斗展开角 =90°,形成标准抛掷漏斗。形成标准抛掷爆破漏斗的药包叫做标准抛掷爆破药包。大量的爆破工程采用标准抛掷爆破进行药量设计。

(2)加强抛掷爆破漏斗。当$n>1$,$r>W$时,此时漏斗展开角 >90°,形成加强抛掷漏斗。形成加强抛掷爆破漏斗的药包,叫做加强抛掷爆破药包。大量移山、填海、筑坝工程,采用加强抛掷爆破进行爆破设计。

(3)减弱抛掷爆破漏斗。当$0.75<n<1$,$r<W$时,此时漏斗展开角 <90°,形成减弱抛掷爆破漏斗(又称为加强松动爆破),形成减弱抛掷爆破漏斗的药包,叫做减弱抛掷爆破药包。是采矿工程爆破常用的方法。

(4)松动爆破漏斗。当$n<0.75$,$r<W$时,形成松动爆破,只有岩石的破裂而没有向外抛掷作用,即无明显可见的爆破漏斗出现。拆除爆破一般采用,$n<0.75$。

一般认为n=1时,形成的漏斗坑体积最大,爆破作用最好;n略大于1(1.3~1.4)时,可减少清理坑内岩石的工作;n略小于1(约为0.8)时,岩石不致飞散过远,便于装岩工作。可见,爆破作用指数应按爆破工程实际和要求选用,井巷掘进时爆破作用指数一般选在0.8~1之间,掏槽眼可以稍大于1。

三、影响爆破作用的因素

要想达到预期爆破效果,就必须对影响爆破作用的各种因素作出正确分析。影响爆破作用的因素很多,大致可归纳为三个方面:炸药性能与装药结构;爆破方法、爆破参数与爆破工艺;岩石性质与地质构造。

(一)自由面对爆破作用的影响

(1)岩体爆破自由面数目越多,爆破效果越好。自由面多,应力波通过界面产生反射拉伸波越多,这些波返回时又互相干扰,产生综合复杂的破坏作用。因临空面多,波的叠加与干涉作用增强，加强了对岩体破碎。自由面数目越多，爆破效果越好，而且耗药也少。

一般每增加一个自由面，炸药量减少15%～20%，因此，在爆破工程实践中，必须使几个炮眼先爆，为后续炮眼爆破提供自由面，这种方法称为掏槽。如图4-20自由面对爆破效果的影响。

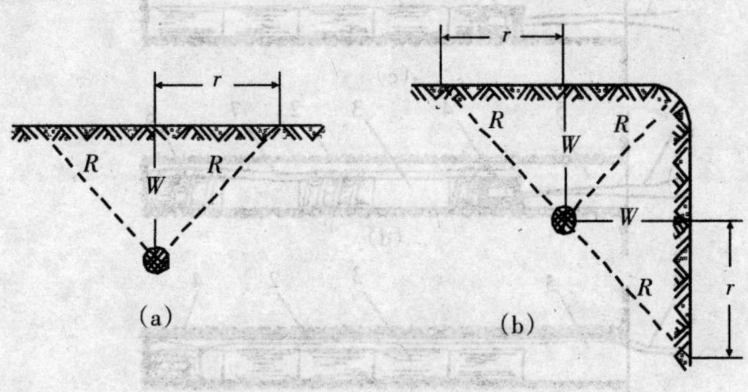

图4-20　自由面对爆破效果的影响

（2）自由面面积越大，爆破效果越好。

（3）自由面与炮眼方向间的关系，垂直时效果最差，平行时效果最好，斜交时界于中间。

（4）自由面的位置在炮眼上面爆破效果最差，在侧面次之，在下面最好。

（二）炸药性能与装药结构对爆破作用的影响

炸药的密度、爆热、爆速、作功能力和猛度等性能指标，反映了炸药爆炸时的作功能力，它们中直接影响爆破作用及效果的主要因素是炸药密度、爆热和爆速，因为它决定着在岩体内激起爆炸应力波的峰值压力、应力波作用时间、热化学压力。

为提高爆破能量利用率，对不同的岩石应选用不同的炸药。尤其煤矿安全炸药必须按照矿井瓦斯的安全等级选用。但对岩石炸药，应使炸药的波阻抗尽可能与岩石波阻抗相匹配。

装药结构是指炸药在炮眼内的装填情况。根据炮眼内药卷与炮眼、药卷与药卷之间的关系，装药结构（如图4－21）可以分为以下几种：

1.按药卷与炮眼在径向的关系分为

耦合装药：药卷与炮眼在径向无间隙，如散装药。

不耦合装药：药卷与炮眼在径向有间隙，间隙内可以是空气或其他缓冲材料，如水、砂等。

2.按药卷与药卷在炮眼轴向的关系分为

连续装药：药卷与药卷在炮眼轴向紧密接触。

间隔装药：药卷（或药卷组）之间在炮眼轴向存在一定长度的空隙，空隙内可以是空气、炮泥、木垫或其他材料。

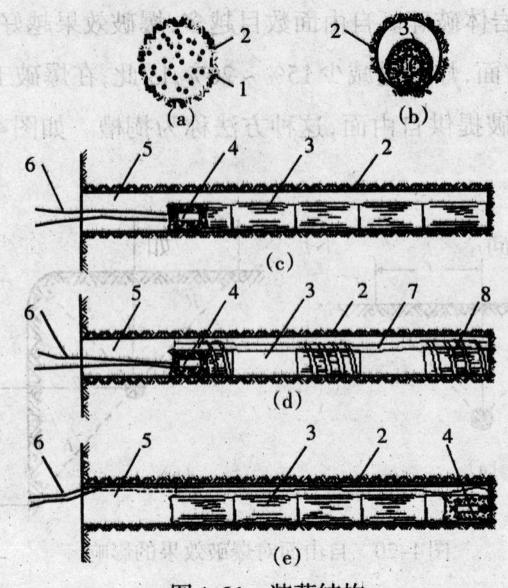

图4-21 装药结构

(a)耦合装药;(b)不耦合装药;(c)正向连续装药;(d)正向空气间隔装药;(e)反向连续装药

1——炸药;2——炮眼壁;3——药卷;4——雷管;5——炮泥;6——脚线;7——竹条;8——绑绳

间隔装药,一般可分为2~3段,用导爆索联接起爆。该装药结构适用于中深孔光面爆破周边眼装药,保证缓冲效果,满足光爆要求。

耦合装药或散装药时,装药直径即炮眼直径;不耦合装药时,装药直径一般指药卷直径。炮孔直径与装药直径之比称为不耦合系数。散装药时,不耦合系数为1。常用不耦合系数来表示不耦合程度。

炮眼直径与药卷直径之比,称为不耦合系数。

$$K_d=\frac{d}{d_c} \tag{4-9}$$

式中 d——炮眼直径,mm,

dc——药卷直径,mm。

在一定的岩石和炸药条件下,采用不耦合装药或空气间隔装药具有下列优点:

(1)可以增加炸药用于破碎或抛掷岩石能量的比例,提高炸药能量的有效利用率。

(2)改善岩石破碎的均匀度,降低大块率,从而使装岩效率得到提高。

(3)降低炸药消耗量。

(4)能有效地保护爆破时形成的新自由面。

这两种装药结构,特别是不耦合装药结构在光面爆破和预裂爆破中得到广泛的应用。在井巷掘进中,炮眼直径一般为40~45mm,药卷直径为32~35mm,径向间隙量平均为4~7mm,不耦合系数为1.12~1.76,间隙效应非常明显。在深孔光面爆破周边眼装药时,常采用炮眼直径为55mm,药卷直径为32mm的径向缓冲装药结构,以保证光爆效果,但必须高度重视传爆问题。

正向和反向是指起爆的方向。正向起爆是指起爆药卷在炮口,聚能穴朝向眼底的起爆;

反向起爆是指起爆药卷在眼底,聚能穴朝向眼口起爆。

工程实践表明,在岩石性质、炸药用量和炮眼深度一定的条件下,与正向起爆相比,反向起爆可以提高炮眼的利用率,降低岩石的夹制作用,降低大块率。在炮眼较深,起爆间隔时间较长以及炮眼间距较小的情况下,反向起爆可以消除采用正向起爆时容易出现的一些情况,如起爆药卷被邻近炮眼内的装药爆破"压死"或提前炸开的现象。

与正向起爆相比,反向起爆也有其不足之处。例如,需要长脚线雷管,装药比较麻烦;在有水深孔中起爆药包容易受潮;装药操作的危险性增加,机械化装药时静电效应可能引起早爆等。

所以,深孔爆破宜采用反向起爆;浅孔爆破时,正反向均可。但有瓦斯或煤尘爆炸危险的工作面采用反向起爆时,必须制定安全技术措施。

(三)岩石性质、地质构造对爆破作用的影响

容重越大的岩石越难爆破,岩石越脆、裂隙越发育越容易爆破。

地质构造包括断层、节理、层理等弱面,它对爆破作用的影响有二重性:一方面,弱面可导致爆生气体和压力泄露,降低爆破能的作用效果;另一方面,这些弱面破坏了岩体的完整性,易于破裂,而且弱面又增加了爆破应力波的反射作用,有利于岩石破碎。

(四)堵塞对爆破作用的影响

堵塞就是针对不同的爆破方法采用相应的材料,将岩体中通向药室的通道填实。堵塞的目的是:保证炸药充分反应,使之产生最大热量,防止炸药不完全爆轰;防止高温高压的爆轰气体过早地从炮眼或导洞中逸出,使爆炸产生的能量更多地转换成破碎岩体的机械功,提高炸药能量的有效利用率。在有瓦斯或煤尘爆炸危险的工作面内,堵塞用的炮泥除降低爆炸气体逸出自由面的温度和压力外,炮泥还起着阻止灼热固体颗粒(例如雷管壳碎片)从炮眼内飞出的作用。不同的爆破方法所使用的堵塞材料、堵塞长度和堵塞方式不完全相同。

四、装药量与爆破时炸药的钝化效应

(一)装药量

每茬炮的装药量分为总装药量和单孔装药量,因为各类炮眼的装药量不等,常用装药系数(每个炮眼的装药长度与眼深之比)来进行各炮眼药量分配。但精确计算装药量问题至今尚未获得十分圆满的解决。工程技术人员更多的是在各种经验公式的基础上,结合实践经验确定装药量。其中,体积公式是装药量计算中最为常用的一种经验公式。采用经验公式,或以一次爆破体积为依据计算时,要结合岩性和爆破要求,改变不同的单位炸药消耗量,进行装药量的调整计算。在调整计算单位炸药消耗量时,应采用以下方法:

(1)查表、参考定额确定,这些表都是对2号岩石铵梯炸药而言的,使用其他炸药时应乘以炸药换算系数e;

(2)采用工程类比的方法,参照条件类似的工程或岩石条件相同的实际单位的炸药消耗量统计数据确定;

(3)通过标准爆破漏斗试验计算,理论上讲,形成标准抛掷爆破漏斗的装药量Q与其所爆落的岩体体积之比即为q的值;

(4)根据如下经验公式确定:

$$q=0.4+(\frac{r}{2450})$$

式中　q——单位炸药消耗量,kg/m³;

r—岩石体积密度,kg/m³。

(二)爆破时炸药的钝化效应

在毫秒爆破过程中,如果相邻炮眼间距很近,再加上炮眼方向的准确性不够,炮眼底部会靠得更近;如果岩石较软,先爆的炮眼以极高的压力挤压临近炮眼变形、位移,造成临近炮眼后续起爆时熄爆或爆燃,这种现象称为炸药的动态钝化效应。深孔爆破的掏槽眼中,由于装药高度集中,引起迟爆炸药被压实而熄爆的现象时常发生,即便采用水胶炸药,也因挤压而出水,改变其黏合作用,传爆性能减弱,同时还会出现气泡溢出,降低起爆感度而熄爆。

试验表明,在软岩爆破中,如果相邻两个炮眼间距小于2倍炮眼直径,首先爆炸的炮眼在5ms以内就挤压相邻炮眼内炸药熄爆,延迟时间增加到15ms,爆轰熄灭概率也增加,当延迟时间增加到100ms,其概率不变。但这种现象在坚硬岩石的炮眼中很少出现。因此,在布置炮眼时,要求相邻两眼的间距应大于3~5倍的炮眼直径,避免纯化效应。

五、光面爆破

目前我国井巷施工中普遍采用的是钻眼爆破法。钻眼爆破法分为两大类一类为普通爆破;一类为光面爆破,简称光爆。光爆是随着推广应用锚喷支护技术而发展起来的,光爆是做好锚喷支护的前提和基础。

(一)光面爆破的特点

与普通爆破相比较,光面爆破的特点是:

(1)周边轮廓线比较精确地符合设计要求,新壁面平整,通风阻力小,减少通风费用;

(2)爆破后的岩面光滑平整,肉眼几乎看不到爆震裂隙。原有构造裂隙也不因爆破影响而有明显扩展,可保持原岩的整体性和稳定性,提高了巷道轮廓质量,不需要或很少需要加强支护,减少了支护工作量和材料消耗;

(3)可减少超挖或欠挖,超欠挖量可降低到4%~6%,节省因超、欠挖而增加的工程量和费用,提高工程速度和质量;

(4)容易发现片帮冒顶征兆。

(二)光面爆破的机理

(1)降低对巷道壁面的破坏。光面爆破后,光面上应留有炮眼痕迹。也就是说在爆炸荷载作用下,炮眼壁上产生的冲击压力若不大于处于体积应力状态下的抗压强度,在炮眼壁上就不至于造成粉碎性破坏,而只能引起少量的径向细微裂隙。要实现这个目的,可采用不耦合连续装药或空气间隔装药。不耦合连续装药只适用于光爆专用的小直径药卷。

(2)沿周边眼布置线形成贯穿裂缝,确保壁面光滑。在这些光面眼中进行药量减少的不耦和装药,当光爆炮眼同时起爆后,在各炮眼的眼壁上产生细微径向裂隙。由于起爆器材的起爆时间误差,各炮眼不可能在同一时刻爆炸,先爆炮眼的径向裂隙,由于有相邻后爆炮眼所起的导向作用,结果沿相邻两炮眼联心线的那条径向裂隙得到优先发展,并在爆生气体的静压作用下使之扩展,形成贯穿裂缝。贯穿裂缝形成后,使周围岩体内的应力释放而下降,从而能够抑制其他方向上有害裂隙的发展,同时又隔断了从自由面反射的应力波向围岩传播,因而爆破形成的壁面平整。

(3)使光爆层脱离原岩体,并防止在反射波作用下产生超挖。光爆层厚度是由周边眼的最小抵抗决定的,必须合理确定最小抵抗值。过大,光爆层岩石得不到适当的破碎,甚至不能使其沿炮眼底部最小抵抗切割下来;反之,最小抵抗过大,围岩内将产生较多、较长的裂隙,影响巷道围岩的稳定性,甚至造成围岩片落、超挖和巷道壁面的凸凹不平。

(三)光面爆破参数

光面爆破的成功与否主要取决于爆破参数的确定。其主要参数包括:周边炮眼的间距,周边眼的最小抵抗,周边眼密集系数和装药集中度等。影响光面爆破参数选择的因素很多,主要有岩石的爆破性能、炸药品种、一次爆破的断面大小、断面形状、凿岩设备等。其中影响最大的是地质条件。

六、毫秒爆破

毫秒爆破又称微差爆破,是利用毫秒雷管或其他毫秒延期起爆装置,实现装药按顺序起爆的方法。

(一)毫秒爆破的优点

在毫秒爆破工程中,由于先后两组炮眼起爆的间隔时间很短,有着复杂的相互作用,在降低成本、提高效率及围岩支护等方面有一系列良好的效果。

(1)由于时间间隔短,后组炮眼起爆时,前组爆眼产生的应力波尚未散落,就会使应力叠加,增加了破碎作用,爆下的矿岩块度均匀,大块率低,利于装运。

(2)后组炮眼起爆时,前组炮眼爆破的岩石已经飞起尚未散落,充分利用了前组炮眼所造成的新自由面。当采用多段雷管时,使新自由面的利用更加充分,炮眼利用率更高。

(3)先后相继爆下的岩块在运动过程中相互碰撞造成二次破碎和减小抛掷距离,防止崩坏支架和设备。

(4)能够降低爆破产生的地震效应,防止对井巷围岩造成破坏。根据实验资料,毫秒爆破的地震效应比一般爆破降低1/3~2/3,爆破后围岩稳定、裂隙少、顶板容易管理。

(5)可以在高瓦斯矿井中使用,毫秒爆破能使整个爆破进程加快,实现全断面一次爆破,缩短爆破和通风时间,提高掘进速度,并有利于工人健康安全。

(二)毫秒爆破的作用原理

(1)应力波干涉假说。相邻两炮眼以若干毫秒间隔起爆时,后起爆的炮眼产生的应力波与先起爆炮眼在岩体内形成的尚未消失的应力波叠加,增强了应力波的作用,加强了破碎效果。

(2)自由面假说。先起爆的炮眼形成的众多裂隙为后起爆的炮孔提供了新的自由面,后起爆的炮眼在新的条件下起爆,其最小抵抗线和爆破作用方向都有所改变,增加了入射压力波和反射拉伸波在自由面方向的破碎岩石作用,减小了岩石的抛掷距离,并使运动的岩块相互碰撞,造成二次破碎。同时随着自由面的增加,岩石的夹制作用减小,岩石抵抗爆破的能力降低。利于改善爆破效果,爆下的岩块均匀。

(3)剩余应力假说。先起爆的炮眼相当于单孔漏斗爆破,爆炸激起的应力波在岩体内形成动态应力场,并产生沿漏斗周边的主裂隙缝,使漏斗内岩体与原岩分离,此外在漏斗周边形成较多微细裂隙,当高压爆生气体渗入裂隙后,使裂隙进一步扩展,但随着压力不断降低,后起爆炮眼在先起爆炮眼所产生的静态应力场尚未消失前起爆,利用先起爆炮眼在岩体内产生的剩余应力来改善岩石的破碎。

(4)岩块碰撞作用。这种观点认为,毫秒爆破过程中,从岩体爆落下的岩石能发生相互碰撞,利用动能使其再次破碎,同时减小了岩石的抛掷距离和爆堆宽度。所以最好的起爆顺序和起爆间隔时间应该是为岩块发生碰撞创造条件。

(三)毫秒间隔时间及起爆顺序的确定

确定合理的毫秒间隔时间和准确地控制它,是关系到爆破效果的重要问题。但目前还没有很精确的计算方法,只能根据经验确定。

根据实地爆破观测研究的结果,从起爆到矿岩被破坏和发生位移的时间,大约是应力波传到自由面所需时间的5~10倍。很显然,微差间隔时间应在这个范围内,但也不能太小。

正确的起爆顺序可以改善破碎质量、控制爆堆及产生较小后冲和较低的地震波效应,一般常采用斜线起爆方案及V型起爆方案。为了更有效地降低地震波效应,可同时采用孔内、孔间及排间毫秒顺序起爆方案。

(四)毫秒爆破的安全性

毫秒爆破由于延期时间控制在130ms以内,岩(煤)体内的瓦斯尚未完全释放出来,爆破工作已经实施完毕,爆破后炮窝内瓦斯浓度也可能很高,但因不再进行爆破,能达到安全爆破的目的。

试验实测数据证明,爆破后360ms,瓦斯浓度接近1%,而把总延期时间控制在130ms,只相当于达到禁止爆破瓦斯浓度1%之延期秒量的1/3多,安全系数高,而且距瓦斯爆炸浓度下限相差更远,因此选用煤矿毫秒电雷管第一系列五段,第二系列九段,均可实现全断面一次毫秒爆破。

若爆破前瓦斯浓度已达爆炸限,则总延时时间超过75 100毫秒,就有可能引燃瓦斯。因此,采用毫秒爆破时,爆破前也必须严格检查工作面内瓦斯含量,并按安全规程轨定进行装药、放炮。

第二部分 专业核心知识点

1.炸药的爆炸性及其测定；

2.爆破器材的概念及其分类；

3.电起爆方法、爆破网路的计算及检测；

4.爆破原理。

第三部分 专业技能训练

一、爆破作业安全

(一)爆破材料的领退、运送及存放

领退、运送及存放爆破材料时应遵守以下规定和要求:

(1)电雷管必须由专人(爆破工)亲自运送,炸药由爆破工或在爆破工监护下由熟悉《煤矿安全规程》有关规定的人员运送。

(2)领取的爆破材料必须装在具有耐压和抗冲撞、防震、防静电的非金属容器内。电雷管和炸药严禁在同一容器内,严禁将爆破材料装在衣袋内。领到爆破材料后,应直接送到工作地点,严禁中途逗留,行走时要注意避开电缆和金属导电体。

(3)应避开交接班和人员上下井的时间运送爆破材料。

(4)严禁用刮板输送机、带式输送机运送爆破材料。

(5)必须把炸药、电雷管分开存放在专用的爆破材料箱内,并加锁。严禁乱扔、乱放。

(6)爆破材料箱必须放在顶板完好、支架完整,避开机械、电气设备的地点。每次爆破前,都必须把爆破材料箱放到警戒线以外的安全地点。

(二)装配起爆药卷

装配起爆药卷是把电雷管装入药卷顶部,制成起爆药卷的作业过程。装配引药必须按下列程序要求进行。

1.装配地点的选择

装配起爆药卷必须在顶板完好、支架完整、避开电气设备和导电体的爆破工作地点附近进行。严禁坐在爆破材料箱上装配起爆药卷。

在有杂散电流的地点装配起爆药卷时,必须坐在绝缘胶垫上,并将扭结短路的雷管脚线用绝缘胶布包好。

2.起爆药卷数目的确定

装配起爆药卷数量,以当时当地需要的数量为限。

3.电雷管的抽取

从成束的电雷管中抽取单个电雷管时,不得手拉脚线和管体硬拽,应将成束的电雷管顺好,拉住前端脚线将电雷管抽出。抽出单个电雷管后,必须将其脚线扭结成短路。抽取的电雷管,不容许把电雷管脚线搭在风、水管路上,若搭上是非常危险的,容易造成早爆事故。

4.装配起爆药卷的方法

装配起爆药卷时,必须防止电雷管受震动、冲击、折断脚线或损坏脚线绝缘层。装入的方法有两种:

(1)扎孔装配法。用一根直径略大于电雷管直径的尖端木棍或竹棍,在药卷顶部的封口

扎一圆孔，将电雷管全部装入药卷中，然后用电雷管脚线将药卷缠住，以便把电雷管固定在药卷内，还必须扭结电雷脚线末端。

（2）启口装配法。先打开药卷顶部封口，用木、竹棍在药卷中央扎孔，再将电雷管全部装入药卷，用脚线把封口扎住再短路扭结电雷管脚线末端。

《煤矿安全规程》规定，电雷管只许由药卷的顶部装入，不得用电雷管代替竹、木棍扎眼；电雷管必须全部插入药卷内；严禁将电雷管斜插在药卷的中部或捆在药卷上。

5.起爆药卷的保存

起爆药卷装配好后，应清点数目，入箱锁好，不得乱放，以防散失。

（三）装药

1.装药前的准备工作

在装药前，应该对爆破地点的通风、瓦斯、煤尘、顶板、支护等全面检查，对所查出的问题应及时处理。有下列情况之一时严禁装药：

（1）采掘工作面的控顶距离不符合作业规程的规定，或者支架有损坏，或者伞檐超过规定。

（2）装药地点附近20m以内风流中瓦斯浓度达到1.0%及以上。

（3）在装药地点20m以内，矿车、未清除的煤、矸或其他物体堵塞巷道断面1/3以上。

（4）炮眼内发现异状、温度骤低、有显著瓦斯涌出、煤岩松散、透老空等情况。

（5）采掘工作面风量不足。

在有煤尘爆炸危险的煤层中，掘进工作面爆破前，附近20m的巷道内，必须洒水降尘。

2.装药工作

经检查确认可以装药时，方可按下列程序装药。

（1）验孔。在装药前，用炮棍插入炮眼里，检验炮眼的角度、深度和方向及炮眼内的情况。

（2）清孔。待装药的炮眼，必须用掏勺或压缩空气吹眼器清除炮眼内的煤、岩粉，以防止煤岩粉堵塞，使药卷不能密接或装不到眼底。使用吹眼器时，附近人员必须避开炮眼压风吹出气流方向，以免炮眼内飞出的粉块杂物伤人。

（3）装药。采掘工作面炮眼使用炸药和电雷管的种类、装药量、电雷管的段数必须符合爆破作业说明书的规定，并按照爆破说明书规定的装药结构进行装药。装药结构通常可分为正向装药和反向装药。

装药时要用木质炮棍将药卷轻轻推入，不得冲撞或捣实。炮眼内的各药卷必须彼此密接。

（4）封孔。装炮泥时，最初的两段应慢用力，轻捣动，以后各段炮泥须依次用力一一捣实。装水炮泥时，水炮泥外边剩余部分，应用粘土炮泥封实。炮泥的长度，必须符合《煤矿安全规程》规定。

（5）电雷管脚线末端扭结。装药后，必须把电雷管脚线末端悬空，严禁电雷管脚线、爆破母线同运输设备及采掘机械等导电体相接触。

3.装药注意事项

（1）硬化的硝酸铵类炸药在装药前必须用手揉松，使其不成块状，但不得将药包纸损坏，严禁使用硬化到不能用手揉松的硝酸铵类炸药，也不能使用破乳或不能用手揉松的乳化炸药。

（2）不得使用水分含量超过0.5%的铵梯炸药。

(3)潮湿或有水的炮眼应用抗水型炸药。

(4)不得装"盖药"或"垫药"。

(5)不得装错电雷管的段数。

(6)毫秒电雷管不得跳段使用。

(7)一个炮眼内不得装两个药卷。

除以上注意事项外,要特别注意不得在钻眼的同时装药,以免发生危险。

(四)联线

1.联线方法和要求

联线工作应按照爆破说明书规定的联线方式,将电雷管脚线与脚线、脚线连接线、连接线与爆破母线连好接通。联线的方法和要求是:

(1)脚线的连接工作可由经过专门训练的班组长协助爆破工进行。爆破母线连接脚线,检查线路的通电工作,只准爆破工1人操作。与联线无关的人员都要撤离到安全地点。

(2)联线前必须认真检查瓦斯浓度、顶板、两帮、工作面煤壁及支架情况,确认安全方可进行联线。

(3)联线时,联线人员应把手洗净擦干,以免增加接头电阻和影响接头导通,然后把电雷管脚线解开,刮净接头,进行脚线间的扭结连接。脚线连接应按规定的顺序从一端向另一端进行。如脚线长度不够,可用规格相同的脚线作连接线,联线接头要用对头连接,不要用顺向连接,不要留有须头。当炮眼内的脚线长度不够需接长脚线时,两跟脚线接头位置必须错开,并用胶布包好,防止脚线短路和漏电。联线接头必须扭紧牢固,并要悬空,不得与任何物体相接触。

(4)电雷管脚线间的联接工作完成以后,再与联接线连接。

2.联线方式

常用联线方式有串联、并联和混联等。

(1)串联。串联就是依次将相邻的两个电雷管的脚线各一根互相连接起来,最后将两端剩余的两根脚线接到爆破母线上,再将爆破母线接入电源。这种联线方式操作简便,不易漏接或误接,速度快,便于检查,通过网路的电流较小,适用于发爆器作电源,使用安全,因此在煤矿井下使用最为普遍。缺点是在串联网路中有一个电雷管不导通或在一处开路,全部电雷管将拒爆。在起爆能不足的情况下,由于每个电雷管的感度有所差异,往往导致感度高的电雷管先爆,电路被切断,使感度低的电雷不爆。

(2)并联。将所有电雷管的两根脚线分别接到网路的两根母线上,通过母线与电源联接。在并联网路中,某个电雷管不导通,其余的电雷管也可以起爆,能够避免电雷管感度差异造成的丢炮。这种网路虽然总电阻小,要求起爆电源的电压小,但所需的网路总电流较大。

(3)混联。混联可以分为串并联和并串联两种。当一次起爆炮眼数目较多时,则需采用串并联或并串联。串并联是将电雷管分组,每组串联接线,然后各组剩余的两根脚线分别接到爆破母线上。并串联是将各组电雷管并联,然后将各组串联起来在井下掘进工作中一般很少采用并联和混联。当出现全网路不爆时,可采用中间并联法排除故障。

(五)爆破

(1)爆破前,班组长必须亲自布置专人,在警戒和可能进入爆破地点的所有通路上担任警戒工作。警戒人员必须在安全地点警戒。警戒线处应设置警戒牌、栏杆或拉绳等标志。

(2)爆破前,班组长必须清点人数,确认无误后,方准下达起爆命令。

(3)当班的炮眼必须当班爆破完毕。在特殊情况下,如果当班留下尚未爆破的装药炮眼,当班爆破工必须向下一班爆破工在现场交接清情况。

(4)爆破作业时应严格执行"一炮三检制"和"三人连锁放炮制"。

"一炮三检制"就是在采掘工作面装药前、爆破前和爆破后必须检查爆破地点附近20m以内风流中瓦斯浓度,若瓦斯浓度达到1%及以上时,严禁装药爆破。

执行"一炮三检制"的目的是为了加强瓦斯检查工作,防止漏检,避免在瓦斯超限的情况下爆破。

"三人连锁放炮制"就是爆破前,爆破工在检查联线工作无误后,将警戒牌交给班组长,由班组长亲自派专人警戒,并检查顶板、支架与工具设备等情况,经清点人数,确认无误后,将爆破命令牌交给瓦斯检查员,由瓦斯检查员检查瓦斯、煤尘浓度合格后,将自己携带的爆破命令牌交给爆破工,爆破工吹哨后爆破,爆破后三牌各归原主。

"三人连锁放炮制"实质上是一种责任制,其目的是督促爆破工、瓦斯检查员和班组长各尽其责,确保爆破工作的安全。如不能有效执行"三人连锁放炮制",则可能出现不必要的灾害和损失。如某矿开拓三队早班进行爆破作业,恰逢维修队人员给该队工作面延接风水管路,因班长未能清点工作面所有人员,把急于接好管路的维修队人员王某当场炸死。

(六)特殊情况下的爆破

1.巷道贯通爆破

巷道贯通必须有准确的测量图,每班在图上填明进度。当贯通的两个工作面相距20m(冲击地压煤层掘进工作面相距30m)时,地测部门必须事先下达通知书,并且只准从一个工作面向前接通。停掘的工作面及其回风流中的瓦斯浓度,瓦斯浓度超限时,必须立即处理。掘进的工作面每次装药爆破前,班组长必须派专人和瓦斯员共同对停掘的工作面检查工作及其回风流中的瓦斯浓度。瓦斯浓度超限时,先停止掘进工作面的工作,然后处理瓦斯。只有在两个工作面及其回风流中的瓦斯浓度都在1%以下时,掘进的工作面方可装药爆破。每次爆破前,在两个工作面必须设置栅栏和有专人警戒。间距小于20m的平行巷道,其中一个巷道爆破时,两个工作面的人员都必须撤至安全地点。

除以上规定外,还应达到下述要求:

(1)测量人员在巷道贯通前,必须勤给中、腰线,钻眼工和爆破工要严格按中、腰线调整方向和坡度,布置炮眼。

(2)贯通爆破前,要加固贯通地点支架,背好帮顶,防止崩倒支架或冒顶埋人。

(3)距贯通地点5m内,要在工作面中心位置打探眼,探眼深度为进度的2倍,眼内不准装药,在有瓦斯工作面,爆破前将探眼用炮泥封死。

(4)与停掘已久的巷道贯通时,还应在贯通前严格检查停掘巷道的瓦斯、煤尘、支架和顶板,发现问题立即处理,否则不准贯通。

(5)由班组长指派警戒人员,并亲自接送。在班组长或班组长指定的专人来接以前,警戒人员不得擅离岗位。

(6)按预测位置应贯通而未贯通时，应立即停止掘进，查明原因，重新采取贯通措施。

2.遇老空区爆破

老空区往往积存有大量的水、瓦斯和其他有毒有害气体，如果不慎爆破掘通老空区，就可能发生突然涌水、人员中毒和瓦斯爆炸等恶性事故。因此，在接近老空区时，必须采取相应的安全措施：

(1)爆破地点距老空区15m前，必须通过钻探眼等有效措施，探明老空区的准确位置和范围、瓦斯、积水及发火等情况，针对查明的情况，修正或调整安全措施，否则不准装药或爆破。

(2)穿透老空区爆破时，必须撤离人员，并在无危险地点爆破。爆破后，必须在查明老空区情况，确认无危险时才允许恢复工作。

(3)钻眼时，发现爆(岩)变松软、炮眼内出水异常、工作面温度骤低、瓦斯量增大等异常情况，说明工作面已临近老空区，必须查明原因，采取措施。爆破条件具备时才可以装药爆破。

(4)必须坚持"有疑必探，先探后掘"的原则，发现异常情况，必须查明原因，采取措施，否则不准装药爆破，以免误通老空区，发生透水、透火、大量涌出瓦斯以及瓦斯爆炸等事故。

3.接近积水区的爆破

透水是煤矿五大自然灾害事故之一。由于积水区资料不全或测量不准，往往容易发生突发性爆破透水事故，造成重大伤亡、淹没设备、冲毁设施等重大事故。在接近积水区爆破时，必须采取以下措施：

(1)接近积水区时，要根据已查明的情况，编制切实可行的排放水设计和安全措施，否则禁止爆破。

(2)掘进工作面或其他地点发现有透水预兆(挂红、挂汗、空气变冷、出现雾气、水叫、顶板来压、底板臌起或产生裂隙、出现涌水、水色发浑、有臭味等异状)时，必须发出警报，撤出所有受水威胁地点的人员。

(3)爆破前必须在爆破地点附近洒水降尘并检查瓦斯，瓦斯浓度超过1%时不准爆破。

(4)检查并加固爆破地点附近支架。

(5)爆破前，班组长必须布置好警戒并在现场指挥。

4.震动爆破

《煤矿安全规程》规定：井巷揭穿瓦斯和煤突出的危险煤层和在突出煤层中进行采掘作业时，都必须采取安全防护措施。安全防护措施有震动爆破、远距离爆破、避难硐室、反向风门、压风自救系统和隔离式(压缩氧和化学氧)自救器等。采用震动爆破措施时，应遵守下列规定：

(1)必须编制专门设计。爆破参数、爆破器材及起爆要求、爆破地点、反向风门位置、避灾路线及停电、撤人和警戒范围等，必须在设计中明确规定。

(2)震动爆破工作面，必须具有独立、可靠、畅通的回风系统，爆破时回风系统内必须切断电源，严禁人员作业和通过。在其进风侧的巷道中，必须设置2道坚固的反向风门。与回风系统相连的风门、密闭、风桥等通风设施必须坚固可靠，防止突出后的瓦斯涌入其他区域。

(3)震动爆破必须由矿技术负责人统一指挥，并有矿山救护队在指定地点值班。爆破

30min后矿山救护队员方可进入工作面检查。应根据检查结果,确定采取恢复送电、通风、排除瓦斯等具体措施。

(4)震动爆破必须采用铜脚线的毫秒雷管,雷管总延期时间不得超过130ms,严禁跳段使用。电雷管使用前必须进行导通试验。电雷管的连接必须使通过每一电雷管的电流达到其引爆电流的2倍。爆破母线必须采用专用电缆,并尽可能减少接头,有条件的可采用遥控发爆器。

(5)应采用挡栏设施降低震动爆破诱发突出的强度。

(6)震动爆破应一次全断面揭穿或揭开煤层。如果未能一次揭穿煤层,在掘进剩余部分时,包括掘进煤层和进入底(顶)板2m范围内,必须按震动爆破的安全要求进行爆破作业。

采取金属骨架措施揭穿煤层后,严禁拆除或回收骨架。

揭穿或揭开煤层后,在石门附近30m范围内掘进煤巷时,必须加强支护。

5.松动爆破

松动爆破是在工作面前方向煤体深部的高压力带打几个深度较大的炮眼,装药爆破后使煤体破裂松动、消除煤质的软硬不均现象,形成瓦斯排放的渠道,在工作面前方造成较长的低压带,使高压带移向煤体更深的部位,故可防止煤与瓦斯突出的发生。在有突出危险的煤层中掘进巷道,一般在工作面布置3~5个钻孔(不得少于2个),孔径40㎜左右,孔深7~10m(不得少于7m),钻孔底超前工作面不小于5m,每孔装药量为3~6kg,封泥长度不得小于2m。爆破后在钻孔周围形成破碎圈和松动圈。破碎圈内的煤呈碎屑状,已失去承载能力,成为排放瓦斯的通道。松动圈内的煤呈破碎状,使煤的软硬更加均匀,并形成瓦斯排放通道。

为了防止延期突出,爆破后至少等20min后,方可进入工作面,一般在松动爆破后,工作面停止作业4~8h。撤人和爆破的安全距离应根据突出危险程度确定,但不得少于200m,并处于新鲜风流中。

松动爆破时,必须有撤人、停电、警戒、远距离爆破、反向风门等措施。

二、爆破事故的预防与处理

(一)拒爆

通电后雷管或药卷不发生爆炸的现象,称为拒爆。拒爆可分为全网路不爆和部分或单个雷管或炮眼内药卷不爆。

1.拒爆产生的原因及预防措施

(1)电源有问题。经常检查发炮器具,使其保持良好性能。

(2)电爆网路有问题。做好爆破前的检查工作,尤其是对连接网路、发炮器和爆破母线接头认真检查。

(3)爆破材料质量差。实行雷管测试和炸药检查验收制度。

(4)装药操作不当等。按装药的正确操作方法进行装药。

2.拒炮的检查

通电后如果爆破不响时,爆破员须先取下钥匙,摘下母线并扭结短路,再等一定时间(使用瞬发电雷管至少5min,使用毫秒电雷管至少15min)后,才可沿线路检查,进入工作面,查找爆破不响的原因。

(1)用欧姆表检查网路

① 若表针读数小于零,说明网路有短路处,这时应依次检查网络,查出短路处并处理后,重新通电起爆。

② 若表针走动小,读数大,说明有连接不良的接头,查出后,将其扭结牢固,重新起爆。

③ 若表针不走动,说明网路导线或电雷管桥丝有折断,这时要改变连线方法,采用中间并联法,依次逐段重新爆破,或一眼一放,查出拒爆后,按处理拒爆的规定进行处理。

(2)用导通表检测网路

爆破工也可以用导通表检测网路,若网路导通,则可以重新爆破;若网路不导通,说明有断路,需逐段检查,查出问题,加以处理,然后重新爆破。

3.处理方法

(1)若发现拒爆后,应先检查顶板,支架和瓦斯状况无安全隐患后再进行处理。

(2)爆破后,若出现有隔三跳五的炮眼不响时,必须对每个雷管用测炮器重新检查,如灯都亮,重新连线爆破,灯不亮,即按拒爆处理。

(3)拒爆处理方法:

①若检查连线不良造成拒爆,可重新连线起爆。

②若因其他原因造成的拒爆,只能采用在距拒爆炮眼至少0.3m外另打一平行炮眼,重新装药爆破,重新打眼时,应先弄清楚拒爆炮眼的角度、深度,然后按要求打一平行炮眼。

4.处理拒爆和残暴必须遵守的规定

《煤矿安全规程》规定:处理拒爆残爆时,必须在班组长指导下进行,并应在当班处理完毕,如果当班未能处理完毕,当班爆破工必须在现场向下一班爆破工交接清楚。

处理拒爆时,必须遵守下列规定:

(1)由于连线不良造成的拒爆,可重新联线起爆。

(2)在拒爆炮眼0.3m以外另打与拒爆炮眼平行的新炮眼,重新装药起爆。

(3)严禁用镐刨或从炮眼中取出原放置的起爆药卷或从起爆药卷中拉出电雷管。不论有无残余炸药严禁将炮眼残底继续加深;严禁用打眼的方法往外掏药;严禁用压风吹拒爆(残爆)炮眼。

(4)处理拒爆的炮眼爆炸后,爆破工必须详细检查炸落的煤、矸,收集未爆的电雷管。

(5)在拒爆处理完毕以前,严禁在该地点进行与处理拒爆无关的工作。

(二)早爆

1.产生早爆的原因

(1)杂散电流引起早爆。主要是架线电机车牵引网路的漏电电流通过管路或潮湿的煤(岩)壁导入雷管脚线。

(2)是母线与交流电源接触或与管路、轨道等导电体接触引起早爆。

(3)静电的影响,接触爆破材料的人员穿化纤衣服、机械的摩擦等都会产生静电。

(4)雷管受到煤、岩或硬质器材的外力撞击、挤压。

2.预防措施

装药、联线、放炮时工作面切断电源,用矿灯照明;电爆网路不得与风水管路、轨道、钢丝绳和刮板输送机等导电体接触,更不能与动力、照明、信号电缆接触;电雷管脚线与连接线、脚线与脚线之间接头必须悬空,不得与任何导电体或煤岩壁接触;架线电机车轨道接头用导线接通,形成轨道电路,减小杂散电流;母线一端必须扭结短路,避免杂散电流流入,只有连接发爆器时才可分开;接触爆破材料的人员严禁穿化纤衣服,必须穿棉布衣服;爆破材料要装在规定的容器内;存放起爆材料或装配起爆药卷的地点,必须顶板完整、安全可靠。严禁乱扔雷管、炸药。

(三)残眼

1.发生残眼的原因

管道效应的作用结果使深孔爆破发生残眼;装填盖药和垫药因传爆方向不一致而发生残眼;一孔严禁装两炮头,避免引爆瓦斯;炮眼未吹净,使药卷间阻隔而影响传播;药卷被捣实,增加了密度而降低爆轰稳定性;炸药变质失效或雷管起爆能不足造成爆轰中断。

2.预防措施

(1)采用水胶炸药消除管道效应;

(2)采用合理的装药方法;

(3)装药前将炮眼内的煤、岩粉清除干净;

(4)加强对炸药的检查和保管,不使用超期的和变质的炸药;

(5)装药时不要用炮棍将炸药捣实。

(四)缓爆

缓爆是指在通电后,炸药延迟一段时间(并非延期起爆的延期时间)才爆炸的现象。缓爆时间可长达几分钟甚至十几分钟,如爆破作业人员误认为是放不响炮进入工作面检查,很容易造成伤亡事故。

1.缓爆的原因

在正常情况下,炸药的爆炸反应过程是在瞬时完成的。但由于起爆能量不足、炸药变质、装药密度过大或过小等原因,有的炮眼炸药被激发后,不是立即起爆,而是先以较慢的速度燃烧,在热量和压力逐渐积聚、升高达到一定温度后,由燃烧转为爆轰。

2.缓爆的预防措施

通电以后装药炮眼不响时,必须再等到一定时间(用爆发电雷管时,至少等5min;使用延期雷管时,至少等15min),才可沿线路检查原因,进行处理。同时,一定要选择质量合格的炸药;起爆器充电要足;装药时按规定装药即可预防缓爆事故的发生。

三、中级工程爆破工应知应会

(一)知识要求(应知)

(1)看懂较复杂的爆破开挖施工图。

(2)岩石的结构状态,物理性质及分类知识。

(3)单位岩石耗药量的计算和石方工程测算的基础知识。

(4)暗挖工程的炮孔布置、爆破方法和装药堵塞技术。

(5)固体介质中爆破的基本原理,地质条件与爆破作用的相互关系。

(6)深孔、定向、近物防震、微差爆破的原理和应用知识。

(7)无声爆破和定向爆破的一般知识。

(8)不良地质条件下进行岩石爆破的安全施工知识。

(9)电力爆破施工中拒爆原因的分析和哑炮的处理知识。

(10)非电力起爆器材(导爆索、继爆管、塑料导爆管等)的结构、性能、传爆原理和使用方法。

(11)各种爆破产生的危害和安全距离的计算。

(12)班组管理知识。

(二)操作要求(应会)

(1)不同型号炸药爆炸力的换算和炮孔装药量的计算。

(2)能控制各种爆破施工开挖面的边线和标高。

(3)正确鉴定常见岩石的类别,合理布置炮孔。确定装药量和装药堵塞结构,熟练运用光面爆破、预裂爆破等技术。

(4)深孔、水下、近物爆破的装药、堵塞和起爆。

(5)传爆线的连接和起爆,较复杂电力起爆网路的连接、非安全炸药的使用,各种哑炮的处理。

(6)在不良地质条件下进行安全检查,提出安全施工措施,进行危岩处理。

(7)城市一般建筑物拆除等无声定向爆破施工。

(8)主持中小型石方工程联合施工,解决复杂的爆破施工技术问题,并进行工料消耗分析。

复习题

1. 爆炸分几类?炸药的主要特征及其爆炸三要素?

2.何谓炸药的氧平衡?分为哪几种?

3.矿用炸药分为哪几类?

4.电雷管分为哪几种?其主要特性有哪些?

5.对发爆器的使用有何要求?

6.电爆网路联接的方式有哪几种?各自的特点是什么?

7.最小抵抗和自由面是如何定义的?作用有哪些?

8.何谓爆破漏斗?其要素有哪些?

9.影响爆破作用的参数有哪些?

10.何谓毫秒爆破?其优点有哪些?

11.光面爆破的特点有哪些?

12.简述常见爆破事故的处理及预防措施。

技能训练题

1.模拟制作起爆药包。
2.进行殉爆距离的测定。
3.熟练使用、维护装药设备、机具、仪器、仪表。
2.模拟网路的连接与起爆及排除故障。

讨论题

煤矿采掘工作面爆破安全性技术讨论(要点):

一、煤矿采掘工作面爆破事故产生的原因

通过对近些年来煤矿采掘工作面中产生的爆破事故进行分析。对煤矿企业爆破在工作面现场爆破事故的原因以及使用情况进行剖析。从以下几点来分析煤矿采掘工作面爆破的原因:

(一)煤矿井下的特殊环境及爆破器材

在煤矿掘进工作面和爆破落煤时常常伴随着瓦斯的涌出,爆破作业经常是在有瓦斯和煤尘爆炸危险的区域进行的。根据统计,在煤矿发生的瓦斯和煤尘爆炸事故,40%以上是由爆破作业引起的。除此之外,爆破作业的不安全还会引起水灾、爆破飞石和残药爆炸等事故。

(1)拒爆、早爆、残药和缓爆爆炸事故
(2)炮泥封堵长度问题
(3)巷道贯通爆破作业问题
(4)分次爆破问题
(5)爆破安全距离问题

(二)爆破技术的落后,爆破管理制度、章程落实不到位

近些年来。在煤矿采掘面工作中所使用的爆破器材制造的理念仅仅适用于起爆。并且有一种起爆安全的理念。近十几年来起爆技术的落后,无法实现人员连锁控制、地点控制,不能控制冲能,不能根据现场瓦斯、煤尘、风速、人员等自动控制放炮作业。直接导致了煤矿采掘工作面爆破工作中的违章操作情况屡屡出现。

制定的爆破管理章程和制度由于其实施步骤复杂繁多,很多章程制度也不容易被人们记住,再加上目前我国的相关管理技术,一直停留在手传手、口传口原始的阶段和水平中,在没有一种行之有效的监督手段背景下面,煤矿采掘工人也就很容易进行违规违章操作。

二、解决煤矿采掘工作面爆破安全问题的探讨

(一)煤矿采掘工作面爆破安全性技术系统基本思路

就是坚持本质安全这一思想和理念。统领工作面爆破设施组合配套系统、选型以及设计制造等，从系统和设备两方面确立出不安全就不能够进行爆破的这一本质安全理念。

（二）"一炮三检制"和"三人连锁放炮制"

"一炮三检制"就是在采掘工作面装药前、爆破前和爆破后必须检查爆破地点附近20m以内风流中瓦斯浓度，若瓦斯浓度达到1%及以上时，严禁装药爆破。

执行"一炮三检制"的目的是为了加强瓦斯检查工作，防止漏检，避免在瓦斯超限的情况下爆破。

"三人连锁放炮制"就是爆破前，爆破工在检查联线工作无误后，将警戒牌交给班组长，由班组长亲自派专人警戒，并检查顶板、支架与工具设备等情况，经清点人数，确认无误后，将爆破命令牌交给瓦斯检查员，由瓦斯检查员检查瓦斯、煤尘浓度合格后，将自己携带的爆破命令牌交给爆破工，爆破工吹哨后爆破，爆破后三牌各归原主。

"三人连锁放炮制"实质上是一种责任制，其目的是督促爆破工、瓦斯检查员和班组长各尽其责，确保爆破工作的安全。如不能有效执行"三人连锁放炮制"，则可能出现不必要的灾害和损失。

（三）拒爆、早爆、残药和缓爆

（见教材"爆破事故的预防和处理"）

（四）反向爆破作业

在高瓦斯矿井、低瓦斯矿井的高瓦斯区域的采掘工作面采用毫秒爆破时，若采用反向起爆，必须制定安全技术措施。装药结构对爆破效果和爆破安全影响很大，从传爆方向来看，反向装药爆破传爆方向指向炮眼口，易从炮眼口喷火引起瓦斯、煤尘爆炸，认为正向装药爆破比反向装药爆破安全。但只要充填足够长度的炮泥，反向装药爆破的安全性会有较大的提高。从爆破效果来看，反向装药爆破传爆方向和岩石移动方向一致，反向装药比正向装药爆破效果好。采用毫秒爆破时，从引起"带炮"现象来看，反向装药爆破比正向装药爆破安全。采用反向起爆必须符合下列要求：严禁使用硬化到不能用手揉松的硝酸铵类炸药，也严禁使用破乳和硬化到不能用手揉松的乳化炸药；潮湿或有水的炮眼应用抗水炸药；严禁装"垫药"；必须使药卷聚能穴方向一致，都朝向眼口的传爆方向；不得装错电雷管的段数；坍塌，变形、有裂缝或用过的炮眼严禁装药；大力推广使用高安全度的"含水炸药"。还需要注意以下几点：药卷的聚能穴方向要正确（有的矿井现在还使用硝铵炸药）；雷管角线的检查（电阻检查和破损检查以及角线连线检查）；起爆器的检查；装药人员的培训等等。反向装药比正向装药更安全（反向装药比正向装药引起瓦斯爆炸的可能性更小），唯一需要注意的是瞎炮的处理，一定严格按照《煤矿安全规程》相关规定进行，不可用压风吹，不可套残眼等等。

（五）采煤、掘进工作面的分次起爆作业

在有瓦斯或有煤尘爆炸危险的采掘工作面，应采用毫秒爆破。在掘进工作面应全断面一次起爆，不能全断面一次起爆的，必须采取安全措施；在采煤工作面，可分组装药，但一组装药必须一次起爆。采煤工作面的分次起爆必须符合下列要求：因受爆破后瓦斯涌出量、顶板管理和出煤设备能力的制约，有些采煤工作面实行一组装药一次起爆确有困难时，可采用一次打眼，间隔分组一次装药，分组起爆。分组装药的间隔距离不得小于2m。为防止间隔区间的未装药炮眼在爆破时受挤压变形，可在炮眼中插上炮棍，最后视分组情况，再把间隔区间内的炮眼装上药卷进行爆破。炮采工作面采用平行作业时，装药距钻眼的距离不得少于5m,装药距割煤的距离不得少于5m,工作面回柱放顶期间不得装药、爆破。掘进工作面的分次起爆必须符合下列要求:严禁全断面一次装药分次起爆;任何情况下都严禁边钻眼边装药;炮眼深,脚线不够长(脚线露不出眼外),必须接长脚线,两根脚线错开联接,并用胶布包好;每次爆破,最小抵抗线必须符合规程的规定。瓦斯涌出量大的采掘工作面要严格控制一次爆破作业的数量,防止爆破作业后瓦斯大量涌出,造成瓦斯聚积超限而引起事故。

(六)水炮泥的使用

水炮泥是将水注入筒状聚乙烯塑料袋并封口而制成的充填材料。当炮眼内的炸药爆炸时,水炮泥内的水吸收大量的热量,起到降低爆温、缩短爆炸火焰延续时间的作用,从而减少了引爆瓦斯或煤尘的可能性,有利于煤矿生产安全。爆炸后水炮泥形成的水幕,能降尘、吸收有毒有害气体,有利于井下作业环境的改善。井下爆破作业使用水炮泥时必须符合下列要求:炮眼深度0.6～1米时,封泥长度不得小于炮眼深度的1／2,水炮泥不得少于1个;、炮眼深度超过1米时,封泥长度不得小于0.5米,水炮泥不得少于2个;炮眼深度超过2.5米时,封泥长度不得小于1米,水炮泥不得少于3个。

(七)浅眼爆破作业

炮眼深度<0.6m时,严禁装药、爆破;在特殊条件下,如卧底、刷帮、挑顶确需浅眼爆破时,炮眼深度可以<0.6m,但必须制定安全措施。浅眼爆破每孔装药量不得超过150g;炮眼必须封满封实炮泥;爆破前,必须在爆破作业地点附近20m内洒水降尘并检查瓦斯,瓦斯浓度达到1%时严禁装药、爆破;爆破前,检查并加固爆破地点附近10m内的支架;爆破时,必须布置好警戒并有班组长在现场指挥;严禁裸露爆破。

(八)爆破警戒和爆破安全隔离

爆破前,班组长必须亲自布置专人在警戒线和可能进入爆破地点的所有通路上担任警戒工作。警戒人员必须在安全地点警戒。警戒线处应设置警戒牌、栏杆或拉绳。起爆地点到爆破地点的距离必须在作业规程中具体规定。爆破警戒要求:人员全部撤离到警戒线以外,并设专人警戒,班组长负责撤人和警戒;可能通向爆破地点的通路上,一律设警戒,炮工负责一路警戒;两掘进工作面贯通相距20m爆破时,另一掘进工作面必须设警戒;警戒线应用绳子拦好,并挂牌,牌子上写"现在爆破,禁止入内"的字样,执行爆破作业警戒人、警戒绳、警戒牌三警戒制度。

爆破安全距离(爆破母线长度),采煤工作面不得<30m;如采煤工作面有夹石或夹矸时不得<50m。煤层巷道掘进工作面不得<75m;煤层巷道掘进工作面有一个直角弯时不得<50m。煤层巷道掘进上山工作面不得<100m;煤层巷道掘进上山工作面有一直角弯时不得<75m。岩石巷道、半煤岩巷道掘进工作面不得<200m,并设有遮挡物;岩石巷道、半煤岩巷道掘进工作面有一个直角弯时不得<100m。岩石巷道、半煤岩巷道掘进上山工作面不得<250m,并设遮挡物;岩石巷道、半煤岩巷道掘进上山工作面有一个直角弯时不得<100m。

三、结论

自己给出(或由教师辅导给出)。

第五章　巷道断面设计

第一部分　系统理论知识

巷道断面设计，主要是选择巷道断面形状、确定巷道净断面尺寸和掘进断面尺寸，它是矿山井巷工程设计的一项主要内容。设计出的巷道断面直接作为井下巷道施工的依据，也是进行井巷工程概预算的依据。因此，巷道断面设计的基本原则是：在满足煤矿安全生产和施工等方面技术要求的前提下，力求提高断面利用率，缩小断面，降低成本，便于快速施工。

第一节　巷道断面形状及断面尺寸

一、断面形状及选择

巷道断面形状按其轮廓线可分为折边形和曲边形两大类。折线形有矩形、梯形和不规则形等；曲边形有三心拱形、半圆拱形、圆弧拱形、顶底拱形、椭圆形和圆形等，如图5–1所示。

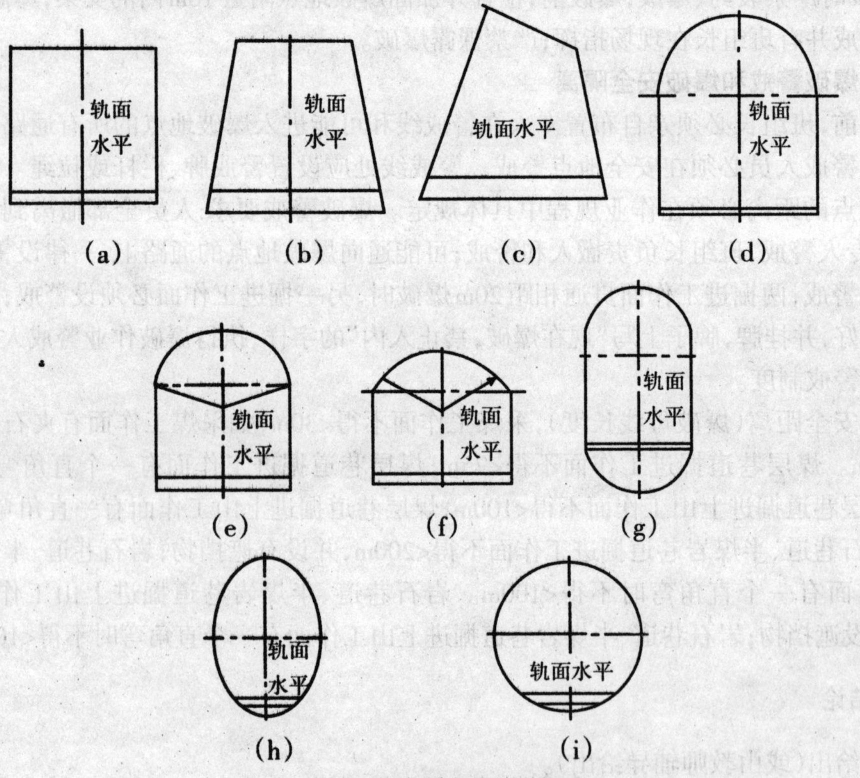

图5–1　巷道断面形状

(a)矩形；(b)梯形；(c)不规则形；(d)半圆拱形；(e)圆弧拱形；(f)三心拱形；

(g)顶底拱形；(h)椭圆形；(i)圆形

巷道断面形状的选择，主要取决于下列因素：

(1)巷道的位置及围岩的性质(地压的大小和方向)；

(2)巷道的服务年限和用途；

(3)支护方式和支护材料；

(4)掘进方法和掘进设备。

如在稳定岩层或中等稳定地压较大的岩层中开掘断面小、服务年限不长的巷道，可选用木支架；服务年限较长，可用工钢或兀形支架支护，故断面形状多为梯形或矩形。

在不稳定、地压大的岩层中，或服务年限长，或主要硐室，需要混凝土、砖或金属支架支护时，巷道多采用拱形断面；当围岩特别松软、底鼓严重时，则常采用带底拱的封闭拱形、椭圆形或圆形断面。

当巷道通过薄煤层时，为了不破坏顶板岩层的完整和便于开掘，巷道断面的形状常采用不规则形，如半梯形、半拱形等。

采用锚喷支护的巷道，断面形状选择较灵活，此时主要考虑巷道的服务年限和地压大小；采用综合掘进机掘进的巷道，其巷道断面形状由破岩机械决定。

由上所述可知，选择巷道断面形状，必须综合考虑巷道围岩的性质，地压的大小和方向；巷道的服务年限，用途及位置，巷道的支护方式和支架材料这三大基本因素。这三个因素之间是互相联系的，通常是根据前两个因素选择出支护和支架材料以后，就能得出巷道断面的形状。

二、巷道断面尺寸的确定

巷道断面形状确定以后，就要确定巷道的断面尺寸。巷道断面尺寸必须依据《山西省煤矿建设标准》第七十四条 开拓巷道净断面，必须以支护最大允许变形后的断面能满足行人、运输、通风、管线及设备安装、检修等需要为原则确定。净断面的选取应符合现行《煤矿安全规程》和国家现行标准《煤矿巷道断面和交岔点设计规范》的有关规定及《山西省煤矿现代化矿井标准》第十三条 井下主要巷道净断面，应满足行人、通风、运输、管线及设备安装、检修等需要。以胶轮车为辅助运输方式的矿井，运输大巷宽度必须满足运输和行人的安全间距。并根据通过巷道中运输设备的类型和数量、运行速度、轨道数目、支护材料及结构形式和各种安全间隙等来确定的。最后，还必须用通过该巷道的风量来校验，应满足通风要求。

(一)巷道净宽度的确定

直墙拱形和矩形巷道的净宽度是指两直壁内侧或锚杆出露终端之间的水平距离。对梯形巷道，当其内设置运输机械或者通行矿车、电机车时，净宽度是指自道碴面水平起1.6m的高度水平的巷道宽度；当巷道内不设置也不通行运输设备时，则净宽度是指从底板起1.6m的高度水平的巷道宽度(图5-2)。

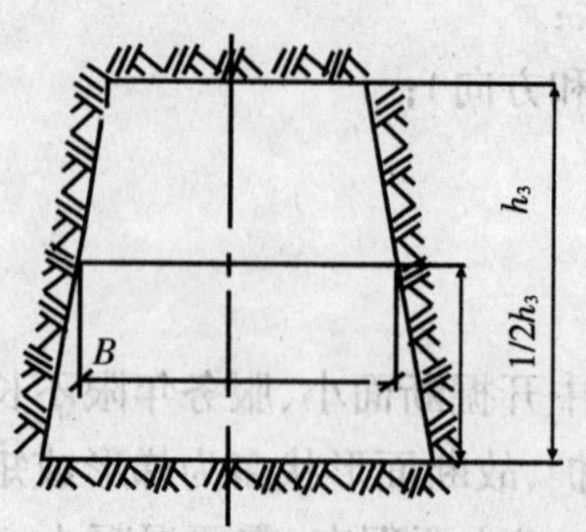

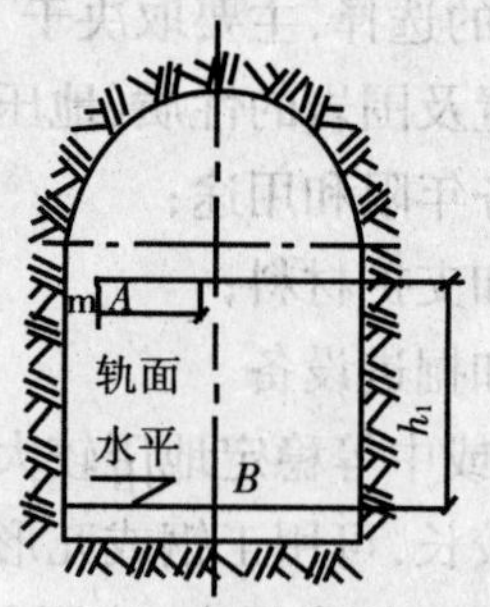

图5-2 巷道宽度

巷道净宽度主要取决于运输设备宽度(表5-1)、人行道宽度和相应的安全间隙,无运输设备的巷道可根据通风及行人需要确定。

表5-1 运输设备主要尺寸 mm

运输设备及类型	设备宽度A	设备高度h
XK2.5-6/48A电池电机车	920	1550
XK8-6/110A蓄电池电机车	1060	1550
ZK7-6/250架线式电机车	1060	1550
ZK10-6/250架线式电机车	1060	1550
ZK10-9/250架线式电机车	1360	1550
ZK14-9/550架线式电机车	1335	1600
1.5t矿车(600mm轨距)	1050	1150
1t矿车(600mm轨距)	880	1150
3t矿车(900mm轨距)	1200	1400

巷道内人行道的宽度和相应的安全间隙,《煤矿安全规程》有明确规定,设计时应按表5-2的规定选用。

表5-2 巷道宽度尺寸表 mm

间隙名称	行人侧间隙	车辆间间隙	另一侧(非行人侧)间隙		
			支架巷道	锚喷及砌碹巷道	运输机与支护或砌碹道
运输大巷	800	200	300	250	400
人车停车地点	1000	400	300	250	400
车场、采区装载点	800	700	300	250	400
矿车摘挂钩地点	800	1000	300	250	400

在运输巷道的一侧,从巷道道碴面起1.6m的高度内,必须留有宽0.8m(综合机械化采煤矿井为1m)以上的人行道,但巷道高度在1.6m至1.8m间,不得架设管、线、电缆。另一侧的宽度:巷道采用混凝土、金属或木支架,不得小于0.3m;巷道采用砖、石或混凝土砌碹时不得小于0.25m;巷道安设运输机时,运输机距支护砌墙之间最突出部分的距离不得小于0.4m。

人车停车地点,在巷道一侧,从巷道道碴面起1.6m的高度内,必须留有宽1.0m的人行道.在双轨运输巷道中(包括弯道),两条轨道中心线之间的距离,必须使两列车对开时列车最突出部分之间的距离不得小于0.2m。

在双轨运输巷道中,在采区装载点,两列列车车体最突出部分之间的距离,不得小于

0.7m;在矿车摘挂钩地点,两列列车车体最突出部分的距离,不得小于1.0m,但在生产矿井的现有巷道中,不得小于0.7m。

在设计曲线段的巷道时,应考虑车辆由于转弯而外突,巷道需适当加宽,加宽数值可按表5-3选取。其加宽范围:用矿车运输时,与曲线段相连接直线段加宽长度,建议取2.0m;电机车运输时取5.0m。

为使双轨巷道对开车辆之间的间隙满足《煤矿安全规程》的规定,两条平行轨道的中心距离可按表5-3选取。

表5-3　　曲线段巷道加宽及双轨巷道轨道中心距值

运输方式	曲线段巷道加宽值		轨道中心距	
	内侧	外侧	直线部分	曲线部分
0.5t和1t矿车	50	100	1200	1300
1.5t t矿车	100	200	1300	1600
3t矿车	100	200	1600	1800
600mm轨距电机车	100	200	1300	1600
900mm轨距电机车	100	200～300	1600	1900

(二)巷道净高度的确定

巷道净高度必须保证车辆运行的安全和行人的方便。《煤矿安全规程》规定:主要运输巷道和主要风道净高(架线式电机车运输巷道除外),自轨面起不得低于2.0m,采区(包括盘区)内的上下山和平巷的净高不得低于2.0m,薄煤层内不得低于1.8m。电机车架空线的悬挂高度,自轨面起在行人巷道、车场以及人行道与运输巷道交叉的地方不小于2.0m;在非行人的巷道内不小于1.9m;在井底车场,从井底到乘车场不小于2.2m;电机车架空线与巷道顶或棚梁之间的距离不小于0.2m;在人行道范围内1.8m以下不得架设管线和电缆。

1.梯形断面巷道

轨面至棚梁的高度:在用架线式电机车时,可取2200mm或2400mm(架线高度则分别为22000mm或2200mm)。用蓄电池机车运输,或是主要轨道上下山及用钢筋混凝土支架支护的轨道中间巷,应不小于1900mm。一般轨道上下山及用木支架支护的巷道可取1800mm。设有轨道的采区巷道,底板至顶板的高度视巷道用途及巷道倾角大小而定,一般也不应小于1800mm。梯形断面巷道的棚腿与水平的倾角一般为80°～82°。

2.拱形断面巷道

(1)巷道底板到轨面高度以及道碴面至轨面高度的决定方法与梯形巷道相同。

(2)巷道的墙高是依据架线的高度、人行道以及安装管线的要求等条件确定的。根据这些条件计算后,选用其中最大值,作为直墙的高度。当采用架线式电机车运输时,按电机车导电弓子的外缘与巷道拱壁间的距离不小于200mm考虑;当用蓄电池机车或其他运输方式时,直墙高度应保证人行道在距壁100mm处高度为1800 mm的范围;顶部装设管线的主要运输巷道,当采用非架线矿车运输时,管子最下边缘应满足1800 mm的人行要求,采用架线式电机车运输时,还要求机车的电弓与管子距离不小于300mm。

(3)拱顶高h_0:半圆拱为巷道宽度的1/2;三心拱一般为巷道宽度的1/3;某些矿区采用两者结合的形式,h_0取2/5巷道的宽度,使用效果良好。

(4)三心拱的作图方法(图5-3)。先作矩形$AFEG$,作CD垂直平分AF,令$AF=B$,$FE=AG=h_0$,连AC、CF,作$\angle ECF$及$\angle EFC$的分角线交于K,由K作CF垂线交CD延长线于O,则$OK=R$,$O_2F=r$(因圆对称,故左边亦同)。以O为圆心,R为半径,作MCK;以O_1、O_2为圆心,r为半径,作AM、KF,即得拱弧$AMCKF$。

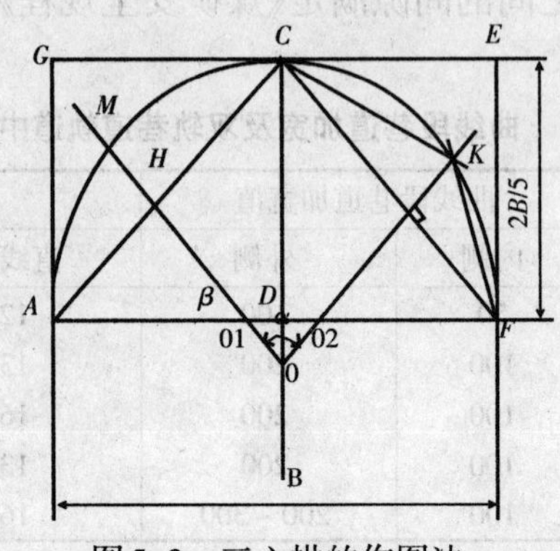

图5-3 三心拱的作图法

三、风速验算

生产矿井的巷道都要通风,根据运输等条件设计出的巷道净断面积,还必须进行风速验算.当通过巷道的风量按需要确定后,巷道断面越小,风速就越大。风速过大,不仅会扬起煤尘,影响工人健康和降低生产效率,而且易引起煤尘爆炸事故。为此《煤矿安全规程》规定了各种用途巷道允许通过的最大风速(表5-4)。

用风速验算巷道断面尺寸的公式公式如下:

$$V=\frac{Q}{S}\leqslant[V] \quad (5\text{-}1)$$

式中 V——巷道通风的风速,m/s:

Q——通过巷道的风景量:m^3/s:

S——巷道净断面面积,m^2:

$[V]$——巷道允许通过的最大风速,m/s。

设计巷道的风速不符合规定值时,需加大巷道断面,重新设计。

表5-4　　巷道允许通过的最大风速

井巷名称	允许风速/(m/s)		备注
	最低	最高	
无提升设备的风井和风硐	—	15	(1)设梯子间的井筒最高风速不得超过8m/s (2)修理井筒时，风速最高不得超过8m/s (3)综采工作面采取煤层注水湿润煤体和采煤机喷雾降尘等措施后，经批准风速可适当加大，但不得超过5m/s
专为升降物料的井筒	—	12	
风桥	—	10	
升降人员和物料的井筒	—	8	
主要进、回风道	—	8	
架线电机车巷道	1.0	8	
运输机巷道、采区进回风巷	0.25	6	
回采工作面、掘进中的煤巷	0.25	4	
掘进中的岩巷	0.15	4	
其他通风人行巷道	0.15	—	

四、道床参数

(一)道床

钢轨以下部分称为道床。道床可分为有碴道床、无碴道床及固定道床三种。有碴道床铺有较厚的道碴，在煤矿井下使用广泛。无碴道床适用于倾角较大的斜巷，此时应将底板铲平或在底板中挖槽，然后放置轨枕；另外，在人力推车运输的巷道中，也往往采用无碴道床。固定道床是利用混凝土一次浇灌成整体，利用预埋螺栓将钢轨固定；或者将钢筋混凝土轨枕用现浇混凝土固定成整体，再铺钢轨。固定道床多用于大型矿井运输量很大的主巷中，或大型斜井箕斗提升的线路上。

道床结构及其参数见图5-4和表5-5。

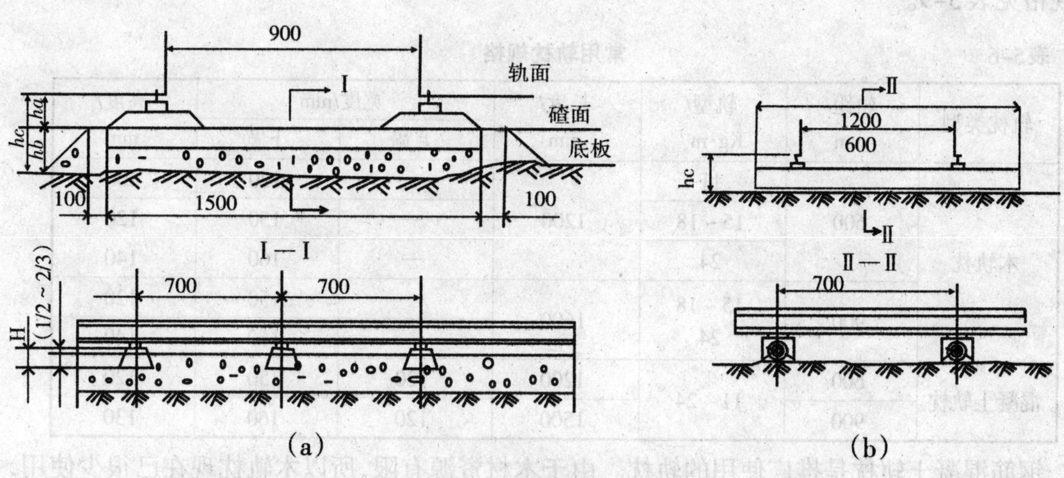

图5-4　道床结构及尺寸

(a)有碴道床；(b)无碴道床

表5-5　　常用道床参数

轨型/Kg·m^{-1}	主要运输巷及倾角10° 以下斜巷			中巷及倾角10° 以上斜巷		
	道床总高度 hc	道碴高度 hb	碴面至轨面高 ha	道床总高度 hc	道碴高度 hb	碴面至轨面高 ha
24、33	360	200	160	270	140	130
15、18	320	180	140	220	不铺	

(二)道碴

道碴承受轨枕传递下来的力,并将其分散给底板岩层。此外道碴还起着垫稳轨枕,使枕面保持平整的作用。

道碴可采用坚硬的碎石。卵石或不易自燃的矸石,粒度以20~40mm为宜,其中不得掺有碎末等杂物。轨枕下的道碴厚度不得小于100mm,轨枕埋入道碴的深度一般为枕高的1/2~2/3。

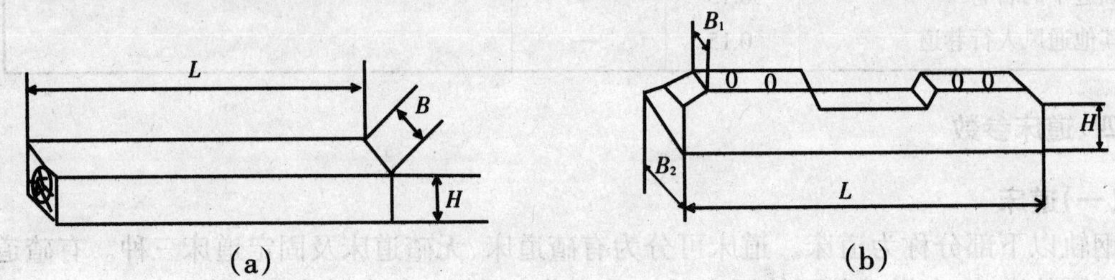

图5-5　轨枕

(a)木轨枕;(b)钢筋混凝土轨枕

(三)轨枕

常用的轨枕有两种:木轨枕和钢筋混凝土轨枕(图5-5)。轨枕的长度,一般取轨距的1.8~2倍。在规距为600mm时,轨枕长度取1.2m;在轨距为900mm时,轨枕长度取1.6m。轨枕规格见表5-9。

表5-6　　常用轨枕规格

轨枕类型	轨距/mm	轨型/Kg·m^{-1}	长度/mm	宽度/mm		高度/mm
				上宽	下宽	
木轨枕	600	11	1200	—	120	100
		15~18		—	150	120
		24		—	160	140
	900	15~18	1600	—	150	120
		24		—	160	140
混凝土轨枕	600	11~24	1200	120	150	120
	900		1500	120	160	130

钢筋混凝土轨枕是推广使用的轨枕。由于木材资源有限,所以木轨枕现在已很少使用,只作掘进临时铺轨使用。钢筋混凝土轨枕强度大、坚固耐用、取材制造方便、节约木材资源、不怕矿井水的侵蚀、不腐朽、使用寿命长、维护工作量小和维护费用低,但其弹性差、绝缘性

能差、重量大、不易搬运。

（四）钢轨

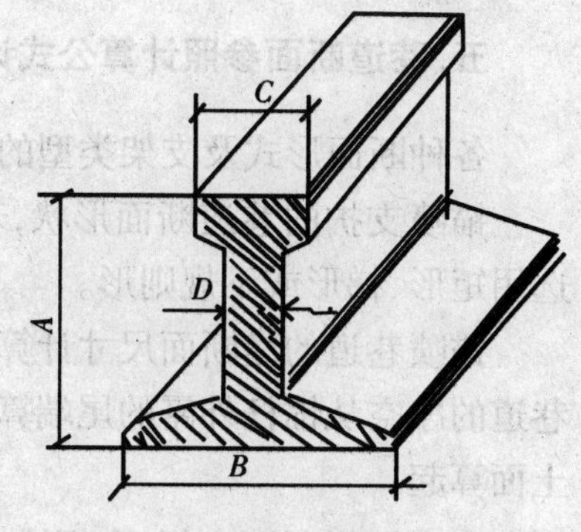

图5-6　钢轨

钢轨有轨头、轨腰和轨底构成，钢轨的型号是以每米长的质量来表示的，钢轨的作用是支承机车及车辆的荷重，并将负荷传给轨枕。在使用架线式电机车运输的区段，钢轨还兼作轨道回流电路。

煤矿窄轨道钢轨型号应根据巷道的运输方式、运输设备类型、车辆运行速度和使用地点确定，见图5-6、表5-7和表5-8。

表5-7　**煤矿窄轨技术特征**

运输方式或地点	使用运输设备	轨型
箕斗斜井	载重≥6t箕斗 载重≤6t箕斗	38 24
井底车场	14t、10t、8t、7t机车	18～24
主要运输大巷	无极绳绞车	15
采区上下山	上下山运煤 上下山运料	15 11
地面生产系统	—	18～24

表5-8　**矿井钢轨型号选用表**

轨型/Kg·m⁻¹	轨高A/mm	轨头宽C/mm	轨底宽B/mm	轨腰厚D/mm	截面积/Cm²	理论质量/Kg·m⁻¹	标准长度/m
33	120	60	110	12.5	42.5	33.286	12.5
24	107	51	92	10.9	31.24	24.46	7～12
18	90	40	80	10	23.07	18.06.	7～12
15	91	37	76	7	18.80	14.72.	6～10
11	80.5	32	66	7	14.31	11.20	6～10

五、巷道断面参照计算公式计算

各种断面形式及支架类型的巷道断面计算公式略。

锚喷支护的巷道断面形状，若为主要巷道和采区集中巷道，则宜选用拱形，其他巷道可选用矩形、梯形或不规则形。

锚喷巷道的净断面尺寸计算与其他类型巷道完全相同，但由于支护方式不同，锚喷支护巷道的净空从锚杆外露的尾端算起；当喷射混凝土厚度大于锚杆外露岩面长度时，则由混凝土面算起。

现以矩形断面为例，介绍锚喷巷道掘进断面尺寸的确定方法。

（1）锚杆支护巷道断面尺寸的确定。

锚杆支护巷道掘进尺寸的确定，可参照图5–7，用下式计算：

计算掘进高度 $H_2=H_0+C+\delta$ （5–2）

计算掘进宽度 $B_2=B_0+2C+2\delta$ （5–3）

式中 H_0——根据运输设备及最小安全间隙、行人、通风等要求确定的巷道净高度；

B_0——根据以上条件确定的巷道净宽度；

C——托板（梁）厚度及锚杆外露长度之和；

金属锚杆 $C=m+h+L_0$ 木锚杆 $C=m+L$

m——铁或木托板（梁）的厚度（钢托板为5mm，铸铁托板为15～25mm，木托板为50mm）；

h——螺帽高度，取20～25mm；

L_0——锚杆的螺尾外露长度，取20mm；

L——木锚杆外路长度，取50mm；

δ——考虑顶板或两帮相对移近量、锚杆安装不准确等影响因素，取δ=75mm。

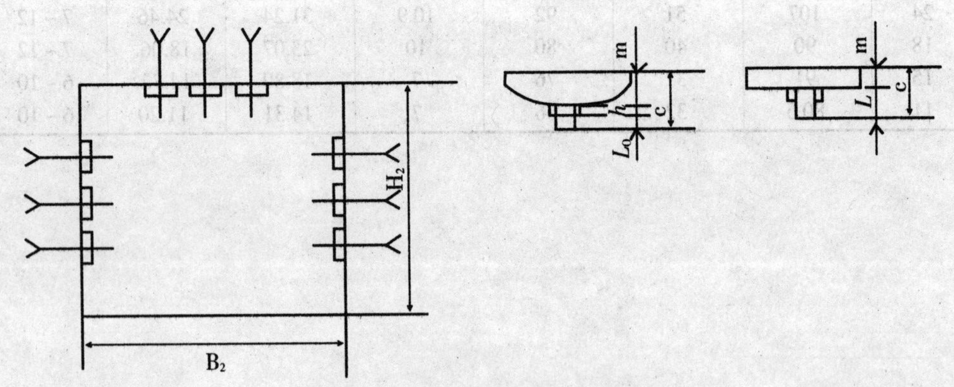

图5–7 锚杆支护巷道断面尺寸计算图

（2）喷射混凝土巷道断面尺寸的确定。

喷射混凝土支护厚度一般变化于50~200mm范围内，当岩层破碎或巷道跨度加大时，通常不增加支护厚度，而是加设锚杆、钢丝网和配筋等。喷射混凝土支护应设墙脚，其深度不小于100mm。

计算掘进高度 $H_2+H_0+T+\delta$(5-4)

计算掘进宽度 $B_2=B_0+2T+2\delta$(5-5)

式中 T——喷射混凝土支护厚度。

H_0、B_0、δ意义同前。

第二节 巷道断面内水沟和管线布置

一、巷道内水沟布置

设计巷道断面时,应根据巷道通过的排水量确定水沟尺寸,以保证运输工作的正常进行。布置要求:

(1)巷道水沟通常布置在人行道一侧,只有在特殊情况下,才将水沟布置在轨道下面或巷道非人行道一侧。水沟的断面形状一般为梯形,上铺水泥板。

(2)在平巷中,水沟坡度一般为3‰~5‰,或与巷道坡度相同,但不应小于3‰;巷道中横向水沟坡度,不宜小于2‰。水沟一侧距棚腿不应小于300mm;水沟中心线距轨道中心线的距离不应小于1100mm。

(3)运输大巷的水沟可用砼浇筑也可用钢筋混凝土预制构件。

(4)水沟的断面积,根据水沟的坡度和流量来选择。常用的水沟断面形状,有对称到梯形、半到梯形和矩形,如图5-8、5-9所示。表5-16拱形、梯形巷道水沟规格及材料消耗

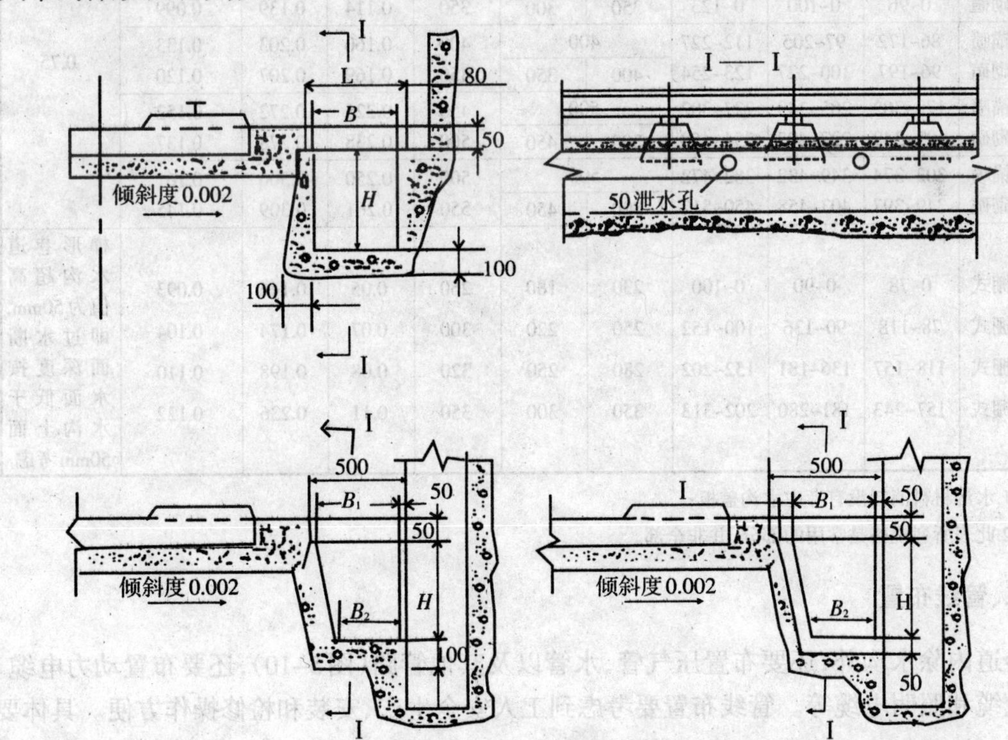

图5-8 拱形巷道水沟断面

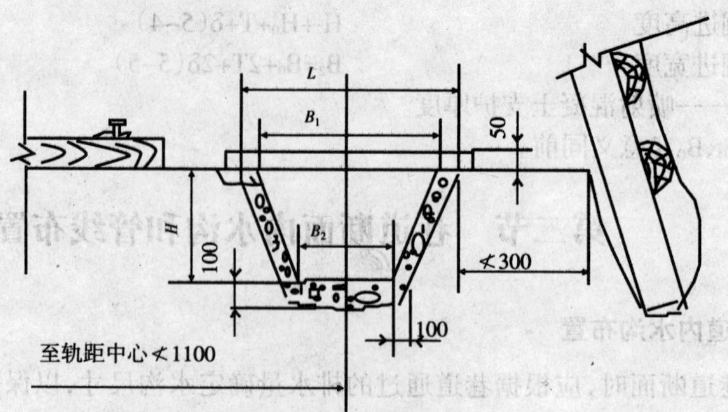

图5-9　采区梯形巷道水沟断面

表5-9　　　　拱形、梯形巷道水沟规格及材料消耗

巷道类别	支护类别	流量，m³/h			净尺寸，mm			断面，m²		每米材料消耗量	
		坡度			宽B		深H	净	掘进	水沟	水沟充满系数
		3‰	4‰	5‰	上宽B_1	下宽B_2				混凝土m³	
拱形大巷	锚喷	0~86	0~97	0~112	300		350	0.105	0.144	0.114	0.75
	砌碹	0~96	0~100	0~123	350	300	350	0.114	0.139	0.099	
	锚喷	86~172	97~205	112~227	400		400	0.160	0.203	0.133	
	砌碹	96~197	100~227	123~254	400	350	450	0.169	0.207	0.120	
	锚喷	172~302	205~349	227~382	500		450	0.225	0.272	0.152	
	砌碹	197~349	227~403	254~450	500	450	500	0.238	0.278	0.137	
	锚喷	302~374	349~432	382~472	500		500	0.250	0.306	0.161	
	砌碹	349~397	403~458	450~512	500	450	550	0.261	0.309	0.145	
采区梯形	棚式	0~78	0~90	0~100	230	180	260	0.05	0.146	0.093	梯形巷道水沟超高值为50mm，即过水断面深度按水面低于水沟上面50mm考虑
	棚式	78~118	90~136	100~152	250	220	300	0.07	0.174	0.104	
	棚式	118~157	136~181	152~202	280	250	320	0.08	0.198	0.110	
	棚式	157~243	181~280	202~313	350	300	350	0.11	0.236	0.122	

注：1.水沟材料消耗没有考虑水沟盖板；

2.此表所列规格是常用的部分，并非全部。

二、管线布置

巷道内除水沟外，还要布置压气管、水管以及其他管路（图5-10），还要布置动力电缆、通讯电缆和照明电缆等。管线布置要考虑到工人安全生产、安装和检修操作方便。具体要求如下：

（1）在拱形巷道中，管道一般布置在人行道一侧的上部。在梯形巷道中，可将管道布置在棚腿的下部，最好与动力电缆不在一侧。

(2)如管道布置在水沟上方,应考虑不妨碍水沟的清理维修。

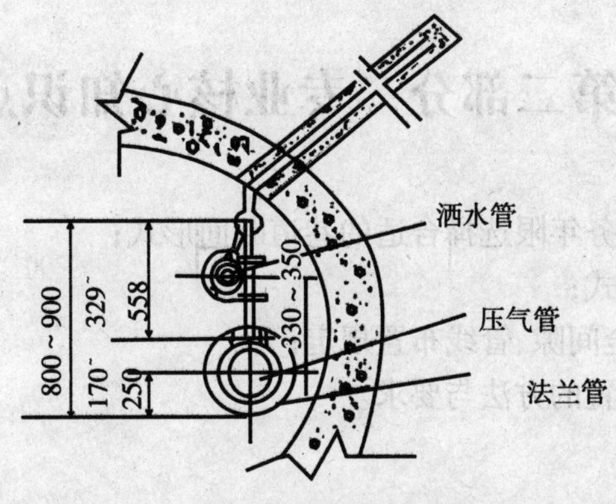

图5-10 管道吊挂图

(3)管道布置应粗管在上,细管在下。

(4)任何管道或电缆都应距运行车辆外缘有250mm以上的间距。

(5)动力电缆与信号电缆一般不宜布置在同一侧,如必须布置在同一侧,则将通讯电缆设在上边相距300mm以上,以防磁场作用干扰。

(6)高低压电缆布置在同侧时,要分别悬挂,保证间距大于100mm,高压电缆之间、低压电缆之间间距应不小于50mm。

(7)为防止矿车万一掉道时撞击电缆和坠落时落在管道上或运输机上,电缆的两悬挂点相距不应超过3m,两电缆上下间距不应小于50mm。

(8)电缆与水管、压气管同侧敷设时,电缆应悬挂在管道的上方,并相距有300 mm以上的距离。

(9)在有煤与瓦斯突出煤层中的回风巷,禁止设置动力电缆。

(10)电机车架空线悬挂高度距轨面水平不得小于2000~2200mm,与拱或顶梁的间距不得小于200mm。管道常设于人行道一侧,也可设在对侧。架设常用锚杆吊挂、托架架设和管墩。

第二部分　专业核心知识点

1.根据巷道的用途和服务年限选择合适的巷道断面形式；

2.巷道断面尺寸计算公式；

3.巷道运输、行人等安全间隙、管线布置规定；

4.巷道内水沟和管线布置的方法与要求。

第三部分 专业技能训练

巷道断面设计的步骤和方法：

某煤矿，年设计生产能力为60万t，低瓦斯矿井，中央分列式通风，井下最大涌水量为320 m^3/h。通过该矿第一水平东翼运输大巷的流水量为160 m^3/h，采用ZK10-6／250架线式电机车牵引1.5t矿车运输，该大巷穿过中等稳定的岩层，普氏系数$f=4\sim6$，通过的最大风量为28m^3/s。巷道内敷设一趟直径为ø200mm压风管和一趟直径为ø100mm的洒水管，试设计运输大巷直线段的断面。

一、巷道断面选型

年产60万t矿井的第一水平运输大巷，一般服务年限在15年以上，采用600mm轨距双轨运输的大巷，其净宽在3m以上，又穿过中等稳定的岩层，故选用钢筋砂浆锚杆与喷射混凝土支护，半圆拱形断面。

二、确定巷道断面尺寸

（一）巷道净宽B

查表5-1知ZK10-6/250电机车宽度$A1=1060$mm，高度$h=1550$mm。1.5t矿车矿车宽1050mm，高1150mm

根据《煤矿安全规程》规定：非人行侧设备至壁的宽度a≥250mm，取400mm。人行侧设备至壁的宽度$c\geq800$mm，取840mm。

双轨轨道中心距b：查表5-3得$b=1300$mm，故电机车之间的间隙为$1300-A_1=1300-1060=240>200$mm，符合安全要求。

根据以上各项，巷道净宽$B=a_1+b+c_1=(400+1060/2)+1300+(1060/2+840)$

$=930+1300+1370=3600$mm。

（二）确定巷道拱高h_0

半圆拱形巷道拱高$h_0=B/2=3600/2=1800$mm。半圆拱半径$R=h_0=1800$mm。

（三）确定巷道壁高h_3

（1）按导电弓要求：$h_3\geqq h_4+h_c-\sqrt{(R-n)^2-(k-z)^2}$

式中 h_4——轨面起电机车架线高度，按《煤矿安全规程》取$h_4=2000$mm。

h_c——道床总高度。$h_c=360$mm查表的，轨型为24kg/m。根据轨型查表的，道床总高度$h_c=360$mm，道碴高度$h_b=200$mm，道碴面至轨面高$h_a=160$mm。

R——半圆拱半径，R=B/2=3600/2=1800mm。

n——导电弓巨拱距离，取300mm。

k——导电弓宽度之半为K=718/2=359mm取360mm。

z——轨道中心至巷道中距离，z=(B/2)-a1=(3600/2)-930=870mm。

故 $h_3=2000+360-\sqrt{(1800-300)^2-(360+870)^2}=1502mm$。

(2)按行人要求： $h_3 \geqq h_5+h_b-\sqrt{R^2-(R-r)^2}$

式中 h_5——碴面至管子高度，按《煤矿安全规程》取h5=1800mm；

r——行人与壁间安全距离，取200mm：h_b及R见前，则

$h_3=1800+200-\sqrt{1800^2-(1800-200)^2}=1175mm$。

(3)按管道布置要求：必须满足机车与导电弓距管道的安全间隙要求。

$$h_3=h_5+h_7+h_b-\sqrt{R^2-(k+m+\frac{D}{2}+b^2)^2}$$

式中 D——压气管直径，D=200mm；

h_7——管子吊件总高度h_7=900mm；

m——导电弓至管子安全距离，m=300mm；

b_2——轨道中心至巷道中心距离，$b_2=(B/2)-C_1=(3600/2)-1370=430mm$。其余符号意义、数值同前，将以上各值代入公式得：

$$h_3=1800+900+200-\sqrt{1800^2-(360+300+\frac{200}{2}+430)^2}=1550mm。$$

对架线式电机车运输巷道，以上几项满足要求时，就不必再对1.6高度行人要求和运输设备上缘至拱壁安全间隙要求进行计算。

根据以上计算，壁高最大值为1550mm，考虑一定的余量，确定本巷道壁高h_3=1800mm。

故巷道净高度H= $h_3-h_b+h_0$ =1800-200+1800=3400mm

(四)确定巷道净周长P及净断面积S

净周长P=2.57B+2h_2

式中 h_2——自碴面起墙高，$h_2=h_3-h_b$=1800-200=1600mm；

B——巷道净宽，B=3600mm。

将值代入得：

$P=2.57\times3.6+2\times1.6=12.5m$。

净断面积$S=B(0.39B+h_2)=3.6(0.39\times3.6+1.6)=10.8m^2$。

5.用风速校核巷道净断面：

$$V=\frac{Q}{S}$$

式中 V——通过巷道的风速；

Q——通过巷道的风量；

S——净断面面积。

将各值代入得：

$$V=\frac{28}{10.8}=2.56m/s<8m/s$$

符合要求。

（六）支架参数的确定

查围岩分类表可知，普通砂岩（f=4～6）为中等稳定岩石，属Ⅲ类围岩，服务年限大于10年，据此查表5-14并计算得锚喷支护参数如下：喷射混凝土厚度T1=100mm；钢筋直径ø=14mm；锚杆长度1.65m；锚深L=1.6m；锚杆间排距D=800mm；锚杆外露长度T2=50mm；锚喷总厚度$T=T_1$=100mm。

（七）选择道床参数

根据本巷道通过的运输设备，轨型为24kg/m。根据轨型查表的，道床总高度h_c=360mm，道碴高度h_b=200mm，道碴面至轨面高h_a=160mm。采用钢筋混凝土轨枕。

（八）确定掘进断面和有关尺寸

（1）设计掘进宽度：$B_1=B+2T=3600+2\times100=3800$mm。

（2）计算掘进宽度：

$$B_2=B_1+2\delta$$

式中　δ为计算掘进超挖量，取75mm，故$B_2=3800+2\times75=3950$mm。

（3）巷道设计掘进高度：

$$H_1=H+T+h_b$$

式中　H为巷道自碴面起净高，$H=h_2+h_0$（拱高），H=1600+1800=3400mm，故H_1=3400+100+200=3700mm。

（4）巷道计算掘进高度：$H_2=H_1+\delta=3500+75=3775$mm。

（5）设计掘进断面：$S_1=B_1(0.39B_1+h_3)=3.8(0.39\times3.8+1.8)\approx12.5m^2$

（6）计算掘进断面：$S_2=B_2(0.39B_2+h_3)=3.95(0.39\times3.95+1.8)\approx13.2m^2$

三、巷道工程量及材料消耗量计算

（1）每米巷道计算掘进体积：$V_2=S_2\times1=13.2m^3$。

（2）每米巷道墙脚计算掘进体积：$V_3=0.2(T+\delta)\times1=0.2(0.1+0.075)=0.04m^3$。

（3）每米巷道拱与墙喷射混凝土：$V_2=[1.57(B_2-T_1)T_1+2h_3T_1]\times1$

$$=1.57(3.95-0.1)0.1+2\times1.8\times0.1=0.96m^3$$

（4）每米巷道墙脚喷射混凝土：$V_4=0.2T_1\times1=0.2\times0.1=0.02\ m^3$

（5）每米巷道喷射混凝土：$V=V_2+V_4=0.96+0.02=0.98\ m^3$

（6）每米巷道锚杆消耗（仅拱部打锚杆）：$N'=\dfrac{2^2(P_1/2M)+l}{M'}$

式中　$P/1$——计算锚杆消耗周长，$=1.57B_2=1.57\times3.95=6.2$m；

$M.M'$——锚杆间距、排距，$M=M'=0.8$m

故N'=11.3根

折合质量为$11.3[(l+0.05)\times\Pi(d/2)^2r]=22.52$kg

式中　l——锚杆深度，ρ=1.6m，0.05m为露出长度；

d——锚杆直径，d=0.014m；

r——锚杆材料体积质量，r=7850kg/ m^3

每排锚杆数为N′×0.8=11.3×0.8≈9根

(7)每米巷道锚孔注砂浆量：

$$V_0=N'lS_a$$

式中　*S*——为锚杆孔注砂截面积，按锚杆眼直径取*S*=43mm.*S*=3.14(0.43/2) 2=0.0014m^3。

故 $V_0=N'lS_a$=11.3×1.6×0.0014=0.025 m^3

(8)每米巷道粉刷面积：S_n=1.57B3+2h_2

式中　B_3——计算净宽，$B_3=B_2-2T$=3.95−2×0.1=3.75 m^3

故 $S_n=1.57B_3+2h_2$=1.57×3.75+2×1.6=9.1 m^2

四、布置巷道内水沟和管线

按巷道通过的水两160m^3/h、现采用水沟坡度0.3%查表5–17得：水沟宽400mm、水沟深400mm、净断面面积为0.16m^2、掘进断面面积为0.203m^2。每米水沟盖板用钢筋1.633kg。混凝土0.0276 m^3，水沟用混凝土0.133 m^3。

管子悬吊在人行道一侧，电力电缆挂在非人行道一侧，通讯电缆挂在管子上方。

五、绘制巷道断面施工图(图5－11)、编制巷道特征表(表5–10)和每米掘进工程量及材料消耗表(表5–11)

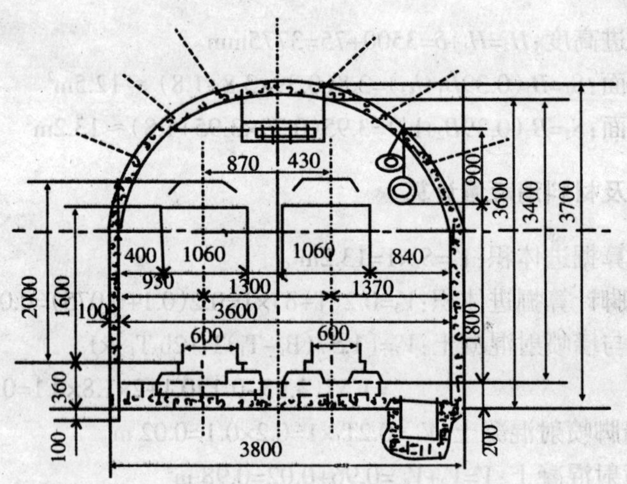

图5－11　运输大巷断面施工图

表5-10　　巷道特征

围岩类别	面积/m^2		设计掘进尺寸/mm		喷射厚度/mm	锚杆						净周长/m
	净断面	设计掘进断面	宽 B_1	高 H_1		型式	外露长度/mm	排列方式	间排距/mm	锚深/mm	直径/mm	
Ⅲ	10.8	12.5	3800	3700	100	钢筋砂浆	50	矩形	800	1600	14	12.5

表5-11　　每米巷道工程量及材料消耗

围岩类别	计算掘进工程量/m^3		锚杆数量/根	材料消耗量							粉刷面积/m^2
				喷射材料/m^3	锚杆			托板		钢丝网/Kg. m^{-2}	
	巷道	墙脚			钢筋/kg	木/根	注砂浆/m^3	铁/kg	木/块		
Ⅲ	13.2	0.04	14.0	0.98	22.52	—	0.025	—	—	—	9.1

复习题

1.巷道断面设计的基本原则是什么？

2.巷道断面设计的内容是什么？

3.巷道断面形状有哪些？选择时应考虑哪些因素？

4.简述轨距、轨型的意义。轨距、轨型应如何选择？

5.巷道的高度和宽度是如何确定的？

6.当巷道尺寸确定后，为什么还要用通过巷道的风速来验算？

7.巷道中对水沟和各种管线的布置有何要求？

技能训练题

试做一巷道断面设计（要求有设计说明书和图表）。

讨论题

巷道断面设计最优方案探讨（范例）。

1.巷道设计思路

某煤矿原矿井运输巷道设计为半圆拱形，掘进在煤层中，砖石砌碹，巷道宽度3.15m，墙高1.8m。通过计算，发现掘进费用太高。

根据该矿实际情况经过技术优化确定为锚杆支护。为保证锚杆支护的安全可靠，并杜绝一切顶板事故，采用锚固可靠性高的树脂锚杆，对巷道围岩破碎断面采用锚网结合，以高锚力、高增阻特性的高强度锚杆主动加固破碎煤岩体，以改变巷道围岩破碎及不稳定状态，提高施工的可靠性。

2.优化设计方法

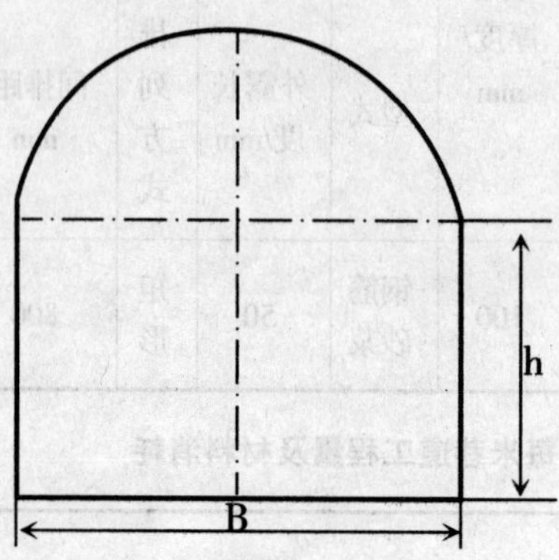

图5-12　半圆拱的几何关系

(1)最优周长法。

该矿的运输大巷现改为半圆拱，由图5-12看出，半圆拱的面积和周长为：

$$S=Bh+\frac{1}{8}\pi B^2 \qquad (1)$$

$$P=B+2h+\frac{1}{2}\pi B \qquad (2)$$

式中　S——巷道净断面积m^2，

B——巷道净宽，m；

h——巷道墙高，m；

P——巷道周长，m。

又(1)、(2)可得：

$$P=(1+\frac{1}{4}\pi)B+\frac{2S}{B},$$

设巷道面积为定值，有：

$$\frac{dP}{dB}=1+\frac{1}{4}\pi-\frac{2S}{B^2},$$

令 $\frac{dP}{dB}=0, B=\sqrt{\frac{2S}{1+\frac{\pi}{4}}}$

即$B=\sqrt{\frac{2S}{1+\frac{\pi}{4}}}$当 时半圆拱巷道断面周长最优。

原矿井初步设计断面面积为S=9.546m^2，巷道墙高h=1.8 m，巷道宽度B=3.15 m。

$P=2h+\frac{1}{2}\pi B=2\times1.8+\frac{1}{2}\times3.14\times3.15=8.546m$。

由半圆拱巷道断面最优周长计算公式得：

$$B=\sqrt{\frac{2\times9}{1+\frac{\pi}{4}}}=3.27m,$$

最优周长：$P=(1+\frac{1}{4}\pi)B+\frac{2S}{B}-B=8.544m$，

周长没有发生很大变化。

$8.546-8.544=0.002m$。

最优周长设计断面对断面不大的巷道适用，而对于大断面的巷道收效不大。

(2)按统筹学原理来优化设计断面。

根据运输要求，两矿车的安全间隙需增加300mm，面积基本不变，宽度增加到$B=3.2m$。

降低墙高为$h=1.7m$，

$S=1.7\times3.2+\frac{1}{8}\times3.14\times3.2^2=9.459$，

$P=2h\times\frac{1}{2}\times\pi B=8.424$。

因为断面面积基本不变，故不影响通风要求。

从以上实例可看出，采用最优周长确定巷道断面的轮廓尺寸也并不是最佳方案，在满足运输设备及通风条件后，按照统筹学原理来优化设计断面，适当调整断面的宽高比，使巷道周长缩短，无论从技术上、经济上都是最优的方案。

3.锚杆布置方案

(1)锚杆长度。

根据巷道围岩松动圈理论，大巷围岩实例松动圈厚度值为1.0~1.4m，锚杆有效长度按加固拱理论设计选用1.6m或1.8m。

(2)锚杆直径。

根据锚杆锚固力的要求，每根锚杆的锚固力不小于40kN，从施工管理及经济角度考虑，选用端头锚固的锚杆，杆体材料选直径为16~18mm螺纹钢。

(3)锚杆间排距。

为了施工方便，结合锚杆支护的组合拱理论，锚杆间排距不得超过锚杆长度的1/2，选取锚杆间距为0.7×0.7m 。

4.锚杆支护效果

锚杆支护有效地控制了围岩变形，在掘进中及时对巷道顶板及两帮进行了锚固力试验，顶部、两帮锚杆锚固力均大于40kN，满足设计要求。

5.结论

在巷道断面设计中，在满足安全和使用的前提下力求提高断面利用率，缩小断面，降低造价并便于施工，在断面不变的情况下，尽可能使周长最短，以降低巷道支护费用。同时既要考虑设备运输、通风，还要考虑支护方式，尽可能使用锚杆支护，以提高巷道顶板自我承载能力，确保围岩稳定，减轻工人劳动强度。

第六章　矿用工程材料

第一部分　系统理论知识

随着科学技术的发展,矿用工程材料呈多样化发展,矿用支护材料品种较多,常用的有木材、金属材料、石料、钢筋混凝土、混凝土、水泥沙浆。

第一节　水　泥

水泥呈粉末状是人工制造的一种水硬性胶凝材料。工程上主要用它来胶结散粒状材料,使之成为具有一定强度的整体,如用来制作混凝土、水泥沙浆、喷射混凝土等。常用的品种有:硅酸盐水泥、普通硅酸盐水泥、矿渣硅酸盐水泥、火山灰质硅酸盐水泥和煤灰硅酸盐水泥等。

一、硅酸盐水泥和普通硅酸盐水泥

(一)定义

国家标准GB175-1999规定:

硅酸盐水泥:凡是以硅酸盐水泥熟料,0%~5%的石灰石或粒化高炉矿渣加入适当的石膏,磨细成的水硬性胶凝材料,称为硅酸盐水泥。

硅酸盐水泥可分为两种类型:Ⅰ型硅酸盐水泥,是不掺混合材料的水泥,其代号为P.Ⅰ。Ⅱ型硅酸盐水泥,是在硅酸盐水泥熟料粉磨时掺加不超过水泥质量5%的石灰石或粒化高炉矿渣混合材料的水泥,其代号为P.Ⅱ。

普通硅酸盐水泥,凡是由硅酸盐水泥熟料、6%~15%的混合材料、适量石膏磨细制成的水硬性胶凝材料,称为普通硅酸盐水泥(简称普通水泥),代号P.O。

(二)强度

水泥强度是水泥性能的重要指标,同时也是确定水泥标号的主要依据。

水泥强度检验标准(GB/T17671-1999)规定:水泥、标准砂及水按1:3:0.5的比例混合,按规定的方法制成40mm×40mm×160mm的试件,在标准条件下[温度为(20±1)℃,相对湿度90%以上]进行养护。分别测得3d和28d的抗折强度和抗压强度。以28d的抗压强度将硅酸盐水泥分为425R、525、525R、625、625R、725R六种标号,但3d和28d的抗折强度不得低于表6-1的规定。普通硅酸盐水泥分为325、425、425R、525、525R、625、625R七种,见表6-1。

表6-1　　通用水泥号、强度及使用范围

品种名称	代号（标准号）	标号	水泥强度/MPa 抗压强度 3d	抗压强度 7d	抗压强度 28d	抗折强度 3d	抗折强度 7d	抗折强度 28d	使用范围
硅酸盐水泥（国外通称波特兰水泥）P.Ⅰ不掺混合料，P.Ⅱ参加不超过水泥质量5%石灰或粒化高炉渣混合料	P.Ⅰ P.Ⅱ （GB175-1992）	425R	22.0		42.5	4.0		6.5	配制高标号混凝土；先张预应力制品，喷射混凝土；要求强度发展快的受冻工程，但不宜用于大体积工程、有水压作用工程及有化学侵蚀的工程
		525	23.0		52.5	4.0		7.0	
		525R	27.0		52.5	5.0		7.0	
		625	28.0		62.5	5.0		8.0	
		625R	32.0		62.5	5.5		8.0	
		725R	37.0		72.5	6.0		8.5	
普通硅酸盐水泥（简称普通水泥）	P.0 （GB175-1992）	325	12.0		32.5	2.5		5.5	一般地上工程和没有侵蚀作用的地下工程、喷射混凝土；要求强度发展较快的受冻工程。但不宜用于大体积工程，有水压作用工程及有化学侵蚀的工程
		425	16.0		42.5	3.5		6.5	
		425R	21.0		42.5	4.0		6.5	
		525	22.0		2.5	4.0		7.0	
		525R	26.0		52.5	5.0		7.0	
		625	27.0		62.5	5.0		8.0	
		625R	31.0		62.5	5.5		8.0	
矿渣硅酸盐水泥（简称矿渣水泥）	P.S （GB1344-1992）	275			27.5			5.0	地下、水中工程及经常受水压工程；大体积混凝土工程，受热工程；有蒸汽养护的工程。因早期强度低，为此不宜用于早期强度高的工程及低温环境下施工的工程，若用于地面工程应加强养护
		325			32.5			5.5	
		425	19.0	13.0	42.5	4.0	2.5	6.5	
		425R	21.0	15.0	42.5	4.0	3.0	6.5	
		525	23.0	21.0	52.5	4.5	4.0	7.0	
		525R	28.0		52.5	5.0		7.0	
		625R			62.5			8.0	
火山灰质硅酸盐水泥（简称火山灰水泥）	P.P （GB1344-1992）	275			27.5			5.0	地下、水中工程及经常受较高水压的工程；有硫酸盐类侵蚀的工程，大体积工程；有蒸汽养护工程；地面一般工程。不宜用于早期强度要求高的工程、受冻工程、气候干热地区工程
		325			32.5			5.5	
		425	19.0	13.0	42.5	4.0	2.5	6.5	
		425R	21.0	15.0	42.5	4.0	3.0	6.5	
		525	23.0	21.0	52.5	4.5	4.0	7.0	
		525R	28		52.5	5.0		7.0	
		625R			62.5			8.0	

（三）水泥的其他性质

（1）水泥的密度。水泥的密度取决于熟料矿物组成、煅烧程度、储存条件及时间等因素。其密度一般为3.1g/cm³～3.2g/cm³；松散密度为1000kg/m³～1600kg/m³。

（2）细度。细度是指水泥颗粒的粗细程度。颗粒越细，水化反应越快，凝结硬化速度快，早期强度高；但硬化时收缩性大，易产生裂缝。

水泥细度用筛分法测定。国家标准规定，用0.08mm方孔筛进行筛分时，筛余量不得超过15%。

(3)标准稠度的需水量。水泥净浆在一定时间达到标准稠度时所需要的拌和水量,用加水量占水泥重量的百分数表示。标准稠度的测定,利用水泥标准稠度仪进行,利用锥体下沉深度表示。

标准稠度用水量,是作为测定水泥的凝结时间和体积的安定性的标准条件,也是直接影响到拌制混凝土或水泥砂浆的水泥用量、强度、抗渗性、抗水性和拌合物的和易性。硅酸盐水泥的标准稠度用水量为22% ~ 32%。

(4)凝结时间。水泥有初凝时间和终凝时间。从水泥加水拌合起到水泥浆开始失去可塑性所需的时间称为初凝时间。水泥的初凝时间不宜过早,应使混凝土或砂浆留有足够的拌合时间和浇灌时间。终凝时间是从给水泥加水拌和起至水泥浆完全失去可塑性且开始具有强度所需的时间。水泥的终凝时间也不宜过长,以便于施工后混凝土尽快硬化,具备一定的强度,有利于施工工序的接续。

国家标准规定:硅酸盐水泥的初凝时间不早于45min,终凝时间不迟于720min。

(5)体积的安定性。体积的安定性是指标准稠度的水泥净浆,在硬化过程中体积变化是否均匀和不产生裂纹的性质。国家标准规定:其安定性用沸煮法检验,必须合格。检验时先将标准稠度的水泥净浆浆制成饼状,直径70 ~ 80mm,厚30mm,成形后养护24h,再连续煮沸4h,试件不发生径向裂缝、网状裂缝、弯曲或松散等现象,便是合格。

安定性是水泥重要性质之一,安定性不合格的水泥,会在后期硬化过程中产生裂缝或破碎,严重影响工程质量。

引起安定性不良的主要因素是:水泥中含有过多的游离氧化钙和氧化镁,遇水后熟化速度极慢,当水泥具有强度后,才熟化产生体积膨胀,造成水泥制品的变形和裂缝。此外,如果水泥中含有过量的石膏,由于硬化中产生含水硫铝酸钙而体积膨胀,使制品产生裂缝。

(6)水化热。水化作用时,放出的热量为水化量,其值主要取决于水泥熟料中各成分的比例,其中铝酸三钙和硅酸三钙的比例大,水化热就高,高标号水泥两者所占的比例大,水化热就高。另外,还与水泥的细度有关,细水泥早期放热多而快。

水化热主要在硬化初期放出,后期逐渐减少。水化热对水泥使用有很大的影响。水化热大的水泥能加速凝结硬化过程,但由于内部温升高,导致混凝土产生内应力而开裂,甚至破坏。对于小体积混凝土工程,水化热大,能加速硬化,热量也易散发,不但无害反而有利,尤其是给冬季施工造成方便。但对大体积混凝土工程,其危害就严重。

(7)抗水性。硬化后的水泥对环境水腐蚀的抵抗性能,称为抗水性,水泥被腐蚀是由于水、酸、盐、碱的作用而产生。硅酸盐水泥和普通水泥的抗水性能较差,可采用增强混凝土的密实性,使有害物质不能侵入其内部,或在其表面涂沥青等防水材料,以增强其抗水性。

综上所述,硅酸盐水泥和普通水泥具有以下特点:

① 早期强度高,凝结硬化快;

② 水化热高,抗冻性好;

③ 抗水性差,耐热性差,耐酸、碱、盐的化学腐蚀性差。

适应条件:一般地上工程和没有侵蚀作用的地下工程及不受水压作用的工程;喷射混凝土、砂浆;要求强度发展较快的工程。

不适用于：大体积工程；有水压作用的工程；有化学侵蚀的工程及耐热工程。

二、矿渣硅酸盐水泥

将硅酸盐水泥熟料、粒化高炉矿渣、适量石膏混合后，磨细制成的水硬性胶凝材料，称为矿渣硅酸盐水泥（简称矿渣水泥），代号P.S。其中矿渣掺量按20%～70%的重量百分比。还允许用不超过1/3的火山灰质混合材料或粉煤灰代替部分矿渣，但数量不得超过水泥重量的15%。

矿渣硅酸盐水泥分为275、325、425、425R、525、525R、625R七种，见表6-1。与硅酸盐水泥和普通硅酸盐水泥相比，它的特性：

(1)凝结硬化速度较慢，早期强度较低，后期强度增长较快，甚至超过同标号的硅酸盐水泥；

(2)水化放热速度慢，放热量低；

(3)对温度的敏感性较高，温度较低时，硬度很慢，温度较高时(60℃～70℃以上)，硬化速度很快，甚至超过硅酸盐水泥；

(4)耐热性好，抵抗软水及硫酸盐介质的侵蚀能力比超过硅酸盐水泥高；

(5)抗冻性差，干缩性大。

适应条件：地下、水中工程及经常受高水压工程；大体积混凝土工程；有蒸汽养护工程；高温耐热工程。

不适用于：早期强度要求高的工程；低温环境下无保护措施的工程。

三、火山灰质硅酸盐水泥

凡由硅酸盐水泥熟料和火山灰质混合材料，加适量石膏磨细制成的水硬性胶凝材料，称为火山灰质硅酸盐水泥（简称火山灰水泥），代号P.P。水泥中火山灰质混合材料掺加量为20%～50%。允许掺加不超过混合材料总量1/3的粒化高炉矿渣代替部分火山灰质混合材料，代替后水泥中的火山灰质混合料不得少于20%。

火山灰质硅酸盐水泥分为275、325、425、425R、525、525R和625R七种，见表6－1。与硅酸盐水泥和普通硅酸盐水泥相比，它的特性：

(1)抗硫酸盐类侵蚀能力强；

(2)抗水性好，在蒸汽养护中强度发展快；

(3)水化热低，在潮湿环境中后期强度增长快；

(4)早期强度低，凝结硬化慢，抗冻性差，吸水性大，干燥性较大。

适应条件：地下、水中工程及经常受高水压工程；大体积工程；有蒸汽养护工程；有硫酸盐类侵蚀工程；地面一般工程。

不适用于：气候干热地区工程；受冻工程；早期强度要求高的工程。

四、粉煤灰硅酸盐水泥

凡由硅酸盐水泥熟料和粉煤灰，加适量石膏磨细制成的水硬性胶凝材料，称为粉煤灰硅酸盐水泥(简称粉煤灰水泥),代号P.F。水泥中粉煤灰掺加量为20%~40%,允许掺加不超过混合材料总量1/3的粒化高炉矿渣。此时,混合材料总量可达50%,但粉煤灰掺量仍不得超过40%。

粉煤灰水泥分为:275、325、425、425R、525、525R和625R七种,见表6-1。与硅酸盐水泥和普通硅酸盐水泥相比,它的特性:

(1)抗水性好;

(2)抗硫酸盐类侵蚀能力强;

(3)水化热低,干缩性较好,抗裂性好;

(4)抗冻性差,早期强度低。

适应条件:大坝工程;水中大体积工程;潮湿环境中工程;地下工程。

不适用于:早期强度要求高的工程;气候干热地区工程;受冻工程。

以上矿渣水泥、火山灰水泥及粉煤灰水泥各龄期强度应不低于表6-2的规定值。这几种水泥的特点是:

在水泥运输或贮存时,一定要注意防潮、防水,且保存期不宜过长,因空气中有水分及二氧化碳气体,会严重降低其强度极限和延长终凝时间。一般3个月后就会使强度降低10%~20%。超过3个月,必须重新测定标号,按测得的标号使用。

表6-2　砂、石子中杂质含量及石子中针、片状颗粒含量的规定

项目		质量标准	
		强度等级不小于C_{30}混凝土	一般混凝土
尘屑、淤泥和粘土的总含量按重量计不宜大于/%	碎石或卵石	1.0	2.0
	砂	3	5
硫化物和硫酸盐含量(折算为SO_3)按重量计不宜大于/%	碎石或卵石	1	
	砂	1	
有机质含量(用比色法试验)	卵石 砂	颜色不得深于标准色,如深于标准色,则应以混凝土进行强度对比试验,加以复核	
云母含量,按重量计不宜大于/%	砂	2	
轻物质含量,按重量计,不宜大于/%	砂	1	
针、片状颗粒含量,按重量计不宜大于/%	碎石或卵石	15	15

第二节　混凝土

混凝土是用水泥、砂、石子和水按一定比例混合拌制而成的。其中砂、石子起骨架作用,小石子充填于大石子空隙中,而砂子又充填于石子空隙中。石子称为粗骨料,砂子称为细骨料,水泥称为胶凝料,掺水后成为水泥浆,将砂、石胶凝在一起,经凝结、硬化形成坚

硬的混凝土。

一、混凝土的组成材料及要求

（一）水泥

水泥是混凝土中的胶结材料，价格最高，配制混凝土时，正确选择水泥品种及标号是至关重要的，它是决定混凝土质量和经济合理性的主要因素。

（二）细骨料

粒径在0.15～5mm之间的骨料为细骨料。常用的是天然砂，以河砂为优。

天然砂中常夹一些有害杂质，如粘土、淤泥、云母、硫酸盐、硫化物等，影响水泥的粘结，减小混凝土强度，会使钢筋锈蚀。有关规定见表6-3，如超过规定，则必须水洗、筛选，并控制在允许范围内。

砂按粒径不同可分为粗砂、中砂和细砂。在质量相等的条件下，细砂总表面积大，包围砂粒的水泥浆就要多，水泥用量就大；粗砂总表面积小，节省水泥，但砂粒间孔隙大，孔隙内又增加了水泥浆，而且在凝结前会产生泌水现象，影响混凝土质量。故砂的粒径大小必须合理搭配。

（三）粗骨料

凡粒径大于5mm的骨料称为粗骨料，常用的有卵石和碎石两种。卵石是天然的，表面光滑，少棱角，与水泥的粘结较差。碎石比卵石表面粗糙、多棱角，空隙率和总表面积较大，与水泥的粘结好。在同样条件下，用碎石制作的混凝土强度较高。

粗骨料有害杂质的含量和具有针、片状的颗粒不得超过表6-2的规定。

粗骨料大小也应合理搭配，使之互相充填，减少空隙，以增加混凝土的密实性和节省水泥用量。粗骨料粒径以5～60mm为宜。

（四）水

一般饮用水和清洁的天然水，均可拌制混凝土及养护混凝土。对水的要求是：pH>4；硫酸盐含量按SO_3计不应超过水量的1%。

二、混凝土的主要技术性质

未成形的混凝土拌合物，必须具有良好的和易性，即合适的稠度、良好的粘滞性和保水性，以便于施工。硬化后的混凝土则需达到设计强度和有关技术性能。

（一）混凝土拌合物的和易性

混凝土组成材料按一定的比例加以配合、拌均而未凝结硬化以前，称为混凝土拌合物。

混凝土拌合物的和易性，是指新拌合的混凝土拌合物在保证质地均匀、各组成成分不离析的条件下，适合于拌合、运输、浇灌和捣实的性质。其中含流动性（由振捣或自重，能产生流动，且均匀密实填满模板、粘聚性（施工时其组成材料之间有粘聚力，无分层和离析现象）和保水性（无严重的泌水现象）等。

测定和易性普遍使用坍落度试验。如图6-1所示，将调配好的混凝土拌合物分层装入标准圆锥筒内，将顶面刮平，然后垂直提起圆锥筒，其拌合物会产生坍落，其坍落的高度（以厘米计)称为坍落度。由于坍落度只表示混凝土拌合物的流动性,故在坍落度测定同时,结合混凝土拌合物表面情况来观察其粘聚性和保水性。例如,以捣固棒轻轻击打锥体侧部,看其坍落体是否有分层离析等现象;以抹刀抹面,看其表面是否光滑,砂浆是否饱满,底部是否析水等,以此评定其粘聚性和保水性;最终得出混凝土拌合物的和易性。根据坍落度大小,将其划分为五种(表6-3),供设计参考。

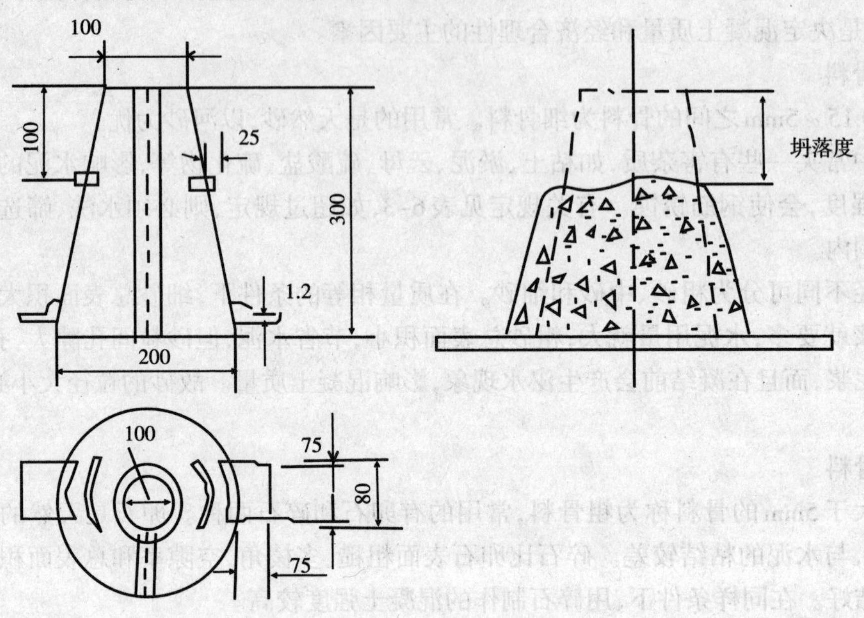

图6-1 混凝土拌合物的坍落度的测定

表6-3

和易性	坍落度	适用条件	施工条件
干硬性	0	预制构件	
低塑性	1~3	预制构件	
可塑性	3~5	预制构件	机械震动
流动性	5~10	预制构件、钢筋较密	
易流性	10~20	现浇混凝土	

(二)混凝土强度及等级

混凝土强度包括抗压强度、抗拉强度、抗剪强度和抗弯强度等。混凝土具有抗压强度大、抗拉强度低、脆性大等特性。混凝土强度测定,是以其拌合物按标准做成15cm×15cm×15cm的立方体试件,在标准条件下(温度20℃、相对湿度90%~100%)养护28d后,进行抗压强度试验,其极限抗压强度(MPa),就称为混凝土的强度。按强度不同分为10个等级,即C5、C7.5、C10、C15、C20、C25、C30、C40、C50、C60,其中C5~C10多用于基础及设计应力不大的大体积工程;C15~C30为常用的混凝土,用于普通的混凝土及钢筋混凝土结构中;C30以上的混凝土用于预应力钢筋混凝土及对强度要求很高的特殊结构中。

三、混凝土外加剂

能改善混凝土性能的材料称为外加剂。如早强剂、减水剂、速凝剂等。

（一）早强剂

为提高混凝土早期强度而用的外加剂为早强剂。常用的早强剂有氯化钙和氯化钠。它对水泥中硅酸三钙和硅酸二钙水化时起催化作用，促使水泥早强。一般掺量为水泥重量的1%～2%，可使混凝土在前三天的抗压强度增长到40%～60%。由于氯盐对钢筋有锈腐作用，在钢筋混凝土中不应使用。

（二）减水剂

既能保持混凝土拌合物的和易性不变，又能显著减少其拌合用水量而用的外加剂，称为减水剂。常用的减水剂有亚硫酸盐纸浆废液和木质素硫磺酸钙等。它们均为表面活性物质，掺入混凝土中被水泥颗粒吸附在表面上，加大水泥颗粒之间的静电斥力，使水泥颗粒充分分散，破坏凝胶体结构，使其内部的游离水释放出来，有效地增加了混凝土拌合物的流动性。若混凝土和易性或流动性不变，就能大量地减少拌合水量，从而降低水灰，提高混凝土的密实性，增加强度、抗渗和抗冻性等。

（三）速凝剂

速凝剂能使混凝土快速凝结并迅速达到较高的强度。

常用的速凝剂有红星Ⅰ型和711型，掺入后可使水泥在1～5min内初凝，10min内终凝。初始强度为未掺速凝剂时的3倍左右，但3d以后的强度则比不掺速凝剂时降低12%～30%，而且掺入速凝剂量越多，混凝土的后期强度损失越大，其最佳掺量为水泥重量的2.5%～4%。这两种速凝剂都含有碱性物资，对皮肤有腐蚀性。速凝剂的吸湿性强，应妥善保管，受潮后对速凝效果有显著影响。

第三节　砂浆

一、砂浆种类

砂浆由胶结材料、水及细骨料拌合级成。常用的胶结材料有水泥、石灰、石膏等，细骨料以天然砂用得最多，有时也可使用细矿渣及石屑等。砂浆与混凝土相比仅是不含粗骨料，因此它的技术性质与混凝土基本相同。但有些性质还有不同的要求。

砂浆按胶结材料不同，有以下几种：

水泥砂浆：以水泥作胶结材料的砂浆，多用于井巷工程。

石灰砂浆：以石灰作胶结材料的砂浆，多用于地面建筑砌体中或抹面中。

混合砂浆：水泥与石灰两面种胶结材料混合使用的砂浆，多用于地面建筑工程。

二、砂浆的性质与配合比

（一）砂浆的基本性质

（1）砂浆拌合物的和易性。砂浆由组成材料拌合后，尚未凝固时，称为砂浆拌合物。其拌合物必须有适宜于施工的工艺性质，通常称为和易性。和易性好的砂浆，不仅在运输和施工过程中不易产生分层、析水现象，而且容易在砖石面上铺成均匀的薄层，能与砖石面很好地粘结；而和易性差的砂浆则不但施工困难，而且强度、密实性和耐久性均差。

砂浆和易性的好坏，决定于砂浆的流动性和保水性。砂浆的流动性也称为稠度（井下砌筑料石宜采用3～5cm；用于注眼及喷射的砂浆宜为1～2cm），通常用标准圆锥体在砂浆内沉入的深度（以cm为单位）数值表示，此值又称为"沉入度"。

影响砂浆流动性的因素：加水量，胶结材料用量，细骨料的粗细和颗粒圆滑状况，细骨料的空隙率，搅拌时间等。

保水性是指砂浆拌合物在运输或停放过程中能均匀地保持水分的性能。保水性差的砂浆，在运输停放时，水容易析出表面，砌筑时水分易被砌体吸收致使砂浆干固。

保水性的好坏主要取决于组成材料的配比，胶结材料少，水与砂增多，保水性就差；反之，保水性就好。为了增加保水性，可掺入塑化剂或其他掺合料。

（2）砂浆的强度。砂浆的强度以单轴抗压极限强度为主要指标。将7.07cm×7.07cm×7.07cm的立方体试块，在温度为（20±5）℃，相对湿度为90%以上潮湿条件下或在正常湿度条件下的室内不通风处养护28d，进行单轴抗压极限强度测定，其各试件平均抗压极限强度定为砂浆标号。砂浆标号划分为0、2、4、10、25、50、75、100、150和200号等十级。0号砂浆表示施工后因冻结而未硬化的砂浆。井巷支护用砂浆一般不低于50号。

（二）砂浆的配比设计

砂浆标号的高低与砂浆的组成成分配比有关。设计配比的原则与混凝土相同，都是根据和易性、强度、耐久性和经济性等要求来确定的。水泥品种根据砂浆用途来选择，水泥标号根据经济原则与和易性而定，一般水泥标号为砂浆标号的4～5倍为宜。骨料以天然砂为好，也可用工业废料、石屑和其他代用材料。

砂浆的配比参照表6-4选取。

表6-4　　常用砂浆配比

水泥标号	砂浆标号			
	100	50	25	10
	体积配合比			
	水泥:砂	水泥:石灰膏:砂	水泥:石灰膏:砂	水泥:石灰膏:砂
425	1:4.35	1:1:7.10	1:1.77:10.2	1:2.7:12.6
325	1:3.72	1:0.75:6.14	1:1.53:9.26	1:2.48:11.1
275	1:2.73	1:0.43:4.56	1:1.12:7.37	1:2.00:10.9

第四节　其他材料

一、木材

用作矿井支架的木材称为坑木。井巷工程常用的坑木有松木、杉木、桦木、榆木和柞木，其中以松木为主。

木材的特性:质量轻、韧性大、强度高、易加工、不防腐、易燃等。

木材的强度:木材具有纹理,其强度具有平行纤维(顺纹)方向和垂直纤维(横纹)方向大小不相同的特点。木材各种强度的关系见表6-5

表6-5 木材各种强度关系 (以顺纹抗压强度为1)

抗拉		抗压		弯曲	抗剪	
顺纹	横纹	顺纹	横纹		顺纹	横纹
2~3	$\frac{1}{3}$~$\frac{1}{20}$	1	$\frac{1}{3}$~$\frac{1}{10}$	1.5~2.0	$\frac{1}{7}$~$\frac{1}{3}$	$\frac{1}{2}$~1

强度大小的顺序是:顺纹抗拉>横纹抗弯>顺纹抗压>横纹抗剪>顺纹抗剪>横纹抗压。

为了充分利用木材的强度,应使其顺纹受拉,横纹受弯,顺纹受压,横纹受剪。

木材经防腐处理,能延长服务年限,从而节省坑木用量。随着国民经济的发展,木材需用量大增,在矿井支护中节约坑木和采用坑木代用品,有着重要的意义。

二、钢材

井巷支护所用的钢材,主要是用普通碳素钢(低碳钢或中碳钢)制成的各种型钢,如钢轨、工字钢、槽钢和角钢等,还有专门用于矿山的特殊型钢(图6-2)和矿用工字钢(图6-3)。其规格见表6-6和表6-7。

用型钢做成的支架,具有强度高、使用期长、可多次复用、容易安装、耐火性强等优点,但是初期投资大。

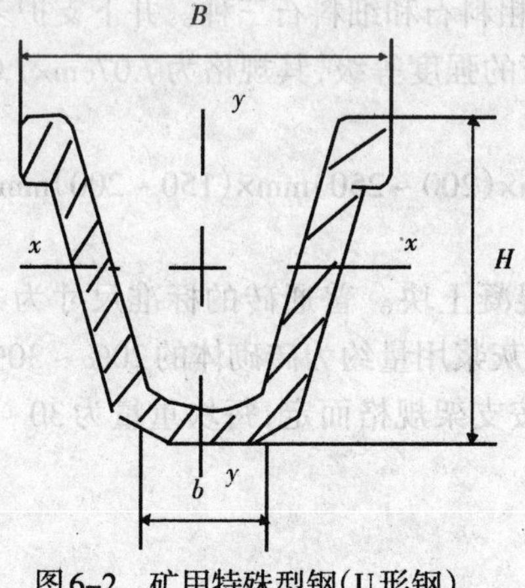

图6-2 矿用特殊型钢(U形钢)

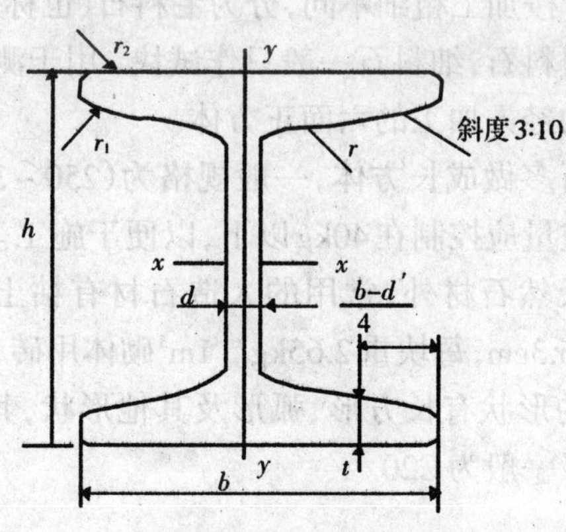

图6-3 矿用工字钢

表6–6　　型钢主要规格与技术特征

型号	截面尺寸/mm			截面积 F/cm^2	每米质量 $G/kg.m^{-1}$	惯性矩		截面模数		主要对比参数		
	H	B	b			J_x' cm^4	J_y' cm^4	W_x' cm^3	W_y' cm^3	$\frac{W_x'}{G}$	$\frac{W_y'}{G}$	$\frac{W_x'}{W_y}$
25U	110	134	50.8	31.54	24.76	451.7	518.7	81.68	76.92	3.3	3.1	1.08
29U	124	151.5	53	37	29	616	775	94	103	3.2	3.6	0.91

表6–7　　矿用工字钢断面参数

型号	尺寸/mm							截面面积 $/cm^2$	理论质量 $/kg.m^{-1}$	断面参数						
	h	b	d	1	r	r_1	r_2			J_X $/cm^4$	W_X /cm	i_x /cm	S_X /cm	J_y $/cm^4$	W_y $/cm^3$	Iy /cm
9	90	76	8	10.9	12	4	1.5	22.5	17.7	281	62.5	3.53	37.8	62.5	16.5	1.67
11	110	90	9	14.1	12	5	1.5	33.5	26.1	623.7	113.4	4.34	68.5	127.7	28.4	1.96
12	120	95	11	15.3	15	5	1.5	39.7	31.2	867.1	144.5	4.67	87.9	178.2	37.5	2.12

三、石材

将具有较高强度而又不易风化的岩石(如石灰岩、砂岩、花岗岩等)加工制成的砌块称为天然石材(料石)。

料石按加工粗细不同,分为毛料石(也称片石)、粗料石和细料石三种。井下支护多用毛料石和粗料石,细料石一般只作试块,用于测试料石的强度等级,其规格为7.07cm×7.07cm×7.07cm的经人加工的六面正方体。

料石多做成长方体,一般规格为(250～300)mm×(200～250)mm×(150～200)mm,每块料石的重量应控制在40kg以下,以便于施工。

除天然石材外,常用的人造石材有粘土砖和混凝土块。普通砖的标准尺寸为24cm×11.5cm×5.3cm,每块重2.65kg。1m³砌体用砖512块,灰浆用量约为砖砌体的20%～30%。混凝土块的形状有长方形、弧形及其他形状,其尺寸按支架规格而定,每块重量为30～40kg,强度等级一般为C20。

第二部分　专业核心知识点

1.各种水泥的适用条件。

2.混凝土和砂浆组成及性质。

3.钢材、石材的技术要求。

复习题

1.水泥一般有哪几种？各种水泥的适用条件是什么？

2.水泥的初凝时间与终凝时间是如何规定的？

3.混凝土的组成材料有哪些？各自要求是什么？

4.砂浆可分为哪几种？其基本性质有哪些？

5.钢材有何优点？

6.料石分为哪几种？各有何要求？

讨论题

混凝土配合比设计讨论。

要点：

混凝土配合比设计过程一般分为三个阶段，即初步计算、试拌调整和确定。通过这一系列的工作，从而选择混凝土各组分的最佳配合比例。

设计要求：

(1)强度要求。

满足结构设计强度要求是混凝土配合比设计的首要任务。任何建筑物都会对不同结构部位提出"强度设计"要求。

(2)满足施工和易性的要求。

根据工程结构部位、钢筋的配筋量、施工方法及其他要求，确定混凝土拌合物的坍落度，确保混凝土拌合物有良好的均质性，不发生离析和泌水，易于浇筑和抹面。

(3)满足耐久性要求。

混凝土配合比的设计不仅要满足结构设计提出的抗渗性、耐冻性等耐久性的要求，而且还要考虑结构设计未明确的其他耐久性要求，如严寒地区的路面、桥梁，处于水位升降范围的结构，以及暴露在氯污染环境的结构等。

(4)满足经济要求。

企业的生产与发展离不开良好的经济效益。因此，在满足上述技术要求的前提下，尽量降低混凝土成本，达到经济合理的原则。

第七章　巷道掘进爆破技术

第一部分　系统理论知识

在新建矿井的大量工程中，巷道工程所占的比重，一般要达到80%左右，其施工工期也要超过建井总工期的55%，因此加快巷道施工速度，是缩短建设工期的重要手段。在生产矿井中，机采和综采的发展对加快巷道掘进的要求也越来越高。

目前，岩巷掘进的破岩方法仍然以钻眼爆破法为主。钻眼爆破工作应该满足以下几项要求：

(1)炮眼利用率要高，爆破材料的消耗量要低；

(2)巷道断面尺寸应符合设计要求和《巷道掘进质量标准》的要求，巷道的坡度和方向均应符合设计规定；

(3)对巷道围岩的震动和破坏要小，以利于巷道的维护；

(4)爆下岩石的块度和岩堆高度要适中，以利于提高装岩效率和钻眼与装岩平行作业；

(5)便于打眼，并尽可能减小钻眼机械和设备的移动距离。

为了获得良好的爆破效果，必须正确地布置炮眼、合理确定爆破参数、选用适宜的爆破器材和改进爆破技术。

第一节　掘进工作面炮眼布置及爆破图表

炮眼布置和岩石性质、结构，巷道断面形状、大小，炸药性能和装药量有关。掘进工作面的炮眼，按其用途和位置不同可分为掏槽眼、辅助眼和周边眼三种，如图7－1所示。爆破顺序是：先掏槽眼，其次辅助眼，最后周边眼。

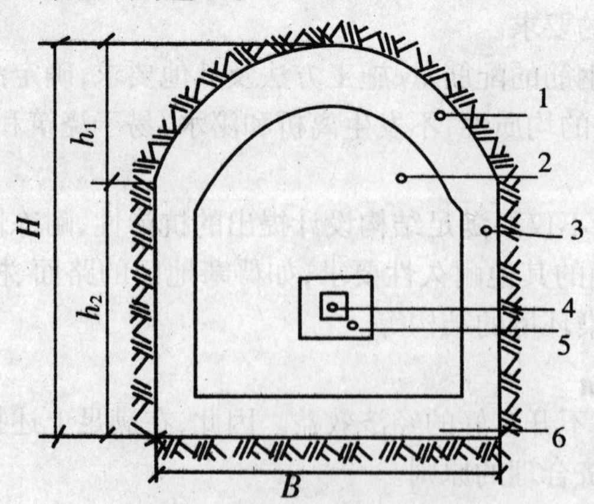

图7–1　各种用途的炮眼名称

1——顶眼；2——崩落眼；3——帮眼；4——槽眼；5——辅助眼；6——底眼；h_1——拱高；h_2——墙高；H——掘进高度；B——掘进宽度

掏槽眼——用于爆破出新的自由面，为其他炮眼创造有利的爆破条件的炮眼。

辅助眼——又称崩落眼，是用来进一步扩大掏槽眼爆破形成的自由面，崩落岩石的炮眼。

周边眼——又称轮廓眼，是控制巷道成形的炮眼。按其位置又分为顶眼、帮眼、底眼。

炮眼布置的基本原则：

(1)首先选择掏槽方式确定掏槽眼位置，其次布置周边眼，最后布置崩落眼；

(2)掏槽眼通常布置在断面的中下部；

(3)周边眼一般布置在巷道设计掘进断面的轮廓线上；

(4)辅助眼均匀地分布在掏槽眼和周边眼之间。

一、掏槽方法

掏槽眼的作用是首先将工作面上某部分岩石破碎下来，使工作面形成第二个自由面，为其他炮眼的爆破创造有利的条件。掏槽的好坏对提高破岩效率、循环进尺起着决定性的作用。实际工作中有时会产生炮眼利用率过低或崩倒支架的现象，多是由于掏槽布置不当、爆破效果不良所致。根据掏槽眼的方向不同，掏槽方式分为斜眼掏槽、直眼掏槽和混合掏槽三类。见表7–1。

目前，我国煤矿巷道掘进中仍以斜眼掏槽为主，它比较适合煤矿常见的岩石条件和现有技术装备条件。但随着炮眼日益加深的要求，以及新技术、新钻眼设备的应用，直眼掏槽法将更有发展前途。

表7–1　　掏槽方法分类

斜眼掏槽	直眼掏槽
单斜掏槽	缝隙掏槽（平行龟裂法）
三角锥形掏槽	角柱掏槽（大空眼掏槽）
四眼锥形掏槽	菱形掏槽（双空眼掏槽）
垂直楔形掏槽	螺旋掏槽

注：●表示装药的炮眼；○表示未装药的炮眼。

（1）斜眼掏槽法。这种掏槽方法的特点是：可以充分利用自由面，掏槽面积较大；使用雷管段数少，掏槽数目及炸药耗量也相对少；但倾斜炮眼深度受到巷道断面尺寸的限制；易产生大块矸石，且矸石抛掷距离远，易崩倒支架，损坏设备。在岩巷掘进中常用锥形掏槽和垂直楔形掏槽，见表7-1。

（2）直眼掏槽法。这种掏槽法的特点是：所有掏槽眼都垂直于工作面，布置简单，彼此间距较小，且要严格保持平行；留有不装药的空眼，作为装药槽眼爆破时的自由面；槽眼的深度不受巷道断面大小的限制，可以进行深孔爆破；易于实现多台凿岩机平行作业和采用凿岩台车钻眼；岩石块度均匀，抛掷距离较近，爆破集中，便于清道装岩，且不易崩坏支架和设备。但对槽眼的间距、钻眼的质量和装药等要求严格，所需槽眼的数目和炸药消耗量偏多，掏槽体积小，掏槽效果不如斜眼掏槽。一般不宜在松软岩石和有瓦斯煤尘爆炸危险的巷道中使用。

直眼掏槽法在金属矿山掘进中使用相当广泛，近年来为了推广深孔爆破，煤炭系统也加强了直眼掏槽的试验研究工作，并已逐渐获得推广。

在直眼掏槽法中，空眼一般要比装药槽眼加深200mm左右。为了加强槽腔的抛碴作用，空眼也可加深500mm左右，以便在加深的炮眼底部装填1～2卷炸药，待其他槽眼爆炸后再爆。这种仅眼底装少量炸药的炮眼称为半空眼。大直径空眼是用重型凿岩机与大直径钻头打凿的，但一般多用2～3个相互靠近的普通直径炮眼代替，也可获得良好的爆破效果。掏槽效果与合理决定各槽眼至空眼之间的距离有密切关系，图7-2（a）表示菱形直眼掏槽的布置形式。

菱形掏槽法适用于各种岩石条件，炮眼深度在2.0m以下效果较好。最好用毫秒电雷管分两段起爆，如图7-2（b）所示，距离小的一对炮眼先爆，距离大的一对后爆。每眼装药长度为眼深的70%～80%。

螺旋掏槽（图7-3）是中硬以上岩石进行深孔掏槽的一种较好的掏槽方法。其特点是各装药槽眼绕中空眼呈螺旋形布置，这种掏槽方法的炮眼利用率可达90%以上，爆破图表见表7-2。

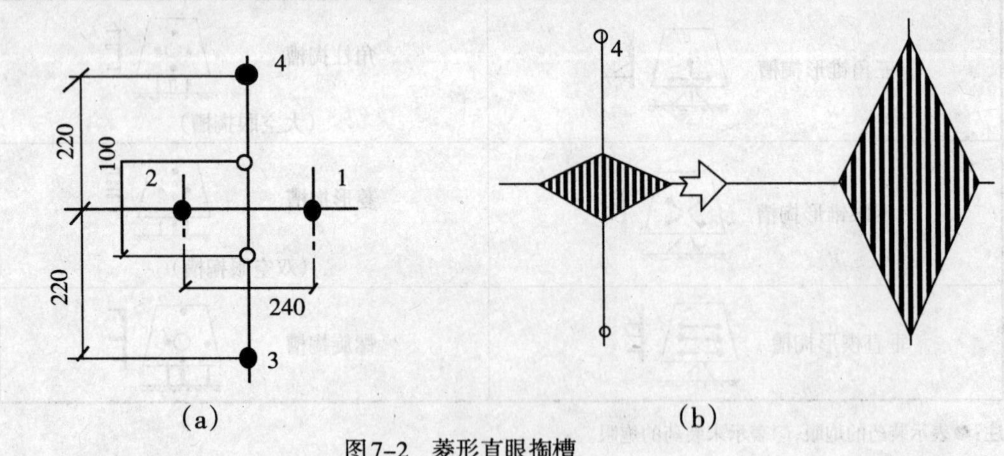

图7-2　菱形直眼掏槽

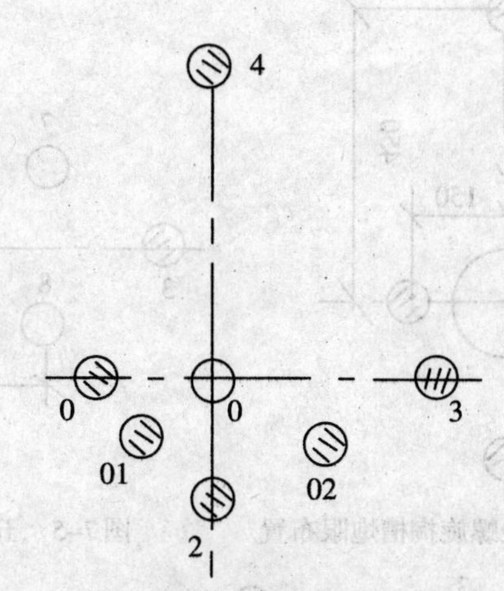

图7-3　小直径螺旋掏槽炮眼布置示意图

表7-2　小直径螺旋掏槽爆破图表

眼号	眼深/m	爆破顺序	各眼与0号眼的间距/mm
1	1.6	1	50 ~ 60
2	1.6	2	100 ~ 120
3	1.6	3	150 ~ 180
4	1.6	4	200 ~ 240
0	1.6	空眼	—
01	1.9	5	—
02	1.9	5	—

注:有时为了便于抛碴,01、02眼可装一卷药,一般情况下为空眼。

当采用大直径(φ100 ~ φ200mm)中空眼时,其布置方式如图7-4所示。

五星掏槽法(图7-5),由5个装药炮眼和4个空眼组成,它适用于各种岩层条件,是比较可靠的掏槽方法。炮眼深度在2.5m以下时,用一般岩石炸药即可;当眼深为2.5 ~ 3.0m时,宜采用4号岩石炸药或其他高威力炸药。用毫秒电雷管起爆时,其起爆顺序是:中心1号眼先爆,其余2 ~ 5号眼后爆,每眼装药长度为眼深的70% ~ 80%。

(3)混合掏槽。在断面较大、岩石较硬的掘进巷道中,为了弥补直眼掏槽的不足,利用直眼与斜眼混合掏槽。如图7-6混合掏槽。

斜眼作垂直楔状布置,其槽眼与工作面夹角以75° ~ 85°为宜;斜眼眼底与直眼眼底相距约0.2m,斜眼装药满度系数为0.7 ~ 0.5;直眼装药满度系数为0.7左右。

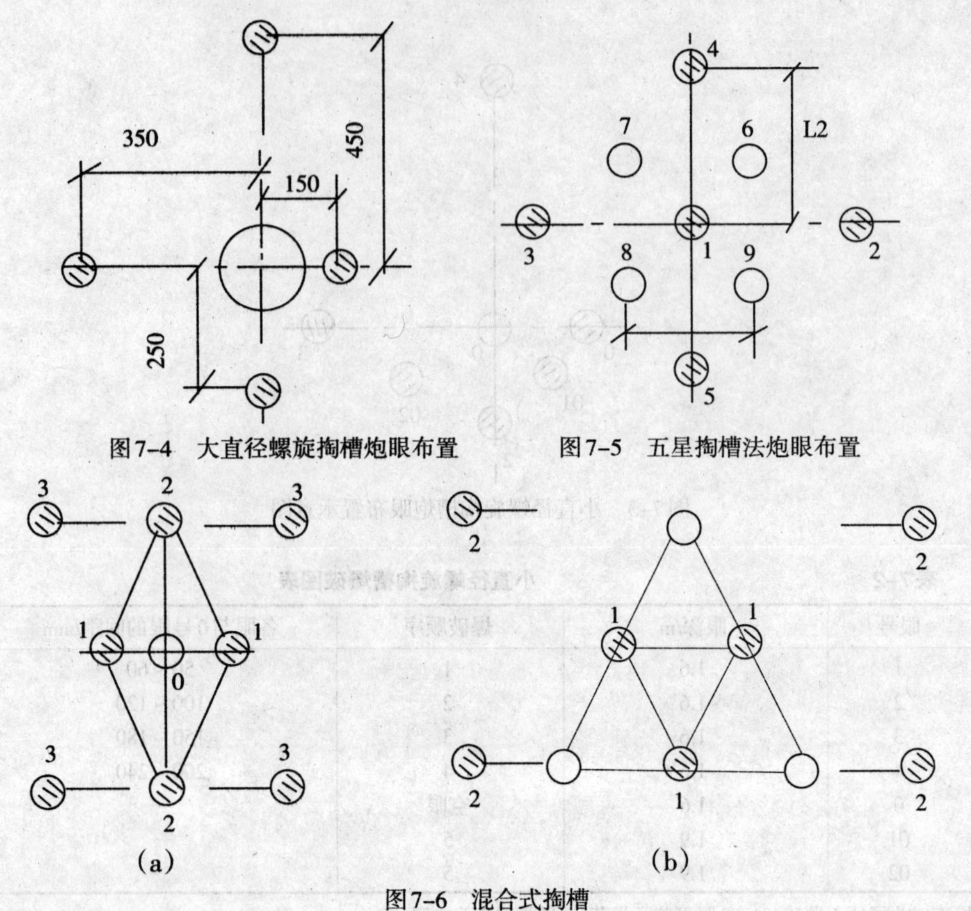

图7-4 大直径螺旋掏槽炮眼布置　　图7-5 五星掏槽法炮眼布置

图7-6 混合式掏槽

二、辅助眼

辅助眼(又称崩落眼)是布置在掏槽眼和周边眼之间的炮眼。在巷道掘进中辅助眼是扩大掏槽,大量崩落岩石的主要炮眼。其布置原则是充分利用掏槽眼所创造的自由面,最大限度地爆破岩石,形成一定的空间,为周边眼的爆破创造有利条件。一般辅助眼的间距为500~900mm,炮眼方向基本上垂直于工作面,要布置均匀,炮眼眼底应处在同一竖直平面上,每一炮眼的最小抵抗线应近似相等,以使崩落下的岩石块度大小适中,便于装岩工作。

三、周边眼

周边眼分为顶眼、帮眼和底眼,其布置是否合理,直接影响巷道成形是否规整。周边眼的眼距不宜太大,一般为500~700mm,以利于保证巷道断面轮廓,尽量减少刷帮和填空的工作量。一般情况下,其眼口中心都应布置在巷道设计掘进断面的轮廓线上,顶眼帮眼眼口距岩帮100~200mm,岩石越坚固,靠岩帮越近,眼底应稍向轮廓线外偏斜,一般不超过100~150mm,便于在下循环打眼钻机有足够的工作空间,同时尽量减少超挖量。底眼的作用主要是控制巷道底版标高以及抛掷已破碎的岩石。一般底眼眼口应高出底版水平150mm左右,以防灌水;眼底要倾斜向下,可打到底版标高以上100~200mm左右,以防底版欠挖,在有水沟的部位应多布置1~3个炮眼,以拉出水沟来。底眼的间距要比顶眼和帮眼稍大。

四、爆破参数的确定

巷道掘进中的爆破参数包括:炸药消耗量、炮眼直径、炮眼深度和炮眼数目等。正确地确定这些参数才能取得良好的爆破效果。

(1)单位炸药消耗量。爆破$1m^3$的实体原岩所需要的炸药量,称为单位炸药消耗量,单位为kg/m^3。单位炸药消耗量偏小,会造成欠挖,爆破后无法达到设计要求;单位炸药消耗量过大,不仅浪费炸药,而且破坏围岩的稳定、容易崩倒支架、损坏支架和设备,产生大量的有毒有害气体,更为严重的是可能造成瓦斯、煤尘爆炸。影响炸药消耗量的因素有岩石性质、巷道断面尺寸、自由面的位置与数目、炮眼的装药结构、炮眼的直径和深度以及炸药的性能等。一般说来,岩石越坚固、巷道断面积越小、炮眼直径越小、炮眼越深、炸药的爆破性能越差,炸药消耗量越高;反之炸药消耗量就相应降低。

到目前为止,还没有从理论上解决计算炸药消耗量的方法。通过实践,国家对各种岩石、不同掘进断面的炸药消耗量进行了统计,表7-3列出了《矿山井巷工程预算定额》试行本中规定的岩巷掘进炸药消耗量定额。在使用时应注意,该定额系按岩石巷道用二号岩石硝铵炸药、煤及半煤岩巷道采用二号煤矿硝铵炸药、均用纸壳电雷管制定的,若采用其他非标准炸药时,可按表7-4进行调整。

表7-3　平巷炸药(kg/m^3)/雷管(个/m^3)消耗量定额

巷道断面/m^2	木支架或砌碹巷				锚喷巷道		光爆锚喷巷道			
	软煤(f=1.0~1.5)	硬煤(f=2~3)	软岩(f=2~3)	中硬岩(f=4~6)	软煤	硬煤	软岩	中硬岩	硬岩(f=8~10)	坚硬岩(f=10~11)
<4	0.67 1.95	0.88 2.35	1.47 3.07	2.13 4.22	0.67 1.95	0.88 2.35	—	—	—	—
<6	0.58 1.59	0.78 1.81	1.32 2.70	1.92 3.54	0.58 1.59	0.78 1.81	1.58 3.64	2.32 4.35	3.26 4.61	4.08 6.18
<8	0.53 1.39	0.72 1.59	1.15 2.33	1.65 2.97	0.53 1.39	0.72 1.59	1.56 3.15	1.80 3.26	2.64 3.59	3.30 4.81
<10	0.43 1.15	0.63 1.48	1.02 2.10	1.42 2.71	0.43 1.15	0.59 1.48	1.27 2.53	1.79 3.10	2.55 3.15	3.19 4.22
<12	0.42 1.16	0.59 1.49	0.95 1.96	1.26 2.37	0.42 1.16	0.59 1.49	1.26 2.42	1.72 2.94	2.31 2.94	2.89 3.94
<15	0.37 1.12	0.51 1.40	0.85 1.76	1.25 2.36	0.37 1.12	0.51 1.40	1.15 2.41	1.55 2.66	2.11 2.97	2.64 3.98
>15	0.36 1.01	0.52 1.24	0.77 1.60	1.20 2.30	0.36 1.01	0.52 1.24	1.13 2.39	1.43 2.56	1.99 2.93	2.49 3.93

表7-4　　使用非标准炸药时的调整系数

巷道类别	1号岩石硝铵炸药	2号岩石硝铵炸药	1号煤矿硝铵炸药	2号煤矿硝铵炸药	3号煤矿硝铵炸药
煤巷及半煤岩巷岩	—	—	0.86	1.00	1.04
石巷道	0.91	1.00	1.10	1.28	1.33

(2)炮眼直径。我国现场普遍采用的炮眼直径,比标准药卷直径32～35mm稍大4～7mm。炮眼直径小了,装药困难;炮眼直径过大,使标准药卷在炮眼里有较大的空隙,不利于爆破。

(3)炮眼深度。炮眼深度直接决定着一个循环的进尺量。炮眼深度加大了,钻眼和装岩的工作量会增加。影响炮眼深度的因素主要有:巷道断面尺寸和掏槽方式;岩石的物理力学性质;钻眼设备的性能;劳动组织和循环作业方式等。

(4)炮眼数目。炮眼数目直接决定着每茬炮的钻眼工作量同时又影响着爆破效果。根据岩石的性质、断面尺寸、使用炸药材料等,按炮眼的不同作用进行合理布置,排列出炮眼数,但这个炮眼数目是否合理,还必须通过实践来验证,经实验验证后再作适当调整。合理的炮眼数目应当保证有较高的爆破效率(炮眼利用率不小于85%),爆下的岩块块度和爆破后的巷道轮廓符合施工和设计的要求。

五、钻眼爆破说明书和爆破图表的编制

钻眼爆破说明书和爆破图表是指导和检查钻眼爆破工作的技术文件。说明书的主要内容包括:

(1)简单描述巷道的特征,穿过岩层的名称.地质条件和岩石的物理力学性质,矿井瓦斯等级和通过岩层含瓦斯情况等;

(2)钻眼设备的选择;

(3)爆破器材的选择;

(4)爆破参数的计算;

(5)爆破网路的计算;

(6)爆破采取的各项安全措施。

根据说明书绘出爆破图表。爆破图表的内容分三部分(三表一图):第一部分是爆破原始条件表;第二部分是炮眼布置图和爆破参数表;第三部分是预期爆破效果表(也可不制表用文字说明)。

编制爆破图表首先应做充分的调查研究工作,掌握第一手资料,然后根据所用钻眼设备和爆破器材进行综合分析,确定一个初步爆破图表,经过若干个循环的爆破实践,不断完善之后,才能正式作为指导钻眼、爆破工作的依据。如果巷道穿过多种岩层,则应选定两种(或两种以上)穿过量长的主要岩层,分别编制爆破图表。

编制爆破图表示例:

表7-5、表7-6、表7-7和图7-7为江苏徐马坡煤矿-250m水平回风大巷的掘进作业爆破图表。该巷道采用光面爆破,锚喷支护。

表7–5　　爆破原始条件

名称	单位	数量	名称	单位	数量
掘进断面	m^2	8.73	炮眼数目	个	45
炮眼深度	m	2.2	雷管数目	个	45
岩石普氏系数	f	4～6	总装药量	kg	27.5

表7–6　　炮眼布置及装药量

眼号	炮眼名称	炮眼深度/m	装药量				爆破顺序	连线方式	装药结构
			单孔		小计				
			卷/个	质量/kg	卷/个	质/kg			
1	空眼	2.3							
2～5	掏槽眼	2.3	7	1.05	28	4.20	Ⅰ		
6～11	一圈辅助眼	2.2	5	0.75	30	4.50	Ⅱ		
31 32 44 45	二圈辅助眼	2.2	5	0.75	55	8.25	Ⅲ	串联	连续反向装药
33～19	帮眼	2.2	2	0.30	8	1.20	Ⅳ		
21～43	顶眼	2.2	2	0.30	22	3.30	Ⅳ		
23～34	底眼	2.2	5	0.75	40	6.00	Ⅴ		

表7–7　　预期爆破效果

名称	单位	数量	名称	单位	数量
炮眼利用率	%	91	每米巷道炸药消耗量	Kg	13.8
工作面循环进尺	m	2	循环炮眼总长度	m/循环	99.5
每循环爆破实体岩石量	m^3	17.5	岩体雷管消耗	个/m^3	2.5
炸药消耗量	kg/m^3	1.6	每米巷道雷管消耗量	个/m	22

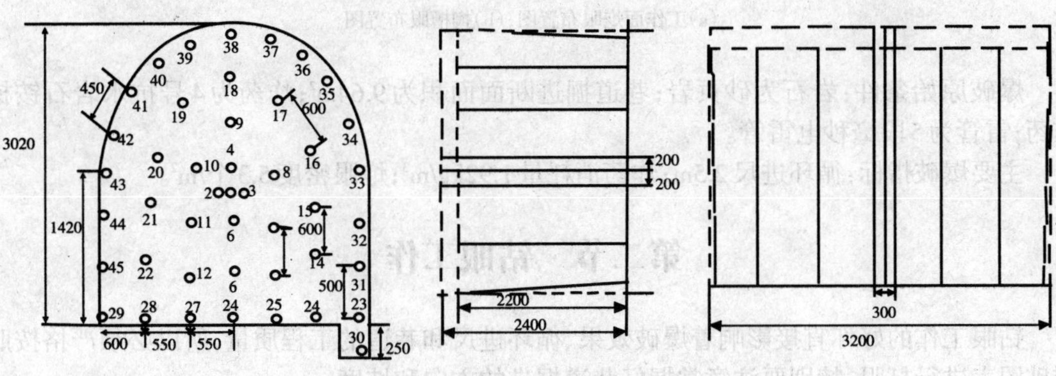

图7–7　炮眼布置图

表7-8和图7-8为某矿采用光面爆破所制定的爆破图表。

表7-8　爆破说明书

爆序	炮眼名称	眼号	眼数/个	眼深/mm	装药量		药卷直径/mm
					卷/眼	Kg·m⁻³	
1	中心眼	1	1	2700	11	0.61	35
2	掏槽眼	2～5	4	2700	10	0.56	35
3	空眼	6～9	4	2700	—	—	—
4	扩槽眼	10～16	7	2500	8	0.48	35
5	辅助眼	17～29	13	2500	8	0.48	35
5	周边眼	30～34	15	2500	8	0.14	25
5	底边眼	45～49	5	2600	9	0.52	35
5	底角眼	50～51	2	2700	9	0.52	35
—	总计	—	51	130m	—	46.35kg	—

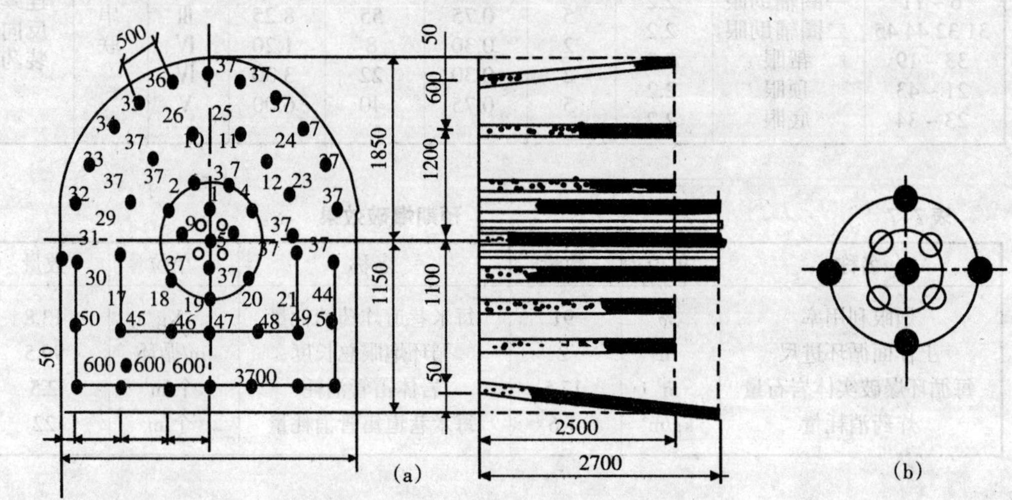

图7-8　光面爆破工作面炮眼布置图

(a)工作面炮眼布置图;(b)掏槽眼布置图

爆破原始条件:岩石为砂页岩;巷道掘进断面面积为9.64m²;炸药为4号抗水岩石铵梯炸药;雷管为5段毫秒电雷管。

主要爆破指标:循环进尺2.5m;炸药消耗量1.92kg/m³;炮眼密度5.3个/m²。

第二节　钻眼工作

钻眼工作的好坏直接影响着爆破效果、循环进尺和巷道的工程质量,所以必须严格按照爆破图表进行打眼,特别要注意掌握好巷道掘进的方向和坡度。

一、准备工作

为了安全,钻眼前要进行敲帮问顶工作。用长钎处理顶、帮的活石、浮矸,靠近工作面的支架要打紧打牢。同时,要检查凿岩机、气腿并上足润滑油,备齐钎子和钎头,并检查钎子中心孔是否通气，检查压气管、水管是否有漏损现象，水压、气压是否满足要求等。

为了掌握巷道掘进的方向和坡度，正确布置炮眼的位置，钻眼前应检查并延长巷道的中线和腰线，如图7-9所示。

其简易测时方法如下：

巷道中线需由测量人员用仪器测定，并在巷道顶板上每隔一定距离设有标桩与挂线。如果巷道的方向不改变，掘进工人即可用如图7-10所示的“三点延线法”延长中线，即在距工作面较近的标桩1、2挂上垂球，一人在工作面中心线附近用矿灯照准欲设的新点3，另一人站在1点后方用目力定出第三点垂球线位置，使三点处于一条直线上，这样巷道中心线便可延长到工作面上，并以此为准，在工作面上布置炮眼。

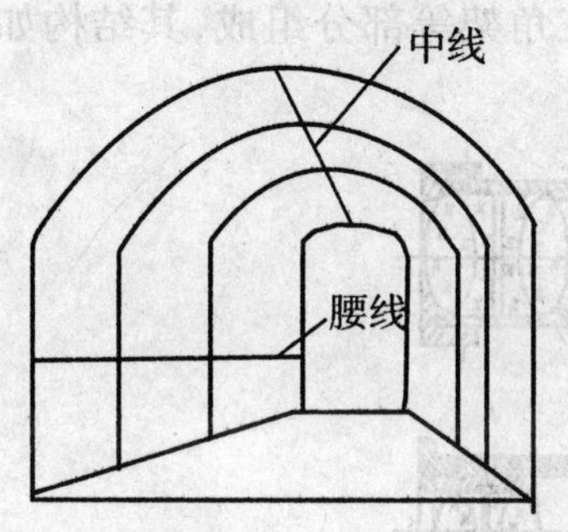

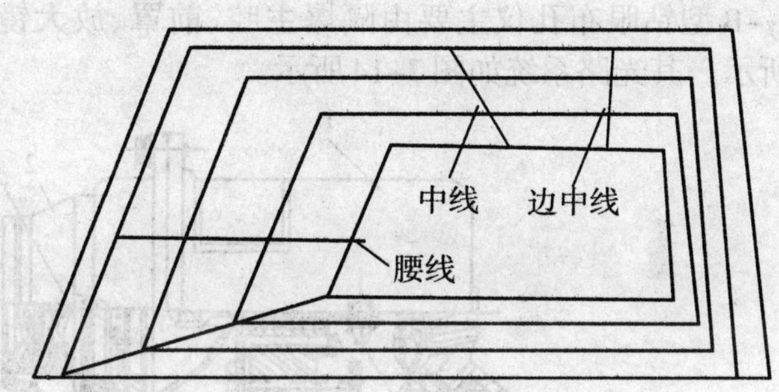

图7-9　巷道中线、腰线示意图

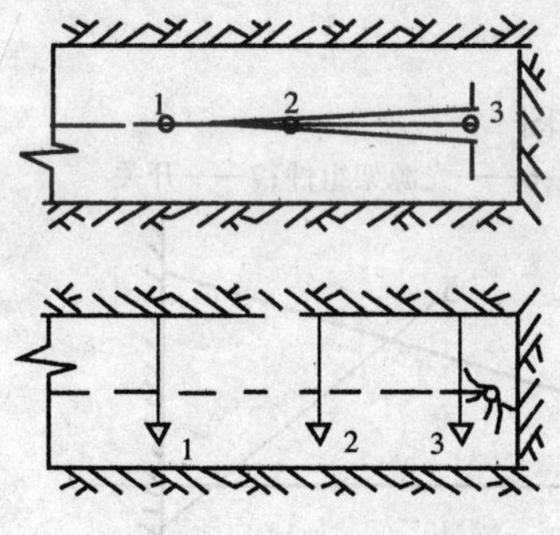

图7-10　巷道中线的测定

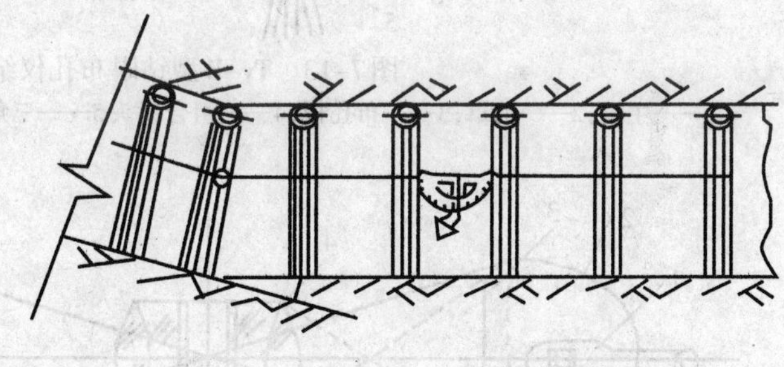

图7-11　巷道腰线的测定

为了控制巷道的坡度，可用腰线测量。通常腰线点设在巷道无水沟一侧墙上或支架腿上，腰线点的高度一般距轨面起1m处。延长腰线的方法可用半圆仪（又称度尺）挂在腰线上测定，如图7-11所示；或把腰线的坡度折合成巷道单位长度上升或下降的高度，并用透明软塑料管装水测定出水平后再度量。

近年来，我国研制出了供井巷掘进用的激光指向仪如图7-12，这种仪器操作简单，指向准确又省时间，深受工人欢迎。

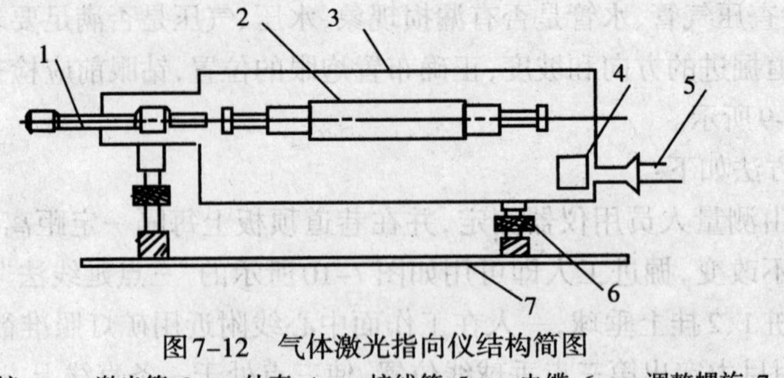

图 7–12　气体激光指向仪结构简图

1——望远镜；2——激光管；3——外壳；4——接线箱；5——电缆；6——调整螺旋；7——底座

为了在工作面正确、快速布置炮眼位置，我国已生产有多种钻眼布孔仪。

Ty–B 型钻眼布孔仪主要由隔爆主腔、前罩、放大镜及三角架等部分组成，其结构如图 7–13 所示。其光路系统如图 7–14 所示。

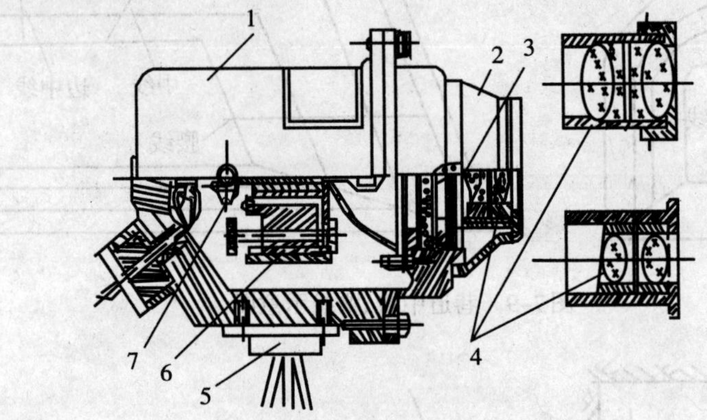

图 7–13　Ty–B 型钻眼布孔仪结构图

1——主控；2——前罩；3——布孔板；4——组合镜头 5——三角架；6——光源架组件；7——开关

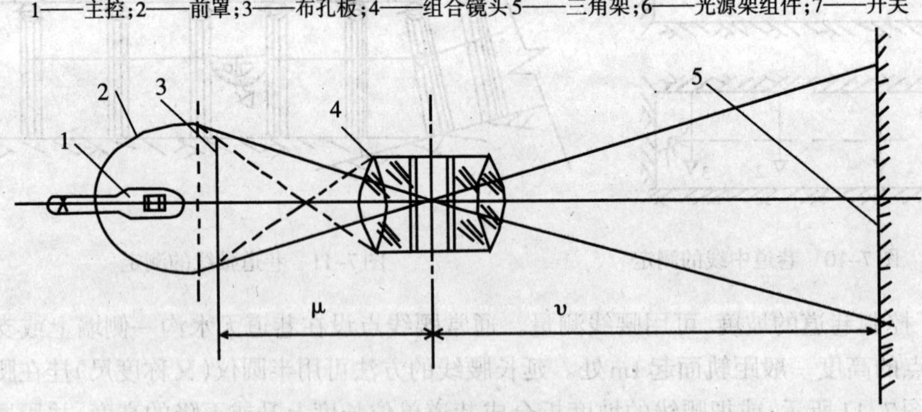

图 7–14　Ty–B 型钻眼布孔仪光路系统图

1——光源（溴钨灯泡）；2——椭球反光镜；3——布孔板；4——组合镜头；5——掘进工作面；u——物距；v——像距

图中的像距是钻眼布孔仪到工作面的距离，有 5m、6m 和 9m 三种，不同的像距是通过更换镜头实现的。布孔板是一块厚 2mm，直径 36mm 的铝板。可根据实际施工巷道断面的炮眼布置图，按 1:133 比例缩小，在布孔板上划好炮眼位置，再用ϕ0.3mm ~ ϕ0.9mm 的钻头将小眼——钻出或用细针锥孔，如图7-15所示。

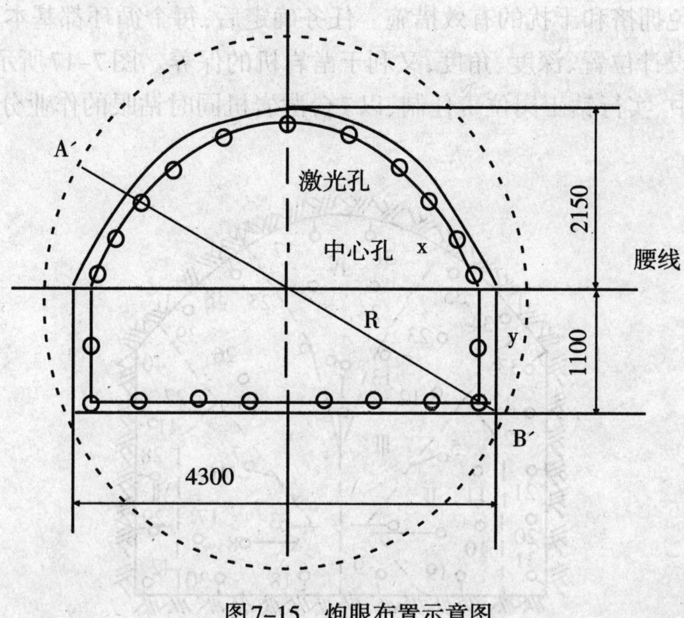

图7-15　炮眼布置示意图

二、多台凿岩机钻眼

为缩短钻眼时间，加快掘进速度，采用多台凿岩机作业是行之有效的措施。一般情况下，每3～4m²工作面断面配备一台凿岩机；当岩石较坚固时，每1.4～3.0m²便可配备一台凿岩机。多台凿岩机作业时，为了避免气管、水管相互纠缠，可以采用两路气管、水管供气和供水，如图7-16所示。各凿岩机气、水管及其接头均应编号，以便及时关、开。凿岩工作结束后，可将气、水胶皮管从分气、分水器上卸下，连同凿岩机一起撤出工作面，下次钻眼时就能很快接通气、水管路。

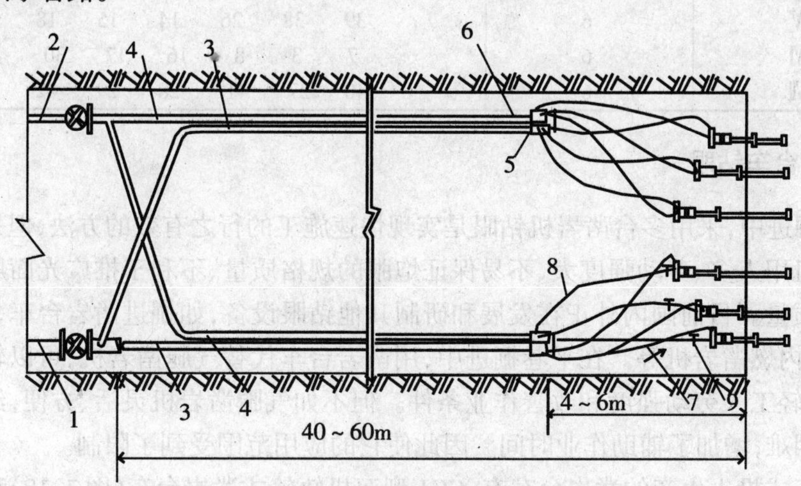

图7-16　工作面供风、供水管路布置

1——直径100～150mm压气干管；2——直径25～30mm供水干管；3——直径38～50mm胶皮集中气管；4——直径25mm胶皮集中水管；5——直径150mm分风器；6——直径100mm分水器；7——直径18～25mm胶皮气管；8——直径12mm胶皮水管；9——水管接头

多台凿岩机作业容易产生拥挤和干扰，采用定人、定机、定位、定任务、定时间的钻工岗位责任制是一项避免拥挤和干扰的有效措施。任务确定后，每个循环都基本不变，这样既利用工人熟悉炮眼的设计位置、深度、角度，又利于凿岩机的保养。图7-17所示的是某矿在断面为16.5m²的巷道中、实行钻工岗位责任制、以7台凿岩机同时钻眼的作业分工图，表7-9为其钻眼顺序说明书。

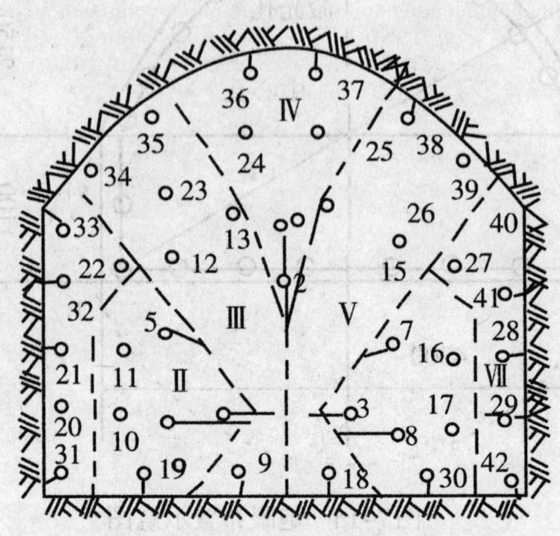

图7-17　钻工钻眼作业分工图

表7-9　钻眼顺序说明书

钻机号	钻眼个数	钻眼顺序					
Ⅰ	6	33	22	32	21	20	31
Ⅱ	6	5	1	4	11	10	19
Ⅲ	6	34	35	23	13	12	9
Ⅳ	6	36	24	37	25	6	2
Ⅴ	6	39	38	26	14	15	18
Ⅵ	6	7	3	8	16	17	30
Ⅶ	6	40	27	41	28	29	42

三、凿岩台车钻眼

在巷道掘进中，采用多台凿岩机钻眼是实现快速施工的行之有效的方法，但是使用手持式气腿凿眼机用人多、劳动强度大、不易保证炮眼的规格质量、不利于推广光面爆破和保证巷道的规格质量。目前国内外正在发展和研制其他钻眼设备，如掘进凿岩台车、钻装机、全液压凿岩机、内燃凿岩机等。在平巷掘进中，用凿岩台车代替气腿凿岩机，可以较大地提高掘进工效、减轻工人劳动强度和改善作业条件。但不如气腿凿岩机灵活、方便，给工作面设备布置造成困难，增加了辅助作业时间。因此使它的应用范围受到了限制。

国内已正式投入生产的凿岩台车有：CGJ_2型双机轨轮式凿岩台车（图7-18）和CGJ_3型三机轨轮式凿岩台车等。

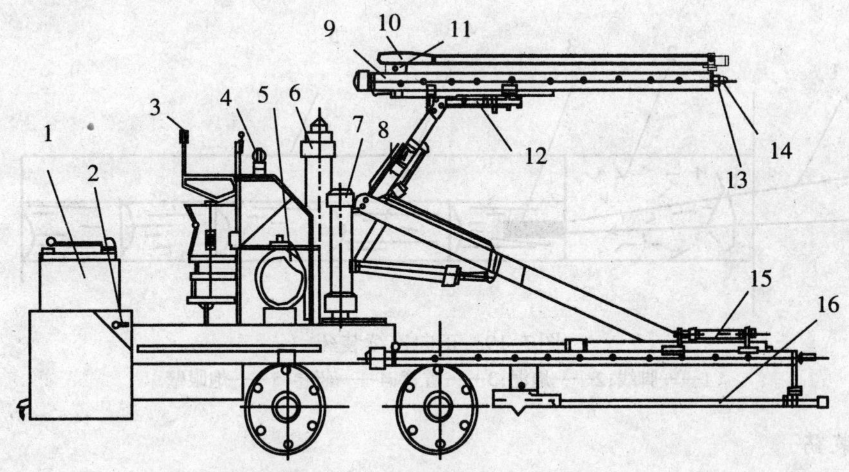

图7-18　CGJ2型双机轨轮式凿岩台车

1——控制器；2——电阻器；3——操纵手柄；4——照明灯；5——电动机减速器；6——固定气筒；7——转柱；8——钻臂体；9——导轨；10——凿岩机；11——托盘；12——摆角油缸；13——托钎器 14——顶尖；15——回转油缸；16——钎杆

第三节　爆破方法

一、爆破作业

为了达到预期的爆破效果，保证施工安全，爆破作业必须认真进行。负责爆破工作的放炮员应由有丰富经验的技术工人专职担任。

（一）装药前的准备工作有

（1）加固工作面附近的支架，以防崩倒；

（2）放炮母线要妥善地挂在巷道侧帮上，并且要和金属物体、电缆、电线离开一定距离，还要测试一下放炮母线是否通电；

（3）检查炮眼布置是否符合爆破图表，眼孔内的岩粉和水是否已用压气吹净；

（4）在安全地点按有关规定装配起爆药卷（引药）；

（5）检查工作面20m范围内的瓦斯浓度，并按《煤矿安全规程》有关规定处理。

（二）装药及装药结构

煤矿爆破常用的装药结构有正向装药和反向装药，根据药包本身的结构又可分为连续装药和间隔装药。

1.正向装药

起爆药包位于柱状装药的外端，靠近炮眼口，雷管的底部（聚能穴）朝向眼底的装药方法叫正向装药，如图7-19所示（以正向装药起爆的爆破叫正向爆破）。

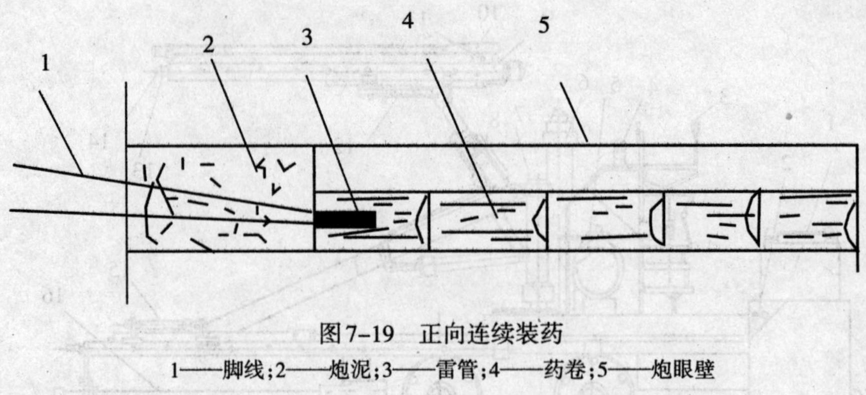

图7-19 正向连续装药

1——脚线；2——炮泥；3——雷管；4——药卷；5——炮眼壁

2.反向装药

起爆药包位于柱状装药的里端，靠近或在炮眼底，雷管的底部（聚能穴）朝向眼口的装药方法叫反向装药，如图7-20所示（以反向装药起爆的爆破叫反向爆破）。

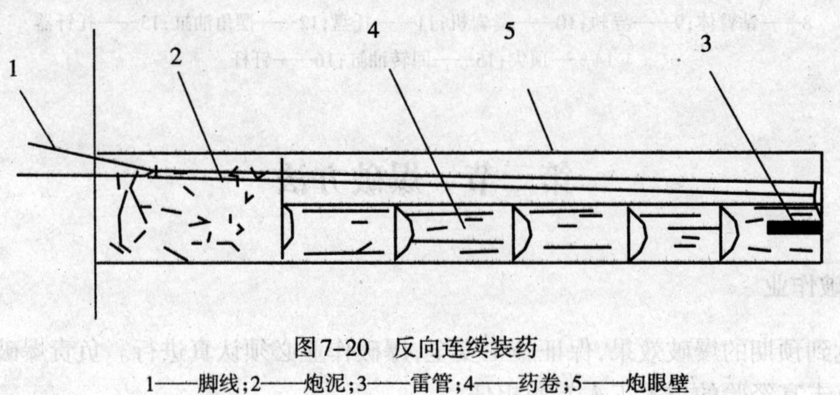

图7-20 反向连续装药

1——脚线；2——炮泥；3——雷管；4——药卷；5——炮眼壁

3.连续装药

连续装药是指炮眼内的药卷相互间彼此密切接触的装药。主要有不耦合连续装药、留空气柱和不留空气柱连续装药，如图7-19、图7-20所示。

4.间隔装药

间隔装药是指炮眼内的药卷之间留有空气柱，使药卷之间彼此不能接触的装药，如图7-21所示。

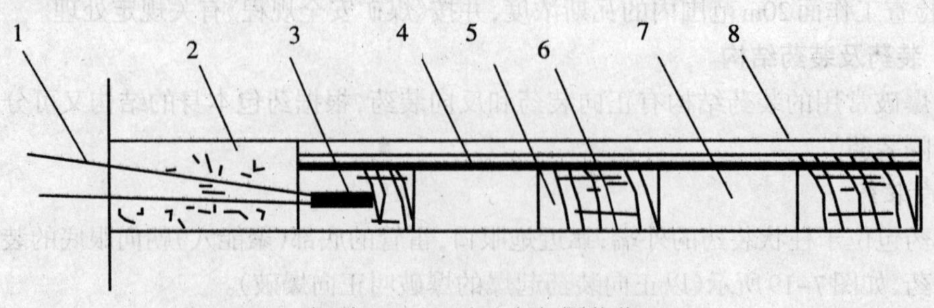

如图7-21 正向空气间隔装药

1——脚线；2——炮泥；3——雷管；4——竹条；5——药卷；6——绑绳；7——空气柱；8——炮眼壁

不论哪种装药,装药时必须严格执行以下规定:

(1)装药前,检查清点炮眼,清退无关人员。

(2)装药时先将引药的雷管线放开(放一个装一个),按照规定的装药结构和装药数量,在眼口内排列好,然后一人一手捏住脚线头,另一手用木质炮棍轻轻将药卷送入眼内,使彼此密接,并轻轻压紧,特别是起爆药卷,不应使其受到冲击,然后送入炮泥,轻捣封严,再送入水炮泥,最后填满炮泥用炮棍捣实封口。注意:要始终提住脚线,以免捅破。最后将外露脚线绕成圈,置于眼口。

(3)必须按爆破说明书规定,装上合格的水炮泥。严禁用可燃性物料如炭块、纸、废药等代替泥封眼。

(4)雷管号、药量、水炮泥、炮泥用量,要严格执行爆破说明书中的规定,不得乱用乱装。

(三)封泥

炮眼内炮泥的填塞质量对提高爆破效率、防止爆破火焰引起瓦斯煤尘爆炸、降低爆破粉尘浓度和减少爆破有害气体有很大的作用,因此必须按《煤矿安全规程》规定对炮眼填塞封泥。《煤矿安全规程》规定:炮眼封泥应用水炮泥,水炮泥外剩余的炮眼部分应用粘土炮泥或用不燃性的、可塑性松散材料制成的炮泥封实。

《煤矿安全规程》规定炮眼的深度和炮眼的封泥长度应符合下列要求:

(1)炮眼深度小于0.6m时,不得装药爆破,在特殊条件下,如挖底,刷帮,挑顶确需浅眼爆破时,炮眼深度可以小于0.6m,但必须制定安全措施,必须封满炮泥;

(2)炮眼深度小于0.6～1m时,封泥长度不得小于炮眼深度1/2;

(3)炮眼深度超过1m时,封泥长度不得小于0.5m;

(4)炮眼深度超过2.5m时,封泥长度不得小于1m;

(5)光面爆破时,周边光爆炮眼应用炮泥封实,且封泥长度不得小于0.3m;

(6)工作面有2个或2个以上自由面时,在煤层中最小抵抗线不得小于0.5m,在岩层中最小抵抗线不得小于0.3m。浅眼装药爆破大岩块时,最小抵抗线和封泥长度都不得小于0.3m。严禁用煤粉,块状材料或其他可燃性材料作炮眼封泥。

(四)联线

联线是把炮眼中的雷管脚线按爆破设计的连线方式连接好,然后与放炮母线相接,通电后雷管便起爆。联线工作必须严格按照规定的联线方式进行,并遵守制定的规定(第四章的内容)。

(五)放炮工作

当联线工作完毕,工作人员全部撤离到放炮警戒线以外的安全地点时,即可进行放炮工作。放炮时,要由放炮员亲自操作放炮器,严格按操作规程进行。放完炮后,必须立即将母线头扭结起来,取下放炮器的钥匙,由放炮员保管好。

总之,装药联线放炮工作应严格按爆破图表进行,并应建立岗位责任制,做到定人、定位,还要设专人检查。爆破时要注意安全,必须严格遵守《煤矿安全规程》的规定,认真操作。

二、光爆概述

工程掘进爆破后,成形规整,表面光滑,围岩不受明显破坏的控制爆破方法叫光面爆破简称光爆。它是一种合理利用炸药能量的控制爆破技术。用光面爆破法开掘出来的井巷成形规整,符合设计的断面轮廓尺寸,岩壁无明显的爆震龟裂,保证了围岩的整体性,提高了围岩的稳定性与自承能力。

(一)光爆的发展

光面爆破在我国的发展,是随着我国推广应用锚喷支护而相应发展起来的。我国煤炭行业1973年开始由原中国矿业学院在开滦煤矿进行了光面爆破试验,应用推广中做了大量的科学研究和工程实践,收到了显著的技术经济效果。光爆是锚喷支护的重要前提和基础,光爆和锚喷的有机结合,构成了“光爆锚喷”新技术,这是我国锚喷支护技术的进一步发展。

(二)光爆的类型

1.按爆破时序分类

(1)周边后裂法,又称修边法。这种方法根据巷道断面不同,又可分为全断面一次爆破光爆法和预留光面层法(或预掘导硐法)。全断面一次爆破光爆法和全断面一次爆破相同,爆破时,周边眼的光爆炮孔安排在最后起爆,因此无法根据实留光面层厚度来重新调整周边眼眼距及装药量,所以要达到预想光面层厚度,就必须严格控制掏槽眼及爆落眼的位置及装药量。这种方法不需二次打眼,故工序简单,施工速度快。预留光面层法,多用在断面超过12 m^2以上的巷道或硐室,先以小断面掘进巷道,此时,到会的设计轮廓线间所留的一层岩石叫做光面层,根据爆破后光面层的实际厚度再来安排周边眼的间距和装药量,最后爆破周边眼,这样做,光爆的效果比较好,目前已在我国推广应用。

(2)周边先裂法,又称预裂法。其起爆顺序与周边后裂法相反,即首先起爆周边炮孔,巷道轮廓线形成一圈预裂贯通裂缝,然后再爆掉中心岩石。此法可大大减弱爆破震动作用。

2.按爆破深度分类

(1)浅孔光爆法。孔深<1.8m的简易光面爆破。

(2)中深孔爆破法。1.8m≤孔深<2.5m

(3) 深孔爆破法。2.5m≤孔深<5.0

(4)特深孔光爆法,又称超深光爆法。一次钻爆掘进深度可达5m以上的光面爆破。

另外,把已广泛应用的修边光爆称为普通光爆;把应用于交岔点岔墩、复杂硐室、软岩等特殊条件下质量更高的修边光爆,称为特殊光爆。

在我国当前施工技术条件下,浅孔修边光爆是最常用的一种光爆方法。

(三)光爆的标准

(1)眼痕率不少于50%。眼痕率是指周边眼留有半边炮眼痕的长度(或总个数)与周边眼的总长度(或总个数)的百分比,眼痕率越高,光面爆破效果越好。对于整体性较好的硬岩,眼痕率不少于50%是较容易达到的,但整体性较差的软岩就不容易达到。

(2)巷道周边成形应满足设计轮廓要求,超挖尺寸不得大于150mm,欠挖尺寸不得超过质量标准要求。

在《井巷施工验收规范》中对欠挖标准规定如下:

立井井筒:有提升设备时欠挖应小于20mm;无提升设备时欠挖应小于50mm。

巷道宽度:主要巷道欠挖应小于20mm;一般巷道应小于50mm。

(3)岩面上不应有明显的炮震裂缝。

(四)光爆的优点

光爆与普通爆破相比,具有以下四方面的优点:

(1)周边轮廓线比较精确地符合设计要求,消除围岩凸凹处的应力集中,最大限度地保持了围岩自身强度,从而增强了围岩自承能力,为锚喷支护提供了基础。

(2)由于光爆巷道成形规整,对于不少巷道,一般只作5~15cm的喷射混凝土支护,可相应的增大巷道使用面积,提高空间利用率。

(3)由于光爆大大地减少了掘进超挖量(一般普通爆破的超挖量为20%~30%,而光爆的超挖量只有4%~6%),因此可减少材料(支护和炸药等)消耗,从而降低成本,加快掘进速度。

(4)光爆可有效地减少对工作面围岩的破坏,使井巷围岩较为稳定,有利于施工和安全。同时也减少了井巷的维修量,降低井巷的失修率。

(5)光爆消除了围岩的凸凹不平,从而减少了通风阻力和瓦斯聚集,容易发现片帮冒顶征兆,有利于安全。

三、光爆原理

(一)光爆的原理

国内外在进行大量试验研究的基础上,提出了多种理论,这里仅介绍两种。

1.应力波叠加干扰理论

当周边眼同时起爆(图7-22)时,相邻炮眼产生的压缩应力波以各自炮眼为中心很快向外扩展,波峰在两炮眼之间相遇,两压缩波波峰相互叠加,汇合形成拉伸变形波,产生拉应力σ_x,从而使炮眼间形成贯通裂缝,崩落光面层岩体,达到光爆效果。

2.爆生气体静压力作用理论

由于起爆器材的起爆时间误差,各炮眼不可能在同一时刻爆炸(如图7-23所示),故压缩波很难在两孔间相遇。当炮眼A在不耦和装药的条件下爆炸时,由于空气间隙的缓冲作用,作用于炮眼壁的冲击波压力急剧下降,减少了破碎区,只剩下几条径向裂缝,又由于有相邻后爆炮眼B作空眼所起的导向作用,结果沿相邻两炮眼连心线的那条径向裂隙得到优先发展,然后当B眼起爆后,由于准静压力的作用,在炮眼连心线上产生很大的切向拉应力,而在连心线与炮眼壁相交处产生应力集中度很高的拉应力。炮眼间距合适时,在炮眼壁上应力集中处首先出现拉应力。然后在爆生气体的静压作用下裂缝沿连心线扩展,最后形成具有一定宽度的贯穿裂缝。可见在裂缝形成过程中,爆生气体产生的高静压作用,是形成裂缝的主要动力。故光爆是以静压(爆生气体膨胀压力)为主,动压(冲击压缩波作用)为辅的。

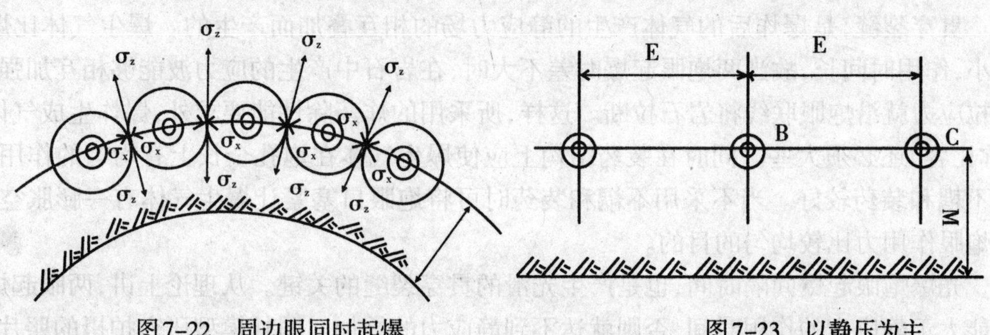

图7-22　周边眼同时起爆原理示意图

图7-23　以静压为主的光爆原理示意图

在不耦合装药的前提下，光面爆破炮眼内的平均静压力合力，既要满足不压坏眼壁岩体，又要小于岩体的爆破抗压强度，还要等于或略大于两炮眼连接间岩体的抗拉强度，从而将光面层岩体崩落，获得良好的光爆效果。

（二）实现光爆应采取的措施

要实现光爆，必须做到周边眼爆破后既不把围岩壁的岩石炸碎，不产生明显的炮震裂缝，又要把岩石沿炮眼的联线整齐地切断下来，使围岩壁面规整，没有大的凸凹，符合设计要求。为此采取下列措施：

1.尽量减少爆炸裂隙

由于炸药在岩石中爆炸产生的爆轰压力可达到几万至十几万个大气压，远远超过了任何岩石的极限抗压强度，故一般炸药包附近的岩石都要被炸碎或被压缩为一个空腔，这是很难避免的。但如果选用合适的炸药，控制装药量，合理选择装药结构，使爆破作用于炮眼壁岩石上的巨大压力衰减，就能够使岩石不受破坏或少受破坏。

减少爆炸裂隙的措施之一是控制冲击动压产生的粉碎性破坏。

炸药爆炸产生的爆轰压力为与炸药密度成正比，因此应选用密度小的炸药，并通过合理的装药结构加大爆轰波峰压的衰减。爆速的平方与爆压成正比，而同种炸药的爆速，又是随药卷直径的减小而降低，故选用爆速小、药卷直径小（但要大于稳定爆轰的临界直径）的炸药，对减少爆轰压力效果更为显著。这种低爆速、低密度炸药爆炸作用必须良好，传爆稳定可靠，容易起爆，否则就会因为药量小、爆炸不完全，而达不到将岩石整齐爆下的目的。

在装药结构方面，国内外现在都采用不耦和装药，即在炮眼中装填的药卷直径远比炮眼直径小。炮眼直径和药卷直径之比称为不耦和系数。不耦和装药结构在光爆作业中不易炸坏炮眼周围岩石的原因，主要在于爆轰波经过一段空气间隔才传到岩石，形成在空气中传播的冲击波，它在传播时压力迅速衰减。

减少爆炸裂隙的措施之二是减小静压的破坏作用。主要措施是严格控制光爆炮眼的装药量，尽可能减小装药密度。因为药量越大，产生的破碎范围越大，爆生气体压力也更大，且爆轰波与爆生气体压力的作用时间也更长。在能够将岩石破碎的前提下，药量越少越好，但需要多打炮眼。

2.促进两炮眼间形成贯穿裂缝

两个周边光爆炮眼之间形成贯穿裂缝，是光面爆破技术中的关键。因为这条裂缝就是巷道轮廓的一部分，它的光滑或凸凹决定了巷道成形的好坏。

贯穿裂缝，是爆炸后的气体产生的静应力场的相互叠加而产生的。爆生气体比爆轰压力小，作用时间长，故当两炮眼起爆时差不大时，在岩石中产生的应力波能够相互加强，衍生的拉应力就沿炮眼联线将岩石拉断。这样，所采用的炸药除性能要求外，爆炸生成气体的量（称比容）还必须大些。同时在装药结构上应使爆生气体在炮孔全长上有均匀的作用力，因此不耦和装药较好。当不采用不耦和装药时可将炮眼口塞紧让爆生气体有一膨胀空间，达到炮眼作用力比较均匀的目的。

光爆炮眼起爆间隔时间，也是产生光滑的贯穿裂缝的关键。从理论上讲，两眼起爆时差不能大于静应力的作用时间，否则就达不到静应力的叠加。国外模型研究拍摄的照片，齐发起爆（时差小于10ms）的裂隙表面最平整，微差延期起爆次之，秒差起爆最差。在我国，毫秒电雷管精度较高、起爆时差较小，其时差达到13ms，用在光面爆破，能够获得较好的效果。有些现场因限于条件，也有用秒延期电雷管甚至火雷管进行光爆成功的事例（秒延期电雷管的时差可能达到100ms或更大，火雷管的时差难以估计）。从我国现场大量实践经验看，时差10～20ms也是可以用的，故一般情况应采用毫秒电雷管。

各个光爆炮眼都装入等量的炸药，有利于形成整齐的贯穿裂缝。这样就需要最小的抵抗线基本上一样大小，因此光爆炮眼内层的各炮眼（掏槽眼、辅助眼）在布置时必须考虑到能为光爆炮眼提供一个大致整齐的粗断面，给光爆炮眼形成一个光面层。

3.防止两炮眼之间发生欠挖和超挖

光面层的厚度（即最小抵抗线W）与光爆炮眼间距E之间要有一个合适的比例。这个比例叫做光爆炮眼的密集系数M，即：

$$M=\frac{E}{W} \tag{7-4}$$

式中 M——炮眼密集系数；

E——周边眼间距；

W——最小抵抗线。

显然，如果M过大可能形成欠挖，M过小会形成超挖，掘进断面出现凹凸不平现象。只有当M=0.8～1时才能获得较好的光爆效果。

由于爆生气体无孔不入，因此，如果光爆眼的眼壁上有一些方向不定的裂隙，就会由于爆生气体的渗入膨胀发展为大裂缝，破坏围岩的完整性。如果裂隙恰在两炮眼之间，则会对形成贯穿裂缝有利，但事实上裂隙的产生方向是不定的，故在打眼时尽量减少眼壁上的裂隙，因此打周边眼时应使用锐利的钎子。国外模型试验时，用宝石工锉刀在模拟炮眼壁上做出切口，就可以使裂隙沿切口发展。掘进实践中对炮眼作走向切口也是容易实现的。

四、光爆参数

（一）光爆炸药

光爆炸药应具有的性能是：高爆力，低猛度，低爆速，低密度，起爆容易，传爆性能好，爆轰稳定，临界直径较小（便于制成小直径药卷作不耦合装药使用）。目前国产铵梯类炸药虽起爆容易，但起爆后不能达到稳定爆速，而且临界直径较大，制成小直径药卷时其爆炸性能有所改变。但在无专用光爆炸药的情况下，只要注意其特点，不改制成直径25mm以下的药卷，不使用变质受潮炸药，也能取得比较好的效果。我国煤矿常用炸药性能见表7-10。

表7-10 煤矿常用炸药性能表

炸药品种	1号岩石炸药					2号岩石炸药				
药径/mm	20	25	30	35	40	20	25	30	35	40
爆速/m.s^{-1}	2800	3180	3470	3670	3770	2300	2580	3000	3050	3350

炸药品种	4号岩石炸药		3号煤矿安全炸药			1号抗水炸药		2号抗水炸药	
药径/mm	25	35	25	30	35	25	35	25	35
爆速/m.s^{-1}	3600	3660	2550	2850	3070	3200	3600	3100	3420

(二)雷管

目前煤矿采用的雷管是6号或8号电雷管。

(三)联线方式

煤矿常用的联线方式有串联和串并联两种。

(四)炮眼间距与装药系数

光爆参数的选择主要是对炮眼布置与装药量的合理选择。

1.掏槽

光爆与普爆一样,掏槽是关键。不仅要重视其参数选择,而且要重视掏槽方式的选择。

直眼掏槽不受断面限制,可多台凿岩机同时打眼,炮眼质量易掌握,爆破效率高,迎头易打齐,光爆效果好,所以经常采用。但因掏槽眼垂直于工作面,爆破抵抗线大,往往需要打空心眼做掏槽辅助自由面,所以掏槽打眼多,用药量大。

直眼掏槽的眼距要严格控制。太大时掏槽比较困难,太小时岩石被挤实,掏槽效果差。

直眼掏槽的眼距一般等于破碎圈的直径,即为100~250mm(硬岩取小值,软岩取大值)。

掏槽眼的装药系数为60%~75%(软岩取小值,硬岩取大值)。

2.辅助眼(又称扩槽眼)

掏槽眼以外布置辅助眼进行扩槽。辅助眼的个数为4~6个(软岩取小值,硬岩取大值);辅助眼的间距一般为200~350mm(硬岩取小值,软岩取大值),是掏槽眼距的两倍左右;装药系数为50%~60%(软岩取小值,硬岩取大值)。

3.三圈眼

一般双轨巷道(宽度3.5~4.5m)辅助眼以外布置三圈眼,其抵抗值略小于临界抵抗值,一般为600~750mm(硬岩取小值,软岩取大值)。

三圈眼的间距略大于抵抗值,一般为650~800mm(硬岩取小值,软岩取大值)。

装药系数为40%~55%(软岩取小值,硬岩取大值)。

4.二圈眼(又称抵抗眼)

三圈眼以外或单轨巷道(宽度3.5m以下)辅助眼以外布置二圈眼。二圈眼是确保光爆层厚度的重要参数。特别是松软围岩,应从二圈眼开始尽量减少装药量。一般有"二圈周边三比一"的规律,即二圈眼的装药量为周边眼装药量的3倍,约为150g/m~600g/m。其抵抗值为500~600mm(硬岩取小值,软岩取大值)。

二圈眼的间距略大于抵抗值,一般为550~650mm(硬者取小值,软岩取大值)。

5.周边眼

周边眼一般布置在巷道轮廓线附近。硬岩可布置在轮廓线以外,与轮廓线外接;软岩可布置在轮廓线以里,与轮廓线外切。

周边眼与围岩稳定性直接相关,因此其参数应严加控制。其抵抗值一般为400~500mm(硬岩取小值,软岩取大值)。

周边眼的间距为350~450mm(与一般规律相反,软岩取小值,硬岩取大值);软岩或裂隙发育处应加空心眼起导向作用,眼距缩为200~300mm,如图7-24所示。

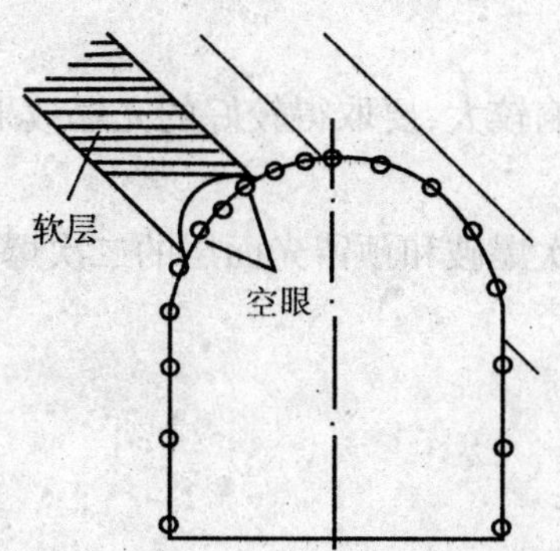

图7-24　光面爆破周边眼布置图
（软岩层周边加空心眼）

炮眼密集系数，在硬岩中可取0.8～1.0；在软岩中可取0.6～0.7。

周边眼的装药量随其间距与抵抗值的减小而尽量减少。装药量一般为：

硬岩：150g/m～250g/m；

中硬岩：100g/m～150g/m；

软岩：50g/m～100g/m。

不同岩石各种炮眼光爆参数见表7-11。

表7-11　不同岩石各种炮眼光爆参数

炮眼名称	岩石性质	眼距/mm	抵抗线/mm	装药系数/%
掏槽眼	硬岩 中硬岩 软岩	100～120 120～150 150～250	等于破碎圈直径	70～75 65～70 60～65
辅助眼	硬岩 中硬岩 软岩	200～250 250～300 300～350	—	60～65 55～60 50～55
三圈眼	硬岩 中硬岩 软岩	650～700 700～750 750～800	600～650 650～700 700～750	50～55 45～50 40～45
二圈眼	硬岩 中硬岩 软岩	550 550～600 600～650	500 500～550 550～600	—
周边眼	硬岩 中硬岩 软岩	400～450 400～450 350～400	400～450 400～450 450～500	—

(五)装药结构

装药结构对围岩的破坏影响较大,要取得较好的光爆效果,必须选择合理的装药结构。

(六)起爆

光面爆破可采取全断面一次爆破和预留光面层的二次爆破。后者是目前光爆比较可靠的方法。

第二部分 专业核心知识点

1.各种炮眼的作用与布置。
2.爆破参数的确定。
3.爆破说明书的编制。
4.钻眼操作。
5.光面爆破。

第三部分　专业技能训练

一、钻爆法掘进

钻爆法掘进是利用打眼爆破的方式将岩石破碎下来的掘进方法。其掘进工艺如下：

(一)钻眼

1.钻眼机具

煤层中一般用煤电钻打眼，在岩石中可采用岩石电钻、凿岩机、凿岩台车、液压钻车和钻装机等。

2.打眼

打眼前检查机具，煤电钻及岩石电钻。要检查防爆性能：不能失爆，还要检查电缆，是否破皮漏电。风动凿岩机要检查风路、油路及水路是否完好，保证压力，不能干打眼。其次，检查工作面瓦斯浓度，达到1%时不许打眼。最后尽可能检查打眼处的顶板及支架，防止打眼中项板振动而冒落。

打眼要注意人身安全，严格按照《煤矿技术操作规程》正规操作，防止人身事故发生。

(二)装药爆破

装药前要进行验孔、清孔。装药按爆破图表要求装药，严格执行操作规程，封好炮泥和水炮泥，严禁超量装药，严禁装盖药和垫药。

1.爆破前检查与警戒

爆破前要对工作面进行全面检查并设警戒。

(1)查顶板情况，加固支架，敲帮问顶。

(2)查瓦斯、煤尘情况，实行“一炮三检”。

(3)工作面风量不足，瓦斯浓度达到1%时都禁止药爆破。

(4)爆破前在能进入爆破地点的每一个进口处设一个人，并挂牌、拉线绳作为警戒。

(5)与爆破无关的人员全部撤到警戒线以外的安全地点。人数清点准确后，班组长才可通知爆破工爆破。

2.联线与爆破

(1)联线只能由爆破工一人操作，其他人不可参与。

(2)严格执行《作业规程》，防止爆破事故发生。

(三)炮后检查

爆破后一定要按《作业规程》要求进行检查验炮，撤回警戒，加固支架，洒水降尘。

发现及处理拒爆、残爆时，必须在班组长直接领导下进行，并应当班处理完毕。若当班处理不完，爆破工必须与下一班爆破工在现场交代清楚。处理方法要正确，距离拒爆炮眼0.3m处另打与拒爆平行的新炮眼重新装药炸掉，不可用手拉脚线、镐刨等错误做法处理拒爆。

(四)通风排烟

掘进工作面放完炮后,必须通风、排除炮烟后,才能开始装岩。

(五)装岩

装岩有人工装岩和机械装岩,现在一般都用机械装岩。

(1)人工装岩是用人力将岩石装入矿车或刮板输送机。

(2)机械装岩常用耙斗装岩机、铲斗装岩机和装煤机。

二、光面爆破的施工方法

(一)光面爆破施工的要点

(1)要精确地按设计轮廓线打眼。为此,光面眼应在轮廓线上开眼:为方便下一循环凿岩,光面眼可向轮廓线外偏斜3°~5°。

(2)应保证光面眼之间相互平行,眼底应落在同一垂直面上,只有这样才能保证贯穿裂缝是在轮廓线上。

(3)按设计要求装药起爆。

(二)光面爆破施工的基本要求

(1)周边轮廓基本符合设计要求,岩面平整,超欠挖量应小于±50mm。

(2)爆破后围岩面上留下均匀眼痕的周边眼数应不少于其总数的50%。

(3)爆破后围岩面上,用肉眼观察不到明显的爆破裂缝。

(三)光面爆破具体施工方式

(1)全断面一次掘进,用于中小掘进断面。按掏槽眼、辅助眼、光面眼的次序起爆,全断面开挖,各类炮眼之间可用毫秒雷管进行微差爆破。

(2)分次掘进,用于全断面掘进。先在辅助眼控制范围内用普通爆破法掘进超前导硐,光面层预留,然后在进行下一次掘进循环进尺之前再按光面爆破法爆落光面层。

预留光面层法的优点是,在爆破光面眼之前可根据爆破超前导硐的情况进行参数调整或修正轮廓,以达到更好的光面效果。

三、爆破说明书的编制要求

爆破说明书是井巷施工组织设计中的一个重要组成部分,是指导、检查和总结爆破工作的技术文件。

(一)爆破说明书的主要内容包括

(1)爆破工程的原始资料,包括掘进井巷名称、位置、断面形状和尺寸,穿过岩层的性质,地质条件以及瓦斯情况;

(2)选用的钻眼爆破器材,包括炸药、雷管的品种,凿岩机具的型号、性能;

(3)爆破参数的计算选择,包括掏槽方法,炮眼的直径、深度、数目、单位消耗量;

(4)爆破网络的计算和设计;

(5)安全措施。

爆破作业图表是:在爆破说明书基础上编制出来的指导和检查钻眼构造的技术文件,包括炮眼布置图,装药结构图,炮眼布置参数、装药参数的表格,预期的爆破效果和经济指标。

(二)为做到内容和格式上的规范化与统一化,特作如下规定

(1)封面、封页上填写姓名、学号、掘进井巷名称。

(2)炮眼布置三视图应用CAD绘制,然后转化为Word格式。要求绘图必须工整、清晰、规范、标明炮眼间距。

(3)爆破原始条件、装药量及炮眼起爆顺序、预期爆破效果,三表要内容全面。

(4)爆破安全技术措施,要求内容应层次分明,数据可靠,文字简练,说明透彻。

(5)题目为三号黑体字,可以分成1或2行居中打印,内容每段开头留四个字符空格,采用小四号宋体,图名应用五号楷体。

(6)内容一律采用计算机编辑,激光打印机打印,A4规格纸输出,页边距推荐采用左3右2,上下页边距均为2.54。

复习题

1.巷道掘进中良好的钻眼爆破工作有哪些要求?

2.掘进工作面的炮眼,按其用途和位置可分为哪三类? 其位置、作用、布置原则是什么?

3.爆破参数有哪些? 并简述其的含义。

4.钻眼前应做哪些准备工作?

5.装药前的准备工作有哪些?

6.何为光面爆破? 光爆的标准有哪几项? 光爆优点体现在哪几个方面?

7.简述实现光面爆破应采取的措施。

8.简述光面爆破的6个爆破参数。

技能训练题

简述钻眼爆破说明书和爆破图表的编制内容及编制的方法,并编制某断面的钻眼爆破说明书和爆破图表。

讨论题

坚硬岩巷掘进爆破技术探讨。

范例:

建设工程掘进巷道经常遇有坚硬岩石地段,如坚硬砂岩,岩石虽硬,但遇水或遇风后极易腐化,爆破打眼难度大,爆破效率低,造成施工进度缓慢。 大多煤矿爆破技术较差,巷道爆破自由面少,岩石所受夹制作用强,而现场施工普遍存在少打眼,多装药,乱放炮的现象,造成的后果是炮眼利用率底,岩石碎块抛掷远,经常发生爆破崩倒支架现象,爆堆不集中,周边超挖或欠挖量大,成型质量差,围岩松动破坏严重,不仅影响了巷道掘进的速度,增加了出矸量和支护材料消耗,也降低了巷道的稳定性和安全性。 为进一步推动建设工程的进度和功效,提高岩巷掘进率,按照建设工程规范要求,结合实际,爆破试验实施方案计划如下。

一、爆破技术

（一）掘进巷道断面规定

掘进巷道断面为梯形断面，顶宽2.2m，底宽3.1m，垂高2.2m，断面面积：5.8m²。

（二）炮眼布置

（1）掏槽眼布置。遇到较软的岩层时，布置1个单斜眼掏槽或直眼掏槽即可，遇中性硬度以上岩层时，布置三眼锥形掏槽眼或四眼锥形掏槽眼，起到爆破振松掏槽眼与辅助眼之间岩层作用，炮眼布置图参见图7-25。

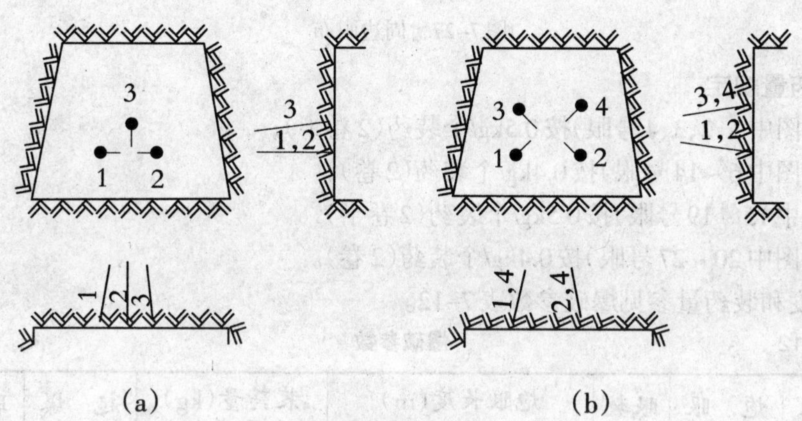

图7-25　锥形掏槽炮眼布置

（a）——三眼锥形掏槽；（b）——四眼锥形掏槽

炮眼深度一般在1.2m～1.3m左右，可根据爆破效果或钻杆长度进行调整。

（2）辅助眼布置。辅助眼布置在掏槽眼与周边眼之间，主要作用为崩落掏槽眼以外的岩层。炮眼深度比掏槽眼深度稍深一点，一般在1.3m～1.5m左右，可根据钻杆长短及爆破效果进行调整，炮眼数量9个（图7-26中6～14号眼），炮眼布置情况参见图7-26。

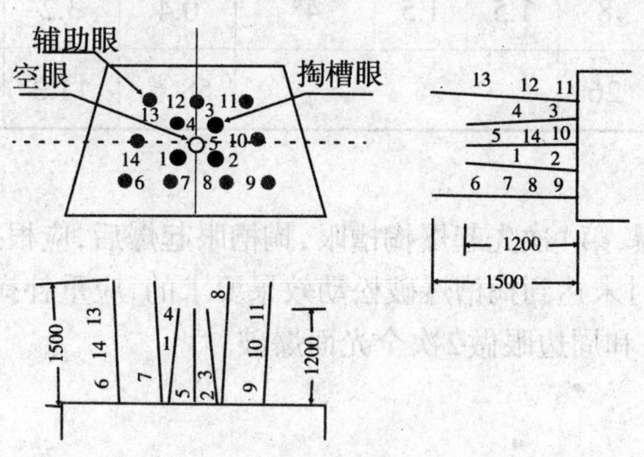

图7-26　辅助眼布置图

（3）周边眼布置。周边眼布置在辅助眼外围，距离成型巷道边线20～30cm左右，为爆破修边后致使巷道成型作用，炮眼深度与辅助眼深度相同，炮眼数量13个（图7-27中15～27号眼），炮眼布置情况参见图7-27。

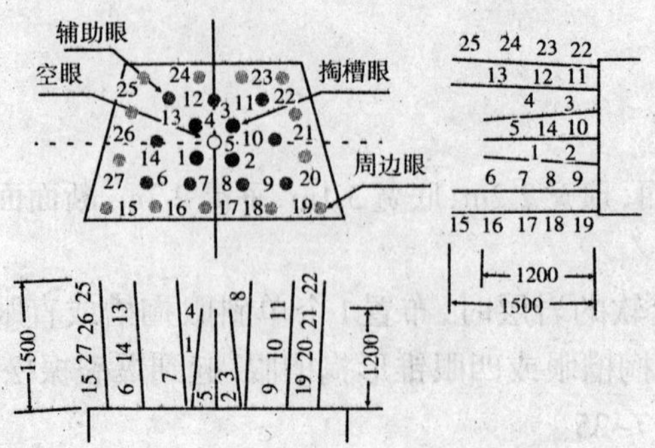

图7-27　周边眼布

(三)装药量规定

掏槽眼(图中1、2、3、4号眼)按0.5kg/个装药(2卷半);

辅助眼(图中6~14号眼)按0.4kg/个装药(2卷);

底眼(图中15~19号眼)按0.5kg/个装药(2卷半),

周边眼(图中20~27号眼)按0.4kg/个装药(2卷)。

炮眼深度和装药量参见爆破参数表7-12。

表7-12　　爆破参数

炮眼序号	炮眼序号	眼数(个)	炮眼长度(m)			装药量(kg)		起爆顺序	联线方式
			深度	斜长	角度	单眼	合计		
1~4	掏槽眼	4	1.2	1.2	5°	0.5	2.0	1次	串联
6~14	辅助眼	9	1.5	1.5	5°	0.4	3.6	1次	并联
15~19	底眼	5	1.5	1.5	0°	0.5	2.5	1次	串联
20~27	周边眼	8	1.5	1.5	4°	0.4	3.2	1次	并联
合计		26				58卷	11.3		

(四)爆破方法

爆破顺序分2次起爆,第1次先起爆掏槽眼,掏槽眼起爆后,应根据爆破效果情况再联线2次起爆,若第1次起爆时未达到掏槽爆破松动效果要求的,应重补掏槽眼,以达到掏槽松动要求为止。辅助眼、底眼和周边眼做2次全光面爆破。

二、支护方法

为防止受爆破冲击波的冲击,导致崩倒支护支架后造成片帮冒顶现象,距迎头5~10m之内用内柱式液压支柱支护,随着掘进距离的推进,把距迎头5~10m以外的内柱式液压支柱支护逐步更换为工字钢支护,内柱式液压支柱支护相距中到中0.7m,内空宽1.8m,净高2.2m,工字钢支护方法参见作业规程支护技术要求。内柱式液压支柱支护规格要求参见图

7-28支护示意图。

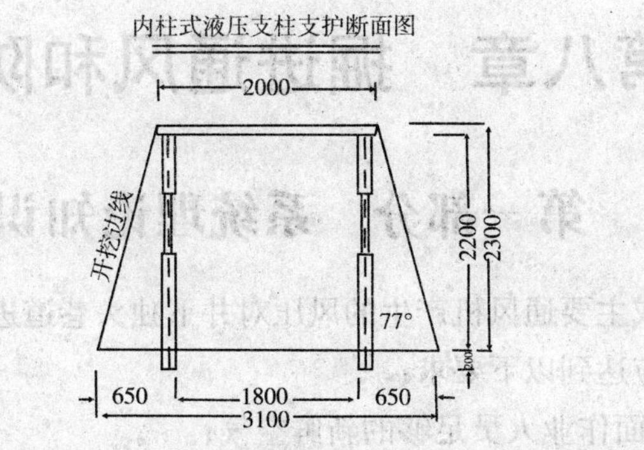

图7-28　内柱式液压支柱支护示意图

三、爆破作业要求

爆破作业必须使用煤矿许用炸药和雷管，掏槽方式采用三角掏槽，起爆方式为电雷管起爆。巷道断面尺寸，炮眼位置，个数，深度，角度，及炮眼编号装药量祥见（炮眼布置图、装药图）

（一）装药放炮和起爆顺序的规定

（1）炸药、雷管的运送，必须严格执行分装分运专人运送的原则。

（2）装配引药时，电雷管角线必须扭结成短路。

（3）装配引药时，电雷管必须由药卷的顶部装入，严禁用电雷管代替竹、木棍扎眼。电雷管必须全部插入药卷内。严禁将电雷管斜插在药卷的中部或捆在药卷上。

（4）炮泥冲填时，所用的炮泥必须是软泥，无煤渣、矸石及其他硬物体，填充炮泥的工具必须是用木棍。

（5）放炮母线的长度直线巷道长度不少于150m，弯曲巷道长度不少于90m。

（6）放炮前，必须严格执行"一炮三检制"、"三人连锁放炮制"，并由班长亲自布置警戒，检查警戒线内无人时，方可下达放炮命令。

（7）放炮员必须由经培训合格后，持有放炮证的人员进行放炮。

（8）放炮器必须使用"煤矿专用放炮器"。

（9）装药时可根据实际情况采用正或反向装药。

（10）放炮母线同电缆，电线，信号线应分别悬挂在巷道的两侧。如果必须挂在同一侧时，放炮母线必须挂在电缆的下方，并保持0.3m以上的悬挂距离。

（11）放炮后，必须等炮烟吹散后人员方可进入迎头作业。

（二）炮眼深度及封泥要求

（1）炮眼深度小于0.6m的，不能装药爆破，在特殊情况下，如挖底刷邦、挑顶确实需要浅眼爆破时，必须请示相关部门，并制定安全技术措施后，方可爆破。炮眼深度小于0.6m,但必须封满炮泥。

（2）炮眼深度为0.6~1m时，封泥长度不小于炮眼的1/2。

（3）炮眼深度超过2.5m时，封泥不小于1m。

（4）炮眼深度超过1m时，封泥不得小于0.5m。

（5）爆破作业中的技术数据未尽之处，必须按《规程》中的规定执行。

第八章　掘进通风和防尘

第一部分　系统理论知识

利用局部通风机或主要通风机产生的风压对井下独头巷道进行通风的方法称为局部通风(又称掘进通风)。应达到以下要求:

(1)供给掘进工作面作业人员足够的新鲜空气;

(2)把有毒有害气体和矿尘稀释到《煤矿安全规程》规定的浓度以下,并随回风流排到地面;

(3)使掘进工作面有适宜的气候和卫生环境。

第一节　巷道掘进的通风

一、通风方式

在巷道掘进中一般采用局部通风。这种通风方法简单、方便、可靠。其通风方式可分为压入式、抽出式、混合式等三种,其中以混合式的通风效果最好。

(一)压入式通风

这种通风方式是由局部通风机吸入新鲜空气,通过风筒压入到工作面,吹走工作面爆破所产生的有害气体和粉尘,使之流经掘进巷道而排出,如图8-1所示。

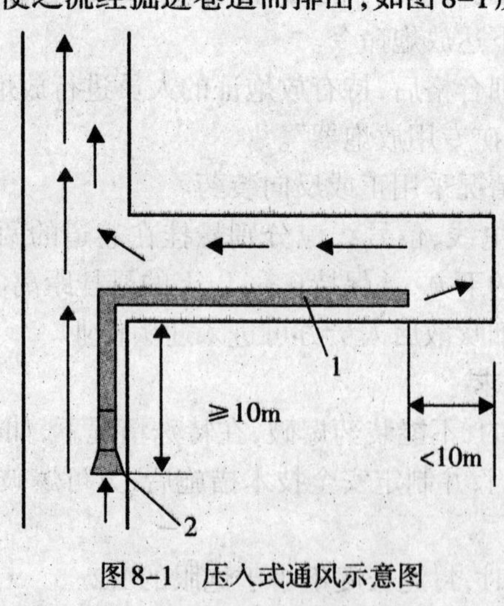

图8-1　压入式通风示意图

1——风筒;2——局部通风机

为了保证通风效果,局部通风机必须安设在通有新鲜风流的巷道内,并距掘进巷道口不得小于10m，以避免产生循环风流。为了尽快而有效地排除工作面的炮烟，风筒出口距工作面的距离一般要小于射流有效射程（一般为10m）。

这种通风方式可采用胶质或塑料等柔性风筒。柔性风筒比金属风筒吊挂方便，漏风也少，可适用于长距离的独头巷道中，目前煤矿上大都采用它。另外，这种通风方式能很快地将工作面的有害气体冲淡并排出，但所排出的炮烟在巷道中随风流而扩散，蔓延范围大而且时间长，工人要进入工作面往往要穿过此蔓延的污风气流。

特点：（1）局扇及电器设备布置在新鲜风流中；

（2）有效射程远，工作面风速大，排烟效果好；

（3）可使用柔性风筒，使用方便；

（4）由于风筒内风压大于巷道风压，风筒漏风对巷道排污有一定作用。

要求：（1）局扇风量小于巷道风量，避免产生循环风；

（2）局扇入口与掘进巷道口距离大于10m；

（3）风筒出口至工作面距离小于射流有效射程（从风筒出口至射流反向的最远距离）。

（二）抽出式通风

这种通风方式是用局部通风机直接将掘进工作面爆破所产生的有害气体，通过风筒吸出至回风巷中，新鲜风流则由巷道进入工作面。采用这种通风方式，其排风口必须设在主要巷道风流方向的下方，且距掘进巷道口也不得小于10m，其布置如图8-2所示。

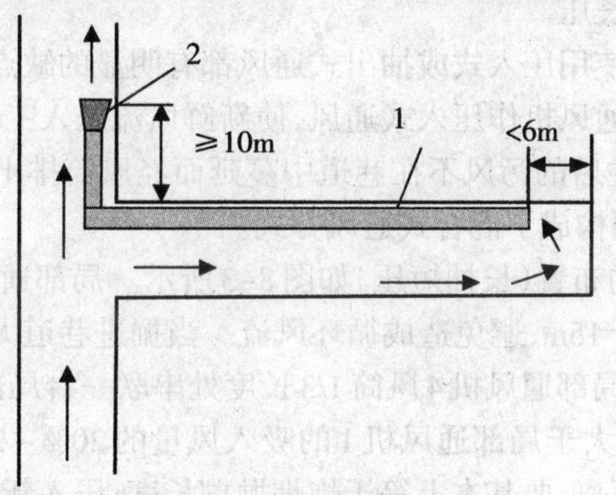

图8-2　抽出式通风示意图

1——风筒；2——局部通风机

采用这种通风方式时，由于风筒吸入口附近的风速随着远离吸入口而急剧降低，因此，借风流直接排出炮烟的有效作用范围远较压入式通风的有效射程小，故工作面的通风时间较长。试验结果表明，当风筒的吸风口到工作面的距离超过10m时，抽出式的通风效果较压入式差，但当该距离小于6m时，则抽出式的通风效果优于压入式，且巷道长度越大，其优越性越显著。同时，由于新鲜空气流经巷道的全长，有害气体和粉尘均被吸入风筒里，故掘进巷道的长度基本上是不受限制的。因此，在独头长巷道的掘进中采用单一通风方式时，显然选用抽出式更为合适。

特点：（1）新鲜风流沿巷道进入工作面，劳动条件好；

（2）污风通过风机；

（3）有效吸程小，延长通风时间，排烟效果不好；

（4）不能使用柔性风筒。

压入式和抽出式通风的比较：

(1) 压入式通风时，局部通风机及其附属电气设备均布置在新鲜风流中，污风不通过局部通风机，安全性好；而抽出式通风时，含瓦斯的污风通过局部通风机，若局部通风机不具备防爆性能，非常容易发生爆炸事故。

(2)压入式通风风筒出口风速和有效射程均较大，可防止瓦斯层状积聚，又因风速较大，提高散热效果较好。然而，抽出式通风有效吸程小，掘进施工中难以保证风筒吸入口到工作面的距离在有效吸程之内。与压入式通风相比，抽出式风量小，工作面排污风所需时间长、速度慢。

(3)压入式通风时，掘进巷道涌出的瓦斯向远离工作面方向排走，而抽出式通风时，巷道壁面涌出的瓦斯随风流向工作面，安全性较差。

(4) 抽出式通风时，新鲜风流沿巷道进入工作面，整个井巷空气清新，劳动环境好；而压入式通风时，污风沿巷道缓慢排出，掘进巷道越长，排污风速度越慢，受污染时间越久。

(5)压入式通风可用柔性风筒，其成本低、重量轻，便于运输，而抽出式通风的风筒，必须使用刚性或带刚性骨架的可伸缩风筒，成本高，重量大，运输不便。

(三)混合式通风

混合式通风是压入式和抽出式的联合运用。按局部通风机和风筒的布设位置，分为：长压短抽、长抽短压和长抽长压。

在掘进巷道时，单独使用压入式或抽出式通风都有明显的缺点。因此，为了达到快速通风的目的，可利用一局部通风机作压入式通风，使新鲜风流压入工作面冲洗工作面的有害气体和粉尘；同时，为使冲洗后的污风不在巷道中蔓延而经风筒排出，可用另一台局部通风机进行抽出式通风。这样便构成了混合式通风方式。

局部通风机和风筒的布置(长抽短压)如图8-3所示。局部通风机1之吸风口与抽风筒的抽入口的距离应不小于15m，避免造成循环风流。当掘进巷道太长，一台局部通风机满足不了通风要求时，可在距局部通风机4风筒1/3长度处串联一台局部通风机3，同时要求局部通风机3和4的抽出风量大于局部通风机1的吸入风量的20%～25%；特别应当指出的是，吸出风筒口到工作面的距离，要基本上等于炮烟抛掷长度；压入新鲜空气的风筒口到工作面的距离，要小于或者等于压入风流的有效作用长度，这样才能取得预期的通风效果。

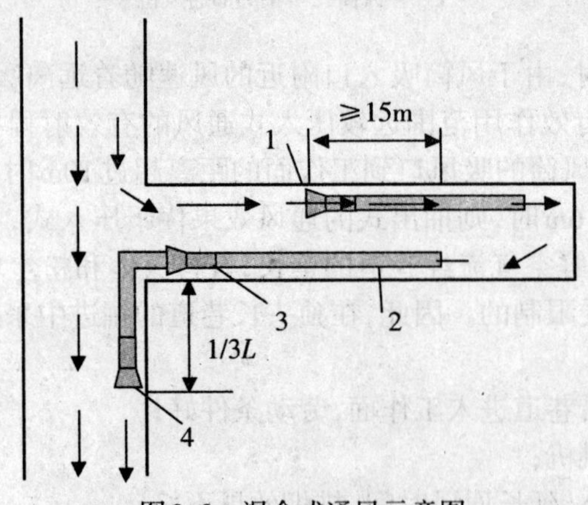

图8-3 混合式通风示意图

1——压入式局部通风机；2——风筒；3、4——抽出式局部通风机

混合式通风的主要特点：

(1)通风是大断面长距离岩巷掘进通风的较好方式；

(2)主要缺点是降低了压入式与抽出式两列风筒重叠段巷道内的风量，当掘进巷道断面大时，风速就更小，则此段巷道顶板附近易形成瓦斯层状积聚。

二、掘进通风设施

在巷道掘进中用的主要通风设施有局部通风机、风筒。

(一)局部通风机

局部通风机可分为轴流式和离心式两种。轴流式局部通风机由于体积小、效率高、使用方便，在煤矿巷道掘进中得到了广泛使用。但这种风机的噪声较大，还有待进一步改进。国产轴流式局部通风机类型很多，其主要技术特征见表8-1，其中最常用的有5.5kw及11kw两种。

表8-1　JBT系列轴流式局部通风机技术特征

型号	功率/kw	电压/V	转速/r·min⁻¹	效率/%	启动电流/A	气流效率/%	质量/kg	外型尺寸(长×宽×高)/mm
JBT41-2	2	380	2900	80	6.5	70	125	575×602×545
JBT42-2	4	380	2900	82	6.7	70	145	775×602×545
JBT51-2	5.5	380	2900	83	7.0	70	180	645×705×650
JBT52-2	11	380	2900	86	7.0	70	240	860×705×650
JBT61-2	14	380	2900	87	6.5	70	300	735×800×720
JBT62-2	28	380	2900	88	7.5	70	450	995×700×720

(二)风筒

风筒是最常见的导风装置。对风筒的基本要求是漏风小、风阻小、重量轻、拆装简便。

掘进用的风筒有金属风筒、玻璃钢风筒、胶质风筒、塑料风筒等几种。金属风筒和玻璃钢风筒直径一般为400～600mm，每节长度为2.5～3m，各节风筒间用法兰盘连接。帆布、胶质、塑料风筒的直径一般也为400～600mm，每节长度有10m、20m等几种。接头方式有插接、单反边接头、双反边接头、活三环多反边接头、罗圈接头等多种形式。

柔性风筒因重量轻、吊挂容易，特别是其漏风和阻力系数都小，通风效率高，因而被大量地推广使用。

三、加强通风管理工作

在现有通风设备基础上，只要加强通风管理工作就可提高通风效率，实现单机独头长距离通风。实践证明，搞好长距离独头巷道通风，最主要的措施是最大限度地减少风筒阻力和防止风筒漏风。首先是增大风筒直径和每节风筒的长度。其次是提高风筒接头质量，以减少漏风系数。不管用什么方法接头，在连接时必须保证接好，如采用法兰盘连接时，必须有足够的螺钉，且要拧紧，垫圈材料的质量一定要符合质软而致密的要求。除提高接头质量外，还要改进连接方法。如过去胶质风筒接头多用插接法，此法虽简单易行，但漏风严重，风阻也大。故在现场实际中又做了很多改进,如单反式、双反式以及胶贴接头法、罗圈接头等,改进后的接头可使漏风系数和风阻显著下降。再就是安设风筒时,直线段必须吊挂成一条直线,拉紧拉稳,弯道处尽量使风筒缓慢拐弯;在同一巷道中尽量使用直径相同的风筒。另外,在日常的维护工作中必须加强检查和维修,发现问题及时解决。

第二节　巷道掘进的综合防尘

岩石巷道掘进时,钻眼、爆破、装岩、运输等工序中,不可避免地要产生大量的岩石粉尘。这些粉尘极易浮游在空气中,被人吸入体内,时间久了就易患矽肺病,严重地影响工人的身体健康。

综合防尘的具体措施有:

(1)湿式钻眼:禁止干式凿岩,要采用湿式钻眼。这是综合防尘最主要的技术措施。钻眼过程中用水冲洗炮眼,使岩粉变成浆液从炮眼里流出来,这样在钻眼期间粉尘不会飞扬,能显著地降低巷道中的粉尘浓度。

(2)喷雾、洒水:爆破时,由于破碎岩石和爆破冲击波的作用,会产生大量粉尘,故在爆破前要用水冲洗岩帮,爆破后立即进行喷雾,便能有效地降低粉尘浓度。另外,在装岩之前要向岩堆洒水,使其在装岩时不被铲斗扬起。另外还可以采用磁化水抑尘和电水雾降尘等方法。

(3)加强通风排尘工作:通风工作除不断向工作面供给新鲜空气外,还能将含尘空气排出,降低工作面的含尘量。为了做好通风排尘工作,应在掘进巷道周围建立通风系统,以形成主风流;并在各作业点搞好局部通风工作,保证工作面能得到足够的风量和具有一定风速,以便迅速将工作面的粉尘稀释并排到主回风流中去。

(4)加强个人防护工作:通过上述措施,可以将工作面空气中的粉尘浓度降低,但仍无法根除,故要求所有接触粉尘作业的人员,必须佩戴口罩,做好个体保护。另外对工人要定期进行身体健康检查,发现病情要及时治疗。

总之,有关综合防尘的措施和规定,必须引起足够的重视,所有从事煤矿工作的人员要严格贯彻执行,只要一丝不苟、持之以恒,就能有效地防止矽肺病的发生,确保人员的身体健康。

第三节　人人都是通风员

《人人都是通风员》煤矿安全新论学习要点摘自《人人都是通风员》煤矿安全新论,由吴永平主编。

煤炭在我国国民经济中居于重要战略地位,煤矿安全是安全生产工作的重中之中,历来受到党中央、国务院的高度重视。近年来,随着我国经济社会生产形势趋稳向好。但同时,我国煤矿安全基础仍然薄弱,事故总量仍然偏高,重特大事故尚未得到有效控制。在以人为本科学发展观的总体要求下,搞好煤矿安全生产的教育工作是各煤炭学校的一项重要职责,更是煤矿企业安全发展的永恒主题。

纵观国内外煤矿事故,绝大多数是“一通三防”事故。同时,国内外调查统计表明,煤矿事故中,绝大多数是因为人的不安全行为导致的。这充分说明,在整个矿井安全管理,特别是“一通三防”工作中,人是最关键的因素。如何彻底消除人的不安全行为,是抓好煤矿安全工作应该深入研究的重点。

实践出真知。只有强调人人都懂矿井通风知识,人人主动去抓矿井通风工作,才能有效实现“人人抓、为大家”的全员安全管理目标。实践证明,以“人人都是通风员”为核心的煤矿安全理论体系,就是以文化管理的模式来管理安全、抓安全理论体系,就是以文化管理的模式来管理安全、抓安全、保安全,以企业安全管理理论的创新指导安全生产实践的升华。从一定意义上讲,这一源于煤矿企业安全生产实践的安全管理理论体系的形成,既是同煤集团在安全生产工作中的经验总结和有益尝试,也是我国煤矿安全生产管理水平进一步提高的又一重要体现。

一、形成背景

(一)煤矿安全生产严峻形势的需要

(1)煤矿重特大事故频发,瓦斯爆炸所占比例很大:

国家煤矿事故统计分析表明,瓦斯爆炸事故的起数及伤亡人数占很大比例。

重特大事故统计分析表明,瓦斯爆炸事故的起数及伤亡人数占很大比例。

(2)煤炭行业安全的新问题需要新理论解决。

(3)落实党和国家安全生产的新举措需要新的安全理论。

(4)面对较大的安全压力,煤矿企业更需要新的煤矿安全理论。

(二)解决煤矿安全生产症结的需要

(1)瓦斯治理的可控措施难以彻底落实。

(2)呼唤解决症结的自觉的全员全过程全方位的理论:

①需要树立全新的瓦斯治理观,先从全员抓通风入手。

②需要树立重过程抓通风的观念。

③需要树立全方位管理通风的观念。

(3)煤矿安全理论丰富和发展的需要:

①当时煤矿安全理论不能完全适应具体操作性的安全实践。

②“安全发展”理论需要煤矿安全理论的丰富发展。

二、煤矿安全新论含义

(一)“人人都是通风员”理念的含义

“人人”表明每个人都应做到、都会做到、都能做到。

“通风”表明“风”在井下作业过程中流动的重要性。

(二)“人人都是通风员”煤矿新理论体系的要素的内涵

(1)体系的理论核心:“人人都是通风员”。

(2)体系的思想根基:安全生产比天还大,瓦斯治理重中更重。

(3)体系的思想主线:安全第一,奠定牢固的安全生产思想基础。超前预防,做到超前预控、源头治本。贯穿全程,推动生产过程的安全管理。关键落实,强化安全工作的执行力。

(4)行为要求基础:“尽心履行职责,主动抓工作,提高执行力,落实全过程”,为“人人都是通风员”在煤矿实践推广强化了行为要求基础。

(5)体系的工作要求:居安思危,居安想安,居安干安,居安紧安。

(6)体系的工作方法:“六化一落实”。

安全管理军事化,构建安全作风保障体系。

安全制度依法化,构建安全法制保障体系。

现场管理标准化,构建岗位安全保障体系。

安全责任全员化,构建安全责任保障体系安全技术科学化,构建安全技术保障体系。

安全教育素质化,构建安全队伍保障体系。

安全管理重在落实,构建安全考核保障体系。

(7)体系的准入标准:“五到位”,“三不准”。

“五到位”:安全管理要到位,安全隐患排查治理要到位,安全制度措施执行要到位,各级安全责任要到位,安全培训要到位。

“三不准”:员工不懂通风不准入井,现场没有跟班干部不准开工,安全隐患防治措施治理方案没有实施不准作业。

(8)体系的岗位标准:“三懂”,“三会”,“三做到”。

“三懂”:懂通风基础知识,懂通风设施性能,懂通风管理标准。

“三会”:会识别通风隐患,会采取避灾措施,会使用消防器材。

“三做到”:做到瓦斯超限不作业,微风状态不作业,粉尘超标不作业。

(9)体系的管理方法:基层三项管理。

岗位管理就近化:安全生产责任制进行细化、量化、现场化,为基层安全管理提供新内容、新方法。

班组管理全程化:要求对班组全体成员从入井到出井的整个过程进行全面管理。

安全管理程序化:就是明确规范生产工艺、工序、操作流程,明确各环节标准。

(10)体系的组织保障:党政工团妇齐抓共管。

党政工团齐抓共管就是通过发挥各类组织参与安全管理的优势,发挥广大职工在安全工作中的主体作用,营造“群众参与、社会支持”的安全文化氛围,形成党委管党、行政管长、工会管网、共青团管岗、家属管防的群防群治安全工作格局。

(11)体系的奋斗目标:创建零事故现场,打造零事故环境。

体系目标重在超前性,创建零事故现场,打造零事故环境,是以追求人、机、环境、管理等要素优化匹配,实现人员无失误、设备无故障、系统无缺陷、管理无漏洞的奋斗目标。

三、煤矿安全体系的子体系范畴

(一)思想体系

1.系列理念、警句

(1)人人都是通风员,人人都是受益者。

(2)通风无小事,小事当大事,事事抓落实,确保不出事。

(3)一切为了通风,一切服从通风,一切服务通风,一切保证通风。

(4)千主要万重要,抓好通风最重要。

(5)抓安全重在过程。

(6)由要我安全变为我要安全。

(7)安全为了员工,依靠员工抓好安全,让员工群众共享安全发展的结果。

(8)以人为本,安全发展。

(9)安全生产比天还大,瓦斯治理重中更重。

2.系列观点

(1)文化观:使安全文化成为企业员工之间最为默契最有生命力的"共同语言"、共同的价值取向,让文化管人,管事。

(2)人本观:把"人的生命高于一切"的共识渗透到每位员工的思想意识中,让员工重视生命的存在,体现"以人为本"的思想。

(3)超前观:使安全工作者时刻保持强烈责任感、紧迫感,做到防患于未然。

(4)敏感观:增强对安全工作的敏感性和敏捷性,认识到安全工作不执行就会有事发生。

(5)法制观:做到依法治安,提高安全处工作的执行力,解决"严不起来,落实不下去的"的问题。

(6)素质观:通过提升安全理念、安全意识、安全态度以及价值观和标准,强化员工安全行为的养成,使员工做什么就学什么。

(7)系统观:从组织、制度、机制、人的因素等方面协调一致,全面推进。

(8)效益观:正确认识安全与效益的关系,以安全促效益,用效益保安全。

(9)持久观:重复出现的问题是最大的问题,过去我们每天到现场,经常搞检查,但是有些问题还是没有从根本上得到解决,所以安全工作必须反复抓,抓反复,常抓不懈。

(10)创新观:安全工作要发展,就必须不断创新方法,常抓常新。

(二)制度体系

(1)安全生产组织制度:抓安全必须建立相应的组织机构、队伍,明确领导人和责任人,落实权利、义务和责任。

(2)安全生产管理制度:是抓安全生产的核心制度。

(3)安全生产工作制度:这是煤矿企业安全生产制度最重要的制度。

(4)安全生产准入制度:新工人上岗前,在取得安全资格的同时,必须参加员工必备通风技能考试,取得"人人都是通风员"入井准入资格证后方可上岗。

(5)安全生产培训制度:坚持"干啥学啥,管啥懂啥,缺啥补啥,会啥干啥"的原则,将"人人都是通风员"安全理论纳入培训工作总体安排。

(6)安全生产考核奖罚制度:按照"人人都是通风员"工作检查标准建立安全生产考核奖惩制度,实施区队对员工考核,惩治不安全的人和事,使安全警钟长鸣。

(三)行为体系

围绕"人人都是通风员"体系的行为习惯意义,逐渐形成系列行为习惯体系,行为体系是员工在安全理念指导下，经过安全远景目标的激励、安全理念的渗透、安全制度的落实，改正作业过程中不安全、不规范、不正确的操作方法，形成良好的安全素养，培养正确的安全行为所组成的有机整体。

(1)确认安全的行为规范及习惯。

(2)自身素养的行为规范及习惯。

(3)培训学习的行为规范及习惯。

(4)防灾避灾的行为规范及习惯。

(四)物质体系

围绕“人人都是通风员”的物质彰显意义，在煤矿形成了系列强化彰显煤矿安全新论体系中的理念思想、制度规范、行为养成的物质形态的东西。

(1)牌版、标语。

(2)标识。

(3)服饰。

(4)纪念馆。

四、煤矿安全新论的主要特征

(一)文化管理性

1.运用了文化管理的方法和程序

(1)特别注重文化对“人”的作用。

(2)文化的能动性和制度管理的强制性有机结合。

(3)文化管理的无限性和制度管理的有限性统一。

2.运用了文化管理，取得了良好的效果

(1)对员工的行为进行引导、评价和预测。

(2)通过安全文化倡导产生激励效果。

(3)通过安全文化渗透规范人的行为。

(二)主体性

人是煤矿安全理论实践的主体，是安全生产实践的主体，以“人人都是通风员”为核心的煤矿安全新论是为了实现人的价值，本质在于追求全体员工对安全价值的认同，发挥人在安全生产中的能动性、创造性、主动性，从而确保人的生命安全，实现企业安全发展。

(1)因人而定，由人执行。

(2)人人践行，为了人人。

(三)全面性

以“人人都是通风员”为核心的煤矿安全新论，涉及整个企业的安全管理问题，不仅涉及物的管理而且涉及人的管理，是一套完整的与企业安全管理同步的方法和策略。同时，煤矿安全新论把一系列理论思想在管理中加以应用，从宏观上把管理制度对理论的贯彻，从微观上用理论调整管理过程中产生的各种关系，对从思想到现实操作充在的一系列矛盾予以解决。

1.运用全面的方法认识安全

(1)运用了普遍联系的方法。

(2)运用了发展的观点。

2.落实全员全方位全过程

(1)思想上,保证安全意识贯穿全员全方位全过程。

(2)行动上,推动全员全方位全过程。

(四)自觉性

以"人人都是通风员"为核心的煤矿安全新论使全体员工的安全行为变为主动,形成了自觉践行煤矿安全理论的行为习惯。煤矿安全新论使全体员工对自己行为的目标和意义具有了明确的认识,使自己的行为服从于确保"通风安全"这一目标。

(1)煤矿安全新论把"通风"与人的生命联系起来。

(2)"人人"关注通风,成为员工的自觉行为。

(五)超前性

1.煤矿安全新论包含了超前意识

(1)安全意识淡薄是发生事故的主要原因。

(2)安全行为的滞后必然导致事故发生。

(3)安全意识必须超前。

2.煤矿安全新论体现了防患于未然

(1)"人人"关心通风,做通风工作。

(2)"人人"学习通风知识,熟练掌握通风技能。

(六)实践性

以"人人都是通风员"为核心的煤矿安全新论源于煤矿企业生产和发展的实践过程,植根于煤矿企业的丰富实践活动,具有坚实的实践基础和鲜明的实践性特征。

(1)煤矿安全新论的提出,是对煤矿安全生产实践经验的总结。

(2)煤矿安全新论在新时期实践的基础上得到丰富和发展。

(3)煤矿安全新论得到了实践的检验。

(七)科学性

煤矿安全新论的科学性是指从根本上符合煤矿企业安全生产的发展规律,决定了煤矿安全理论反映客观规律、尊重客观规律,有效地指导煤矿企业安全生产实践,实现安全的目的。

(1)坚持实事求是、尊重安全的客观规律。

(2)运用科学的世界观和方法论。

(3)借鉴和吸收了本国和国外的有益经验。

(4)从实际出发,做到原则性和灵活性相结合。

(八)系统性

(1)系统地回答了有关煤矿安全的基本问题。

(2)以概念、范畴为网络,通过范畴的相互联系和转化,展现其达到真理的必然逻辑与趋势。

(3)自觉认识和深刻把握当前煤矿企业安全生产的规律。

(4)系统指导煤矿企业的安全生产。

五、煤矿安全新论的理论基础

(一)煤矿安全新论的马克思主义哲学原理

以“人人都是通风员”为核心的煤矿安全新论,在形成、完善、发展过程中,始终以辩证唯物主义和历史唯物主义为指导,使这个特色鲜明的煤矿安全新论体系牢固地建立在马克思哲学基础之上。

1.充分体现了人民群众是社会历史和认识主体的根本

(1)人民群众是物质财富的创造者。

(2)人民群众是精神财富的创造者。

(3)人民群众是社会变革和发展的决定力量。

2.运用了抓事物的主要矛盾和矛盾的主要方面基本原理

矛盾是一切事物发展的源泉和动力。每一事物都包含主要矛盾和次要矛盾,每一矛盾都有矛盾的主要方面和次要方面。煤矿安全新论阐明“一通三防”瓦斯治理是煤矿安全工作中矛盾的主要方面,真正实践了抓事物的主要矛盾和矛盾的主要方面。

3.遵循了事物质变与量变之间的规律

煤矿安全新论紧抓“通风”这一煤矿安全生产的关键,把单一的“通风”工作,推广到了安全工作的整体层面,特别是井下员工是安全工作从“小”变“大”,从“量”求“质”,很好运用量变质变规律的原理。

(二)煤矿安全新论体现了科学发展观要求

以“人人都是通风员”为核心的煤矿安全新论,立足煤矿企业实际,探索企业安全生产经营发展规律,突出人在安全工作中的主体地位和主导作用,真正体现了科学发展观以人为本的核心,落实了全面协调可持续发展的基本要求,运用了统筹兼顾的根本方法,在一定深度和广度上很好贯彻了科学发展观。

1.坚持以人为本

煤矿安全新论深入贯彻科学发展观,坚持并实实在在践行了以人为本这个核心,科学发展首先是安全发展,以人为本首先要以人的生命为本。

2.贯彻了全面协调可持续的基本要求

首先把安全工作放在煤矿生产经营、企业管理、员工培训、精神文明建设、党建等工作中全面考虑,其次抓安全工作重在制度建设、理念教育、文化渗透、责任落实、严格考核,最终实现煤矿安全工作全面协调可持续发展。再者是安全工作与煤炭经济发展、科学技术进步设社会事业发展相协调,打造本质安全煤矿企业。

3.运用了统筹兼顾的根本方法

首先兼顾了安全与生产、经济效益与社会效益的关系。其次统筹了安全工作硬实力与软实力的关系。再者统筹了个人利益和集体利益、局部利益和整体利益、当前利益与长远利益的关系。

(三)煤矿安全新论建立在现代企业管理理论基础上

煤矿安全新论把现代企业管理理论与安全生产实践相结合,创新发展了现代企业管理理论,使这个安全理论体系更具有时代性、科学性、实践性。

把人本管理思想运用于煤矿企业安全生产管理工作中。人本管理方式有受控式管理、自控式管理、灵活式管理,可以分为五个层次:情感管理、民主管理、自主管理、人才管理、文化管理。

结合实际,有效运用现代企业管理方式方法。首先深入持久开展质量标准化建设;其次强化班组建设,严格现场管理;第三,不断坚持安全隐患排查治理,建立隐患排查治理长效机制。

坚持企业文化的创新发展,打造具有特色的企业安全文化。企业文化是企业组织和企业员工在一定的历史环境中,在企业经济活动和各种文化元素的影响下,在生产经营管理实践中逐步形成的具有企业的特点的群体意识。

①坚持继承与创新相结合,培育并打造全员认同的企业安全价值观。

②坚持当前与长远结合,建立健全并不断完善安全工作的各项管理制度;煤矿安全新论要求煤矿企业不断建立完善的工作制度,为安全工作长期稳定发展提供完善的制度保障。

③坚持日常工作与培训教育相结合,塑造煤矿企业员工的行为文化;企业人在生产经营、人际交往过程中产生的活动文化,就是一个企业的行为文化。煤矿企业的行为文化是煤矿企业文化的重要内容和组成部分,对抓好安全工作起着至关重要的作用。

六、煤矿安全新论的现实意义

(一)为煤矿安全生产提供了新的理论指导

1.科学的煤矿安全理论使煤矿安全生产理性自觉

一是实现了“要我安全”向“我要安全”的转变,二是实现了由被动管理向主动参与的转变,三是实现了职能监督向自我监督的转变,四是实现了专职队伍管理向专职队组与人人参与相结合的转变。

2.实践证明煤矿安全生产有了科学的理论指导,安全生产的面貌焕然一新

“人人都是通风员”是被实践证明了的科学的理论体系,以“人人都是通风员”为核心的煤矿安全新论将随着实践的发展提升到一个更高的水平。

(二)使煤矿安全生产全面规范地进入文化管理阶段

以“人人都是通风员”为核心的煤矿安全新论,在对煤矿企业安全生产进行科学的理论指导的同时,使煤矿企业的安全生产全面规范地进入了文化管理阶段,使煤矿企业安全工作具有了文化管理的现实意义。

1.文化管理是管理科学发展的新阶段

文化管理是对科学管理的新发展,是管理适应现代社会经济发展的大趋势的必然选择,管理实践充分体现了文化管理的基本精神。

2.以“人人都是通风员”为核心的煤矿安全新论充分发挥了文化管理的作用

①新论的安全价值观有效地指导煤矿企业安全目标的实现。

②新论的“文化管理”模式有利于为员工提供一个更为融洽的企业环境，激发了员工的积极性和创造性。

③通过文化塑造人。

④发挥辐射作用，推动煤矿企业不断发展。

⑤激励员工实现安全。

3.运用文化管理有效遏制煤矿企业安全事故的发生

①用安全生产理念塑造全体员工的安全之魂。

②全员养成安全的行为习惯。

③安全生产制度强制规范。

④安全物质环境强化安全生产的理念、制度和习惯。

(三)极大地推动了煤矿安全生产持续良性发展

1.抓住了煤矿安全事故控制的要害，体现了超前预防的治本之策

①体现了超前预防的治本之策。

②抓住了煤矿安全事故控制的要害。

③促进了安全生产步入良性发展的轨道。

2.煤矿安全生产管理成为文化管理，推动煤矿安全生产持续良性发展

(1)文化管理是推动企业持续良性发展的管理。

(2)以“人人都是通风员”为核心的煤矿安全新论以文化管理的特性推动安全持续良性发展。

七、以“人人都是通风员”为核心的煤矿安全新论的实践

“人人都是通风员”煤矿安全新论的指导，是指企业通过培训、考核、激励的方式，使煤矿员工学习、掌握、应用。

“人人都是通风员”煤矿安全新论，利用安全思想体系、安全管理体系、安全行为体系、安全物质体系的理论知识，指示和引导员工安全意识和安全行为的方法。

(一)煤矿安全新论指导的重要性

(1)安全新论的指导是安全新论与煤矿安全工作相结合的第一环节。

(2)安全新论的指导是煤矿安全新论在煤矿生产实践中检验、发展的第一阶段。

(3)安全新论的指导是煤矿安全新论渗透的前提条件。

(4)安全新论的指导是煤矿从业人员形成安全行为的重要条件。

(二)煤矿安全新论指导的主要方式

1.针对性指导方式——安全培训

安全培训是防止员工生产不安全行为，防止失误的重要途径。其重要性，首先在于它能够提高企业领导和广大员工搞好事故预防工作的责任感和自觉性。其次，安全技术知识的普及和安全技能的提高，能使广大员工掌握工业技术水平，掌握安全监测技术和监控技术，搞好事故预防，保护自身和他人的安全健康。

根据培训主体和培训阶段的不同，安全培训可分为院校培训、单位自培、现场培训。

(1)院校培训。根据培训对象的不同,院校培训又可分为:决策层、管理层培训;班组长培训;普通员工培训。

(2)决策层、管理层培训。

企业决策层是一个企业起决定性作用的层面,煤矿安全理论只有进入决策层的思想意识,成为实施决策行为的理论依据,才有可能在企业管理、生产过程中发挥作用。

企业管理层主要指企业的中层管理和基层管理部门的领导及干部。他们是决策层与操作层之间的纽带和桥梁。他们既要服从企业决策层的管理,又要管理基层的生产和经营人员,是企业决策的贯彻者和执行者。他们的安全文化素质对企业安全管理起到关键的作用,安全意识对客观存在的安全状态有着决定性的影响。企业管理层是企业的心脏,安全理论保证在该层面的输入,才能使安全理论的血液灌输到企业的各个角落。

(3)班组长培训。

班组长位于企业最基层,主要任务是带领群体成员完成每一项具体工作和安全目标。他们要依据专业技术知识和工作特长给予下属以工作上和安全上的指导,解决可能出现的技术问题。过去对班组长的培训重点集中在掌握与自己工作有关的安全技术知识,掌握与自己工作有关的操作技能,不仅自己操作可靠,还要帮助班内同志避免错误。煤矿安全理论指导要求,班组长培训重点除包括技能操作外,煤矿安全理论知识和安全教育也成为了培训的核心。

(4)普通员工培训。

普通员工是企业安全水平和保障制度的基础元素。在现代化大生产中,随着科学技术的进步,机械化、自动化、程控、遥控越来越多。一旦有人操作失误,就可能造成矿毁人亡。人员操作的可靠性和安全性与这个人的安全意识、文化素质、技术水平、个性特征和心理状态等都有关系。可见,提高员工的安全理论素质是预防事故的最根本措施。企业普通员工的安全培训是企业安全教育的重要部分。

(5)现场培训。

现场培训是把课堂培训转移到井下工作现场,是搞好"一人一事"培训的有效方法,能够使员工对井下生产、通风等环节有一个全面的感性认识,易于掌握操作程序,易于掌握"一通三防"的知识技能,其主要目的是教会员工技能,解决"一通三防"中学与干的问题,解决"人人都是通风员"安全知识教育培训的落实问题。

2.检测性指导方式——安全考核

安全考核作为检测性指导方式,是针对性指导方式的辅助和补充。其主要作用表现在:其一,调动员工的积极性。其二,时刻提醒员工共同要完成的任务。其三,提高员工工作效率。其四,保证安全目标的实现。

3.调整性指导方式——安全激励

激励是指一个有机体在追求某些既定目标时的意愿程度,它含有激发动机、激励行为、形成动力的意义。概括而言,激励就是激发人的内在潜能,开发人的工作学习能力,调动人的积极性和创造性。

根据方式不同,安全激励可分为目标激励、奖惩激励、权利激励。

(1)目标激励：

通过确立工作目标来激励员工，能够保证安全任务的质、量清晰，为员工指出努力的标准和方向。员工为工作目标的完成，理论学习会由被动转向主动。

(2)奖惩激励：

奖励是一种“正激励”，是对员工的安全行为给予肯定，使这个行为能够得以巩固、保持。而惩罚是一种“负激励”，是对不安全行为的否定，从而使其减弱、消退，恰如其分的惩罚不仅能消除消极因素，还能变消极因素为积极因素。

(3)权利激励：

充分赋予了员工在安全管理上的知情权、参与权、监督权、建议权。必须分级建立重大安全隐患、重点防控区域、重要防范措施、重大安全决策、重大安全投入等公示制度，让员工充分享有参与安全管理的知情权。

八、煤矿安全新论的渗透

“人人都是通风员”煤矿安全新论的渗透，是适应人的安全行为形成和发展的规律，借助于一定的活动、载体和环境，让员工潜移默化地把以“人人都是通风员”为核心的安全新论变为自觉行动，这是实践煤矿安全新论的重要步骤和环节。

(一)煤矿安全新论渗透的内涵和特点

1.煤矿安全新论渗透的内涵

“人人都是通风员”煤矿安全新论的渗透是一种潜移默化、民主平等、循序渐进、间接多样和完整持久的教育。

煤矿安全新论的渗透就是指要遵循人的思想受“综合因素”形成与“渐进发展”的规律，把“人人都是通风员”煤矿安全新论渗透到煤矿工作的各个环节和岗位中，渗透到采煤工作的全过程、全方位，融合各种方法因素及中介，通过潜移默化的形式循序进行。

2.煤矿安全新论渗透性的特点

煤矿安全新论渗透性教育也必须遵循教育的目的明确性和方式的多样性等要求，同时，它寓教于环境、活动、感情中，以理服人，以情动人，表现出非强制性、愉悦性、隐蔽性和无意识性的特点。

(1)非强制性：

“人人都是通风员”煤矿安全新论在员工思想观念中的形成在于人的自愿选择。渗透性教育就是利用环境、活动所蕴含的力量减少和避免煤矿生产事故的发生，实现矿工生命安全的目标方向，通过学会自愿、自主的活动，通过严查井下风量、瓦斯浓度，做到人人关心通风，无风不下井，微风不作业，将安全生产正确的理念、安全要求转化成为员工内在的观念和行为。

(2)愉悦性：

“人人都是通风员”煤矿安全新论教育的渗透性是区别于以注入式为主的方式，采取灵活多样的教育方式，通过丰富多彩的活动实践和各种安全知识与理论学习，提高员工对井下通风与生命息息相关的重要性认识和安全意识，充分地调动员工关心井下风量、风速、通风设施的积极性、主动性，使员工在整个教育过程中是基于自主选择条件下愉悦地接受教育和自我教育。简单的说教灌输和生硬的示范，只能让员工觉得枯燥无味，甚至厌学反感；形象生动的宣传活动，典型案例分析与趣味性活动能使员工心情愉悦地受到教育和启发。

(3)隐蔽性：

渗透性教育借助各种社会网络和媒介，使“人人都是通风员”煤矿安全新论的渗透教育从显性教育转向隐性教育。渗透性教育在教育方式上就是通过隐蔽性教育来达到员工从不自觉到自觉地关注井下通风，关注自己生命的教育目的，它不像整治理论教育那样直接有形，而是渗透在人们日常生活（家庭）、生产活动和社会活动中，追求一种潜移默化、寓教于无形的效果。渗透性教育在教育的形式、途径和策略上更加隐蔽，具有鲜明的隐蔽性。

(4)无意识性：

正是渗透性教育的形式、途径、策略更加隐蔽，不是生硬灌输，因而对受教育者而言，往往是在不知不觉中接受熏陶感染和潜移默化的教育，最终起到接受“人人都是通风员”煤矿安全新论渗透的目的。

（二）煤矿安全新论渗透的必要性

1.安全管理的特点决定了煤矿安全新论渗透的必要性

“人人都是通风员”煤矿安全新论的渗透，使隐患排查做到了全员、全方位、全过程加强。广大员工安全责任意识明显提高，主动报告和消除隐患的事例明显增多，促进了现场隐患排查工作的扎实开展。

2.煤矿企业的特殊性决定了煤矿安全新论渗透的必要性

由于煤矿生产的特殊性、复杂性和多变性，作为一个高危行业，顶板、水、火、瓦斯、煤尘等自然灾害，时刻危及员工的生命安全。而煤矿安全新论的渗透，就是要改变人们的思维方式和行为习惯，使安全自然地从人的行为中体现出来。因此，煤矿安全新论的渗透成为安全文化的重要环节，体现出它对于煤矿安全生产的必要性。

3.煤矿安全新论渗透对安全管理工作发挥统领和提升功能

企业的各部门及管理层、员工都形成共同的安全意识——人人都是通风员，并为实现安全生产“双零”目标，即“创建零事故现场，打造零事故环境”，协调一致运作，体现了对企业安全管理工作的统领和提升功能。

（三）煤矿安全新论渗透的途径

1.增强管理层的渗透思维

(1)更新管理理念，以人为本，尊重员工。

(2)带头实践煤矿安全新论，提高安全文化管理意识。

2.提升员工民主参与意识，促进员工自我渗透

人只有有了安全意识，才会有安全行为；有了安全行为，才能保证安全。对煤矿企业来说，最根本的就是应当抓好提高安全意识这一主要环节，增强员工的安全意识，让每一名员工真正把“安全生产比天还大，瓦斯治理重中更重”的思想牢记在心，把“安全第一，以人为本”的安全理念作为一切工作的出发点和落脚点，真正意识到“安全就是政治，安全就是民主”。让每一名员工从执行制度开始，接受安全的培训教育，形成行为规范，逐步从感性认识上升到理性认识，再由理性认识上升到通过意识的能动性来指导煤矿安全工作实践，做到可

以在工作面现场中及时预见隐患，消除隐患，达到安全生产的目的。

3.提高煤矿安全新论教育载体的渗透力

(1)活动渗透：

通过开展丰富多彩的活动进行安全新论渗透，从而起到潜移默化的作用。注重从形式上突出教育，层层渗透。广泛开展学习宣传安全知识活动，活动的对象是全体员工、家属，重点是各个层面上的管理者和监督者。从学习内容、形式、效果方面坚持做到“五个一”：

①系统学习一本安全规程。

②读一本煤矿专业技术书。

③写一篇安全管理体会文章。

④讲一次安全文化教育课。

⑤组织一次安全文化研讨会。

开展全员安全知识竞赛活动，以此来督促员工学习，帮助其培养学习的自觉性；持续开展寓教于乐的活动；开展文化活动教育人。

(2)环境渗透：

通过营造安全环境氛围，感染、教育、启迪员工，使员工在潜移默化中受到启发。

创建安全文化环境。①利用广播、电视、宣传栏等，烘托安全文化氛围，使安全文化信息有声有影，覆盖矿区。②构建场景。可在井口、区队学习室，家属区设置安全文化长廊、安全用语、亲情嘱托等宣传牌板，扩大宣传面。③根据各专业、各工种的特点，制作安全警句牌板，对管理干部可制作成桌签，放置在办公桌上，一般工人可悬挂在家中、集体宿舍中，使之成为座右铭，时刻绷紧安全弦。④定期组织员工、家属观看安全电教片，熟悉了解煤矿作业环境，以利于做好安全协管工作。⑤宣传安全先进典型，发挥典型引路作用，不断增强员工安全工作的自觉性和主动性。

创建安全文化班组环境。将企业安全文化的力量注入班组，建立起以人为本的充满爱心的企业安全文化，才能营造企业良好的人际关系，使企业保持旺盛的生命力。

(3)感情渗透：

通过关怀、体贴、理解、尊重、信任的情感交流，激发员工关注安全、关爱生命。

发挥亲情的感染作用。解决安全教育入心入脑的问题，一定要注重情感投入，“于细微之处见真情”。

营造温情氛围感动人。班组是企业安全管理的前沿阵地，家庭应是企业安全管理的有效防线，将企业煤矿安全新论体系安全管理的有效防线，将企业煤矿安全新论体系延伸到家庭，将安全工作融进一股亲情，真正把企业安全理念扩展和渗透到每个员工的心里，让员工真正成为保护自己生命权利的主题，共筑安全防线。

实践证明，树立以人为本的安全理念，将企业煤矿安全新论的力量注入现场、班组，倡导安全文化进家庭，建立起整体性的，全方位、全过程、全员的安全环境，实现从“要我安全”到“我要安全”的根本性转变，是企业文化创新发展的一种新趋势。这种趋势对企业管理的核心作用越来越大并引起企业领导层面的高度重视。

(四)煤矿安全新论渗透的方法

1.说理引导法

说理引导法,是指通过阐述煤矿安全理论,去说服员工和教育员工的方法。通过开展学术报告、学术专题系列讲座、文化沙龙、演讲辩论、知识竞赛等非传统的课堂教学活动,使员工系统地正面接受以“人人都是通风员”为核心的煤矿安全新论,不断地提高安全自觉性。

2.实践锻炼法

实践锻炼法,是指在教育者的指导下,通过有目的、有计划、有组织的安全生产实践活动,训练和培养受教育者的自觉安全意识和行为习惯的方法。

3.环境熏陶法

环境熏陶法,是指教育者充分利用社会环境因素和教育者自身所创设的教育情境,对受教育者进行感染和熏陶,经过潜移默化,培养其安全思想意识并使之得以升华和提升的方法,它又包括人格感化、环境熏陶和艺术熏陶三种形式。

4.亲情教育法

亲情教育法,是指通过关怀、体贴、理解、尊重信任的员工之间、夫妻之间、子女之间的情感交流,激发员工关注安全、关爱生命。

要用亲情教育法,解决安全教育入心入脑的问题,激发员工对安全生产的责任心,营造一个团结、和谐、有“家庭味儿”的安全文化氛围,从而激发起每一名员工强烈的责任意识,自觉做好安全工作,在工作中更加注重井下通风,杜绝操作失误和安全事故的发生。

开展事故案例宣讲活动。为矿工讲述事故案例,讲“三违”,讲不安全行为的危害,讲事故给个人、亲人、家庭带来的伤痛 ,以情感人、以情动人,生动的事故案例指导矿工应当做出何种行为,提醒安全的重要性。

5.集体诵读宣誓合唱法

组织能够体现全员特色的现场活动,诵读安全理念。诵读团队由来自各个单位的职工组成,包括领诵人和团队两个部分,场面恢弘,感染力强。类似的宣传还包括安全宣誓活动、合唱《安全为天》活动。这些活动使广大的员工参与其中,不仅体现了企业对安全宣传工作的重视,也让员工以亲身参与、文艺演出的方式对理论知识再次巩固。

6.漫画及文艺表演法

煤矿安全新论的渗透,对于员工自觉安全意识的提升起到了潜移默化的作用,使员工从“要我安全”转变为“我要安全,我会安全”,减少和避免了重特大事故的发生,推动了煤矿安全生产工作顺利进行。

九、煤矿安全新论实践的成效

“人人都是通风员”煤矿安全新论具有很强的科学性、指导性,在实践中取得了显著的成效。

(一)实现了安全工作全员参与

“人人都是通风员”明确赋予了每名员工通风工作的职责、权利,使员工认识到自己在通风工作中起着主体作用,担负着不可推卸的责任,从而调动起了所有员工的力量,各尽其责,环环把关,主动工作,及时辨识并控制通风工作中出现的危险和厉害因素,防止其发展为事故，从而实现了安全工作的全员参与、全过程管理，形成了安全工作事事有人抓，处处有人管的良好局面。

（二）"不懂通风不下井"、"微风状态不作业"、"瓦斯超限不作业"成为员工的自觉行动

员工自觉、主动地参与到通风管理中，人人都抓通风，人人都对通风工作负责，发挥自己的聪明才智，调动工作积极性，规范安全行为，把住通风工作的各个环节，消除了事故隐患，最终实现了安全生产。特别是井下出现微风状态，瓦斯超限时，员工都能自觉采取避灾措施，停止作业，断电撤人，保证了生产与人身安全。

（三）主动维护通风设施成为员工的行为习惯

"人人都是通风员"培训工作的开展，使广大员工掌握了通风知识，知道了通风设施是矿井通风系统的重要组成部分，是维护系统稳定可靠的基础，是保证通风安全的重要保障，在预防事故、实现安全生产方面发挥着基础性作用。"人人都是通风员"安全新论实践以来，爱护通风设施、设备的人多了，破坏通风设施、设备的人少了，员工自觉维护通风设施，观察设施的状况，及时发现存在的问题，及时采取措施进行处理，保障了井下的正常通风。

（四）按章作业、按标准作业成为员工的行为准则

"人人都是通风员"安全新论实践以来，员工掌握了安全工作标准，按规章制度作业，按标准作业，干标准活儿，上标准岗，成为员工的行为准则。

（五）排查治理安全隐患成为员工的共同责任

"人人都是通风员"安全新论要求发挥各个作业点员工的能动作用，时时进行着消除和控制隐患的工作，使安全隐患排查成为大家共同的事情、共同的责任，使安全隐患无处可藏，及早"曝光"，实现了安全工作的超前预防。

（六）"通风"良好、力避事故成为人人的积极追求

"人人都是通风员"安全新论将各个层级的每一个人都纳入到了通风管理系统中，把住了生产过程中的每一个决策关、每一处现场管理关、每一道工艺流程关，做到了事事有人抓，处处有人管，使"通风"良好、力避事故成为人人的积极追求。

（七）实现了"五个转变"

一是增强了安全意识，安全工作由"要我安全"向"我要安全"转变；二是提升了安全素质，安全培训由"注重形式"向"重视效果"转变；三是强化了责任落实，通风管理由"专职管理"向"全员参与"转变；四是改善了安全环境，安全工作由"事故预防型"向"本质安全型"转变；五是推进了安全文化建设，安全管理由"粗放式"向"精细化"管理转变。

（八）实践"人人都是通风员"煤矿安全新论五年来，避免了大量安全事故，安全生产出现空前的良好局面

"人人都是通风员"煤矿安全新论实践五年来，各级人员安全意识得到了增强，安全工作得到了加强，现场安全管理得到了改善，员工安全素质得到了提高，对安全生产起到了积极的推动作用，安全管理水平明显提升，安全事故明显减少。

第二部分　专业核心知识点

1.各种通风方式及特点。

2.防尘的措施。

3.人人都是通风员。

第三部分 专业技能训练

一、生产矿井掘进通风

(一)独头巷道停风和恢复通风、送电的安全措施

(1)独头巷道的局部通风机必须保持经常运转,临时停工时,也不得停风。

如果因临时停电或其他原因,局部通风机停止运转,风电闭锁装置立即切断局部通风机供风巷道的一切电气设备的电源,人员撤至全风压通风的进风流中,独头巷道口设置栅栏,并挂上明显的警标牌,严禁人员入内。

(2)停风的独头巷道,每班在栅栏处至少检查一次瓦斯。如发现栅栏内侧1m处瓦斯浓度超过3%,应采用木板密闭予以封闭。

(3)独头巷道停风后,其内的瓦斯浓度超过1%或二氧化碳浓度超过1.5%时,必须采取专门的排瓦斯措施。

(4)独头巷道恢复正常通风后,必须由电工对独头巷道中的电气设备进行检查,证实完好时,方可人工恢复局部通风机供风巷道中的一切电气设备的电源。

(二)排放瓦斯的基本要求

(1)排除独头巷道积聚的瓦斯,需先检查瓦斯浓度;送入有限的风量,逐步排放积聚的瓦斯。

(2)排放瓦斯时,应有瓦斯检查人员在独头巷道回风流与全风压风流混合处,经常检查瓦斯浓度,不得超过1.5%。

(3)排放瓦斯时,严禁局扇发生循环风。

(4)排放瓦斯时,独头巷道的回风系统内,必须切断电源,撤出人员;还应有矿山救护队在现场值班。

(5)排放瓦斯后,经检查证实,整个独头巷道内风流中的瓦斯浓度不超过1%,氧气浓度不低于20%和二氧化碳浓度不超过1.5%,且稳定30min后,瓦斯浓度没有变化,才可恢复局部通风机的正常通风。

二、建井时期的通风系统

(一)按阶段性特点分类

(1)井筒开凿时期;

(2)井底车场掘进时期;

(3)与风井贯通前大巷掘进及上山掘进时期;

(4)与风井贯通后采区准备时期。

(二)立井开凿时通风的特点及合理的通风方式

1.通风特点

(1)有自然风压作用;

(2)装药量大、烟温高、有上浮趋势；

(3)淋水大，能消毒和降尘；

(4)断面大，风速低，需风量大；

(5)气温受地面影响；

(6)平行作业多、吊盘多、电气设备多。

2.通风方式

(1)h < 30m，可自然通风；

(2)h > 30m，必须采用局扇通风；

(3)h = 200~300m，压入式通风；

(4)h > 300m，应采用抽出式和混合式(短压长轴)，出风口距工作面不大于20~30m。如下图8-4所示：

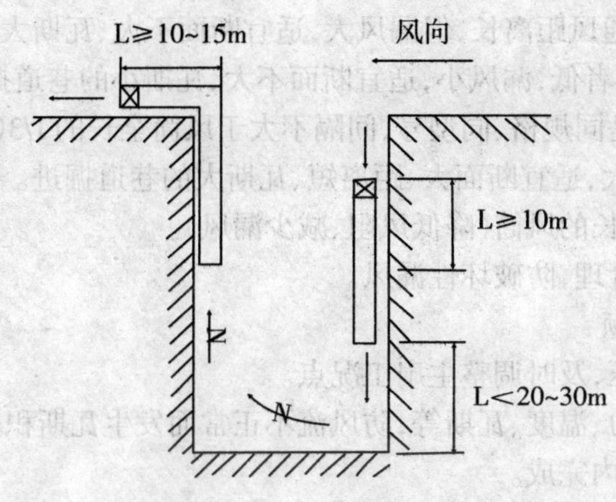

图8-4　混合式通风

三、井底车场掘进时期的通风

1.通风特点

(1)掘进头多、掘进断面大、须风大；

(2)贯通次数多，应及时调风；

(3)施工期长，有时延续到建井后期。

2.通风方式

(1)主、副井进风，专用风井回风；

(2)主井进风，副井回风

3.井底车场掘进注意事项

(1)找最佳方案，尽快贯通主、副井；

(2)尽可能避开多头串联通风；

(3)局扇安装、移动要按规定，防止循环风；

(4)尽量减少局扇和通风构筑物数量。

四、大巷及上山掘进时期的通风

1.特点

掘进距离长(有时达千米以上)断面大,需风量大。

2.通风技术要领

(1)选择合理的通风方式和通风设备;

(2)减少风筒的漏风;

(3)降低风筒的风阻;

(4)加强通风技术管理。

3.通风具体要求

(1)选择合理的通风方式。长距离掘进,无瓦斯,首选混合式;瓦斯大时用压入式。

(2)采用局扇联合通风:

a.集中串联:风压高,通风距离长,但漏风大,适宜断面不大、瓦斯大的巷道掘进。

b.间隔串联:风压较前者低,漏风小,适宜断面不大、瓦斯小的巷道掘进。

注意:两台局扇必须是同规格、同型号,间隔不大于风筒全长的1/3(防循环风)。

c.并联:风压低、风量大,适宜断面大、距离短、瓦斯大的巷道掘进。

(3)采用大直径、节距长的风筒(降低风阻、减少漏风)。

(4)加强局扇和风筒管理,防破坏性漏风。

4.主风巷调风注意事项

(1)充分利用自然风压,及时调整主扇工况点。

(2)调风前要测定压力、温度、瓦斯等,防风流不正常而发生瓦斯积聚。

(3)调风要迅速,短期内完成。

(4)调风后要全面测风,发现风流达不到要求要尽快处理。

五、进回风贯通后的通风

注意事项:

(1)充分考虑和利用自然风压,节约电耗。

(2)临时主扇及时更换永久主扇。全面测定风量及主扇性能。

(3)对风流进行控制和按需要调节,做到合理供风。

复习题

1.为什么要进行掘进通风?

2.何为掘进通风?其通风方式有哪几种?

3.掘进通风的几种方式分别怎样布置?布置时必须注意哪些问题?

4.比较压入式和抽出式通风的优缺点。

5.掘进通风设施主要有哪两种?各自的要求是什么?

6.巷道掘进矿尘的来源有哪些?矿尘有哪些危害?

7.掘进工作面的防尘技术有哪些?为什么要综合防尘?

讨论题

掘进工作面末端通风及瓦斯管理讨论(要点):

一、掘进巷道瓦斯来源

掘进巷道瓦斯涌出量的大小,主要取决于巷道煤层内瓦斯的含量和暴露煤层的面积。在同一煤层内掘进时,则主要取决于掘进地点的地质情况,一般在地质条件比较复杂的断层带、褶曲带、卸压区等掘进时瓦斯涌出就比正常煤层大,而在卸压后稳定区内掘进时则又比正常煤层内小。同一煤层掘进巷道内瓦斯涌出量的大小,随掘进作业不同而变化,即暴露煤壁速度越快,其涌出量也相应增大,通常情况下放炮和机械切割爆破时最大。

二、掘进工作面末端通风及瓦斯管理

在瓦斯涌出巷道掘进工作面时,掘进通风必须有效、可靠。其目的和意义在于预防沼气超限和积聚,杜绝瓦斯事故。

当前,在加强掘进工作面末端通风、瓦斯管理工作上比较普遍的做法有:

(1)采用安全可靠的通风方式。

在煤层和岩层内掘进巷道时,局扇通风必须采用压入式,这样可以保证局扇风机及其电气设备处于新鲜风流中。当然在煤层瓦斯涌出量大,尤其是在突出煤层中掘进时,如果有条件,采用矿井总风压通风效果是最好的。

(2)正确合理地选择局扇和设置风筒。

正确合理地选择局扇,包括局扇设置位置、局扇型号、局扇数量。正确设置风筒包括风筒规格、连接形式、单节长度等。上述选择是否正确,直接涉及是否循环风和工作面瓦斯积聚,即直接关系到掘进工作面末端通风质量和瓦斯管理。因此,正确、合理地选择局扇风机和设置风筒是不可忽视的。

(3)严格抓住末端瓦斯检查。

瓦斯事故特别是掘进工作面发生的瓦斯事故,大都与瓦斯检查有关,因此,末端的瓦斯检查的准确与否,是人们评价末端瓦斯管理的关键,其中主要的就是抓住末端瓦斯检查这一关。而建立健全切实可行的瓦斯检查制度,并严格付诸行动,是抓住抓好末端通风瓦斯管理极为重要的一环。

(4)消除末端火源。

每次瓦斯爆炸事故,都是由明火引爆造成。怎样消除明火火源成为末端瓦斯管理的又一重要环节。常见的明火火源有:电气失爆、摩擦火花、放炮火焰、明火操作、带烟带火、静电火花等,消除上述火源,只能从基础工作做起,提高员工素质,加强教育,并逐渐纳入法制轨道,形成法律规定,以法治理。这样才能对消除末端瓦斯事故起到重要作用。

(5)严格控制末端风量、风距。

在局扇正常运转的情况下,如何管理好导风扇,成为抓好掘进通风、瓦斯管理的又一重要环节。保证末端风量、风距,其前提条件是保证导风筒的质量。因此,导风筒管理也应制定管理制度，依法治理，这样才能有效地保证末端风量及风距按规定实施。

(6)其他诸如严格局扇停开制度，风电闭锁措施和瓦斯自动检测设备等都为掘进巷道末端通风瓦斯管理，提供较为有利的条件，并且在安全生产中也越来越发挥其自身的作用。

总之，掘进工作面末端通风及瓦斯这五个管理加强了，掘进工作面瓦斯事故就会大大降低，直至最终被根除。对瓦斯涌出巷道的掘进通风，既要在放炮后能迅速排除炮烟，更重要的是使巷道瓦斯浓度不超限。

第九章　装岩与调车

第一部分　系统理论知识

装岩与调车是巷道掘进中比较繁重的工作。一般情况下，装岩时间约占掘进循环时间的35%～50%，可见提高装运综合机械化水平及其生产率，是实现巷道快速掘进的主要措施。

第一节　装岩工作

目前装岩工作多用岩石装载机，人工装岩已基本淘汰。常用的岩石装载机有耙斗装载机、铲斗装载机、扒爪装载机等。

一、耙斗装载机

（一）结构性能和适用范围

耙斗装载机由耙斗、绞车、机体和辅助设备等组成，如图9-1所示。装载机的主要技术性能见表9-1。

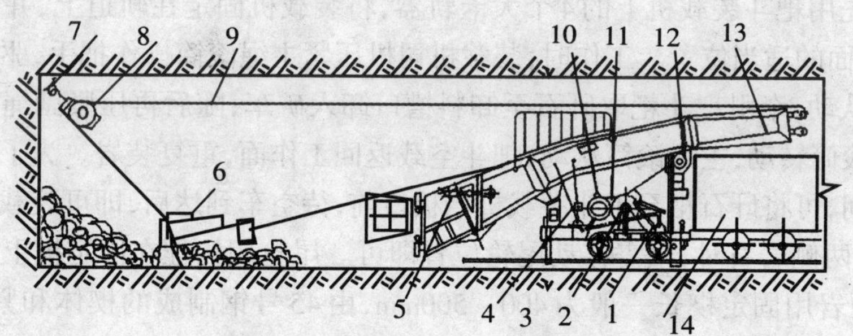

图9-1　耙斗装载机装岩示意图

1——连杆；2——主、副滚筒；3——卡轨器；4——操纵手把；5——调整螺丝；6——耙斗；7——固定楔；8——尾轮；9——耙斗钢丝绳；10——电动机；11——减速器；12——架绳轮；13——卸料槽；14——矿车

表9-1　　耙斗装载机技术性能

型号		P—60B	P—30B	P—15B	YP—20	YP—60	YP—90
生产能力/$m^3.h^{-1}$		70～105	35～50	15	25～35	80～100	120～150
耙斗容积/m^3		0.6	0.3	0.15	0.2	0.6	0.9
外形尺寸/mm	长度	9800	6600	4700	5300	7725	8391
	宽度	2750	2045	1040	1400	1850	2000
	高度	—	1650	1500	—	—	—
轨距/mm		600,900	600,900	600	600	600,900	600
质量/kg		6450	4500	2200	2600	6140	8000
电机功率/kw		30	17	11	13	30	40

这种装载机的优点是结构简单、操作方便、易于修造、生产率高、安全可靠、铺轨简单且成本低,以电为动力,轨轮行走,故使用广泛。

缺点是钢丝绳和耙斗磨损较快,工作面堆矸较多,影响其他工序工作。

适用于净高2.2m、宽2.0m以上的水平巷道或倾角小于30°的倾斜巷道,也可用于弯道。岩石块度在300～400mm时,装岩效率最高。

(二)操作与使用

装岩前,先用耙斗装载机上的4个大卡轨器,将装载机固定在轨道上,并用固定楔将尾论悬吊在工作面的适当位置。工作时,装载机司机压紧主绳滚筒操作把手,驱动主绳滚筒转动,副绳滚筒从动,牵引耙斗耙取矸石至卸料槽口卸入矿车;随后再压紧副绳滚筒的操纵手把,此时副绳滚筒转动,主绳滚筒从动,耙斗空载返回工作面,重复装岩。为了提高装岩生产率,在调车时间,可将矸石耙至耙斗装载机挡板口前,待空车到达后,即可装载。

耙取巷道两侧岩石时,只需移动尾轮位置即可。尾轮用钩挂在固定楔上。楔子有两种固定方法。硬岩用固定楔长一般为400～500mm,由45号钢制成的楔体和紧楔组成,如图9-2(a);软岩固定楔长为600～800mm,由带楔头的钢丝绳套与紧楔组成,如图9-2(b),这种楔子具有较大的锚固力,可用于f＜4的软岩石,亦可在硬岩中使用。楔眼一般高于岩堆800～1000mm,其眼数视巷道宽度而定,眼距1.0m左右。眼深应比楔子长50～100mm并向下略带5°～10°倾角,以防楔子拔出。

耙斗装载机的效率随耙岩距离增加而下降,耙斗装载机距工作面以6～20m为宜。太近爆破时机体易被崩坏,且耙斗出绳偏角过大;太远则操作不便,效率降低。移动耙斗装载机时,先要把机前的矸石耙净,并清理底板及巷道两侧的矸石,检查底板的标高是否符合要求,当符合规定时,可卸掉耙斗装载机前的挡板,铺好轨道,去掉卡轨器,然后用人推或电机车顶,也可借助两个滚筒同时缠绕拉紧钢丝绳,使机器向前移动至需要的位置。

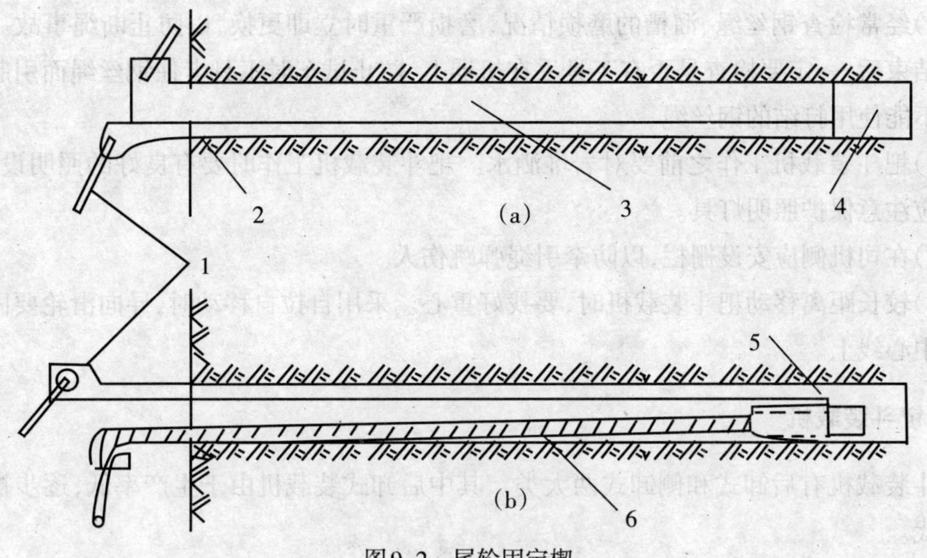

图9-2　尾轮固定楔

(a)硬岩用尾轮楔；(b)软岩用尾轮楔

1——圆环；2——楔体；3——紧楔；4——楔眼；5——圆锥套；6——钢丝绳

(三)耙斗装载机使用的安全注意事项

(1)耙斗装载机司机必须经过培训，合格后持证上岗，严禁无证操作。

(2)必须遵守《煤矿安全规程》对耙斗装载机的规定。

(3)装岩前应先发出信号，使工作面人员注意后方可开车，以保证工作安全。

(4)操作时，禁止两个操作手柄同时拉紧，以防耙斗飞起伤人或损坏设备。

(5)悬挂钢丝绳的尾轮一定要固定好，打楔眼时要有一定的偏角。安装固定楔处的岩石要坚硬，以防止由于固定楔不牢靠，在工作过程中拉脱伤人。

(6)选好装岩位置后，还要把机身固定好，防止在工作过程中活动。在上、下山使用耙斗装载机时，更应该注意耙斗装载机的防滑，以防止机器下滑伤人。用在下山时，若坡度小于10°，除原有的4个卡轨器外，可在车轮前面加两道卡子或在车轮后面再加两个卡轨器。坡度大于10°时，须另加一些防滑装置来固定，如常用4个U形卡子把车轮与导轨一起卡住。用在上山时，除用卡轨器、道卡子、U形卡子固定外，可在卸料槽的支撑腿上加两个斜撑，这样不仅能起安全防滑作用，而且还能支撑机器。

(7)耙斗装载机在拐弯巷道装岩(煤)时应首先清理好机道，为了保证安全，在拐弯处应设人联系。

(8)开车时其他人员不得靠近耙斗装载机两旁，以免钢丝绳弹跳或岩石飞出伤人。绝对不允许用手、脚或工具触摸钢丝绳、耙斗等运动部件。如有故障应停车处理。

(9)工作时，绞车滚筒上钢丝绳的余量最少不得少于3圈，钢丝绳长度一般主绳为40m，尾绳为60m。

(10)在耙斗装载机工作或检修时应注意观察掘进工作面的情况，发现有透水、冒顶等征兆时，应立即停止工作，撤离人员。当工作面有瓦斯积聚时应停机断电按规定处理，以防止重大事故的发生。

(11)经常检查钢丝绳、溜槽的磨损情况，磨损严重时立即更换，以防止断绳事故。在检修工作结束后，一定要检查是否有工具丢在机器上，防止试车时工具卡住钢丝绳而引起伤人事故。不能使用打结的钢丝绳。

(12)耙斗装载机工作之前要对岩堆洒水。耙斗装载机工作时要有良好的照明设施，在爆破时应注意保护照明灯具。

(13)在司机侧应安设栅栏，以防牵引绳弹跳伤人。

(14)较长距离移动耙斗装载机时，要找好重心。采用自拉自移动时，导向滑轮要固定在轨道的中心线上。

二、铲斗装载机

铲斗装载机有后卸式和侧卸式两大类。其中后卸式装载机由于生产率低，逐步被侧卸式所取代。

(一) 后卸式铲斗装载机

1.性能及适用范围

后卸式铲斗装载机按动力分为电动和气动两类 。主要用于井下水平岩石巷道装载，亦可用于倾角在8°以下的斜井和下山。适用于高度(自轨面算起)一般不小于2.2m的巷道，矸石块度以不超过200～250mm为宜。Z-30B型电动铲斗装载机是同类机器中较新的产品，具有生产率较高、工作性能好、体积较小等优点。装载机的性能见表9-2。

2.结构与操作

电动铲斗装载机由装载提升机构、回转机构、行走机构和操作系统四部分组成(图9-3)。

铲斗装载机的两侧均装有操纵箱和踏脚板，装载机司机可在左侧或右侧操作。开始装岩时，先放下铲斗，按前进按钮使机器向岩堆前进，当机器距岩堆还有500～600mm时，再次按前进按钮使铲斗装载机产生冲击力，将铲斗插入岩堆，此时交替按提升和前进按钮，使铲斗在岩石中发生抖动，装满铲斗。再点按提升按钮提升铲斗同时后退，将岩石卸入铲斗装载机后面的矿车中。卸载后铲斗借助弹簧及自重返回，又可开始下一个装岩循环。

3.装岩时轨道接长工作

巷道掘进时，刚爆破后，工作面总要离开轨道端部一定距离，这时必须延长轨道，若距离不够铺设一节标准轨道的长度时，为使铲斗装载尽量接近工作面装岩，减少人工耙岩工作量，可配合使用短道和爬道。

表 9-2　　铲斗装载机技术性能

型号		Z-20B	z-30B	ZCZ-26	ZCQ-4	ZLC-60侧卸式
生产能力/$m^3 \cdot h^{-1}$		30～40	45～60	50	70～90	90
铲斗容积/m^3		0.2	0.3	0.26	0.5	0.6
外形尺寸/mm	长度	2395	2660	2375	3310	4250
	宽度	1426	1410	—	1588	1800
	高度	1518	1455	1378	1580	2100
轨距/mm		600,900	600	600	750	—
质量/kg		4100	5000	2700	7100	7430
动力		电动	电动	风动	风动	电动
电机功率/kw		21	30	—	—	52
装载宽度/mm		2200	2550	2700	3500	—
最大装料块度/mm		400	500	500	700	—
卸载高度/mm		1280	1300	1250	1710	1300
行走机构		轨轮	轨轮	轨轮	轨轮	履带
工作高度		2180	2380	2240	2930	2950

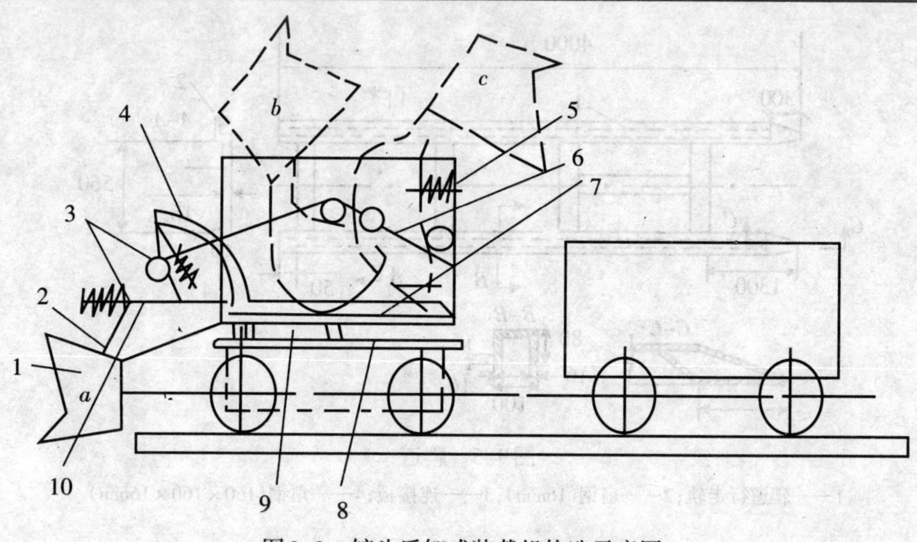

图 9-3　铲斗后卸式装载机构造示意图

1——铲斗；2——斗柄；3——弹簧；4、10——稳绳；5——缓冲弹簧；6——提升链条；
7——导轨；8——回围底盘；9——回转台；10——稳绳

临时短道（图 9-4）的长度一般为 2m，当几节短道总长度够一节标准轨道的长度时，便可拆除短道,改铺标准轨道。

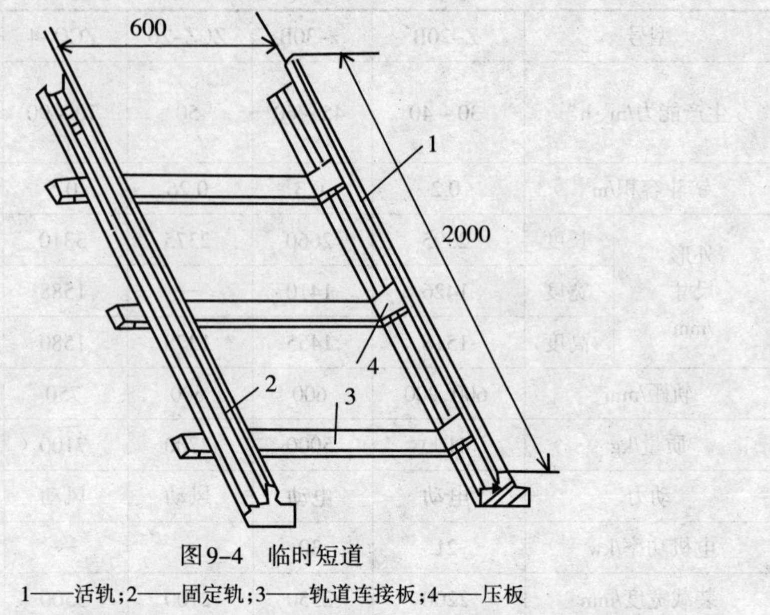

图9-4 临时短道

1——活轨;2——固定轨;3——轨道连接板;4——压板

爬道的构造如图9-5所示。当装岩工作接近工作面时,便可在短道前端扣上爬道,其后端用枕木垫起,使爬道尖头稍微向下,以便于顶入岩堆,然后用装岩机的碰头冲顶爬道,如图9-6所示。

爬道被顶入岩堆一定深度后,抽出垫木,装载机便可行驶在爬道上进行装岩。当爬道快要露出爬道尖头时,可将它再次顶入岩堆。

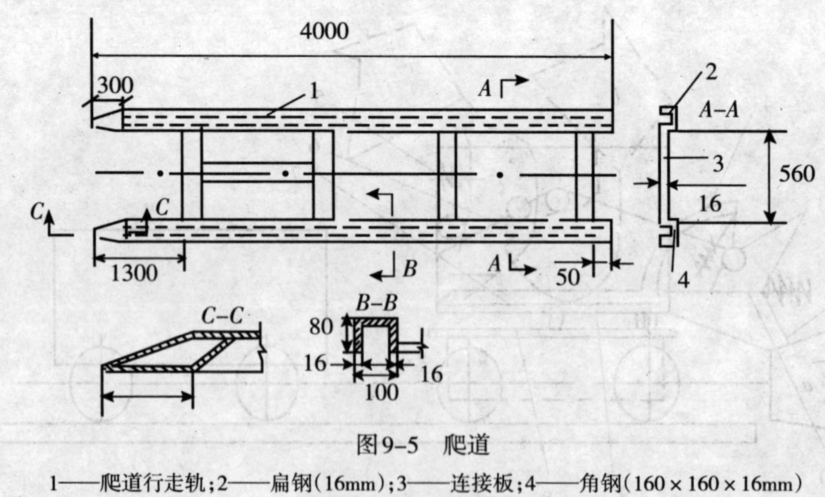

图9-5 爬道

1——爬道行走轨;2——扁钢(16mm);3——连接板;4——角钢(160×160×16mm)

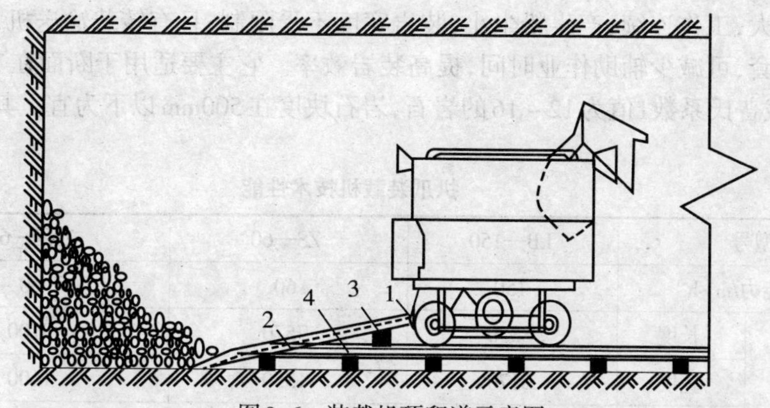

图9–6　装载机顶爬道示意图

1——装载机碰头；2——爬道；3——垫木；4——临时短道

（二）侧卸式铲斗装载机

侧卸式铲斗装载机是一种较先进的装岩机。它的特点是采用了履带行走机构解决铺轨的问题；装岩面宽度受限制小；铲斗插入力大，斗容大，提升距离短；机体稳定性好，可在小倾角的上、下山使用；克服了对岩块块度的要求严、卸载时粉尘大的缺点；能一机多用（铲底、辅助安装支架等）；便于和其他掘进设备（钻车、锚杆打眼安装机等）配套，实现综合机械化，因而在国际上发展较快，使用较广。但履带在软岩底板上行走比较困难，结构复杂。

国产侧卸式装载机有ZC—1型和ZLC—60型。其中，ZLC—60型是针对ZC—1型使用中暴露出的稳定性不够好，工作机构提升油缸布置不合理，行走部一些零件磨损较快等问题进行改进后的产品（图9–7）。该机适用于倾角10°以下、宽度大于4m、高度大于3.5m的巷道。该机的技术性能见表9–2。

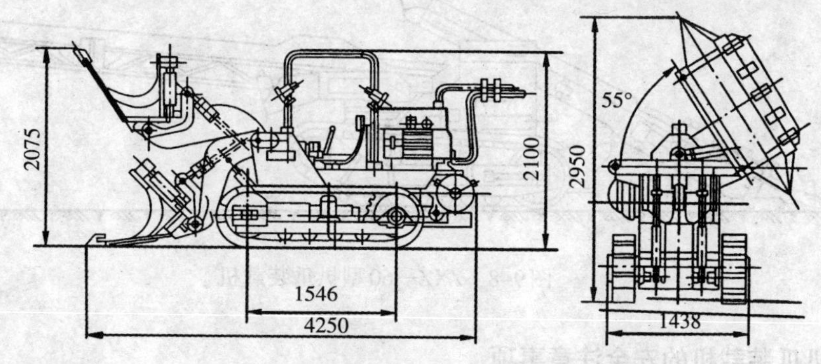

图9–7　ZLC—60型侧卸式装载机

该机工作时将铲斗下放插入岩堆，装满后提升铲斗并后退2～3m到侧面设有矿车或胶带转载机的地方，歪斜铲斗卸载，然后再重复装岩动作。

三、扒爪装载机

（一）扒爪装载机的性能和适用范围

扒爪装载机是为适应岩石平巷快速掘进而发展起来的一种装载机械。扒爪装载机的特点是生产能力大,工作连续,产生粉尘小,装岩宽度不受限制;且有转载输送机,可与大容量的运输设备配套,可减少辅助作业时间,提高装岩效率。它主要适用于断面在7m²以上的水平岩巷,可装载普氏系数f值为12~16的岩石,岩石块度在500mm以下为宜。其技术性能见表9-3。

表9-3 扒爪装载机技术性能

型号		LB—150	ZS—60	ZXZ—60
生产能力/$m^3 \cdot h^{-1}$		150	60	60
外形尺寸/mm	长度	8850	7570	8100
	宽度	2170	1350	1600
	高度	2040	1720	1770
质量/kg		23430	6000	15000
电机功率/kw		97.5	43	64.5
最大装料块度/mm		600	500	500
卸载高度/mm		1150	—	—
行走机构		履带	履带	履带

(二)结构和工作原理简介

扒爪装载机主要由扒爪、履带行走部、转载输送机、液压系统和电气系统等组成(图9-8)。装载机前端的铲板上设有一对由偏心轮带动的扒爪,在电动机或液压马达驱动下连续交替扒取矸石,并经刮板输送机运到机尾胶带输送机或刮板输送机上,而后再装入运输设备。这类装载机装岩工作连续,并且装载宽度大,生产率高,但结构复杂,履带行走对软岩巷道不利,适宜装硬岩。

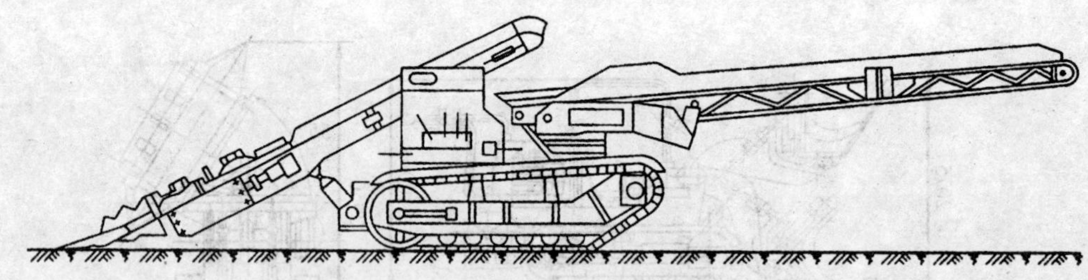

图9-8 ZXZ—60型扒爪装载机

(三)扒爪装载机的安全注意事项

(1)扒爪式装载机在工作之前,要检查控制系统,多路换向阀手把位置是否正常,机器周围有无妨碍正常运转的障碍物,并向周围人员发出开车信号。

(2)机器在开进工作面时要看准方向,尽量直线前进。行走时,操作人员应躲开履带一定距离,同时要有专人拖拉电缆,并与机器保持一定距离,避免拉坏或压坏电缆。司机在机器调整方向或回转时,应在未铺设轨道的地段进行,要注意避免撞伤人员,同时防止棚梁被撞。

(3)装岩机前进、后退、调向时,必须将机头铲板抬起,离开地面一定高度,避免硬拉造成部件损坏。

(4)禁止在大于12°的斜坡上使用扒爪装载机。在小于12°斜坡上工作时，为防止机器下滑，应使用木板等物体阻止。

(5)在检修机器时一定要先检查瓦斯情况，严禁带电作业。同时要注意工作面情况，发现异常，应立即停止检修，撤离人员。

(6)在煤堆上洒水后方可开机装运，以防止煤尘飞扬。

(7)当遇到障碍时，不可硬顶，要先后退，而后再前进，同时可适当抬起铲板，拨松岩堆，减少插入阻力。如大块煤、杂物、工具等卡住扒爪和刮板链时，必须停机处理，严禁在机器运行中用工具或手处理。

(8)要检查各电气部分的防爆性能。司机或检修人员工作结束后，必须切断机器上的总电源。

(9)严禁用扒爪装载机的尾部挑架棚梁。严禁装煤扒爪刮碰巷道壁。

(10)在工作面进行爆破之前，应将装岩机开至安全地点，并切断电源，将液压操纵手柄扳到中间位置。

四、装载机的选择与装岩生产率的提高

合理选择装载机的因素很多，主要应考虑巷道断面尺寸，装载机的适应性能和生产率，操作、维修的难易程度和可靠性，货源、造价及与其他设备的配套等因素。目前，煤矿使用较多的装载机仍是耙斗装岩机，铲斗侧卸式装岩机将推广应用，扒爪式装载机正在不断发展和完善。在实际工作中应根据工程条件、设备条件及上述应考虑的因素，参照各种装岩机的技术特征进行选择。

在装载机已定的情况下，为了提高岩石装运效率，应从以下几方面创造条件：

(1)提高装载机司机操作技术，加强装载机维修保养，以保证装岩工作正常，减少故障。严格执行工种岗位责任制，保证各工种密切配合，工序紧密衔接。

(2)要做好爆破工作，爆下的岩石块度要均匀、适宜、堆放集中，巷道底班平整，便于装岩。

(3)提高装载机的工时利用率。实际资料表明，在单轨巷道中掘进，当用矿车运输时，调一辆空车所用的时间，往往是装满一辆矿车时间的数倍。由此可见，装载机的实际生产率很底。为此，必须采用合适调车设备与缩短调车距离，采用大容量矿车或转载设备，确保轨道质量防止车辆掉道，加强装岩调车工作组织，同时要及时供应空车，以提高装载机的工作利用率。

(4)合理确定装岩、运输机械作业线。同时要保证电压稳定及提高风动装岩机的风压等工作。

第二节 掘进工作中的调车与装载

在装运岩石过程中，如果采用矿车运输时，当矿车装满后，必须迅速调换空车继续装岩，此时合理选择调车方法与设备、缩短调车时间、减少调车次数，是提高装岩效率与加快巷道掘进的主要途径。

一、调车器具

(一)浮放道岔

1.对称浮放道岔

对称浮放道岔结构如图9-9所示。在一块厚8～10mm的钢板上焊有25mm×25mm的方

钢作为轨道，在轨道两端与永久轨道接触处，制成扁平道尖，扣在四根轨距为600mm的轨道上，以便矿车通行。这种道岔适用于双轨巷道单机装岩的工作面，适合耙斗装载机装岩。

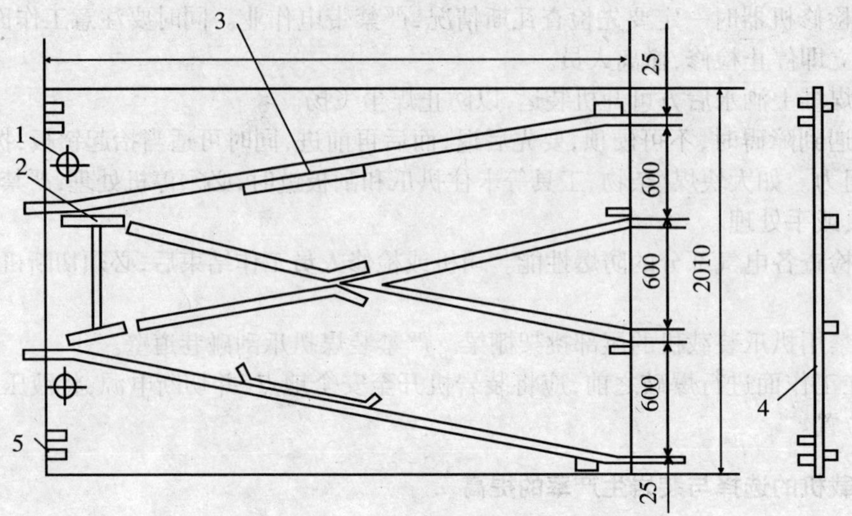

图9-9　对称浮放道岔

1——牵引孔；2——活动尖轨；3——方钢轨道；4——钢板；5——卡在轨道上的定位槽

2.扣道式浮放道岔

扣道式浮放道岔结构如图9-10所示。用扁铁拼焊成长槽形，以便扣在轨道上，在岔尖处焊上小块钢板将道岔连接起来，扣道两头制成斜坡状，以便通过矿车。为使车轮能通过浮放轨道，可在槽钢上割一斜槽。

这种道岔扣在轨道上，轨道只抬高一块扁钢的厚度，并不妨碍通过车辆。它可用于单轨巷道，也可用于双轨巷道。

3.菱形浮放道岔

菱形浮放道岔结构如图9-11所示。它是在8～10mm厚的钢板上焊上6kg/m～8kg/m的轻型钢轨而制成的，适用于双轨巷道，两台装岩机同时装岩的工作面。

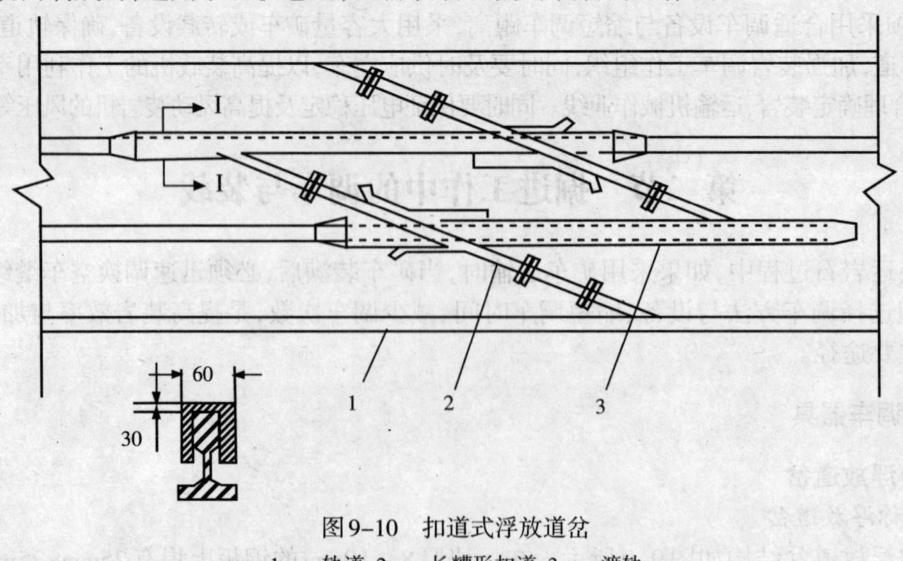

图9-10　扣道式浮放道岔

1——轨道；2——长槽形扣道；3——渡轨

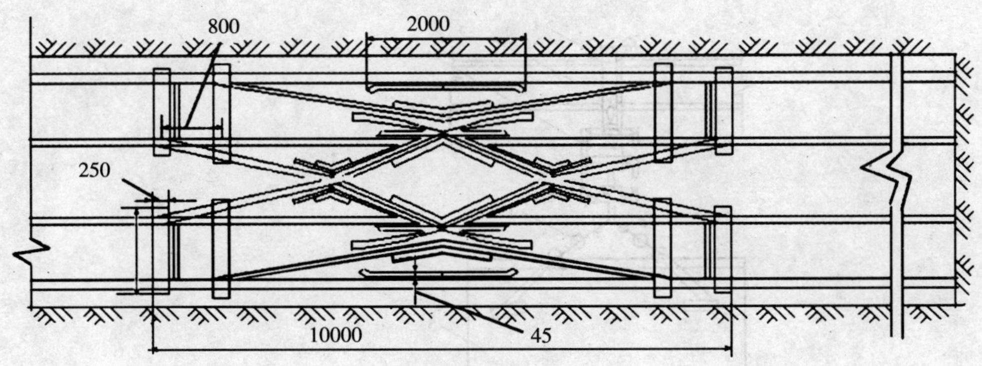

图9-11　双向菱形浮放道岔

(二)翻框式调车器和气动调车器

1.翻框式调车器

这种调车器也叫折叠式或手移式调车器(图9-12)。它的两个框架由75mm×5mm等边角钢焊成,一个称为活动盘,一个称为固定盘。两个盘之间用螺栓连接,活动盘可翻起折叠。在盘上设有一个可沿框架的长边角钢横向移动的四轮滑车板(移车盘)。滑车板上焊有两根方钢轨条,其间距与轨距相等。在活动盘四角与轨道接触处用扁钢焊成斜坡形道尖,以便通过矿车。工作时,将活动盘放在轨道上,调来的空车推到活动盘的滑车板后,滑车板再横推到固定盘上。然后翻起活动盘让出轨道,待工作面重车推出后,再放下活动盘,空车随同滑板返回轨道,然后将空车推到工作面装岩。

翻框式调车器具有结构简单、重量轻、移动方便等优点,在单轨巷道掘进时应用广泛。

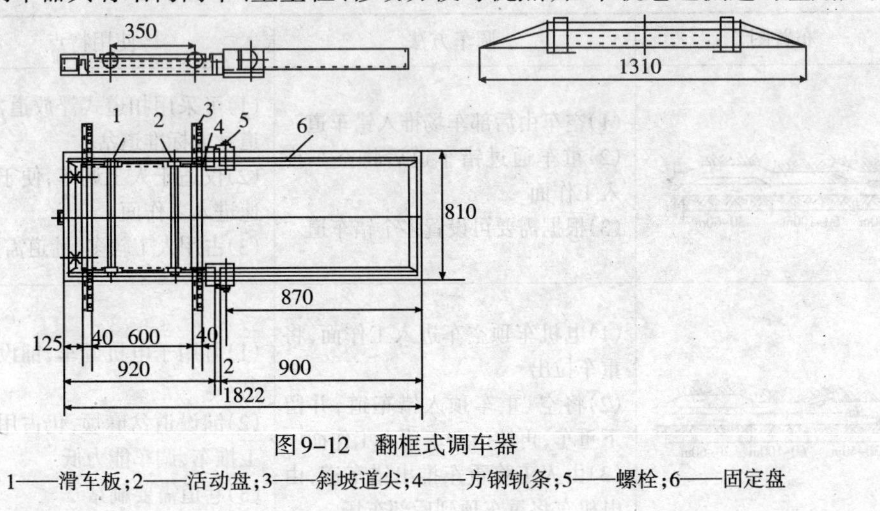

图9-12　翻框式调车器

1——滑车板;2——活动盘;3——斜坡道尖;4——方钢轨条;5——螺栓;6——固定盘

2.气动调车器

气动调车器是用压气气缸将空车调离轨面,重车通过后再将空车放回轨道的一种调车方法。如图9-13所示。

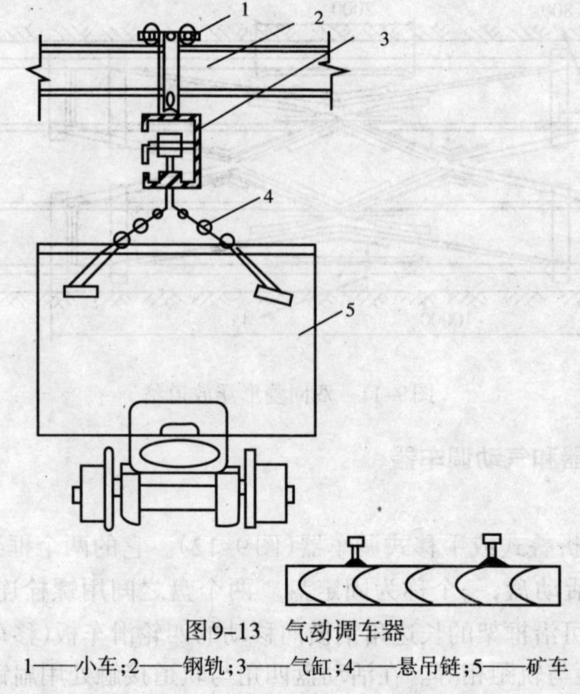

图9-13　气动调车器

1——小车；2——钢轨；3——气缸；4——悬吊链；5——矿车

二、调车方法

单、双轨巷道调车方法较多，常用的调车方法和使用特点如表9-4所示。

表9-4　　单、双轨巷道调车方法

布置图	调车方法	使用特点
20~30m　60~100m　30~60m	(1)空车由后部车场推入错车道 (2)重车通过错车道后将空车推入工作面 (3)根据需要可设置多个错车道	(1)可采用扣道式浮放道岔、简易道岔或标准道岔 (2)仅适于人工调车，便于空车迅速进入工作面 (3)占用人工较多，巷道需要刷帮
30~40m　60~100m　30~60m	(1)电机车顶空车进入工作面，将重车拉出 (2)将空、重车顶入错车道，并留下重车，再拉出空车顶入工作面 (3)由人工将重车推出错车道，由电机车将重车顶到后部车场	(1)可用于电机调车，铺设标准道岔 (2)铺设道岔麻烦，仍占用少量人工推车，调车能力低 (3)巷道需要刷帮
80~100m　15m	(1)电机车将成组空车顶人工作面 (2)装满一车后，由电机车拉入错车场留下重车，并将错车场内原有重车顶到错车场后面	(1)用于电机车成组调车为宜，取消了人力车 (2)铺设标准道岔工作量大，巷道刷帮量大

续表

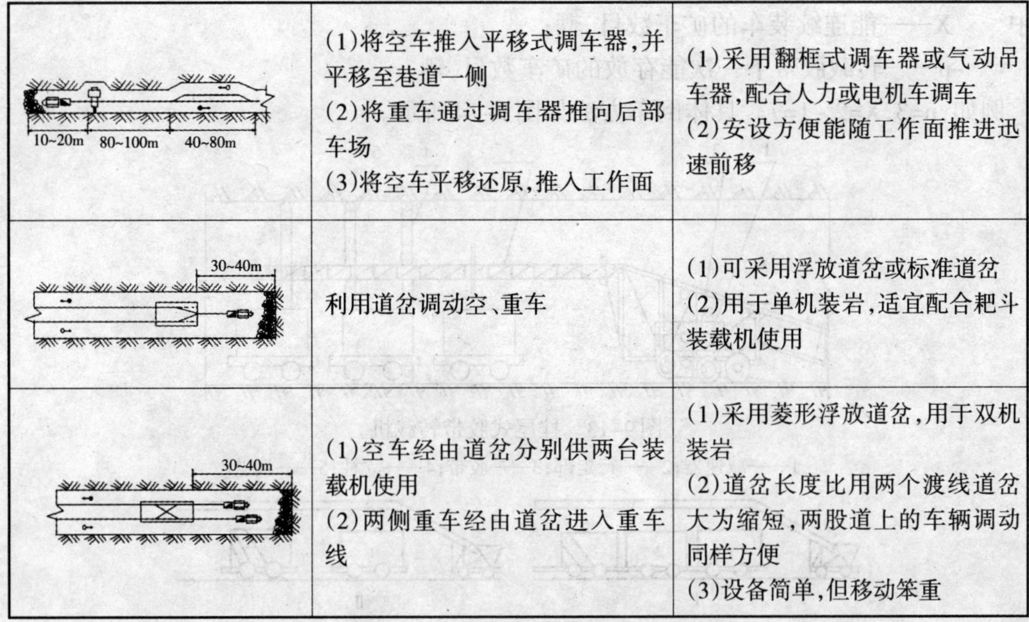

10~20m 80~100m 40~80m	(1)将空车推入平移式调车器,并平移至巷道一侧 (2)将重车通过调车器推向后部车场 (3)将空车平移还原,推入工作面	(1)采用翻框式调车器或气动吊车器,配合人力或电机车调车 (2)安设方便能随工作面推进迅速前移
30~40m	利用道岔调动空、重车	(1)可采用浮放道岔或标准道岔 (2)用于单机装岩,适宜配合耙斗装载机使用
30~40m	(1)空车经由道岔分别供两台装载机使用 (2)两侧重车经由道岔进入重车线	(1)采用菱形浮放道岔,用于双机装岩 (2)道岔长度比用两个渡线道岔大为缩短,两股道上的车辆调动同样方便 (3)设备简单,但移动笨重

(一)固定错车场调车

如表9-4所示,此种调车方法比较简单,一般可用电机车调车,也可用于人力调车。但错车场与工作面不能经常保持较短的调车距离,调车间隔时间长,因此装载机的工时利用率只有20%~30%。特别是在单轨巷道中掘进,为了调车则需要加宽一段巷道而敷设错车道岔(现场常采用简易道岔)。在双轨巷道施工则可利用双轨段敷设标准道岔进行调车。这种调车方法可用于工程不大、工期要求较缓的工程。

(二)活动错车场调车

为了缩短调车时间,加快巷道掘进速度,使错车场与工作面经常保持较短的调车距离,可将固定道岔改为专用调车设备(翻框式调车器、浮放道岔)。这时装载机的工时利用率可达30%~40%。

(三)专用转载设备

前面所述各种调车方法,虽然简单易行,但是都不能保证连续装岩,且占用大量人工。为了提高装载机的工时利用率,进一步缩短调车时间,尽可能使装载机连续作业,利用胶带转载机与梭式矿车等专用转载设备是行之有效的措施。据统计,用梭式矿车可使装载机的工作利用率达80%以上。

1.胶带转载机

悬臂式胶带转载机结构简单、长度较短、行走方便、能适应弯道装岩、辅助工作量小,但是一次容纳矿车数量少、连续转载能力较小。为克服这个缺点,可采用挂尾式胶带转载机,即将悬臂式胶带转载机的悬臂加长,将机尾悬挂于巷道顶部,保证其稳定性。挂尾式胶带转载机,悬吊简单,存车数量多,连续装岩能力大,但是移动较困难。

当胶带转载机下容纳的矿车数量少,不能保证连续装岩时,可采用反复倒车的方法。连续装车的数目与转载机下容纳的矿车数有关,如图9-13所示。连续装车数目的计算公式如下:

$$X=2^n-1$$

式中　X——能连续装车的矿车数目，辆；

n——转载胶带下一次能存放的矿车数目，辆。

例如，n=3，$X=2^n-1=7$。具体倒车方法如图9-14所示。

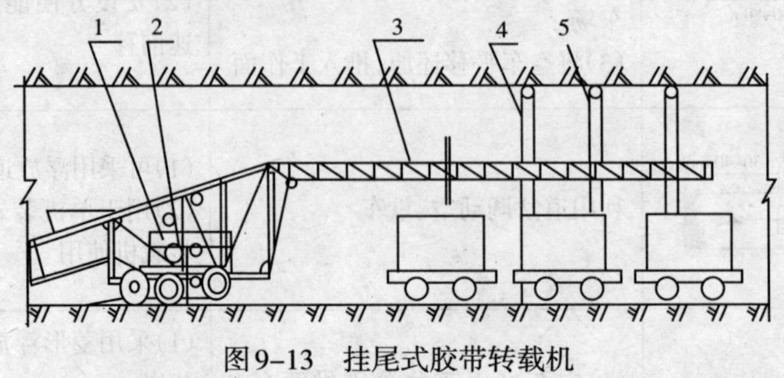

图9-13　挂尾式胶带转载机

1——减速器；2——行走部；3——胶带；4——立柱；5——调链

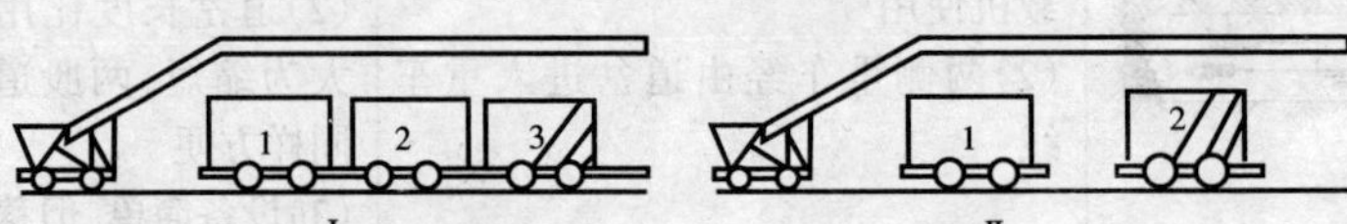

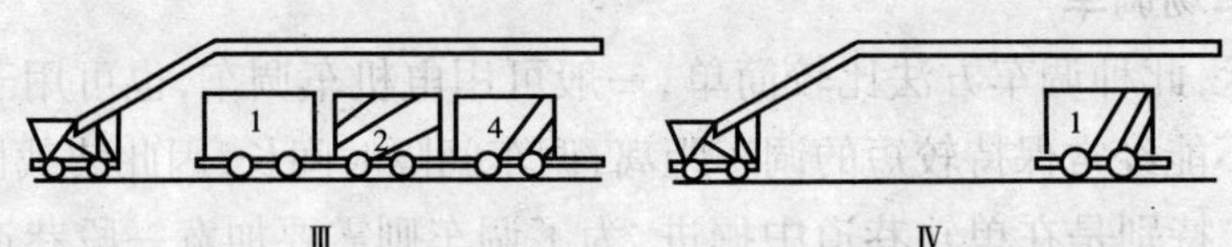

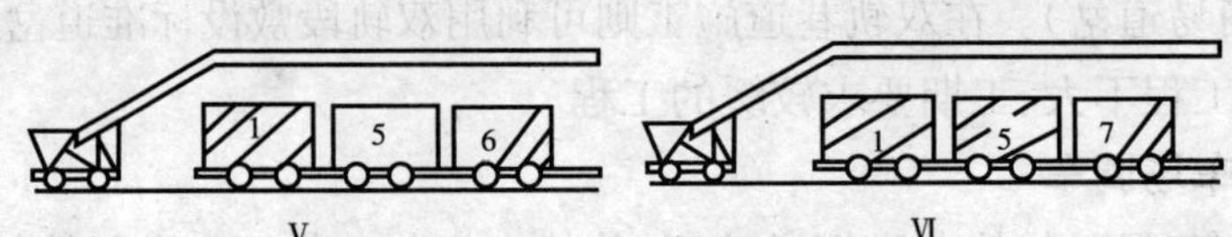

图9-14　连续装车调车方法示意图

1、2、3、……7——矿车排列顺序；Ⅰ、Ⅱ、……Ⅵ——调车步骤序号

2.梭式矿车

梭式矿车是车身较长的大容积矿车。由前车体、后车体、刮板输送机、前后横梁、转向架、传动系统和电气控制系统等组成，如图9-15所示，梭式矿车由前后车体构成一个窄长的大容积箱体，并通过前后横梁放在两个转向架上，全车重量通过转向架传递到轨道上。

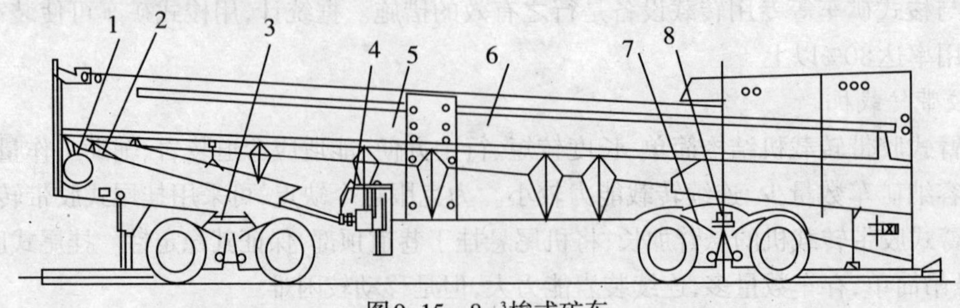

图9-15　$8m^3$梭式矿车

1——涡轮减速器；2——万向传动轴；3——前横梁；4——电动托架；5——前体车；

6——后车体；7——转向梁；8——后横梁

梭式矿车又是一种转载设备。刮板输送机安设在车箱底部,装岩时装载机把岩石装入车箱的前端,每当岩堆达到车箱高度时,即开动刮板输送机将岩堆向车箱后端移运一段,直至装满整个车箱为止。然后用机动车拉至卸载点,开动刮板输送机将梭车内的岩石全部卸出。

根据工作面的条件,可以一次进一台梭车,亦可把多台梭车搭接组列使用,一次将工作面爆落的岩石装走。

梭式矿车具有装载连续,转载、运输和卸载设备合一,性能可靠等优点。但井下使用需要有专门的卸载点,如溜井、矸石仓等。如若有丁字巷道,亦可采取将梭车尾部抬高直接卸入矿车的方法;也可采取由梭车卸入固定地点的转载机,再由转载机装入矿车的办法。

第二部分　专业核心知识点

1.耙斗装岩机、铲斗装岩机和扒爪装岩机的结构和工作原理。

2.临时轨道的铺设。

3.各种道岔的适用条件。

4.各种调车方法。

第三部分 专业技能训练

一、装岩时必须遵守的安全规定

(1)必须坚持使用装载机上所有的安全保护装置和设施,不得擅自改动或甩掉不用。

(2)严格执行交接班制度,交接好设备的运转情况、存在的安全隐患并做好交接班记录。

(3)在淋水条件下工作,电器系统要有防水措施。

(4)检修或检查装岩(煤)机必须遵守下列规定:

①装岩(煤)前,必须在矸石或煤堆上洒水和冲洗巷道顶帮。

②装岩(煤)机必须有照明装置。

(5)井下使用耙装机作业时,要遵守下列规定:

①耙装机作业时必须有照明。

②耙装机绞车的刹车装置必须完好、可靠。

③必须装有封闭式金属挡绳栏和防耙斗出槽的护栏;在拐弯巷道装岩(煤)时必须使用可靠的双向辅助导向轮,清理好机道,并有专人指挥和信号联系。

④耙装作业开始前,甲烷断电仪的传感器,必须悬挂在耙斗作业段的上方。

⑤固定钢丝绳滑轮的锚桩及其孔深与牢固程度,必须根据岩性条件在作业规程中作出明确规定。

⑥在装岩(煤)前,必须将机身和尾轮固定牢靠。严禁在耙斗运行范围内进行其他工作和行人。在倾斜巷道移动耙装机时,下方不得有人。巷道倾斜大于20°时,在司机前方必须打护身柱或设挡板,并在耙装机前方增设固定装置。倾斜井巷使用耙装机时,必须有防止机身下滑的措施。

⑦耙装机作业时,其与掘进工作面的最大和最小允许距离必须在作业规程中明确规定。

⑧高瓦斯区域、煤与瓦斯突出危险区域煤巷掘进工作面,严禁使用钢丝绳牵引的耙装机。

二、耙斗装岩机司机注意事项

(1)操作耙斗装岩机时,耙斗主、尾绳牵引速度要均匀,以免钢丝绳摆动跳出滚筒或被滑轮卡住。

(2)正常操作机器装矸时,不准将两个手把同时拉紧,以防耙斗飞起。

(3)遇有大块岩石或耙斗受阻,不可强行牵引耙斗,应将耙斗退回1~2m重新耙取或耙回,以防断绳或烧毁电动机。

(4)不准在过渡槽上存矸,以防矸石被耙斗挤出或被钢丝绳甩出伤人。

(5)当耙斗出绳方向或耙装的夹角过大时,司机应在出绳方向的对侧操作,以防耙斗窜出溜槽伤人。耙岩时，耙斗和钢丝绳两侧不准有人工作和停留。

(6)在拐弯巷道耙装时，若司机看不到迎头情况，应有专人站在安全地点指挥。

(7)耙岩距离应在作业规程中规定，不宜太远或太近。一般情况下，耙岩机与工作面距离为6～20m。耙斗不准触及两帮或顶部的支架或碹体。

(8)耙装机在耙装过程中发生故障时，必须停车，切断电源后处理。

(9)在耙装过程中，司机应时刻注意机器各部分的运转情况，当发生电气或机械部件温升超限、运转声音异常或有强烈震动时，应立即停车，进行检查处理。

(10)耙装机移动前，应清理耙装机周围的岩石，铺好道轨，将耙装机簸箕口抬起用钩鼻挂住，两侧小门向内关闭。

(11)在平巷中移动耙装机时，应先松开卡轨器，整理电缆，然后用自身牵引移动，牵引速度要均匀，不要过快。若用小绞车牵引移动时，要有信号装置，并指定专人发信号。耙装机移到预定位置后，应将机器固定好。

复习题

1.简述耙斗、铲斗和扒爪装载机的性能及使用条件。

2.掘进工作中常用的调车器有哪些？各有什么特点？

3.掘进工作中的调车方法和使用特点有哪些？

技能训练题

1.能准确操纵装岩机，做到安全运转。

2.画图表示胶带转载机下容纳4辆矿车的连续装车作业线。

讨论题

为什么在高瓦斯区域、煤与瓦斯突出危险区域煤巷掘进工作面，严禁使用钢丝绳牵引的耙装机？

要点：

钢丝绳牵引的耙斗装岩机主要用于掘进工作面装载煤或矸石，将煤或矸石转运到矿车或输送机上。

钢丝绳牵引的耙斗装岩机主要由绞车、钢丝绳、耙斗、尾轮组成，工作时，绞车牵引钢丝绳，拖动耙斗而实现煤或矸石的装载。由于煤矿井下空间狭小，钢丝绳由于拖动不可避免地会与岩石产生摩擦甚至撞击，而产生摩擦火花。这种火花足以引起瓦斯爆炸。在煤矿高瓦斯区域和煤与瓦斯突出危险区域的煤巷工作面，由于瓦斯危害严重，尽管可以采取措施控制工作面的瓦斯浓度，但不可能绝对控制瓦斯超限。此外，煤巷还存在大量煤尘，绝大多数煤尘具有爆炸性。因此，为有效防止瓦斯煤尘爆炸，保障煤矿安全生产，必须对可能产生的包括摩擦火花在内的各种火源严加控制。

《煤矿安全规程》第75条规定：高瓦斯区域、煤与瓦斯突出危险区域煤巷掘进工作面，严禁使用钢丝绳牵引的耙装机。

在高瓦斯区域和煤与瓦斯突出危险区域的煤巷掘进工作面，可替代钢丝绳牵引耙斗装岩机的设备有煤矿用侧卸式装岩机。它是适用于煤矿井下爆炸性环境中的履带侧卸装岩机械，工作时不会由于产生摩擦或撞击产生火花而引发安全事故。煤矿用侧卸式装岩机可向一列矿车卸载，也可一机多用，如清理巷道、工作面短距离运料、起重等。

第十章 巷道支护

第一部分 系统理论知识

第一节 棚式支架

棚式支架简称棚子。它包括木支架、金属支架和装配式钢筋混凝土支架等，主要用于服务期不长的采区巷道。

一、木支架

巷道中常用的木支架是梯形棚子，由顶梁、棚腿及背板和木楔等组成，其结构如图10-1所示。

顶梁是木支架支承顶板压力的受弯构件。棚腿既是顶梁的支点，同时又支承侧压。背板将岩石压力均匀地传给主要构件梁与腿上，并能阻挡碎矸石垮落。根据围岩的稳定程度，背板可密集或间隔布置，间隔布置时，背板不得出现单数。4根木楔的作用是使支架与围岩紧固在一起，防止爆破崩倒支架，木楔应向工作面方向打紧。撑柱的作用是加强支架在巷道轴线方向上的稳定性。

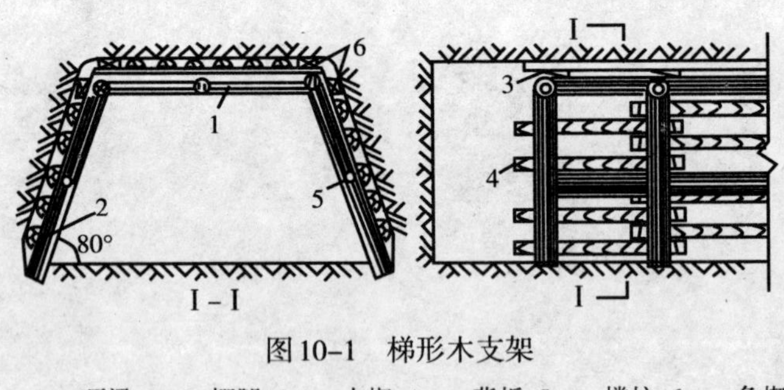

图10-1 梯形木支架

1——顶梁；2——棚腿；3——木楔；4——背板；5——撑柱；6——角楔

顶梁与棚腿的连接，常用“亲口接”（图10-2），亲口必须严密，不应出现“前缺”、“后穷”和“喝风”现象。为结合紧密，在梁腿接口处与顶帮围岩之间，需要4个角楔楔紧，以便承受此处较大的挤压力。为保持支架的稳定性，还要求棚腿与底板的夹角在80°左右，并应插到坚实的底板岩石上（棚腿在水沟一侧应低于水沟底板50～150mm；另一侧应立于底板50～150mm）。

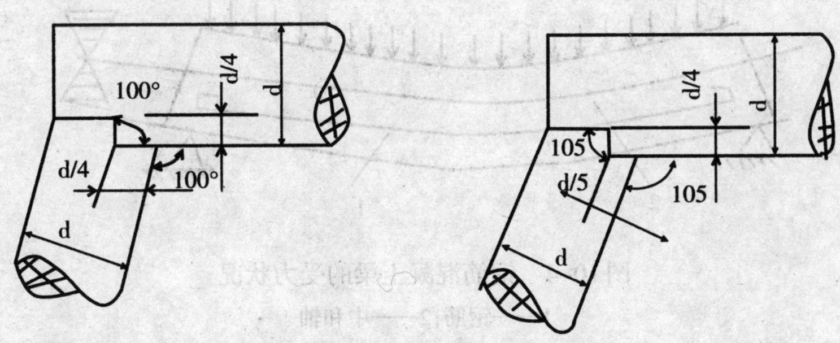

图 10–2　木支架的亲口接

木支架重量轻，加工架设容易，有一定的强度，在构造上可做成具有一定刚性或较大可缩性的支架，能适应多变的地质条件，当地压突增时还能发出声响讯号。故在地下采矿工程中用得最早，过去也用得最多。但由于木支架强度不高，不妨火，易腐朽，不能阻水和防止围岩风化，服务年限短，坑木消耗量巨大，因此使用日渐减少，现在煤矿井下禁止使用木支架支护了。

木支架原来主要用于地压小、断面不大、服务年限短的采区巷道，或用于维修巷道和在巷道掘进时作临时支护。

二、金属支架

金属支架常用 16 ~ 20 号矿用工字钢或 18kg/m ~ 24kg/m 钢轨制成。由两腿一梁构成。如图 10–3 所示。梁腿连接要求牢固可靠，安装、拆卸方便。图 10–3(b)所示的接头比较简单，但不够牢固，支架的稳定性较差；图 10–3(a)与(c)所示的接头比较牢靠，但拆装不便。为了防止棚腿受压陷入底板，可在其下端焊一块钢垫板或加垫木。

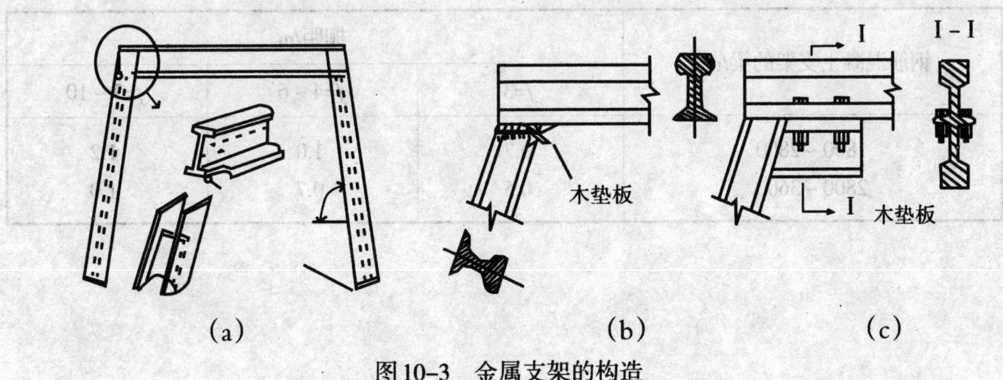

图 10–3　金属支架的构造

金属支架具有强度高、体积小、坚固耐久、防火，可以制成各种形状的构件和可回收复用等一系列优点，是良好的坑木代用品。其缺点是不能封闭围岩，不能阻水和防止岩石风化，在有酸性水的地区不宜使用，初期投资大。

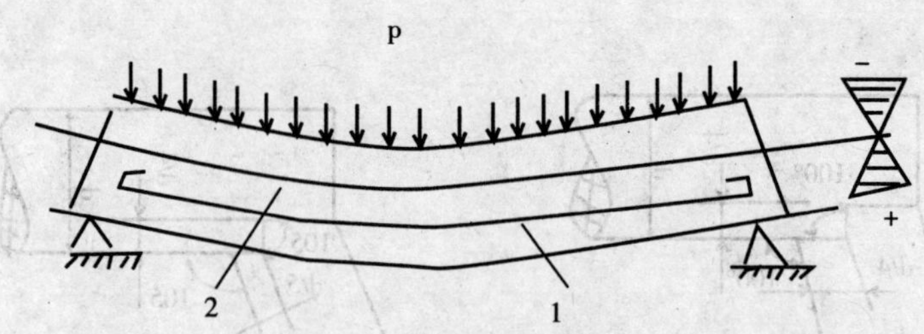

图 10-4　钢筋混凝土梁的受力状况

1——钢筋；2——中和轴

金属支架常用于采煤巷道，在断面较大、地压较大的其他巷道也可采用。在一次成巷中，利用它作临时支架较为理想。

U形钢可缩性金属拱形支架，适用于矿压大且不稳定和围岩变形较大的地段。

三、装配式钢筋混凝土支架

这种支架简称水泥支架。它充分利用了混凝土与钢筋的受力特性，使混凝土在构件中承受压应力，钢筋承受因弯曲而产生的拉应力（图 10-4），不但提高了结构的承受能力，而且又节约了材料。这种支架可分为普通型和预应力型两种。

（一）普通钢筋混凝土支架

普通钢筋混凝土支架结构如图 10-5 所示。构件的混凝土强度等级一般为 C15 ~ C25，受力钢筋用 3 号或 5 号钢。顶梁长 1.8 ~ 3.6m，重 90 ~ 270kg；棚腿长 2 ~ 3m，重 100 ~ 180kg。棚距可按表 10-1 选择。它适用于地压稳定、服务年限长及断面小于 12m²的巷道，不适宜于有动压的巷道。

表 10-1　　**钢筋混凝土支架的棚距**

钢筋混凝土支架的梁/mm	棚距/m		
	f=3	f=4 ~ 6	f=7 ~ 10
1800 ~ 2800	0.7	1.0	1.2
2800 ~ 3600	0.5	0.7	1.0

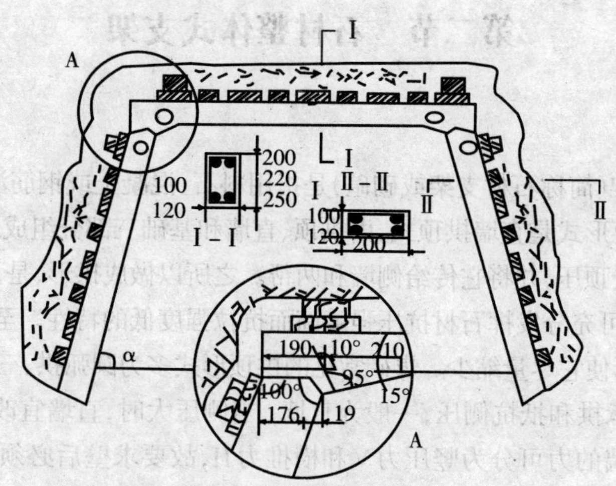

图10-5　普通钢筋混凝土支架

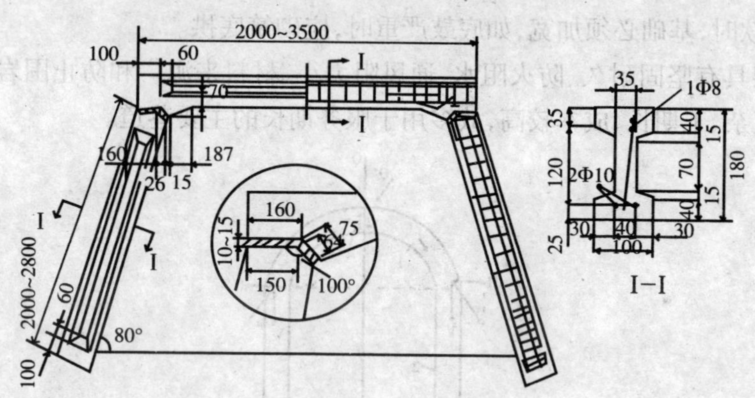

图10-6　工字形断面预应力钢筋混凝土支架

（二）预应力钢筋混凝土支架

此种支架是在浇灌混凝土时，将钢筋预先张拉，等混凝土硬化后再将钢筋放松，借助钢筋弹性回缩力而使混凝土预先受压。这种构件在工作受拉时，首先要与混凝土预先所受的压应力互相抵消，然后才随着受力的继续增加而使混凝土开始受拉变形，亦即推迟了裂缝的出现，加大了构件的承载能力，使钢筋受拉强度大的特点得以充分发挥。

和普通钢筋混凝土支架相比，预应力工字形断面钢筋混凝土支架（图10-6）的构件质量由60kg/m下降至31.2kg/m，可节省钢材38%～50%，降低了成本，抗裂性平均提高2倍左右。但构件的制造工艺比较复杂，且需用高强度的螺纹钢筋。

第二节　石材整体式支架

一、结构特点

石材整体式支架(简称石材支架或砌碹)是指用料石、混凝土或钢筋混凝土砌筑成的连续整体式支架。其主要形式是直墙拱顶式,由拱顶、直墙和基础三部分组成,如图10-7所示。

拱的作用是承受顶压,并将它传给侧墙和两帮。之所以做成拱形,是为了使拱的各个截面都承受压应力,这样可充分发挥石材抗压强度高而抗拉强度低的特性。至于截面中的弯矩,可通过采用合理的拱形使它尽量缩少。煤矿常见的拱顶形式多为圆弧拱、三心拱和半圆拱。

墙的作用是支承拱和抵抗侧压,一般为直墙，当侧压大时,直墙宜改为曲线形。

在拱基处传给墙的力可分为竖压力V和横推力H,故要求壁后必须充填密实,以防在横推力作用下拱与墙开裂。

基础的作用是将墙传来的荷载和自重均匀传给底板。底板岩石坚硬时,墙与基础可以等厚;岩石松软时,基础必须加宽,如底鼓严重时,应砌筑底拱。

石材支架具有坚固耐久、防火阻水、通风阻力小、材料来源广和防止围岩风化等优点。缺点是施工复杂、工期长、成本较高,故多用于服务期长的主要巷道。

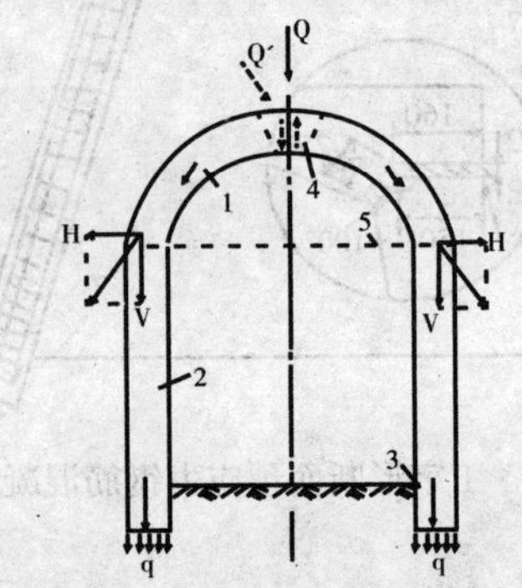

图10-7　石材支架组成及顶压受力传递示意图

1——拱;2——墙;3——基础;4——拱心石;5——拱基线

二、石材支架的施工

采用石材支架的巷道,多在掘进后先架设临时支架,以防止掘进与砌碹之间这段巷道的顶、帮岩石垮落。

临时支架采用金属拱形支架(15kg/m～24kg/m钢轨),它有无腿和带腿两种。无腿金属拱形临时支架,只有架顶,没有架腿(图10-8)。有腿金属拱形临时支架有两种:一种由架顶、架肩、架腿共5节组成;另一种由架顶、架腿3节组成。前者(图10-9)适用于宽度较大的巷道;后者用于宽度小于4m的巷道。由5节组成金属拱形临时支架,在两侧架肩焊有一对顶托(牛腿),是为砌墙时在顶托下打上临时顶柱以便拆除架腿。临时支护在架设时,由于先架设架顶、架肩,后接架腿,所以在架肩下边焊有一对圆钢托梁,使架顶、架肩暂时卡托在两帮的钢轨橛子上，待出矸后再安设架腿。为防止支架下沉，架腿下边焊有方形垫板。为保持支架的纵向稳定，支架间用拉钩拉紧。

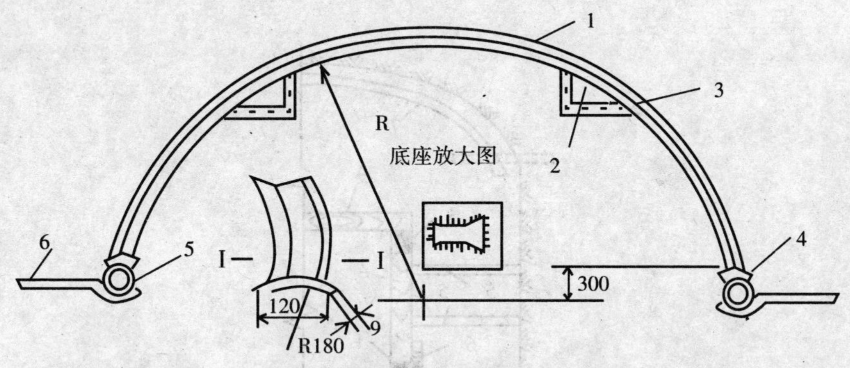

图 10-8　无腿拱形金属临时支架

1——架顶；2——顶托；3——连接板；4——底座；5——圆木；6——托钩

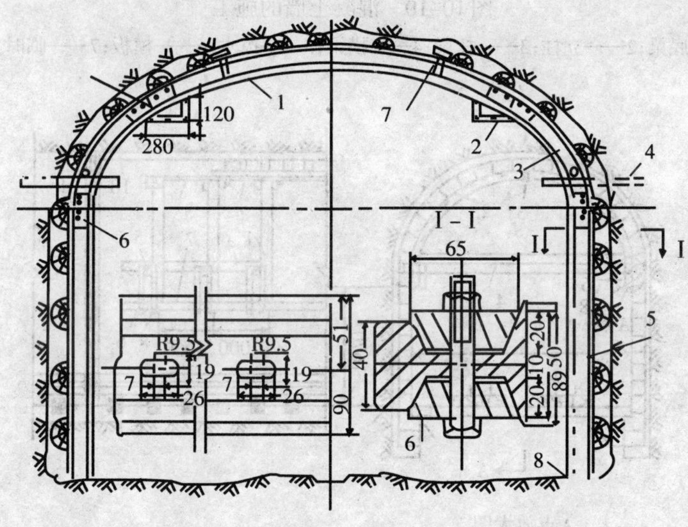

图 10-9　带腿拱形金属临时支架

1——架顶；2——顶托；3——架肩；4——钢轨橛子；5——架腿；

6——连接板；7——拉钩；8——架腿垫板

在围岩稳定、侧压小的情况下，可采用无腿拱形金属临时支架。砌碹的施工过程如下：

(1)拆除临时支架的架腿。当地压不大、岩层较稳定时，可直接拆除架腿，架腿拆除后，其架顶、架肩则仍承托在钢轨橛子上；当地压较大或岩石破碎时，应在顶托下面打临时顶柱，然后再拆架腿。

(2)掘砌基础。基础挖出后，将沟内积水排净，挂好中、腰线，在硬底上铺 50mm 厚砂浆，然后在上面砌筑料石。

(3)砌墙。要求料石垂直缝错开，横缝要水平，灰缝要均匀、饱满。砌墙时应根据边线拉水平线,并用水平尺或水准仪检查墙的垂直度和水平度。在砌墙的同时,应用矸石或混凝土充填壁后充填密实。浇筑混凝土墙时,必须根据中、腰线设立模板(图10-10),然后分层浇灌与捣固。

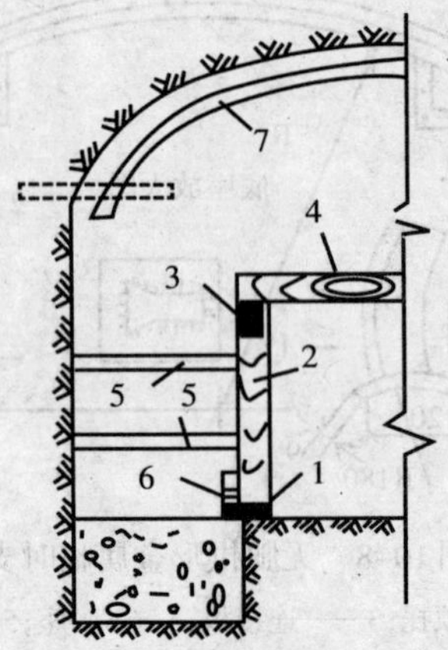

图10-10 混凝土墙的施工

1——底梁;2——立柱;3——托梁;4——横梁;5——撑木;6——模板;7——临时支架

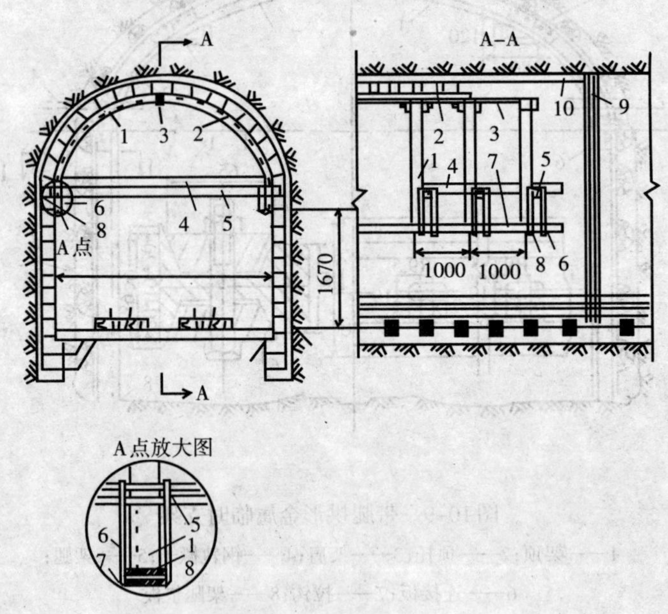

图10-11 无腿碹胎

1——金属碹胎;2——金属模板;3——稳碹胎的拉杆;4——工作台;5——工字钢横梁;6——碹胎卡子;7——碹胎纵向托梁;8——木垫;9——金属临时支架;10——过顶梁

(4)砌拱。其工作内容包括拆除临时支架的架肩和架顶,搭工作台,立碹胎和砌拱。拆除临时支架时要进行敲帮问顶工作。确认安全后,便可立碹胎、模板。现在多采用金属碹胎和金属模板。碹胎可用14~16号槽钢或15kg/m~18kg/m钢轨弯制而成。模板用25mm×25mm角钢拼焊或用8~10号槽钢或30~40mm厚木板制作。碹胎也分为有腿的和无腿的两种。后者(图10-11)适用于料石、混凝土块砌碹,或在跨度不大的巷道中砌碹。其他情况可用带腿碹胎(图10-12)砌碹。

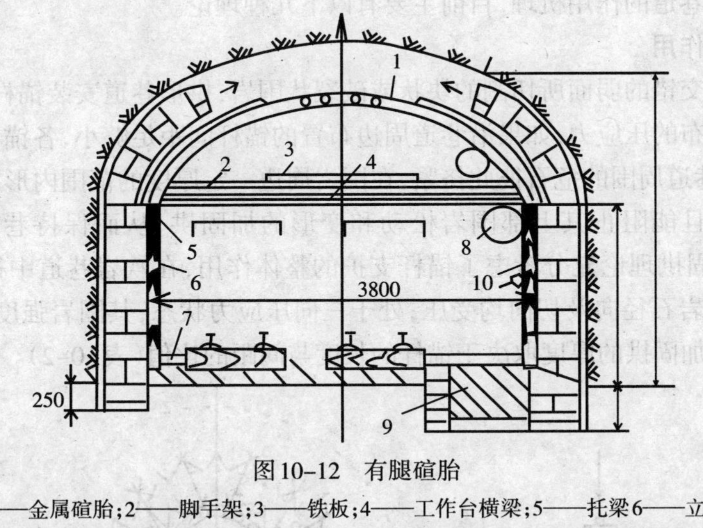

图10-12　有腿碹胎

1——金属碹胎;2——脚手架;3——铁板;4——工作台横梁;5——托梁6——立柱;7——卧撑;8——风筒;9——临时充填矸石;10——气、水管路

砌胎架立稳定后,开始砌拱。砌拱必须从两侧拱基线向拱顶对称砌筑,使两侧受力均匀,以防碹胎向一侧歪斜。砌拱的同时,应及时拱后充填。封顶时,最后的砌块必须位于正中,并由内向外砌筑。砌筑每一段拱、墙,都应留有出进茬或台阶咬合茬以便下次砌筑时接茬。

(5)拆模清理。砌筑完毕后,要待拱、墙(混凝土)达到一定强度后,方可拆除碹胎和模板。拆下的碹胎、模板应洗刷、整理,损坏变形的要修理好,以便复用。砌碹表面不足之处,如灰缝不饱满、浇灌混凝土局部有蜂窝麻面等,应该用砂浆勾缝或抹平。

第三节　锚杆支护

一、锚杆支护的优越性

传统的棚式支架和石材支架是在巷道围岩的外部对岩石进行支撑,它只是被动地承受围岩产生的压力和防止破碎的岩石冒落。锚杆支护则是通过锚入围岩内部的锚杆改变围岩的受力状态,把围岩从荷载变为承载,利用锚杆与围岩共同作用,在巷道周围形成一个整体而又稳定的岩石带,达到维护巷道稳定的目的。它是一种积极防御的支护方法,是矿山支护技术的重大变革。

实践证明,锚杆不但支护效果好,且节约坑木和钢材,降低支架成本。另外,施工工艺简单,有利于机械化操作,施工速度快。但是锚杆不能封闭围岩,防止围岩风化;不能完全防止各锚杆之间裂隙岩石的剥落。因此,在围岩不稳定情况下,往往需配合其他支护措施,如喷水泥砂浆、挂金属网、喷射混凝土等。随着高产高效矿井建设速度的加快,采准巷道大量应用锚杆支护技术,施工速度大大提高。

二、锚杆支护的作用原理

对锚杆维护巷道的作用机理,目前主要有以下几种理论。

(一)加固拱作用

对于被纵横交错的弱面所切割的块状或破裂状围岩,拱形巷道安装锚杆时,在杆体两端将形成圆锥形分布的压应力,如果沿巷道周边布置的锚杆间距足够小,各锚杆的压应力相互交错,这样可将巷道周围的危石彼此挤紧,在围岩周边一定厚度的范围内形成一个不仅能维持自身稳定,而且能阻止其上部围岩松动和变形的加固拱,从而保持巷道的稳定,如图10-13所示。加固拱理论充分考虑了锚杆支护的整体作用,在软岩巷道中得到较广泛的应用。在承压拱内岩石径向及切向均受压,处于三向压应力状态,其围岩强度得到提高,支撑能力相应加大。加固拱的厚度取决于锚杆的长度与间距的比值(表10-2)。

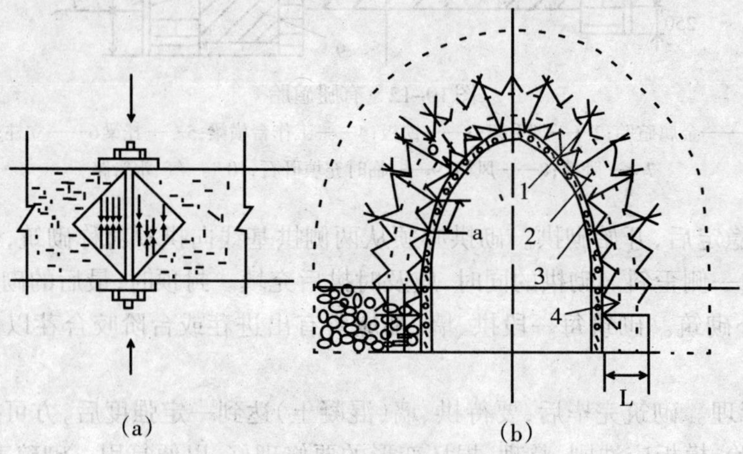

图10-13 锚杆的挤压加固拱作用

(a)单体锚杆对破裂岩石的控制;(b)锚杆的挤压加固拱

1——锚杆;2——岩体挤压加固拱;3——喷混凝土层;4——岩体破碎区

表10-2 加固拱的厚度与锚杆参数的关系

$\frac{锚杆长度l}{锚杆间距a}$	3	2	1.33
$\frac{加固拱厚度b}{锚杆长度l}$	$\frac{2}{3}$	$\frac{1}{3}$	$\frac{1}{10}$

(二)悬吊作用

悬吊作用是利用锚杆将软弱岩层或危岩吊挂于上部坚固稳定的岩层上,由锚杆来承担软弱岩层或危岩重量(图10-14)。一般适用于锚固范围内具有稳定岩层的巷道顶板。

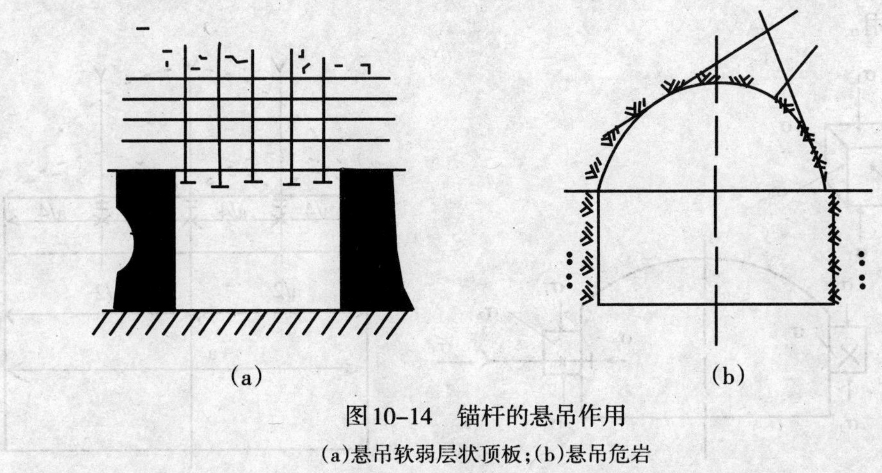

图10-14　锚杆的悬吊作用

(a)悬吊软弱层状顶板；(b)悬吊危岩

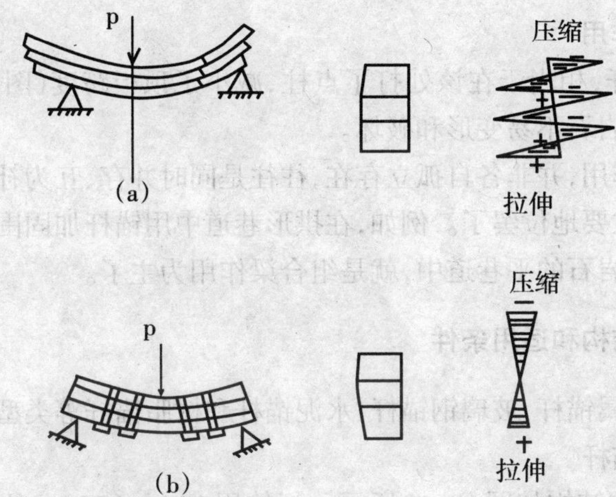

图10-15　板梁组合前后的饶度和内应力对比

(a)叠合梁；(b)组合梁

(三)组合梁作用

组合梁作用是指将层状岩体各层间用锚杆连接并紧固，把数层薄岩层组合成类似铆钉加固的组合梁，提高了岩层的整体抗弯能力，再则锚杆本身也起着抗剪销钉的作用，有效地阻止了岩层的层间错动，避免了离层现象，提高了自承能力。将巷道的层状顶板看作是以巷道两帮为支点的叠合梁，在荷载作用下每层板的上下缘分别处在受压、受拉状态，如图10-15(a)。但用锚杆将各层板锚固后，在荷载作用下，各层之间基本上不发生离层、错动，就如同一块板的弯曲，大大提高了板系的抗弯强度，如图10-15(b)。

(四)围岩补强作用

巷道深部的岩石处于三向受压状态。靠近巷道周边的岩石则处于二向受力状态，二向受力的岩石的强度远小于三向受压岩石的强度，故易于破坏而丧失稳定性(图10-16左)。巷道周围安装锚杆后，相当于岩石又恢复了三向应力状态(图10-16右)，从而增大了它的强度。另外，锚杆还可以增加岩层弱面的剪断阻力，使围岩不易破坏和失稳。这就是锚杆对围岩的补强作用。

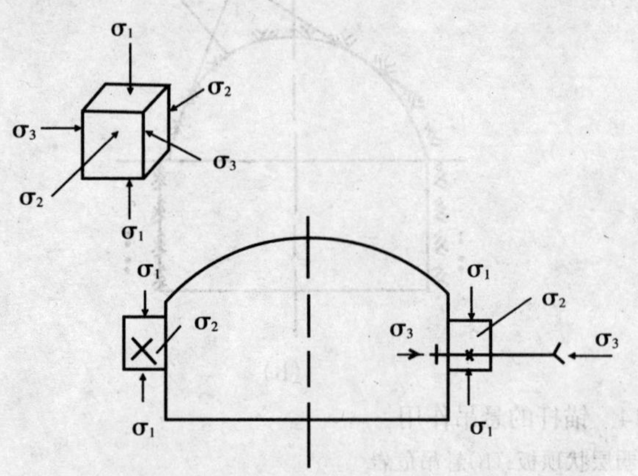

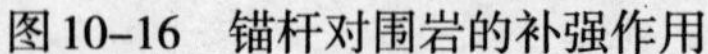

图10-16　锚杆对围岩的补强作用

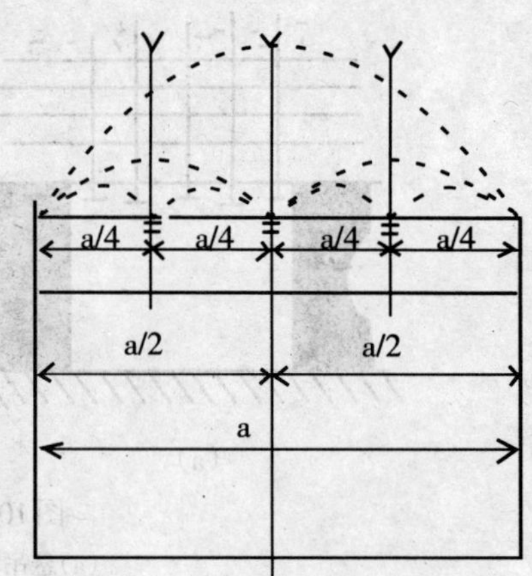

图10-17　锚杆缩小悬顶跨度作用

（五）减小跨度的作用

巷道顶板打了锚杆，相当于在该处打了点柱，减小了顶板跨度（图10-17），从而增强了顶板岩石的稳定性，使岩石不易变形和破坏。

锚杆支护的几种作用，并非各自孤立存在，往往是同时并存、互为补充，只不过在不同条件下某种支护作用占主要地位罢了。例如，在拱形巷道中用锚杆加固围岩，加固拱的作用是主要的；而在支护层状岩石的平巷道中，就是组合梁作用为主了。

三、锚杆的类型、结构和适用条件

锚杆有木锚杆、金属锚杆、玻璃钢锚杆、水泥锚杆和树脂锚杆等类型。

（一）金属倒楔式锚杆

金属倒楔式锚杆的结构如图10-18所示。杆体用Φ14～Φ22mm的圆钢制作，其一端有螺纹，另一端与固定楔浇注在一起。固定楔、倒楔、垫板用铸铁制作。安装时，将活动倒楔（小头朝向孔低）绑在固定楔一起，一同送入锚杆孔的底部，然后用一专用锤击杆插入孔内，打击倒楔尾部至打紧，最后套上垫板，拧紧螺帽。拧紧螺帽后，杆体便会给围岩一个大小相同、方向相反的挤压力，以抑制围岩的变形或松动。所以，拧紧螺帽是保证锚杆安设质量的重要措施。

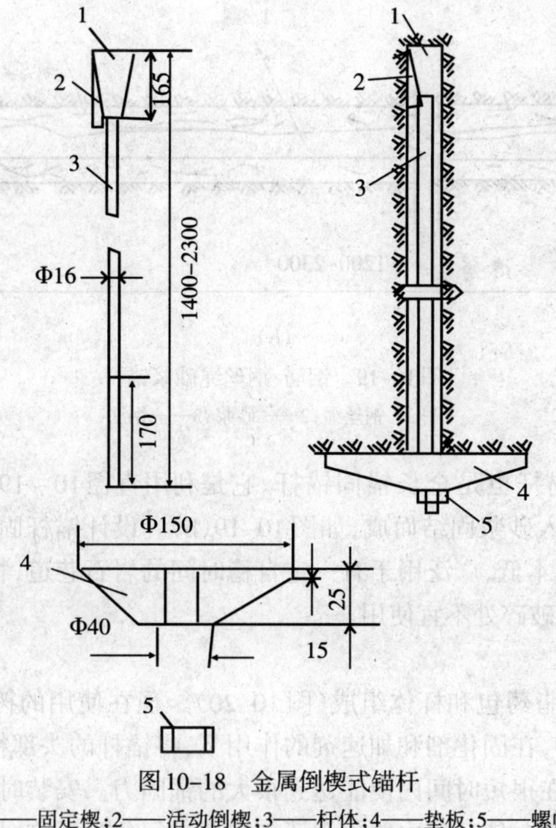

图10–18 金属倒楔式锚杆

1——固定楔;2——活动倒楔;3——杆体;4——垫板;5——螺帽

这种锚杆属端头锚固型,安装后可立即承载,结构简单,易于加工,理论上可回收。设计锚固力为40kN左右。常用于围岩比较破碎,需要立即承载的地下工程。

(二)钢筋或钢丝绳砂浆锚杆

(1)钢筋砂浆锚杆是全长锚固锚杆先在锚杆孔内注满标号为25号以上的水泥砂浆。砂浆用352号或425号普通硅酸盐水泥和粒径小于3mm的中细石英砂,按水泥:砂=1:(2~3),水灰比为0.38~0.42制成,然后插入Φ16~Φ20mm螺纹钢筋,利用砂浆与钢筋、砂浆与孔壁的黏结力锚固岩层,如图10–19(a)。

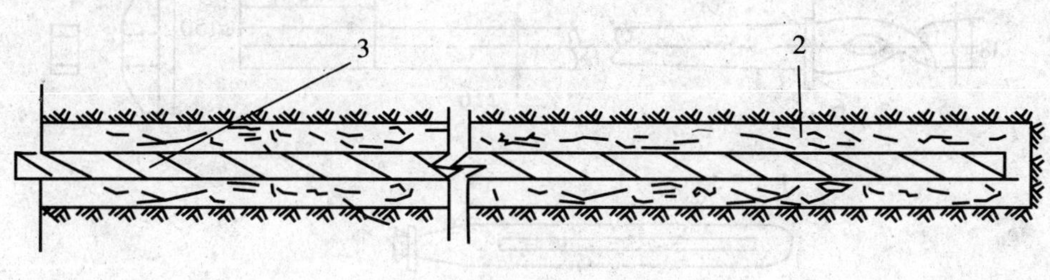

(a)

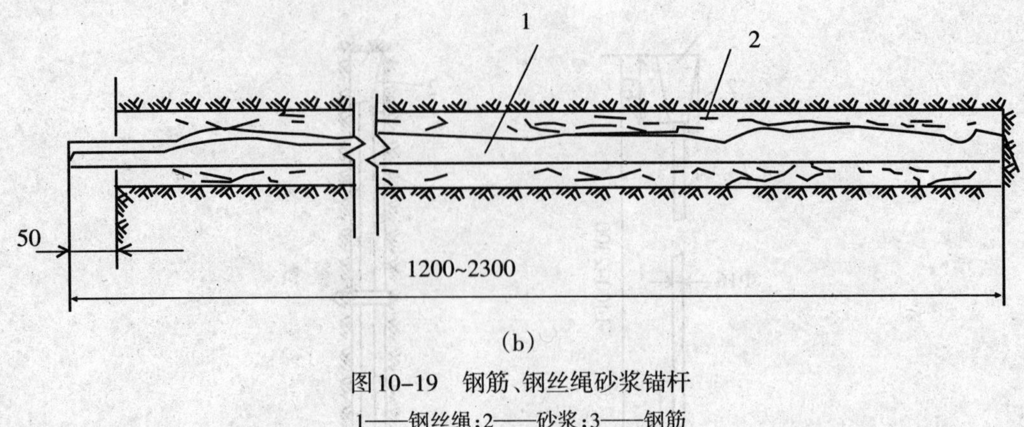

(b)

图10-19 钢筋、钢丝绳砂浆锚杆

1——钢丝绳；2——砂浆；3——钢筋

(2)钢丝绳砂浆锚杆也是全长锚固锚杆，它是利用直径10～19mm的废旧钢丝绳代替钢筋插入锚杆孔内注入砂浆固结而成，如图10-19(b)。设计锚杆固力30～50kN。钢丝绳砂浆锚杆结构简单、成本低，广泛用于有一定自稳时间的岩石巷道，特别是巷道两帮。由于不能立即承载，在围岩破碎处不宜使用。

(三)树脂锚杆

树脂锚杆是由树脂药包和杆体组成(图10-20)。现在使用的树脂锚杆多为端头锚固型，即用树脂为黏结剂，在固化剂和加速剂的作用下，将锚杆的头部粘在锚杆孔内。它凝结硬化快，黏结强度高，在很短时间内便能达到很大的锚固力。安装时，药包用锚杆体送入孔后，转动杆体将药包捣破，使药包内的化学药剂混合进行化学反应，将锚头与孔壁岩石黏结在一起。随之上垫板拧紧螺帽。使用115型树脂锚固剂，可在3～5min内凝胶，15min后即可套上垫板紧固螺帽；使用82型锚固剂，可在15～60s内凝胶，5min后锚固力可达40kN以上，可满足5min上垫板紧固螺帽的要求。

因树脂锚杆多为端头锚固型，不宜用于软岩。由于成本高，有被快硬水泥锚杆和快硬膨胀水泥锚杆取代的趋势。

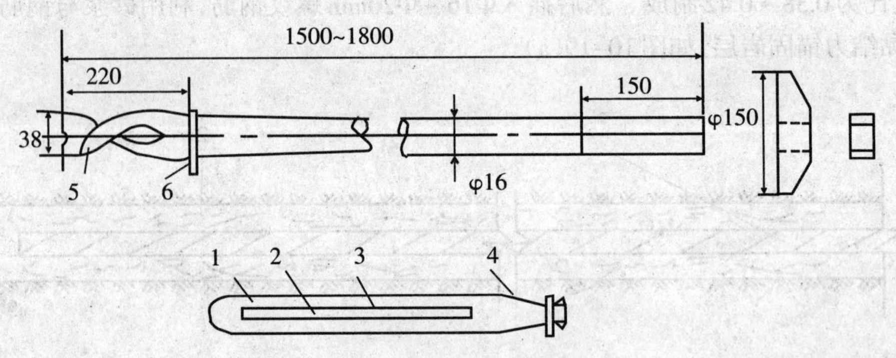

图10-20 树脂锚杆及药包示意图

1——树脂、加速剂与填料；2——固化剂和填料；3——玻璃管纤；

4——玻璃纸或聚脂薄膜外袋；5——左旋麻花；6——挡圈

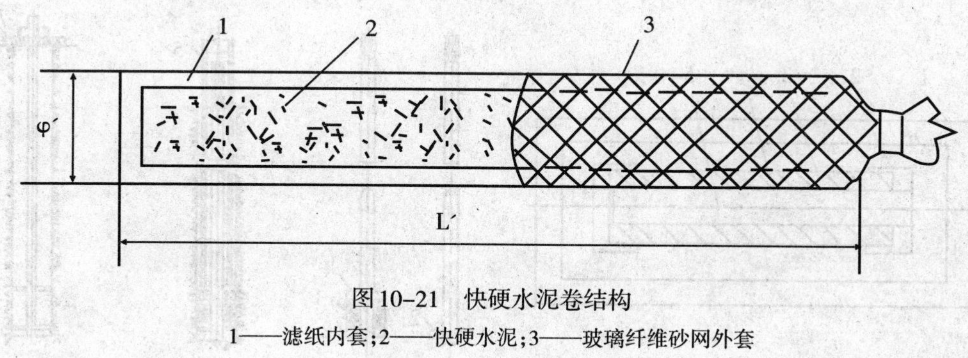

图10-21 快硬水泥卷结构

1——滤纸内套；2——快硬水泥；3——玻璃纤维砂网外套

（四）快硬水泥锚杆

快硬水泥锚杆的杆体和杆的头部结构与树脂锚杆相同，只是由水泥卷代替树脂药包，是端头锚固型锚杆（图10-21）。水泥卷内装有胶结材料。目前常用的胶结材料由国产定型早强水泥和双快水泥按一定比例混合而成。端头锚固长度为400mm时，水泥卷直径37mm，长270㎜，水泥装量421g；端头锚固长度为300mm时，水泥卷直径37mm，长度为270mm、205mm时水泥装量为421g、320g，使用前需浸水2～3min，在锚杆孔内经杆头搅拌，12min后锚固力开始增加，1h后锚固力高达60kN左右。由于成本低（约为树脂锚杆的1/4），材料来源广，很有前途。适用于围岩自稳时间超过12min的各类永久性地下工程。配合先喷后锚，在软岩中亦可应用。

（五）快硬膨胀水泥锚杆

快硬膨胀水泥锚杆是用快硬膨胀水泥卷代替树脂药包，对锚杆杆体进行端头锚固的一种锚杆（图10-22）。锚杆前端焊有14mm或16mm钢筋，杆前端焊有38～40mm的阻挡垫圈，另一端车有螺纹。水泥卷它的中心为一空心纱网，纱网直径与锚杆杆体直径相同，纱网内套有一圆纸筒，以防外加剂从纱网的孔隙外流。纱网外与吸水纸之间是锚固剂，吸水纸外面是防潮塑料袋。锚固剂是以普通矿用水泥为主要成分，加一定比例的砂子及外加剂混合而成，遇水后即达到速凝、早强、减水、膨胀、略有提高水泥强度的作用。安装时，把水泥卷的塑料袋、砂网内的圆纸筒去掉，把水泥卷串入杆体放在阻挡垫圈上，并在水泥卷上套加一垫圈，将水泥卷插入水中浸泡3～5s后送入锚孔中用冲压管轻轻压实后，用力冲几下，而后套上垫板，紧固螺母（图10-23）。用一个水泥卷，2～5min后锚固力可达20~40kN；用两个水泥卷，锚固力可达60～90kN。

快硬膨胀水泥锚杆井下工业试验效果良好，由于锚固剂来源丰富、锚速快、锚固力大、成本低，可大量推广应用。

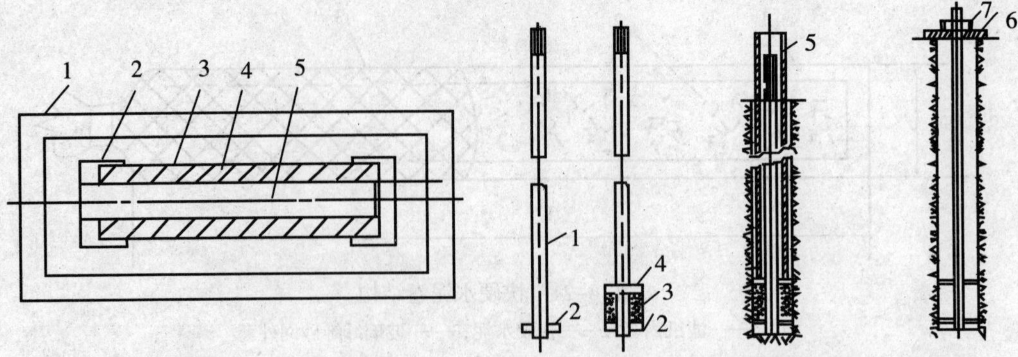

图10-22　快硬膨胀水泥卷结构

1——塑料袋；2——套；3——水纸；4——锚固剂；5——空心纱网

图10-23　快硬膨胀水泥锚杆结构及使用过程

1——金属锚杆杆体；2——阻挡垫圈；3——水泥卷；4——垫圈；5——冲压管；6——垫板；7——螺帽

(六)管缝式锚杆

管缝式锚杆又称开缝式或摩擦式锚杆，由美国詹姆斯·斯特科于1972年发明。它是采用高强度钢板卷压成带纵缝的管状杆体，外径38.1mm。用凿岩机强行压入比杆径小1.5～2.5mm的锚孔，管子外径缩小。由于管壁弹性恢复力挤压孔壁而产生锚固力，属全长锚固型锚杆。见图10-24。

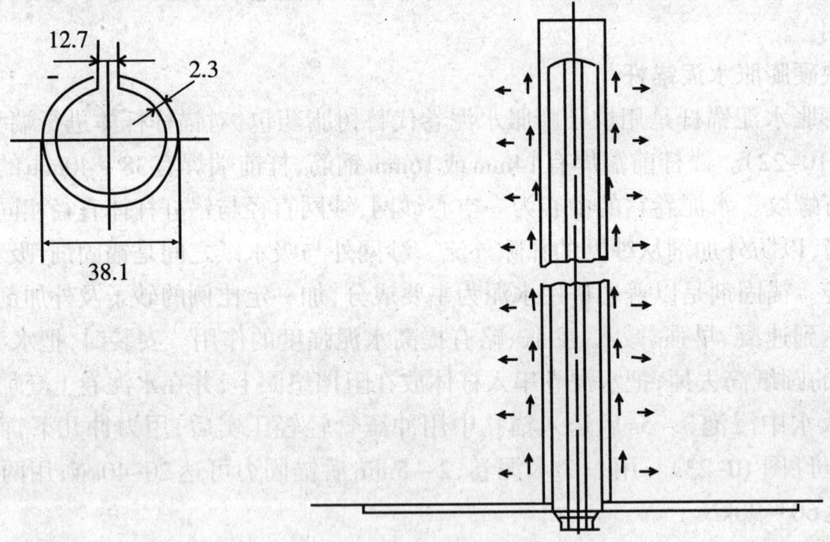

图10-24　管缝式锚杆

这种锚杆的成本较高，不能回收复用，但锚固性能好，锚固力大。目前我国正在推广。国内试制用的材料一般为屈服应力大于350MPa的16Mn和20MnSi钢，管壁厚2.0～2.5mm，管径38～41.5mm，开缝14mm。

(七)玻璃钢锚杆

玻璃钢锚杆种类很多。如楔缝式玻璃钢锚杆、钢套式玻璃钢锚杆、销钉锚头玻璃钢锚杆、全螺纹玻璃钢锚杆、空心玻璃钢锚杆和压痕金属套管玻璃钢锚杆等。

1.楔缝式玻璃钢锚杆

楔缝式玻璃钢锚杆是采用速凝树脂药卷全长锚固的一种锚杆。锚杆杆体有18、20、22、26mm四种，一般长度为1.6～3.0m，托盘、压紧圈。挡板等附件均用玻璃钢制成，如图10－25所示。

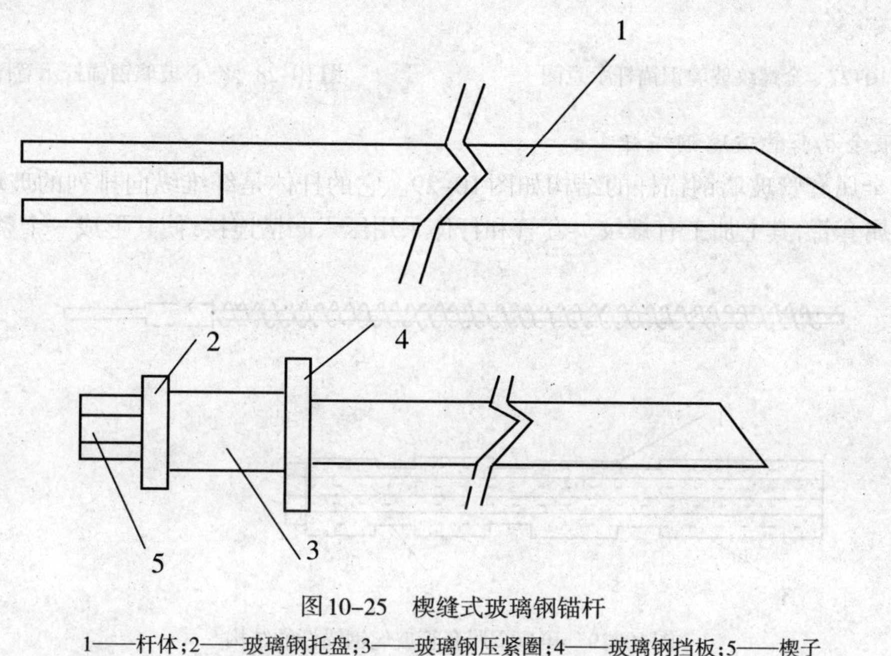

图10-25 楔缝式玻璃钢锚杆

1——杆体；2——玻璃钢托盘；3——玻璃钢压紧圈；4——玻璃钢挡板；5——楔子

2.钢套式玻璃钢锚杆

钢套式玻璃钢锚杆，如图10-26。是一种用水泥锚固剂锚固的端头锚固锚杆。

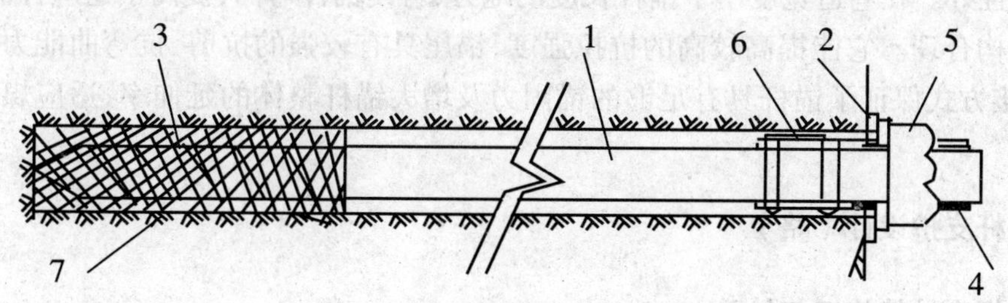

图10-26 钢套式玻璃钢锚杆示意图

1——杆体；2——托盘；3——锚头；4——固定销；5——螺母；6——钢套；7——水泥锚固剂

3.全螺纹玻璃钢锚杆与空心玻璃钢锚杆

全螺纹玻璃钢锚杆有左旋和右旋之分。它的螺纹可作为锚头使锚杆锚固，也可配合螺母作为锚尾使用，图10－27。空心玻璃钢锚杆常作为注浆锚杆使用，图10－28。

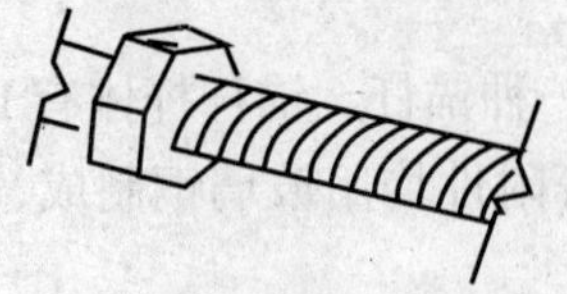

图10-27　全螺纹玻璃钢锚杆示意图

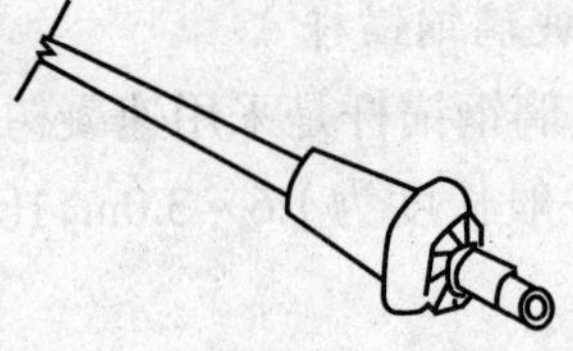

图10-28　空心玻璃钢锚杆示意图

4.压痕金属套管玻璃钢锚杆

压痕金属套管玻璃钢锚杆的结构如图10-29。它的杆体是纤维纵向排列的玻璃钢，锚尾带有金属套管，其上加工有螺纹。套管和杆体采用压入凹槽连接，使其形成一个整体。

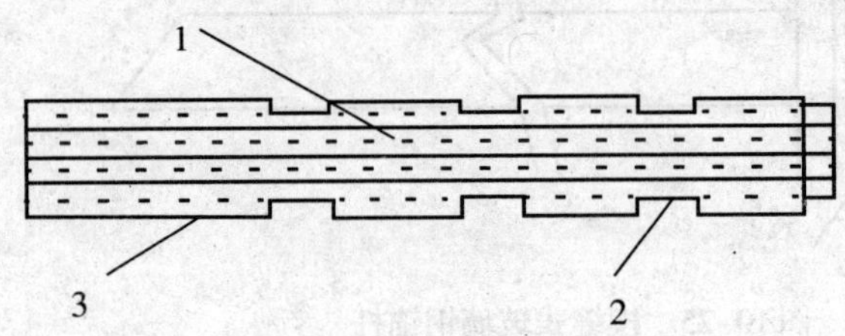

图10-29　压痕金属套管玻璃钢锚杆的结构

压痕金属套管玻璃钢锚杆的特点：

(1)具有良好的力学特性及可切割性，适应煤帮在矿山压力作用下变形较大的地方。

(2)质量轻。减轻了运输强度。

(3)柔性好。在巷道宽度小于锚杆长度的地方，可使锚杆弯曲，提高了适应性。

(4)结构合理。它能提高较高的抗拉强度，锚尾具有较强的抗剪、抗弯曲能力。套管和杆体的连接方式保证了锚杆具有足够的锚固力及增大锚杆整体的延伸率，适应煤巷煤帮变形的特点。

四、锚杆支护设计（略）

五、锚杆支护的施工与检验

(一)锚杆孔的钻凿与锚杆安装

为了获得良好的支护效果，一般在爆破后即安设顶部锚杆。目前多采用风动气腿凿岩机或单体锚杆钻机钻眼，手工安装锚杆。当围岩较稳定时，也可以在爆破后先喷混凝土，待装岩后再用锚杆打眼安装机(图10-32)进行支护工作。

采用手工安装钢筋砂浆锚杆，多用MJ-2型注浆罐(图10-33)灌注砂浆，注浆时要把注浆管插到眼底，随着砂浆的注入缓慢拔出，以保证水泥砂浆注得饱满均匀。其容积为20L，每小时可灌注50～60个锚杆孔。

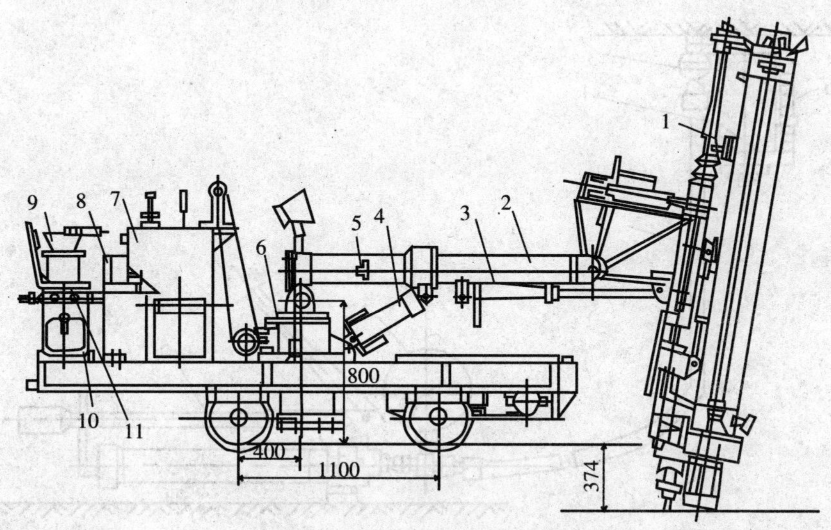

图 10-32　MGJ-1 型锚杆的打眼安装机

1——工作机构；2——大臂；3——仰角油缸；4——支撑油缸；5——液压管路系统；6——车体；7——操作台；8——液压泵站；9——注浆罐；10——电气制系统；11——座椅

(二)锚杆的检验

为保证锚杆支护质量，必须对锚杆施工加强技术管理和质量检查，主要注意检查锚杆孔直径、眼深、间排距、螺帽的拧紧程度及锚杆的锚固力。眼深和间排距分别用标有尺寸的木棍和钢尺测量；锚固力可用 ML-20 型锚杆拉力计(图 10-34)进行拉拔试验测定。ML-20 型锚杆拉力计，其主要部件是空心千斤顶和一台 SYB-1 型高压手摇泵，最大拉力为 200 kN，活塞行程 100mm，拉力计质量 12kg。

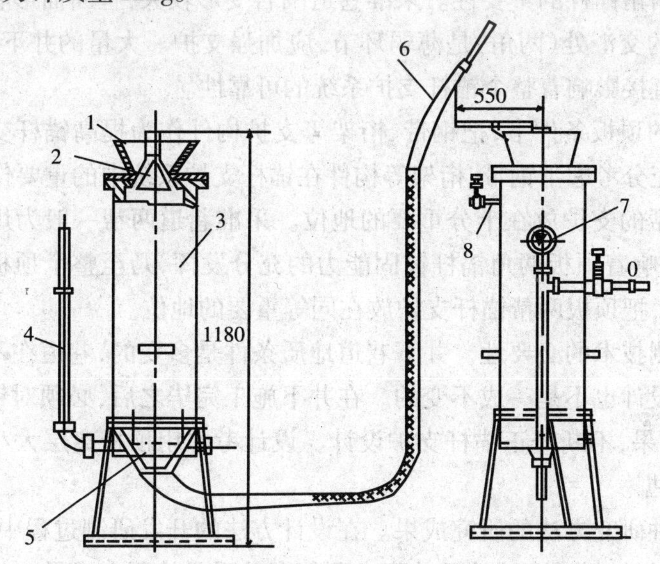

图 10-33　MJ-2 型砂浆锚杆注浆罐

1——受料斗；2——钟形阀；3——储料罐；4——进气管；5——锥管；6——注浆管；7——压力表；8——排气管

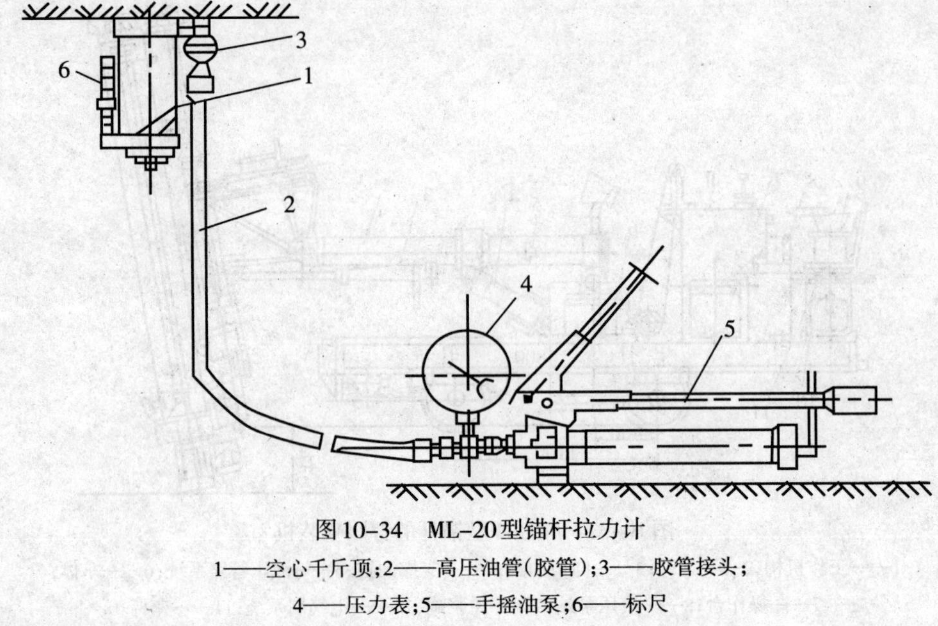

图10-34 ML-20型锚杆拉力计

1——空心千斤顶；2——高压油管（胶管）；3——胶管接头；
4——压力表；5——手摇油泵；6——标尺

六、采准巷道锚杆支护设计方法的特点

（1）充分考虑了采准巷道的特点。采准巷道与开拓巷道的显著区别在于采准巷道受到回采工作面开采的影响。设计中充分考虑了工作面的动压对巷道稳定性的影响，并把煤柱尺寸作为影响锚杆支护效果的一个重要因素。

（2）强调顶板两角锚杆的重要性。采准巷道围岩变形较大，且断面形状大多为矩形或梯形，因此顶板与墙的交汇处（两角）是薄弱环节，应加强支护。大量的井下试验表明，两角锚杆锚固性的好坏，直接影响着整个锚杆支护系统的可靠性。

（3）在较破碎的顶板条件下，把钢带、桁架等支护构件作为提高锚杆支护系统整体支护能力的重要部件，充分考虑了钢带、桁架等构件在锚杆支护系统中的重要作用。

（4）把巷道两帮的支护放在十分重要的地位。采准巷道两帮一般为煤层，强度较低，两帮的稳定性直接影响着顶板两角锚杆锚固能力的充分发挥，乃至整个顶板支护系统的有效性和可靠性。因此，把顶板两帮锚杆支护放在同等重要的地位。

（5）强调了监测技术的必要性。井下巷道地质条件是多变的，巷道在不同区域的应力不尽相同，因而支护设计也不是一成不变的。在井下施工完毕之后，必须对锚杆支护状态进行监测。根据实测结果，不断修正锚杆支护设计。设计考虑用顶板离层大小及锚杆荷载作为修改支护设计的依据。

（6）借助了多种研究方法的研究成果。在设计方法的开发研制过程中，借助了包括理论分析、数值计算、相似材料模型试验及井下实测等多种手段的研究成果。

（7）涉及了影响采准巷道锚杆支护效果的绝大多数因素。设计考虑了十多个影响锚杆支护性能的因素。

(8)使用简便。设计方法虽然涉及了多个影响锚杆支护效果的因素,但这些参数在现场容易得到,不需要在实验室进行。只要在计算机输入原始数据,就会得到锚杆支护形式和参数。

七、采准巷道锚杆支护施工工艺

锚杆支护的效果与施工质量的好坏有着密切的关系。如果锚杆施工质量达不到设计要求,锚杆支护的有效性和可靠性就无法得到保证。我国许多矿区出现锚杆支护巷道冒顶事故的主要原因之一,就是锚杆施工质量较差。可见,锚杆支护工艺及质量的保证在锚杆支护中占有很重要的地位。

(一) 施工前的准备

(1)队伍培训。施工前,施工队伍必须经过严格培训,了解有关锚杆支护技术的一般知识,掌握有关机具性能的操作方法,提高技能,严格按照支护设计要求进行施工。

(2)仔细认真检查锚杆、锚固剂的质量。

(3)锚杆力拉拔试验。在进行锚杆支护施工之前,必须进行锚杆拉拔力试验,试验地点选在与所施工巷道相类似的地质条件下进行。如果锚杆锚固力达不到设计要求,必须修整锚杆支护参数。

(二)施工工艺

下面以掘进机掘进、采用钢带式树脂锚固力锚杆支护的工作面平巷为例,介绍锚杆支护施工工艺。

1.工艺流程

锚杆施工工艺流程如下:

(1)交接班。

(2)掘进机割煤。

(3)顶板支护,具体程序如下:

①挂、联金属网;

②上托W形钢带;

③临时支护;

④后撤掘进机;

⑤钻顶板中部锚杆孔、清孔、安装锚杆;

⑥钻顶板中旁锚杆孔、清孔、安装锚杆;

⑦临时支护改位;

⑧钻顶板边斜锚杆孔、清孔、安装锚杆。

(4)巷帮支护具体程序包括如下:

①钻上帮煤壁锚杆孔、清孔、安装锚杆;

②挂、联上帮网;

③安装(水泥)护板、上托板、紧螺母;

④钻下帮煤壁锚杆孔、清孔、安装锚杆;

⑤挂、联下帮网;

⑥安装(水泥)护板、上托板、紧螺母。

(5)加强支护措施:

①掘进迎头应及时支设点柱和贴帮柱;

②掘进机后部胶带机旁支设临时加强柱。

(6)对锚杆施工加预紧力。

2.施工作业主要技术要求及注意事项

(1)及时支护。顶板锚杆应紧跟掘进工作面及时支护,最大控顶距不得超过锚杆排距。

(2)不得超挖。掘进机割煤时沿顶掘进,应严格控制巷道宽度,误差为±50mm,不得超挖,并保证顶板及巷帮煤壁平整。

(3)上托W钢带。上托W钢带可借助安设在掘进机机头上的托梁器进行。先将W钢带放在托梁器上(机头处于较低位置)然后上移机头,托起钢带,快移至顶板时需使用钢带的中线对准巷道中线(激光束),并保证钢带间的排距误差不超过±50mm;最后利用掘进机头通过钢带及金属网托住顶板,并撑紧。

(4)临时支护。利用内(或外)柱式单体液压支柱进行临时支护。

(5)锚杆孔的成孔。打眼时,眼位、眼深、角度应符合设计要求。顶板孔可利用锚杆钻机或气动凿岩机完成。钻孔时,钻机升起,使钻头插入相应的W钢带孔位中,然后旋转钻机进行钻孔。孔深误差不大于±30mm顶板锚杆孔轴线与顶板之间的夹角为90°±5°。边斜锚杆孔的轴线与垂线间的夹角要求大于30°。钻头钻到预定孔深位置后下缩钻机,同时利用压力水清孔,清除岩粉及泥浆。

(6)锚杆的安装。锚杆的安装包括装锚固剂、插入锚杆、搅拌药卷和紧螺母。装药卷之前应先检查锚杆孔的质量(深度与角度)、锚杆构件是否齐全、杆尾是否已涂防锈脂以及待装药卷是否硬化、过期或损坏等。已硬化过期和损坏的药卷严禁使用。

插入锚杆杆体。锚杆体套上托板及带上螺母,杆尾通过连接套与锚杆钻机机头连接,杆端插入已装好树脂药卷的岩孔内,升起锚杆钻机并用锚杆杆体将孔口处的药卷推送至孔内,使药卷接触到岩孔孔底为止,然后开始转动钻机搅拌药卷。

药卷的搅拌对保证锚固质量十分重要,直接影响到锚固效果的好坏。搅拌工作利用锚杆机或气动凿岩机进行,搅拌时间过短,药卷中的固化剂与树脂胶粘剂不能充分起化学反应而影响凝胶和固化效果;搅拌时间过长,使已凝胶和固化的状态遭到破坏,同样影响锚固效果。所以要求严格控制药卷的搅拌时间(为30±5s),同时要求药卷的搅拌过程应连续进行,中途不得间断。

安装托板及螺母。药卷的搅拌作业完成的同时,托板应压紧钢带托住顶板,螺母用大扳手尽量拧紧(图10-39、图10-40)。

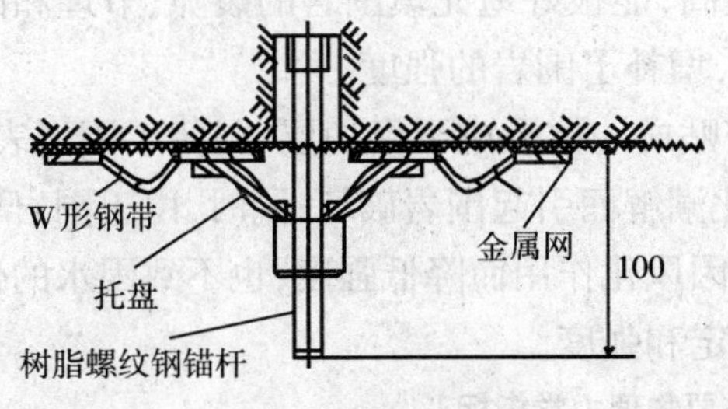

图10-39 安装顶锚杆

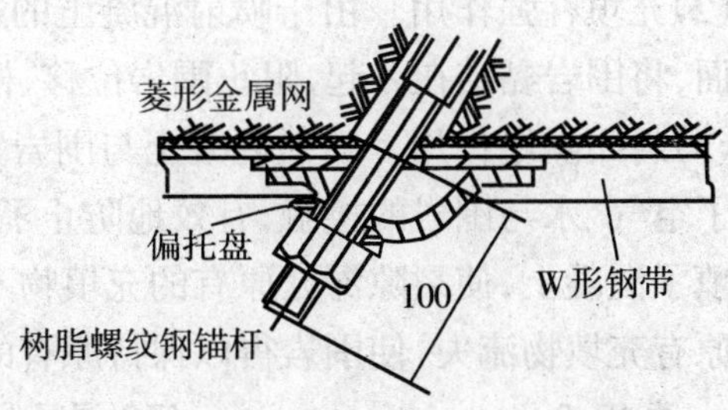

图10-40 安装斜角锚杆

利用气动扳机，对顶板及帮锚杆施加预紧力，预紧扭矩为100N·m。

井下地质条件变化或出现片帮冒顶时，视变化程度调整试验支护参数，或采取应急措施及时处理，如用单体液压支柱或金属支架进行加强支护等。

掘进时形成巷帮超宽或由片帮造成的巷帮超宽时，应及时处理，可采用加长钢带和补打锚杆的方法进行顶板的补强支护。

第四节 喷射混凝土支护

一、支护作用原理

喷射混凝土支护是将一定配合比的水泥、砂、石子和速凝剂的干拌和料，装入混凝土喷射机，以压气为动力，通过输料管将干拌和料送至喷头处与水混合，并以较高的速度层层喷射于岩面上凝结硬化而成的。

喷射混凝土的施工艺和普通混凝土有很大差别，因而它的物理力学性能和对围岩的支护特性有以下特点：

(1)混凝土在高速喷射过程中，水泥颗粒受到重复碰撞冲击，混凝土喷层受到连续冲实压密，而且喷射工艺又允许采用较小的水灰比，因此喷射混凝土层具有致密的组织结构和良好的物理力学性能。特别是它的黏结力大，能同岩石紧密黏结，是形成喷射混凝土独特支护作用的重要因素。

(2)喷射混凝土能随着巷道掘进及时施工，且加入速凝剂后其早期强度成倍增长，因而能够控制围岩的过度变形与松弛。

(3)喷层较薄，支护厚度可减少1/2～1/3，具有一定的柔性，可以和围岩共同变形产生一定量的径向位移。

(4)施工速度快，掘进断面小，成本低。

其支护作用机理可从以下几方面加以说明：

(1)支撑危岩活石作用。喷射混凝土(或喷浆)具有良好的物理力学性能(表10-9)。特别是抗压强度较高，可达20MPa以上。因此能起支承围岩内节理、裂隙切割形成等危岩活石，又因其凝结快、早期强度高、紧跟工作面施工，故及时地控制了围岩的变形或破坏。

(2)充填补强作用。由于喷射混凝土的速度高,能很好地充填围岩的裂隙、节理和凹穴的岩面,将围岩黏结在一起,阻止围岩位移、松动,增补了围岩的强度。

(3)封闭隔绝作用。喷射混凝土与围岩紧密贴成一体形成了保护层,封闭了围岩表面,隔绝了空气、水与围岩的接触,有效地防止了风化潮解而引起围岩破坏;同时,由于围岩裂缝中充填了混凝土,使裂隙深处原有的充填物不致因风化作用而降低强度,也不致因水的作用而使原有充填物流失,使围岩得以保持原有的稳定和强度。

表 10–9 喷射混凝土的主要物理力学指标

项目	单位	指标	备注
抗压强度	MPa	20 ~ 28	
抗拉强度	MPa	1.4 ~ 2.5	
抗折强度	MPa	4 ~ 5	采用525号普通硅酸盐水泥,配合比为
抗渗性能	MPa	0.5 ~ 1	1:2 ~ 2.5:4
与岩石的黏结力	MPa	1 ~ 2	速凝剂掺量为水泥重量的2.5% ~ 4%
与钢筋的黏结力	MPa	2.5 ~ 3.5	潮湿养护28 ~ 45d后,再自然养护150d
弹性模量	MPa	$(2.2 \sim 3.0) \times 10^4$	
收缩率	%	$(8 \sim 6) \times 10^4$	

(4)组合拱作用。被节理裂隙切割形成的块状结构围岩中,岩块间靠互相镶嵌、联锁、咬合作用而保持稳定。若围岩表面的某块危岩活石发生滑移坠落,则将引起邻近岩块的连锁反应,相继丧失稳定而坠落,从而造成较大范围的冒顶或片帮。高速喷射到岩面上形成的混凝土层,具有很高的黏结力和较高的强度,再加上充填和隔绝作用,使喷层与岩石的黏结力和抗剪强度足以抵抗围岩的局部破坏,防止个别危岩活石的滑移或坠落,那么岩块间的联锁咬合作用就能得以保持,提高了围岩的稳定性和自身支撑能力,又混凝土层与围岩密结形成了一个共同工作的力学统一体,具有把岩石荷载转化为岩石承载的整体结构——组合拱的作用,从根本上改变了支架被动承压的弱点。

喷射混凝土支护的作用机理的几个方面,也并非彼此割裂、孤立存在,而是互为补充、相互联系、共同作用的。喷射混凝土支护适用于中等稳定的块状结构围。

二、喷射混凝土厚度的计算

当岩体变形小,稳定性较好时,如果选用拱形断面,一般只需喷射混凝土,不必打锚杆,喷厚为50 ~ 150㎜。

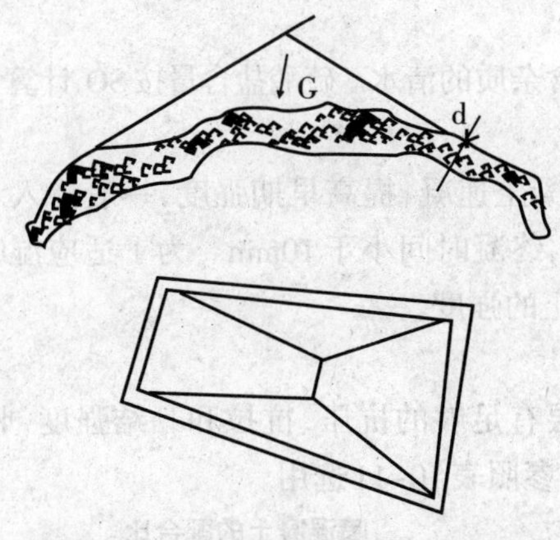

图10-44　喷层按剪切破坏计算简图

当岩体变形较大时,混凝土喷层将不能有效进行支护。至今喷射的厚度,尚无精确的计算方法,当围岩被节理、裂隙等弱面切割形成的危岩发生错动或坠落时,往往会引起围岩丧失稳定,此时混凝土喷层必须具有足够的强度阻止危岩的错动、坠落,才能保证围岩的稳定。一般喷层与岩石的黏结强度应大于抗剪切强度,因此可按抗剪切强度计算喷层厚度。如图10-44所示,为保证危岩坠落时喷层不被剪切破坏,应满足以下关系:

$$\frac{G}{u \cdot d} \leqslant [\tau]$$

$$即\ d \geqslant \frac{G}{u[\tau]} \tag{10-36}$$

式中　d——喷层厚度;

u——危岩与喷参接触面的周长;

$[\tau]$——喷层的容许抗剪强度,Pa;

g——危岩的重量,N。

由于地质条件十分复杂,计算喷厚的方法只供参考或作验算用,现今设计部门和现场仍多根据工程类比经验数据选取喷厚。

三、喷射混凝土材料

喷射混凝土要求凝结快、早期强度高、收缩率小和适合喷射机使用等。

(一)材料

(1)水泥。一般选用硅酸盐水泥或普通硅酸盐水泥,其标号不应小于325号。为了保证混凝土强度和凝结速度,不准使用受潮或过期结块的水泥,火山灰水泥初期强度低、收缩率大,不宜使用。

(2)砂。为保证混凝土硬化后不产生强大的收缩变形和起砂,以采用粒径为0.35~3.0mm的中细砂为好。砂的含水率不应大于7%。

(3)石子。一般选用坚硬的河卵石或碎石,其中碎石的回弹力低,但易于堵管和磨损管道,而河卵石则相反。石子粒径应根据喷射机性能选取。在实际工作中,为了减小回弹,石子粒径不应大于15mm。

(4)水。要求洁净为不含杂质的清水。硫酸盐含量按SO_3计算,超过水重1%的水和pH＞4的酸性水,都不许使用。

(5)速凝剂。为了使混凝土速凝,提高早期强度,一般掺入水泥重量2.5%～4%的速凝剂,要求初凝时间小于5min,终凝时间小于10min。为了适应湿喷混凝土,正在试用液体速凝剂和减水剂,以提高混凝土的强度。

(二)混凝土配合比

合适的配合比应使喷层有足够的抗压、抗拉和黏结强度,收缩变形值要小,回弹力要低。喷混凝土重量配合比可参照表10–11选用。

表10–11　喷混凝土的配合比

喷射部位	配合比	
	水泥:粗中混合砂:石子	水泥:细砂:石子
侧壁	1:(2.0～2.5):(2.5～2.0)	1:2.0:(2.0～2.5)
顶拱	1:2.0:(1.5～2.0)	1:(1.5～2.0):(1.5～2.0)

喷水泥砂浆的重量配合比为:水泥:砂=1:(2～3),砂浆标号不应低于75号。水灰比为0.45～0.55。

近年来,国外已较多地应用了钢纤维喷混凝土,即在普通喷混凝土材料中掺加3%～6%(重量比)的长20～25mm、直径0.3～0.4mm的钢纤维,要求搅拌均匀,不得成团。粗骨料粒径不宜大于10mm。钢纤维喷混凝土具有良好的性能,比普通喷混凝土抗弯强度提高27%,韧性提高9倍,破坏形式也由脆性转为韧性,允许较大的变形,且在裂缝出现后仍有承载能力。我国最近已开始在井下试验和应用,但由于成本较高,宜用于矿山井巷中的关键部位,如交岔点、煤仓等处。

四、施工机具

喷射混凝土的机具,主要包括喷射机、搅拌机、上料设备和机械手等。

这里主要介绍混凝土喷射机。

混凝土喷射机按喷射工艺可分为干式和湿式两大类。国内原来使用的多为干式混凝土喷射机,但是它的粉尘较大,回弹率高,因不符合环保要求,从2012年起井工煤矿禁止使用干式混凝土喷射机。

(一)湿喷机分类

根据湿喷机的工作原理,我们可把它分为泵送型和气动型两大类,下面简单地了解一下这两大类型:

(1)气动式湿喷机:这个类型的湿喷机有两个并排的罐,一个用于喷射,一个用于备料,而且每个罐的底部都有一个横卧的螺旋输送器,在喷嘴处通过气环引入压缩空气,然后把拌和料喷射出去。缺点是罐的内部不易清洗,上料难度大,加料麻烦。

(2)泵送型湿喷机:这种湿喷机是将柱塞式混凝土泵作为湿式混凝土喷射机的基本机

体,然后在喷嘴处通入压缩空气,再将混凝土喷射出去。缺点是机器笨重、生产效率低,而且磨损也较快,但输送距离比较长。

图10–45 湿喷机

(二)湿喷机的优点

(1)大大降低了机旁和喷嘴外的粉尘浓度,消除了对工人健康的危害。

(2)生产率高。干式混凝土喷射机一般不超过5m³/h。而使用湿式混凝土喷射机,人工作业时可达10m³/h;采用机械手作业时,则可达20m³/h。

(3)回弹度低。干喷时,混凝土回弹度可达15%~50%。采用湿喷技术,回弹率可降低到10%以下。

(4)湿喷时,由于水灰比易于控制,混凝土硬化程度高,故可大大改善喷射混凝土的品质,提高混凝土的匀质性,而干喷时,混凝土的水灰比是由喷射手根据经验及肉眼观察来进行调节的,混凝土的品质在很大程度上取决于机械手操作的正确与否。

下面简单介绍一下DSP和PS5I型喷射机的原理和操作。

1.DSP型系列湿式喷砼机

(1)用途:

本产品是一种新型高效湿法喷砼施工设备,具有效率高、性能稳定、操作维护方便、对作业场地适应性强等特点。广泛适用于交通隧道、地下工程、水电工程、煤矿巷道、建筑基坑、道路护坡等喷射混凝土施工作业。

(2)主要技术性能指标:

<table>
<tr><td colspan="2">性能指标</td><td>DSP-6型</td><td>DSP-7型</td><td>DSP-9型</td></tr>
<tr><td colspan="2">生产能力</td><td>6m^3/h</td><td>7 m^3/h</td><td>9 m^3/h</td></tr>
<tr><td colspan="2">最大输送距离</td><td>水平30m
垂直20m</td><td>水平30m
垂直20m</td><td>水平30m
垂直20m</td></tr>
<tr><td colspan="2">砼料最大骨料粒径</td><td>Ø15mm</td><td>Ø15mm</td><td>Ø15mm</td></tr>
<tr><td colspan="2">工作风压</td><td>0.40 ~ 6MPa</td><td>0.40 ~ 6MPa</td><td>0.40 ~ 6MPa</td></tr>
<tr><td colspan="2">耗风量</td><td>8m^3/min ~ 10 m^3/min</td><td>8m^3/min ~ 10 m^3/min</td><td>8m^3/min ~ 10 m^3/min</td></tr>
<tr><td colspan="2">液态速凝剂添加能力</td><td>0 ~ 125L/h</td><td>0 ~ 125L/h</td><td>0 ~ 125L/h</td></tr>
<tr><td colspan="2">上料高度</td><td>1070mm</td><td>1100mm</td><td>1130mm</td></tr>
<tr><td colspan="2">回弹率</td><td>平均≤10%</td><td>平均≤10%</td><td>平均≤10%</td></tr>
<tr><td colspan="2">机旁粉尘</td><td>10mg/m^3</td><td>10mg/m^3</td><td>10mg/m^3</td></tr>
<tr><td colspan="2">主电机功率</td><td>5.5kw（防爆/普通）</td><td>7.5kw</td><td>7.5kw</td></tr>
<tr><td colspan="2">电压等级</td><td>380V（660）</td><td>380V</td><td>380V</td></tr>
<tr><td colspan="2">外型尺寸</td><td>2200×530×1170（mm）</td><td>2400×590×1180</td><td>2400×590×1230</td></tr>
<tr><td colspan="2">整机重量</td><td>900kg</td><td>1200kg</td><td>1500kg</td></tr>
<tr><td rowspan="3">电机齿轮</td><td>孔径</td><td>Ø38×8s</td><td>Ø38×42g</td><td>Ø38×110 Ø42×106</td></tr>
<tr><td>模数</td><td>3.5</td><td>i</td><td>3.5</td></tr>
<tr><td>齿数</td><td>17</td><td>18</td><td>18</td></tr>
</table>

(3)主要结构和工作原理:

本机主要由给料喂入系统、机械动力系统、压风输送系统、速凝剂计量添加系统、电器控制系统等五部分组成。

①给料喂入系统:本系统主要由料斗体、料斗座、振动电机、转子体等组成。按一定级配和水灰比拌和好的砼料。在振动电机的强制振动下,通过料斗体上的筛网进入转子体料腔。转子体料腔在转子体圆周均匀分布。料腔随转子体转动把砼料连续不断地送入气料混合室。

②机械动力系统:本系统主要由主驱动电机、变速箱、动力输出轴等组成。由主电动机产生的机械动力经变速箱减速后,通过动力输出轴,为转子体的转动提供动力。

③风动输送系统:本系统主要由配风器、压力表、主风路手动阀、上风路手动阀、下风路手动阀、输送管路、喷头、压力控制元件等组成。由主风路引入的压力气流经配风器分成上风路和下风路。上风路气流穿过转子体料腔将料腔内的砼料带入气料混合室。下风路气流直接进入气料混合室,在混合室内携带料流经输送管路由喷头喷向受喷面。由配风器引出的另一路辅助风用来输送液态速凝剂。

④速凝剂计量添加系统:本系统主要由速凝剂箱、计量泵、雾化器、速凝剂供给开关阀、给水开关阀、清洗水开关阀等组成。计量泵按调定的输出量,将液态速凝剂由速凝剂箱供给开关阀泵、入雾化器。在雾化器内与由压风输送系统配风器上引发的辅助风混合雾化后,经管路送至喷头与砼料混合,随砼料一起喷向受喷面。

⑤电器控制系统:本系统主要分动力输入部分和盘面控制部分。

动力输入部分:本机采用280V、50HZ三相四线交流电源。总装机容量6kw~8kw。各驱动电机采用直接启动方式。主电机、计量泵电机设有过载保护装置。

盘面控制部分:盘面控制工作电压为交流单相380V,闭合总电源开关、控制电源开关,电源指示灯亮,系统即进入盘控状态。盘控状态可实现各驱动电机的启、停操作,盘控状态可用于设备调试和设备正常作业。

电器控制系统的系统功能及控制机理:

a.设备的启动及停止:闭合振动电机启动按钮,接触器得电自保,振动电机启动。闭合计量泵启动按钮,接触器得电自保,计量泵电机启动。闭合空气开关,闭合按钮,接触器得电自保,主电机启动。

依次按下振动电机停止按钮、计量泵停止按钮、主电机停止按钮,接触器失电。振动电机、计量泵电机、主电机停止运转。

b.风路过压力保护:当砼料输送系统出现堵塞故障或风压达到0.7MPa时,压力继电器触点闭合,中间继电器得电自保,故障指示灯亮。常闭触点断开,切断三个电机电源,机器停止工作。检查处理故障后,打开主风路手动截止阀,清除管路中余料后,解除报警信号,系统恢复正常。然后按a.要求重新启动设备。

c.强制开机,当设备在电路故障情况下需要暂时启动时,可按动强制开机按钮,解除电气系统联锁。实现在故障状态下的设备临时运转。

(4)操作规程:

①操作人员应认真阅读使用说明书,掌握机器机构原理和操作规程后,方可上岗操作。

②开机前准备:

a.接入动力电源,检查电控系统线路各联接点是否牢固,机体是否可靠接地,有无漏电现象。

b.确定给水开关阀、清洗水开关阀在关闭位置,将给水管接头与水源连接。

c.观察油标,检查主机变速箱及计量泵传动箱内润滑油是否充足。主机变速箱内应加入50#工业齿轮油(SY1172-80)或30#机械油。计量泵传动箱内应加入N220或N320工业齿轮油(GB5903-86)。

d.确定风动输送系统上风路手动截止阀、各分风路手动截止阀在关闭位置,主风管接通压力风源。

e.将砼输送管和速凝剂输送管分别与喷头及机体相连接。

f.调定计量泵流量。松开计量泵上调整手轮前部的蝶形螺丝,转动调整手轮,顺时针方向旋转流量减少,逆时针方向旋转流量增大。调定的刻度值为最大流量的百分比。按速凝剂添加量占水泥重量的比值调定的计量泵流量百分比刻度值K按下式计算:

K=[(5×每m^3砼料中含水泥重量×速凝剂添加比值)/(速凝剂密度×108)]×100

如:若需速凝剂添加量为水泥重量的5%,每立方米砼料中水泥重为450kg,速凝剂密度为1.4则:

K=[(5×450×0.05)/(1.4×108)]×100=74.4

即需调定的泵输出量为最大输出量的74.4%,也就是说指示器应定位在刻度板上74.4%的位置。调整手轮每转一周,调整量为总输出量的25%。流量调定后,拧紧蝶形螺母,从而锁定调整手轮。

g.调定电机转向,闭合电源开关,控制电源开关,空气开关,按下主电机启动按钮,观察转子体转动方向应与箭头标示方向一致。否则,对电控箱电源输入线调相。

h.调整压紧装置。先用手扳动压紧装置拉杆上的螺母,初步压紧,然后再使用扳手上紧2~3圈。打开主风路、上风路、下风路手动截止阀,关闭辅助风路手动截止阀,折弯砼料输送管,当气压升至0.4MPa时,检查上下密封板结合面处无气体泄漏为宜。

i.检查速凝剂输送系统。关闭上风路、下风路手动截止阀,打开主风路、辅助风路手动截止阀。观察喷头处应有气体泄出,以确定速凝剂输送管路无堵塞现象。

j.确定速凝剂供给开关阀在关断位置,向速凝剂箱内加满液态速凝剂。

③作业操作程序:

开机操作:准备工作结束后,风动输送系统打开主风路、上风路、下风路、辅助风路手动截止阀。速凝剂输送系统关闭给水开关阀、清洗水开关阀,打开速凝剂供给开关阀。电控系统闭合总开关DK、控制电源开关DYK、主电机空气开关1DK,依次启动计量泵电机、振动电机、主电机,然后向料斗中加入拌和料,设备进入正常工作状态。

停机操作:停止喷射前,首先停止加料,待料斗内无存料,观察喷头处无料喷出时,喷浆手将喷头喷口离开受喷面,操作人员关断速凝剂供给开关阀,打开给水开关阀、清洗水开关阀。然后清洗速凝剂输送管路、料斗和转子料腔内的残料。清洗干净后,先关停主电机和给水开关阀。待喷头处无液体喷出时，再关停计量泵电机，关闭清洗水开关阀，切断主风路。并按维护与保养方法对机器进行保养维护。

④注意事项：

a.在进行喷砼作业时，若发生堵管故障或某种原因造成风路尽力达到0.7MPa时，压力保护回路动作，将切断各驱动电机电源。此时应关闭主风路，检查砼料输送系统并排除故障，然后操作人员应先按故障复位按钮，解除电气系统故障联锁。打开风路手动截止阀，清吹输料管路中的余料，最后按开机操作程序重新开机，进入正常作业。

b.喷射作业时，若计量泵突然停止或辅助风路气压过高，应停机检查速凝剂输送管路是否堵塞，待故障排除后方可重新开机。

c.喷射作业时，操作人员要密切注意速凝剂箱液位指示。当液位到下限时，应立即添加速凝剂。一般每一小时需添加一次。

d.喷射作业时，向料斗加料时应尽量保持料流既不完全阻塞进料口，又均匀连续，以便使喷射性能更趋稳定。

e.喷射作业时，应严防螺栓、螺母等较长大的金属物块进入料腔，以免造成较大的毁机事故。

f.电控系统安装时已将各驱动电机旋转方向进行了统一调整。观察主电机转向是否正确，即可确定其他电机转向正确与否。调整主电机转向时，应从输入电源处统一调相，切不可单独调整主电机电源相序。

g.电源输入电缆采用航空插头联接。动力电源接入前必须检查机箱接地端子是否可靠接地。

(5)故障分析及处理：

故障现象	可能原因	排除方法
主电机不转	(1)电控系统空气开关、触头或按钮故障 (2)管路中压力过高保护器动作	电工处理 按操作程序④处理
主电机旋转，转子不转	(1)齿轮损坏 (2)转子体方轴孔损坏	检查更换齿轮 更换转子体
转子转向与箭头方向相反	电源相位接错	电控系统输入电源调相
密封板与转子之间漏风	(1)夹紧装置压力小或某压点压紧力不适当 (2)密封面夹有异物 (3)转子衬板擦伤	检查并调整夹紧装置 清除异物重新夹紧 检查转子衬板，若以后沟槽，应重新研磨或更换新板
料流与速凝剂混合不充分或喷头处无速凝剂	(1)喷头环流槽内喷射孔堵塞 (2)辅助风阀未打开 (3)速凝剂管路压力低 (4)计量泵不工作	检查清理喷头喷射孔 打开阀门 检查计量泵单向阀是否卡死 检修计量泵

续表

故障现象	可能原因	排除方法
机器喷射能力减小	(1)物料黏结堵塞转子料腔 (2)气路压力损失过大 (3)料斗下料不畅	清理转子料腔 检查气路阀门或管路是否有卡阻现象 检查料斗振动环节是否有故障
输料管振动加剧	(1)输送气流压力太低 (2)输送管路有物料沉积	检查风源和供风量,减少上料,清吹输送管路,加大输送管弯曲处的曲率半径
回弹率高	(1)骨料级配不适当 (2)喷射距离太小或太大 (3)喷射角度不正确	检查骨科级配,必要时加以调整 调整喷口到喷面距离至适当位置,一般约1米 调整喷射角度使料流中线与受喷面呈垂直状态
计量泵排量不够	(1)泵头单向阀被杂物卡住 (2)吸入管路有卡阻现象	清洗泵头单向阀 疏通泵吸入管路
计量泵不排液	(1)速凝剂供给开关阀未打开 (2)给水开关阀、清洗水开关阀未关闭 (3)吸入管道漏气	打开速凝剂供给开关阀 关闭清洗水开关阀、给水开关阀 压紧或更换法兰垫片,检查吸入管路接头

(6)机器的维护与保养:

①密封板和转子衬板:

每班喷射前,要检查施加于橡胶密封板间的压紧力,压紧力太小,会造成压力气流从结合面逸出。其携带的细微颗粒物进入密封面,会加剧橡胶密封板和转子体衬板的磨损。压紧力过大,会由于摩擦过热而造成橡胶密封板磨损的加剧。密封板的耐热极限为110℃,一般使用中不超过80℃。

每班作业完毕,在清洗机器的同时,特别要将密封板和转子衬板表面清洗干净。并检查密封板与转子衬板的磨损情况:

密封板的磨损程度以板上钢插灯顶面与橡胶表面的距离为衡量尺度。如钢插筋与橡胶表面平齐,密封板就必须更换,因为此时转子衬板会直接和钢插筋刚性接触,使两板面间无法充分压紧而获得有效的密封。

转子衬板表面不得有较深的划痕。划痕深度超过1mm就需要重新修磨。衬板过料孔的边沿必须保持尖锐的棱边。如果棱边被斜切,工作时细微的颗粒物会渗入密封板与衬板的结合面,造成密封板磨损加剧,从而缩短其使用寿命。因此,应及时修磨转子衬板。

②转子体料腔和出料口椎管:

转子体料腔和出料锥管采用防黏结材料制成,一般情况下不会黏结,但每班结束后应打开转子体和出料椎管,检查是否有物料沉积并加以清理。

③计量泵：

每班喷射前检查泵体运转是否有异常振动、噪音或发热现象。泵的输出流量是否正常，法兰有无液体泄漏。

传动箱内润滑油运行500小时进行第一次更换，以后每年更换一次润滑油。

隔离膜片每年检查一次，如出现变形、磨损、腐蚀应更换新膜片。

④传动变速箱：

a.每班工作后应及时清理表面黏附的拌和料等杂物。

b.每班开机前检查变速箱内油位，不足时应及时补充。

c.变速箱工作时，温升不得大于40℃，不应有异常振动或噪音，否则，应进行检查和维修。

d.累计工作250小时更换一次润滑油。

(7)易损件明细表：

代号	名称	规格	所属部件	单位数量
GB1235-76	O型密封圈	Ø115×3.1	料斗座盘	1
GB1235-76	O型密封圈	Ø80×3.1	喷头	2
GB3452.1-82	O型密封圈	Ø80×5.3	减速器输出轴	1
GSP-110	上密封圈		密封系统	1
GSP-111	下密封圈		密封系统	1
GSP-17	下板密封垫		面板	1
GSP-18	直管密封垫		直管	2
GSP-19	落料密封垫		直管	1
GSP-115-6	橡胶料腔		转子总成	1
GSP-t15-5	转子衬板		转子总成	2
GSP-116-1	聚氨酯弹簧		压紧机构	4

2.PS5I型转子式混凝土喷射机

(1)用途：

PS5I型转子式混凝土喷射机是一种新型高效喷砼机械，主要用于湿凝土的湿喷，湿喷能使混合料拌和均匀，水灰比能够准确控制，有利于水和水泥的水化，因而粉尘小，回弹小，混凝土均质性好，强度高。机器机构合理、性能稳定、操作维护方便、使用寿命长，广泛适用于矿山、隧道、涵洞、地铁、水电工程、地下工程及煤矿井巷喷射混凝土施工作业。

警示语：①当用在有防爆要求的场所时，其所使用的电器设备必须使用在有效期内的有安全标志使用证的电器设备。②安标受控零部件明细表中的零部件，用户不得随意更换。

(2)主要技术参数：

序号	项目名称	基本参数	单位
1	生产能力	5	m^3/h
2	最大输送距离(水平/高度)	30/10	m
3	输料管内径	51	mm
4	最大骨科粒径	15	mm
5	工作压力	0.5	MPa
6	耗气量	10	m^3/min
7	回弹	平均≤10%	
8	液体速凝剂添加量	3%~7%	
9	主电机型号	YBK2-132M2-6	
10	流量计型号	LZB-F-10	
11	速凝剂电机	YB2-802-4	
12	速凝剂出口调整压力	0.65~0.70	MPa
13	电压等级	360V/660V	
14	外型尺寸	2120×750×1200	mm
15	整机重量	1600	kg

(3)结构和工作原理：

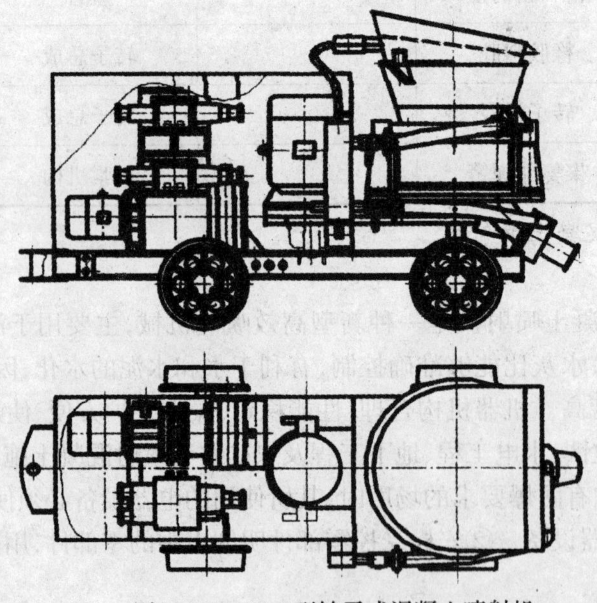

图10-46　PS5I型转子式混凝土喷射机

①机器的结构：

如图10-46所示，该机主要是由驱动电动机、减速机、转子体总成、密封板、料斗座、振动料斗压紧机构及速凝剂输送系统、风路系统和电控装置等部件组成。

②工作原理：

A.混凝土是按配比由搅拌站(机)搅拌好后加到振动料斗内，经筛网落到转子体的料腔中，转动的转子体将料腔内的料带到面板的出料口，压缩空气进入本机“配风器”后，共分三路：一路到速凝剂混合器，一路到旋流器(下风路)，再一路到料斗座(上风路)，该路风经料斗座、转子体料腔，直通面板的出料口。所以，当转子体装有料的料腔到达出料口时，压缩空气便将混合料吹经旋流器、喷沙管到喷头，下风路的风通过旋流器后，形成了旋风，所以，当料流经过旋流器时，其料得到了加速旋转，因而不易产生黏结和堵管。

B.速凝剂添加系统：

液体速凝剂添加系统是由一套输送系统来完成，该系统由速凝剂泵、蓄液箱、集成块、流量计等部件组成。集成块中包括溢流阀、单向阀、混合室。

液体速凝剂从蓄液箱由速凝泵泵出后，经溢流阀、调节阀、流量计到混合室，在混合室由分风器过来的压力风将速凝剂吹到喷头座与拌料混合喷出。

(4)使用须知：

具体操作人员，开机前应对该机的结构情况有一基本了解，仔细阅读说明书，正确掌握操作程序，确保安全。

①开机前的准备：

A.检查减速机和速凝剂泵润滑是否足够，并及时补充油量(减速机加30号机油，速凝剂泵加甘油)。

B.检查电控系统各线路线头连接是否牢固，有无接地现象，特别要注意经过长途运送的设备更应认真检查。

C.接入电源，检查电源和电压是否符合要求。

D.接通各种管路，摆顺，不要有急弯。

②试机：

A.启动主机：转子体旋转方向是否与箭头符合，分别开启上风路和下风路的阀门，观看喷头出风是否正常，如果不出风或出风小，应检查管路是否有堵塞现象。

B.初调压紧机构：开启主机，打开上风路阀门，用手先将四个压紧机构拧紧，然后有棘轮扳手上2圈左右，知道密封板(上下)与钢衬板之间不漏风为止。

C.速凝剂压力和流量的调定：

调压力——首次使用该机时，速凝剂压力要重新调定，其方法是关闭流量调节阀，掀起外罩盖，在泵的支架上有一集成块，集成块上装有一个专用压力表和压力表开关(初次调节器试最好在蓄液箱内装少量清水，压力调好后再把水放掉)。启动速凝剂泵，观察压力表是否有压力显示，如果没有或压力小，可用扳手拧动调压螺丝，顺时针转动调大、反时针调小，压力允许范围是0.6MPa～0.7MPa，压力调好后，拧紧调压螺丝上的并帽，关闭压力表开关，调压结束。

调流量——流量大小是通过调整调节阀来实现，顺时针转动调小，反时针是调大，调节时旋转必须缓慢，避免液流冲击，损坏仪器(流量计的额定压力为1MPa，最大通过流量是160L/h)。

流量计玻璃刻度是以“升/小时”为计量单位，每一小格上“4升/小时”。

由于速凝剂泵的结构特点，其液流具有波动性，因此，流量计玻璃管内的指示浮子上下浮动，但不影响计量，比较准确的读数可取浮子浮动时的下线，另外，由于液流的波动性，在刚开机5分钟内，流量显示有缓慢下降现象，所以，操作人员需注意及时调整。

③正式作业：

A.开启输送速凝剂压力风阀门，同时启动速凝剂泵，直至速凝剂从喷头随风流喷出。

B.开始喷射作业：上风路阀门全部打开，下内路阀门开启2/3，风压调到0.2MPa左右，同时启动主电机和振动电机，并向料斗加料。

C.根据运转情况及时调整压紧机构和风压。

④作业结束：

A.停止加料，当喷头无料喷出后，立即关闭速凝剂泵和振动电机。

B.往料斗内加清水，冲洗料腔和管路，至喷头出喷出清水为止。

C.放出速凝剂箱内剩余的速凝剂，放完后，再启动速凝剂泵1～2分钟，将管内残存的速凝剂吹走，如果机器暂时停用，应在箱内加水冲洗输送系统。

D.关闭主电机和上下风路等阀门，松开压紧机构。拔去振动电机插头，翻转料斗座，检查各种易损件的磨损情况。清除黏结在料腔等处的混合料。

(5)机器的维护和保养：

①每班作业结束后，一定要将机器清理干净，检查各部位的紧固件，特别是振动料斗上的螺栓，电焊连接处，发现问题及时处理。

②机器内部的料腔，旋流器的弯头、锥套虽然具有一定的防粘性，但每班作业结束后，仍应检查清理，及时更换易损件。

③密封板和转子钢衬板是关系机器粉尘和漏风的主要部件，一定要使用和保养好，作业时要调整好四个压紧机构的压紧力，基本保持平衡，作业结束后要检查其磨损情况，清洗干净，如果漏风严重，板面沟槽无法修复，就应更换新件。

④经常检查减速机和速凝剂润滑油的情况，及时补充油量。减速机的透气孔要保持通畅，防止堵塞后油污染电机。

⑤速凝剂输送系统在作业结束后应注意保养和维护。

经常检查挤压管磨损情况(挤压管属易损件)，如发现速成凝剂明显下降，首先就检查挤压管，及时更换。

如果挤压管破裂，速凝剂液体掺入管体内，除换挤压管外，还应把润滑甘油全部换掉。

速凝剂泵的摆线针轮减速机，出厂时加的硫化钼油脂，使用半年后，应注减速机内加少量的30号机油。

流量计玻璃管内如果弄脏，应及时拆下来清洗(易碎品清洗时要注意)。

保持速凝剂输送系统周围清洁，及时处理管路中出现的泄露，防止腐蚀机件。

(6)注意事项：

①喷射作业时，机器操作售货员随时注意液体速凝剂箱液位计和压力表情况，及时添加速凝剂(如果速凝剂有腐蚀性，具体操作售货员最好戴上劳动保护用品再操作。万一溅到皮肤上应尽快用清水冲洗，以免造成皮肤烧伤)。

②机器下正在运转时，严禁用金属棒棍去清理料斗，避免不慎将硬物掉到料腔内造成机电事故。

③在用水冲洗机器时，注意电器的保护，绝不可将水洒到电器上，以免使电器受潮造成短路。

④作业工作结束后，应将剩余的速凝剂放出来，以免造成沉淀，每3～5天用清水冲洗一次速凝剂箱。

⑤作业时一旦堵管应立即关闭阀门，停机，在拆卸管路时，要等到管内风压为零后才能操作。

⑥料斗座翻转前一定要先拔去振动电机插头，松开上风路胶管连接螺帽。

(7)机器的故障处理：

故障状态	可能原因	排除方法
主电机不转	电源缺相或过载：保险管烧毁，空气开关、触头、隔离刀闸或按钮故障	电工检查、逐个排除
	电机线圈烧毁或进油	检查维修
	负载过大	调节压紧机构压力
转子体不转	齿轮损坏	逐个检查，换齿轮
	转子的方轴孔损坏	更换转子体
密封板与转子间漏风	压紧装置太松	检查压紧装置，在压紧之前清除密封板与转子之间的物料
	压紧机构四点不平衡	调整压紧机构
	密封板磨损，钢插筋凸出	研磨或更换新板
	余气管堵塞	清理余气管
	转子衬板擦伤或断裂	检查转子衬板，若已有沟槽，必要时重新研磨或跟换新板
料流与速凝剂混合不充分或喷头处不出速凝剂	料腔装配缺陷	重新装配
	速凝剂箱内无速凝剂	添加速凝剂
	速凝剂管路堵塞或泄漏	维护并清理管路
	喷头的进水孔堵塞	检查喷头并清理
	速凝剂泵不工作	检查并修理速凝剂泵
	速凝剂管路压力太低	检查速凝剂泵出口压力及加风系统的总风压

续表

故障状态	可能原因	排除方法
转子、旋流器或塑料管堵塞	骨料粒径过大	输料管堵塞,应停止机器转动,关闭气路阀门,从旋流器上拆下塑料管打开风路阀门,把转子中的存料吹出去,然后家安插输料管,用木棒敲击堵塞部位,振动或掏空堵塞物(注意:在拆开旋流器或管理之前要使输料管中的压力降为0)。最后把输料管在接到旋流器上,用压风吹出骨料过筛。
转子、旋流器或输料管堵塞	输送气流压力太低	停止电机和供风管理,如果转子堵塞应搬开料斗座,打开转子,清理转子料腔,提高气流压力
机器生产能力减小	上风路或下风路没打开	停机清理后,打开阀门
	拌和料坍落度不合适,拌料不均匀	调整拌料达到规定要求
	料腔长时间没清理堵塞	清理或更换料腔
	由于物料凝结堵塞使转子料腔或旋流器的通道减小	参见堵塞部分
	振动电机不运转,下料不正常	检修振动电机
输料管	气路阀门装错或管路泄漏造成压降太大,风压过低	检查及更正
	拌和料坍落度不合适,拌料不均匀	调整拌料达到规定要求
	输送管路开始堵塞	用阀门调整气流压力
	浆料不均匀黏度太大	调解拌料比例
振动厉害	气流压力太高	必要时处理已开始堵塞的管道
回弹过大	喷头受到喷面的喷射距离不合适	调整喷距(保持一米左右)
速凝剂泵完全不排液	射流方向未与受喷面垂直	改正喷射角度
	吸入管道漏气或堵塞	检修管路
速凝剂泵排量不够或排出压力不稳定	速凝剂用完	添加速凝剂
	泵挤压管破裂	更换挤压管
	溢流阀失调	重新调整溢流阀
	进出管路泄漏	检修泄漏处
	吸浆管里有杂物	清洗吸浆管
	传动零件松动或严重磨损	拧紧或更换新件

(8)减速机轴承和齿轮明细表:

序号	名称	型号	数量	所属部件
1	轴承	6308	4	减速器
2	轴承	6014	1	减速器
3	轴承	6310	1	减速器
6	齿轮	Z=19	1	减速器
7	齿轮	Z=100	1	减速器
8	齿轮	Z=18	1	减速器
9	齿轮	Z=78	1	减速器
10	齿轮	Z=17	1	减速器
11	齿轮	Z=62	1	减速器

(9)易损件明细表:

序号	名称	规格	所属部件	单台数量
1	O型密封环	Ø85×5.3	减速器输出轴	1
2	O型密封环	Ø75×3.55	喷头	2
3	O型密封环	Ø85×3.55	喷头	2
4	上密封板		密封系统	1
5	下密封板		密封系统	1
6	料腔		转子总成	10
7	大橡胶弹簧		压紧机构	4
8	转子衬板		转子总成	2
9	O型密封环	Ø95×3.55	料斗座盘	1
10	O型密封环	Ø95×3.55	面板	1
11	喷头		喷头总成	1

(10)安标受控零部件明细:

PS51安标受控零部件明细表

序号	图号	名称	型号或材料	备注
1	PS51-00	主电机	YBK2-132M2-6	
2	ZPT-10-02	上密封板	橡胶组件	
3	ZPT-10-04	下密封板	橡胶组件	
4	ZPT-22	螺旋喷嘴	聚氨酯	L=610
5	ZPT-08	胶管	夹布胶管P=0.6MPa d=51	GB1186-81
6	ZPT-08	胶管	氧气管d=10	GB2550-81
7	PS-04	速凝剂输液管	Ø13橡胶管	
8	PS-04	挤压管	Ø16橡胶管	
9	PS51-00	泵电动机	YB2-802-4	
10		电缆	MY-0.38/0.66	电气控制图
11		矿用防爆型插销开关	BGK18-16/660	电气控制图

(11)PS5I型转子式混凝土喷射机电气原理图:

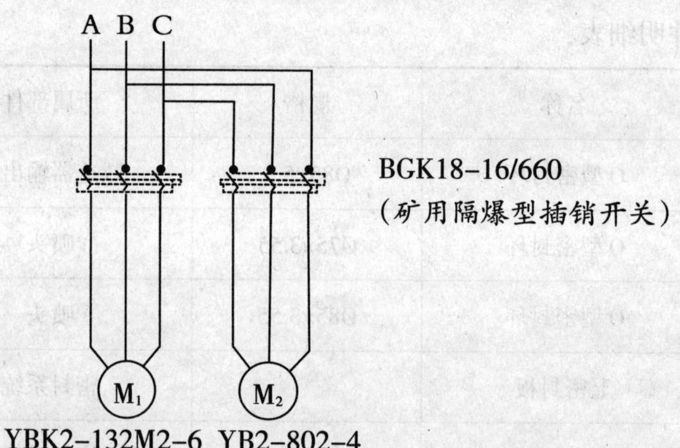

图10-47 PS5I喷射机电气原理图

电子控制元件表

代号	名称	型号	台件	备注
M_1	主电动机	YBK2-132M2-6	1	防爆型
M_2	电动机	YB2-802-4	1	防爆型
	矿用防爆型插销开关	BGK18-16/660	1	防爆型
	电缆	MY-0.38/0.66		防爆型

五、施工工艺

目前，喷射混凝土施工必须使用湿式喷射法，其工艺流程如图10-48所示。

喷射混凝土工艺流程如下：喷锚工作平台就位→喷射面的事前处理、厚度控制→湿喷机开机准备→配料拌和→塌落度测定→混合料的输送→边墙混凝土的喷射拱部混凝土的喷射→停机操作→养护。

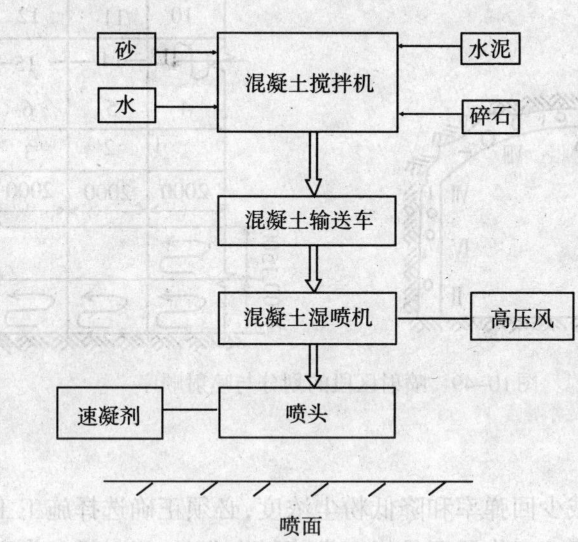

图10-48　喷射混凝土的工艺流程

(一)施工准备工作

喷射混凝土前，应做好以下准备工作：

(1) 按设计要求检查巷道规格；

(2) 用压气、水冲洗岩面并清除险石；

(3) 埋没控制喷层厚度的标桩；

(4) 清理作业地点的障碍物并做好防尘；

(5) 认真检查喷射机具和气、水、电、管线并进行试运转；

(6) 喷射时应设置必要的照明设施；

(7) 高度大于3m的巷道和硐室，应搭好工作台设好联络信号；

(8) 做好回弹物回收利用的准备工作。

(二)喷射作业

(1)严格按操作规程正确使用混凝土喷射机，尤其要注意调整好气压、水压，以减少回弹量和粉尘浓度。另外，混合料应随伴随用，其存放时间，掺速凝剂时不应超过20min；不掺速凝剂时不应超过2h。

(2)喷射操作，喷射顺序应先墙后拱，自下而上呈螺旋状轨迹移动，旋转直径以200mm左右为宜。

(3)为了保证喷射质量、提高功效，应合理划分喷射区段。一般以6m长为一基本段，基本段再分为2m长的三小段。喷墙时，每喷完1.5m高便依次向相邻小段前进。图10–49所示为拱形巷道合理划分喷射区段的一个实例。对于凹凸严重的岩面，应先凹后凸、自下而上地正确选择喷射次序。保证厚度，喷平，喷直，喷齐。

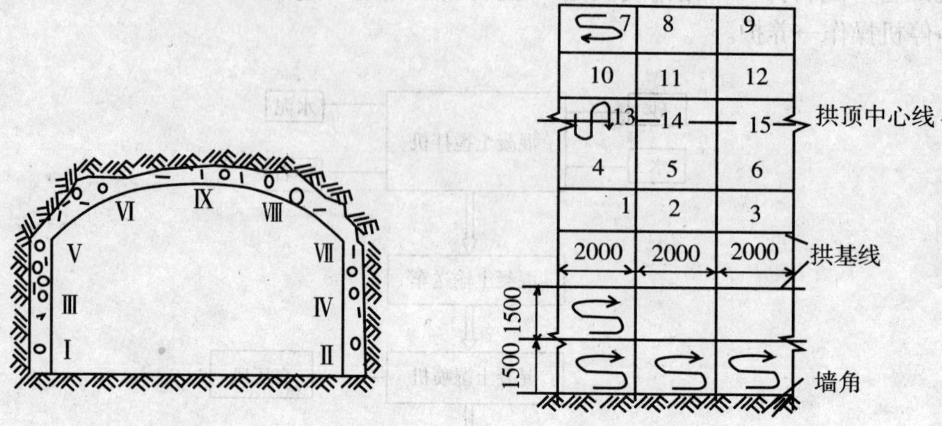

图10–49　喷射区段的划分与喷射顺序

（三）主要工艺参数

为了确保喷层质量、减少回弹率和降低粉尘浓度，必须正确选择施工工艺参数。

（1）喷射机的工作风压。工作风压是指正常喷射作业时，喷射机工作室里的风压。工作风压决定着喷嘴出口处的风压，而喷嘴出口处的风压直接影响着回弹率与混凝土喷层质量。当混凝土配合比为1:2.5:2、输料管水平长度为20m、喷头距受喷面1m左右时，其工作气压以0.11～0.13MPa为宜。

干式喷射时，喷嘴出口处的风压应控制在0.1MPa，湿喷时应控制在0.15～0.18MPa。

（2）水压。水压应比风压大0.1MPa左右，以利于水环喷出的水能充分湿润瞬间通过喷头的拌和料。调节喷头水环上的水阀即可控制水压。

（3）水灰比。水灰比适宜时（0.4～0.45），喷层表面平整、潮润光泽、粘塑性好、密实。当水量不足时，喷层表面有浮砂，出现干斑，回弹率高，粉尘多；当水量过大时，则喷层会产生滑移、下坠或流淌。

（4）喷头与受喷面的距离及倾角。合适的距离应使回弹率低，混凝土强度高，一般控制在0.6～1.0m。喷头方向除了喷墙下部可下俯10°～15°外，应尽量与受喷买内正交。喷头与受喷面垂直时，回弹率最低。

（5）一次喷射厚度。若一次喷射厚度过大，由于重力作用会使混凝土颗粒间的凝着力减弱，混凝土将发生坠落；若喷层厚度太小，石子无法嵌入灰浆层，将会使回弹增大。为了不使混凝土从受喷面发生重力坠落，一般喷射顺序为分段从墙角向上喷射，并且自下而上的一次喷射，厚度逐渐减小，其部位和厚度可按图10–50所示进行工作。经验表明，一次喷射厚度：墙60～100mm，拱30～60mm为宜。

（6）喷层之间的间歇时间。当一次喷射厚度达不到设计厚度，需进行分次喷射时，后一层的喷射应在前一层混凝土终凝后进行。要合理掌握间歇时间，若间歇时间过长要增加辅助工作时间，影响施工效率；过短，混凝土也易产生开裂或坠落。其间隔时间与水泥品种、工作温度和速凝剂掺量等因素有关。一般对于掺有速凝剂的普通水泥，温度在15℃～20℃时，其间歇时间为15～20min；不掺速凝剂时为2～4h，并在复喷前先喷水湿润。

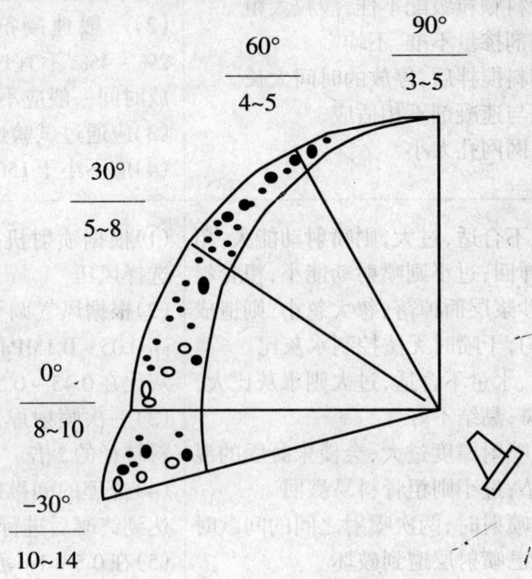

图10-50 一次喷厚与喷射部位之间的关系

分子为喷射方向与水平面平角分母为一次喷射厚度(cm)

六、喷射混凝土支护存在的问题

(一)回弹

喷射混凝土施工时，部分材料回弹落地是难以避免的，喷射混凝土过量回弹，既浪费材料，还在一定程度上改变了混凝土的水灰比，使喷层强度降低。因此，在施工中应合理确定工艺参数，使回弹率控制在边墙不超过10%，拱部不超过15%。减少回弹的措施见表10-13。

回弹物应尽量收回利用，可作为喷射混凝土的骨料，但参量不应超过骨料总量的30%，也可用于浇灌水沟、地板或预制水沟盖板等低强度混凝土构件。

(二)粉尘

降低粉尘浓度的主要措施：

(1)加强水泥与水的混合，可适当增加砂石含水率(允许的砂石平均含水率为5%左右)。

表10-13　喷射混凝土回弹影响因素分析

影响因素	回弹量大的原因	减少回弹量的措施
材料方面	(1)没有严格掌握配比,拌和料中水泥量少,粗骨料颗粒级配不佳,沙粒太粗 (2)速凝剂掺量不准、不均 (3)拌和料搅拌后,停放的时间太长 (4)水泥与速凝剂不相适应 (5)金属网网孔太小	(1)严格按设计配合比配料,粒径大于15mm的骨料应控制在20%以下 (2)一般速凝剂掺量为水泥重量的2%~4%,不宜过多或过少,拌和料停放时间一般应不超过30min (3)应通过试验选用 (4)应不小于150mm
工艺方面	(1)气压不合适,过大,则喷射动能大,粗骨料易弹回;过小则喷射动能小,粗骨料冲不到砂浆层而掉落;忽大忽小,则造成出料不匀,干喷时无法控制水灰比 (2)水压、水量不合适,过大则水灰比大,出现干斑,黏结不好 (3)一次喷射厚度过大,会使未凝固的混凝土下坠;过小则粗骨料易溅回 (4)分层喷射时,两次喷射之间的间歇时间太短,已喷射层遭到破坏 (5)喷枪与受喷面的距离过近或过远	(1)根据喷射机类型和输料距离合理选择风压 (2)根据风气调整水压,水压应比风压高0.05~0.1MPa,控制好水量,保持水灰比在0.43~0.5范围内 (3)一次喷射厚度一般应小于量大骨料粒径的2倍 (4)合理的间歇时间应是喷射混凝土达到终凝后进行下一层的喷射 (5)在0.5~1m范围内,随气压变化而调整
工作条件	(1)受喷面太光滑 (2)受喷面上有灰尘 (3)受喷面凹凸严重 (4)受喷面水大	(1)用喷沙法增加岩石的粗糙度,或先喷一层砂浆,再喷混凝土 (2)喷射前先洗岩石灰尘 (3)采用光爆,使断面轮廓尽量规整 (4)水大时,先采取排水措施,治水后喷射;水小时一面用压气吹去淋水,一面喷射,边吹边喷
操作方法	(1)喷射顺序不对 (2)喷枪的移动方式不对 (3)拿喷枪的姿势不对 (4)给料不连续、不均匀,使喷射手掌握不住水灰比 (5)使用单罐湿喷射机时,每罐开始喷射部位不对	(1)应下面墙后拱,自下而上进行喷射 (2)应按螺旋状轨迹一圈压半圈横向运动应使喷枪垂直受喷面 (3)应专人掌握喷射机的入料,保证给料连续均匀 (4)每罐初喷时,先喷射已喷部位或罐内保持少量混凝土

(2)加强通风。尽量采用混合或压入式通风,风筒口距作业地点以10m左右为宜。在喷射作业地点的回风流中应设喷雾洒水装置。

(3)注意操作人员的个体防护,如佩戴防尘眼镜、防尘口罩。

(4)采用湿喷机。这是减少粉尘的根本途径。但由于它的输料距离短,有淋水时不能使用,特别是速凝剂的添加方法、拌水量的定量控制等问题还没有很好解决,故目前仍处于试验阶段。

(三)围岩渗漏水的处理

围岩涌水会降低喷层与岩面的黏结力,使喷层脱落或离层。因此,喷射混凝土前首先要弄清水情和水源,根据不同情况采用封、堵、截、导、吹等治水方法对水进行处理。若岩帮仅有少量渗水、滴水,可用压气清扫,边吹边喷即可;遇有小裂隙水,可用快凝水泥砂浆封堵,然后再喷;若有成股涌水或大面积漏水,则单纯封堵是不行的,必须将水导出,如图10-51所示。首先找到水源点,在该处凿一个深约10cm的喇叭口,冲洗干净后,用快凝水泥砂浆将导水管埋入,再向管子周围喷混凝土,待混凝土达到一定强度后,再向导管内注入水泥浆,将孔封闭。

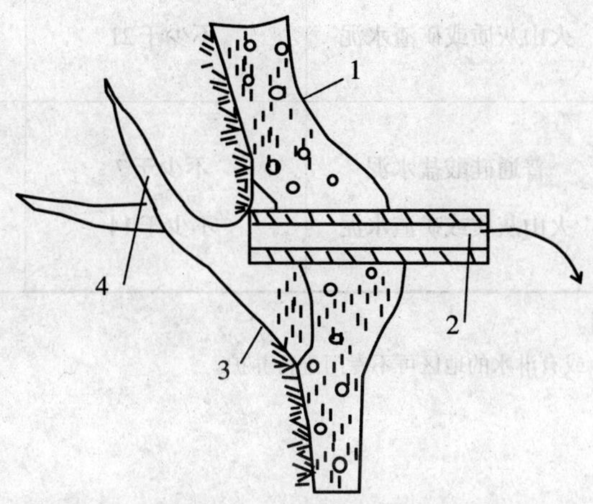

图10-51　埋设导管排水

1——喷层;2——导水管;3——快凝水泥;4——水源

(四)喷层的养护

由于喷射混凝土水泥用量较大,细骨料(砂)多,喷层又是大面积薄层结构,加入速凝剂后迅速凝结,这就使混凝土在凝结期的收缩量为减少,而硬化期的收缩量则明显增大,使喷层产生有规则的收缩裂缝,降低了喷层的强度。影响收缩开裂的主要因素是空气的湿度,混凝土收缩主要是由水泥浆中水分的损失所引起的,因此硬化过程中周围空气湿度对混凝土收缩值有很大影响,故喷射后必须按养护制度规定进行养护。要求在混凝土终凝2h后喷水养护,用普通水泥时喷水养护时间不小于7d,用矿渣水泥时不小于14d。只有在淋水的地段或相对湿度95%以上的情况下,才可不专门进行养护。具体要求见表10-14。

表 10–14　　　　喷层养护制度

空气湿度	水泥品种	养护日期(天)	喷水次数
60%以下	普通硅酸盐水泥	不少于21	每2～3小时喷水一次
	火山灰质或矿渣水泥	不少于28	每2～3小时喷水一次
80%以下	普通硅酸盐水泥	不少于14	每3～4小时喷水一次
	火山灰质或矿渣水泥	不少于21	每2～3小时喷水一次
90%以下	普通硅酸盐水泥	不少于7	每8小时左右喷水一次
	火山灰质或矿渣水泥	不少于14	每8小时左右喷水一次

注：1.水泥中均掺有速凝剂。

2.空气湿度在95％以上或有淋水的地区可不专门进行养护。

第二部分 专业核心知识点

一、木支架

巷道中常用的木支架为梯形棚子，是由一根顶梁，两根与底板成80°角的棚腿，还有背板、木楔等组成。

木支架重量轻，加工方便，架设容易，适应性强。其缺点是强度低，不防火，易腐朽，服务年限短，不能防止围岩风化，消耗量大，煤矿井下现禁止使用木支架支护。

二、预制钢筋混凝土支架

这种支架在地面用钢筋混凝土制成，梁、柱采用“亲口接头”，在井下装配。

钢筋混凝土支架具有很多优点，是煤矿井下常用支架。但其缺点是重量大，没有可缩性。

三、金属支架

金属支架强度大，坚固耐用，安拆方便，可多次复用，可作永久支架，也可做临时支架。

金属支架常用的钢材有16～20号矿用工字钢或18kg／m～24kg／m钢轨。背板根据巷道服务年限，可用混凝土预制板和木板。

四、石材支架（砌碹）

石材支架是指用料石、砖、混凝土或钢筋混凝土砌筑成的巷道支架。支架本身是个连续体，对围岩能起封闭、防风化作用。

这种支架强度大、坚固耐久，但费工、费料、费时、费用大。所以它一般用于服务年限长，断面大或地压大的巷道。

五、锚杆支护

锚杆支护是巷道支护的一种新技术，优点很多，巷道支护中能采用锚杆支护要尽量采用锚杆支护。

六、喷射混凝土（砂浆）支护

喷射混凝土（砂浆）支护，就是将一定比例的水泥、砂、石、水，装入喷射机，以压气为动力，使混凝土沿管路压送到喷嘴处与速凝剂混合，并以高速度喷射在岩面上凝固、硬化而成。锚喷支护由喷射混凝土（砂浆）支护和锚杆支护共同作用，能有效地起到对围岩的固定和封闭作用。

第三部分 专业技能训练

一、架棚支护工

(一)上岗条件

(1)架棚支护工必须经过专业技术培训,考试合格后,方可上岗。

(2)架棚支护工必须认真熟悉作业规程,掌握规定的支护形式、支护技术参数、质量标准要求等情况。

(二)安全规定

(1)施工中不得使用下列支护材料及支架:

①不符合作业规程的支护材料。

②腐朽、劈裂、折断、过度弯曲的坑木。

③露筋、折断、缺损的混凝土棚。

④严重锈蚀或变形的金属支架。

(2)施工时,必须按照作业规程规定采用前探梁支护或其他临时支护形式,严禁空顶作业。

其支护材料、结构形式、质量应符合作业规程规定。

(3)支护过程中,必须对工作地点的电缆、风筒、风管、水管及机电设备妥善加以保护,不得损坏。

(4)严禁将棚腿架设在浮煤浮矸上。

(5)爆破崩倒、崩坏的支架应及时修复或更换。修复支架前,应先敲掉危石、活矸,做好临时支护;扶棚或更换支架,应从外向里逐架依次进行。

(6)在倾斜巷道内,必须有一定的迎山角,迎山角值应符合作业规程的规定。支架必须迎山有力,严禁支架后仰。

(7)架棚巷道的支架之间必须安设牢固的拉杆或撑木,迎头10m内应敷设防倒器或采取其他防止爆破崩倒支架的措施。

(8)对工程质量必须坚持每班检查和抽检制度,隐蔽工程要填写“隐蔽工程记录单”。

(9)在压力大的巷道架设对棚时,对棚应一次施工,不准采用补棚的方法,以免出现对棚高低不平、受力不均的情况。

(10)巷道支护高度超过2m,或在倾角大于30°上山进行支护施工,应有脚手架或搭设工作平台。

(11)架棚应对以下项目进行检查,不合格时应进行处理:

①梁和柱腿接口处是否严密吻合,不得出现“前缺”、“后穷”和“喝风”现象;

②混凝土支架是否按要求放置木垫板;

③梁、腿接口处及棚腿两端至中线的距离是否符合规定；

④腰线至棚梁及轨面的距离是否符合规定；

⑤支架有无歪扭迈步、前倾后仰现象；

⑥支架帮、顶是否按规定背紧、背牢。

(12)背帮背顶材料要紧贴围岩，不得松动或空帮空项。顶部和两帮的背板应与巷道中线或腰线平行，其数量和位置应符合作业规程规定，背板间隔布置时，不得出现单数。梁腿接口处的两肩必须加楔打紧，背板两头必须超过梁(柱)中心。

(13)底板是软岩(煤)时，要防止柱腿钻底的措施。在柱腿下加垫块时，其规格、材质必须符合作业规程，要采用人工上梁时，必须手托棚梁，稳抬稳放，不要将手伸入柱梁接口处；采用机械上梁时，棚梁在机具上应放置平稳，操作人员不得站在吊升梁的下方作业。

(14)架设梯形金属棚时应遵守下列规定：

①严禁混用不同规格、型号的金属支架，棚腿无钢板底座的不得使用。

②严格按中、腰线施工，要做到高低一致、两帮齐整。

③柱腿要靠紧梁上的挡块，不准打砸梁上焊接的扁钢或矿用工钢挡块。

④梁腿接口处不吻合时，应调整梁腿倾斜度和方向，严禁在缝口处打入木楔。

⑤按作业规程规定背帮背顶，并用木楔刹紧，前后棚之间，必须上紧拉钩和打上撑木。

⑥固定好前探梁及防倒器。

(15)在井下加工梯形木棚时，应遵守下列规定：

①准确度量棚梁和柱腿的尺寸。

a.柱腿用料时，要将料的粗端在上，超长的坑木只准截去细端。

b.按作业规程中规定的接口方式和规格量、画好勒口线，柱口和梁口的深度不得大于料径的1/40。

c.用弯料时，应使料的弓背朝向巷道顶、帮。

②锯砍棚料时的注意事项：

a.锯砍棚料时，应将木料放平稳，不允许发生滚动。

b.砍料时，要注意附近人员和行人的安全，斧头和斧把不得碰撞障碍物。

c.砍料人不得将脚伸在砍料处的近旁。

d.及时清除粘在斧头上的木屑，注意木料上木节、钉子，避免砍滑伤人。

e.锯、砍料的地点，应避开风、水管路和电缆，防止损坏管路和电缆。

(16)架设混凝土棚时必须遵守下列规定：

①混凝土支架接口处，要垫上经过防腐处理的木板或可塑性材料。

②找正支架时，不准用大锤直接敲打支架。如必须敲打时，应垫上木块等可塑性材料后再进行敲打，以保护支架不被砸坏。

③混凝土支架巷道一般应采取预制水泥板背顶背帮，梁柱不准与顶、帮直接接触。

④煤层和软岩巷道中，混凝土支架紧跟工作面时，必须采取防炮崩的加固措施，以确保不崩倒、崩坏混凝土支架。

(17)架设拱形棚应遵守下列规定:

①拱梁两端与柱腿搭接吻合后,可先在两侧各上一只卡缆,然后背紧帮、顶,再用中腰线检查支架支护质量,合格后即可将卡缆上齐。卡缆拧紧矩不得小于150N·m。

②U形钢搭接处严禁使用单卡缆。其搭接长度、卡缆中心距均要符合作业规程规定,误差不要超过10%。

(18)架设无腿拱形支架时,应先根据设计要求打好生根梁孔,再安设生根梁柱,并浇注混凝土稳固,7天后才可上梁。

(三)操作顺序

架棚支护应按下列先后顺序操作:

(1)备齐施工用工具和支护材料。

(2)敲帮问顶,排除隐患。

(3)移前探梁、架棚梁、接顶。

(4)延长中腰线至架棚位置。

(5)挖腿窝。

(6)立腿棚。

(7)背顶背帮。

(8)使好撑木、拉杆、联棚器等稳固装置。

(9)检查架棚质量,清理现场。

(四)正常操作

(1)梯形棚架设的操作:

①敲帮问顶,安全检查,排除安全隐患。

②爆破前要加固工作面10m之内的支架。

③爆破后由外向里逐一检查、整修棚架。

④做好临时支护,做临时支护要注意的事项:

a.使用铰接式前探梁时,铰接顶梁要与棚距相匹配。爆破后在工作面最前一架棚头上安好吊梁器,使用好铰接顶梁插上水平销,并上好需要架设的棚头,调整好中腰线和扭矩,并背实顶板,棚梁前方空顶区用方木背实。铰接顶梁不少于10架,交替前移使用,并做到每梁必铰。

b.使用吊梁式前探梁时,爆破后将前探梁前移至工作面固定牢固,上好需要架设的棚头,调整好中腰线,并背实顶板,棚梁前方空顶区用方木背实。

⑤挖腿窝:先量取棚距,按中线和下宽定腿窝位置,按腰线确定其深度。控制好项帮后,再把腿窝至设计深度。挖腿窝时,须有专人监护。

⑥立棚腿:竖上棚腿,调整好扎角,并稳固好棚腿。

⑦合棚梁:前探梁上的棚头与棚腿合口,先合一头后,再合另一头。禁止人员在下方逗留或通过。

⑧合口后将支架找正,压肩初步固定。

⑨检查支架的架设质量，符合质量标准后，再背顶背帮，楔紧打牢，并按设计位置使撑木、拉杆、联棚器等稳固装置。

（2）可缩支架的架设：

①执行梯形棚架设的1～4款规定。

②立棚腿：可缩支架的棚腿，可直接栽入腿窝，未安装好的，在现场按设计搭接长度进行搭接，安上卡缆，拧紧螺母，立入腿窝，扶正临时固定。

③上棚梁：

a.临时支护时，在前探梁上安放拱形梁。

b.接头搭接后，将支架扶正，安上撑杆或拉杆。

④全面检查支架架设质量，适当调整搭接长度，符合质量标准要求后，用专用扳手逐个拧紧螺母并达到设计规定的扭矩值。

⑤背顶背帮，楔紧打牢。拱形可缩支架由两侧对称穿背至拱顶，并达到设计要求，梯形可缩支架留有让压间隙。

（3）在顶板完整、压力不大的梯形棚支护巷道架设抬棚时，应按下列顺序施工：

①在老棚梁下先打好临时点柱，点柱的位置不得有碍抬棚的架设。

②摘掉原支柱的柱腿，根据中、腰线找好抬棚柱窝的位置，并挖至设计深度。

③按架设梯形棚的要求立棚腿、上台棚梁。

④将原支架依次换成插梁，最靠边的两根插梁应插在抬棚梁、腿接口处。更换插梁只准从两翼向中间进行。

⑤背好顶、帮，打紧木楔。

⑥上好棚卡子。

⑦采取可靠措施，使抬棚腿生根。

（4）在顶板不完整、压力大的梯形棚支护巷道架设抬棚。

①将原支架逐棚换成插梁，在插梁下打好托棚。所有插梁都应保持在同一水平上。

②架设主抬棚，抬住已替好的插梁。

③撤除托棚。

④逐架拆除原支架并调整插梁，背实顶帮。

⑤架设辅助抬棚。

⑥上好抬棚卡子。

⑦采取可靠措施，使抬棚腿生根。

二、灰浆搅拌工

（1）将细骨料、水泥（粗骨料）的料车分别送至配料地点。推车时，时刻注意前方，抬料时要同起同落，步调一致，使用速凝剂时，速凝剂要放在干燥的地方保管。

（2）利用筛子对细骨料、粗骨料分别进行筛选，筛孔规格符合规程要求。粗骨料、细骨料符合标准时可直接使用。

(3)根据规程要求的比例分别量取配料,并倒入拌料车内。

(4)将车内的拌料来回翻三遍,保证混合料搅拌均匀。

(5)打开水门,将水流向水容器内,然后往混合料里倒水。先倒少量水,然后边搅边倒,将混合料来回叠翻几遍,直至拌和均匀。搅拌混凝土混合物,所用混凝土必须有良好的和易性,砂浆要有足够的黏聚性。

(6)需添加速凝剂时,按要求比例配比,搅拌均匀,加进速凝剂后要迅速搅拌,及时使用。

(7)检查搅拌的质量,符合要求后装入灰车。

(8)推车速度要适中,推至工作面要停放牢靠,用木楔将车支稳。

三、砌碹工

(1)按照巷道的中腰线首先挂好垂线和水平线。在砌墙的过程中,不准料石碰撞该线。

(2)砌墙时,必须将料石摆放平,不平时,应用碎石垫平、垫稳。在倾斜巷道中,料石大面缝口应和巷道的坡度一致。

(3)在砌墙过程中,应使用不可燃性材料随砌随将壁后充填严实。

(4)一次砌筑墙高不得超过1m,超出部分应待灰浆初凝后再砌。

(5)砌碹用砂浆配比必须符合作业规程的要求;砌筑时,抹灰要均匀饱满,无干瞎缝,严禁干垒。

(6)料石压茬要明显,正常情况下,压茬宽度不得小于料石宽度的1/4。接茬要严密,严禁出现对缝、重缝和齐茬,碹头必须留好长短茬。

(7)新碹与旧碹的接茬处,必须用水冲洗清除煤矸等杂物。

(8)架设的碹胎,必须符合要求,牢固可靠。

(9)用胎腿稳定碹胎时,胎腿和碹胎之间的接口要对齐,并用扒锯固定牢固,不能歪扭。

(10)架设碹胎的工作,应由碹头向里依次进行;第一架碹胎应稳在老碹下,两碹胎间距不应大于1m。相邻碹胎之间必须用拉杆连接。

(11)碹胎的模板应随砌随放,清理干净,并摆放平整。外部不整处,可用木楔垫平。模板厚度应一致,对接要齐,对缝应严密、平整,不准漏浆。

(12)碹胎不允许直接稳定在工作平台上,用砖、石垛稳定碹胎时,应在接触处垫方木。

(13)在工作平台上,要留有躲闪冒落活石的空间。禁止在平台上打砸料石和堆积过多的材料。

(14)砌拱时,应从两侧墙向拱顶进行,每块料石都要用顶头灰,封口的砌块之间必须用石楔打紧。

(15)拱顶和巷壁之间必须用不燃性材料充填严实。冒顶过高时,拱石充填层厚度不得小于0.5m,上部可用木垛或水泥板垛接顶。

(16)封顶时应在拱项中心由里向外合口,要使用合格的料石,以防封口不紧或灰缝过大。封口后,应在背帮浇抹砂浆。

(17)筑双层碹时,第一层应比第二层超前2~3排料石。

(18)回出碹胎后,应及时进行勾缝。将砌块之间缝隙抹5~10mm厚砂浆,按砌块形状边缘呈条状截齐。

四、锚杆(栓)工

(一)锚杆支护

1.打锚杆应遵守的规定

(1)打眼前应做好以下准备工作:

①按照中腰线严格检查巷道断面规格,不符合作业规程要求时须进行处理。

②认真敲帮问顶,仔细检查顶帮围岩情况,找净活矸、危石,确保工作环境安全。

③按作业规程规定的锚杆布置确定眼位,并用粉笔或黄泥作好标志。

④检查和准备好钻具、电缆或风水管路,并在钎杆上作出眼深标记。

(2)严禁空顶作业,必须在前探梁、临时棚或点柱等掩护下进行打眼。打眼应由外向里进行。

(3)锚杆眼的方向、角度,原则上应与岩石的层理面垂直。当层理面不明显时,锚杆眼方向应与巷道周边垂直。

2.安装锚杆须遵守的规定

(1)安装前,应先检查锚杆孔布置形式、孔距、孔深、角度以及锚杆部件是否符合作业规程要求,不符合规定的要进行处理及更换。

(2)安装前,应将眼孔内的积水、煤岩粉屑用掏勺或压风吹扫干净。吹扫时,操作人员应站在孔口一侧,眼孔方向不得有人。

(3)安装锚杆必须按作业规程的要求认真操作,托板要紧贴壁面,不得垫衬任何物品,并不能有松动现象。锚杆安装时的预应力必须符合作业规程规定。

(4)锚杆的外露长度要符合作业规程的规定,一根锚杆不允许上两个托板或螺帽。

(5)锚杆安装后,要定期按规定进行锚固力检测,对不合格的锚杆必须重新补打。

(6)有滴水或涌水的锚孔,不许使用水泥锚杆。

3.安装树脂锚杆应遵守的规定

(1)安装时应先用杆体量测孔深和孔角度,符合规定要求后,再将树脂锚固剂放入孔内,并用杆体将锚固剂缓推至孔底。

(2)在杆体尾部上好连接头,用煤电钻或风动搅拌器连续搅拌,搅拌时间要符合规定。

(3)搅拌后,用木楔或小块矸石塞卡住杆体,然后轻轻取下搅拌钻具,不许出现杆体下滑现象。

(4)树脂经15min固化后,安装托板(不包括K型和M型树脂锚固剂),并按作业规程规定的时间和扭矩拧紧螺帽,使托板紧贴岩壁面。

4.安装管缝锚杆应遵守的规定

(1)安装前应按作业规程要求,检查孔深和“管孔径差”是否合格。

(2)使用凿岩机或液压锚杆安装机安装时,开始推力要小,以防推力过大造成管缝锚杆弯折，锚杆进入孔内500ram后，再增加推力。

(3)在推进锚杆过程中，要始终保持锚孔和锚杆成一条直线。

(4)推入眼孔的锚杆长度必须符合规定，垫板应与岩面紧密接触。

5.安装水泥锚杆应遵守的规定

(1)水泥锚固剂必须按当班需要量领取，入井后应放置在干燥处。使用前不准拆开塑料袋，以防遇潮变质或失效。

(2)安装前，应用杆体量测孔深。

(3)安装时，应首先将水泥锚固剂按作业规程规定的时间放入净水中浸泡，取出后立即放入锚孔内。

(4)安装微膨胀水泥锚杆时，应先在杆体上套上冲压管，把水泥锚固剂推至孔底，先挤压、轻冲，再重冲，将水泥锚固剂挤实。普通水泥锚杆或自浸式水泥锚杆的安装，与树脂锚杆的安装工艺相同。

(5)杆体安装后，按作业规程规定的时间上紧托板。

6.安装非金属锚杆应遵守的规定

(1)采用楔缝木锚杆时，应先将小木楔插入锚杆一端的楔缝中，木楔必须夹正、夹紧，然后将杆体插入锚孔，用大锤打紧锚杆，最后套上托板并打紧木楔，紧固托板。

(2)采用倒楔竹锚杆时，首先要把锚头与倒楔块捆扎在一起，用Φ16mm、Φ18mm的圆钢或细钢管顶住倒楔块，把锚杆缓慢送入眼底，再用大锤冲砸，直至打不动倒楔为止，最后在外露端套上托板，打紧小楔，紧固托板。

7.倒楔锚杆操作要求

(1)将内楔插入锚杆杆体楔缝，并把锚杆轻轻推入锚杆眼内，用套筒把锚杆外部套住或至少戴个螺母。最外端螺母戴上后，不许露出杆体。

(2)人工敲击锚杆外端，直到打不进为止，并使锚杆外露部分符合设计要求。

(3)拧开戴的两个螺母，安锚杆外部托板，用扳手拧紧螺母。

(4)锚杆外露长度应符合作业规程的要求，封孔严实，托板紧贴岩面，螺母必须拧紧。严禁托板下加石头、木头或多加托板。

(5)岩巷装倒楔式锚杆：

①把锚杆与倒楔捆在一起，缓缓送入眼底。

②用壁铁式管子顶倒楔，拿锤用力敲击壁式管子外端，倒楔带动锚杆向里移动。直到楔子不行走为止。

③安好外边托板，并用扳手拧紧外端螺母，使托板紧贴岩面。

(二)锚索支护

打锚索应遵守的规定有以下5个方面：

1.打眼前准备工作

(1)施工前，要备齐钢绞线、锚固剂、托盘、锚具等支护材料和锚杆打眼机、套钎、锚索专用驱动头、张拉油缸、高压油泵、液压剪、注浆泵等专用机具以及常用工具。

(2)准备好施工所需风、水、电。

(3)进行锚索钻机的检查。

(4)张拉锚索前,检查张拉油缸、油泵各油路接头是否松动。

2.打锚索眼

(1)敲帮问顶,检查施工地点围岩和支护情况。

(2)根据锚孔设计位置要求,确定眼位,并做出标志。

(3)必须采取湿式打眼。

(4)竖起钻机把初始钻杆插到钻杆接头内,观察围岩,定好眼位,使锚杆机和钻杆处于正确位置。钻机开眼时,要扶稳钻机,先升气腿,使钻头顶住岩面,确保开眼位置正确。

(5)开钻。操作者站立在操作臂长度以外,分腿站立保持平衡。先开水,后开风。开始钻眼时,用低转速,随着钻孔深度的增大,调整到合适转速,直到初始锚孔钻进到位。

(6)退钻机,接钻杆,完成最终钻孔。

(7)锚索眼必须与巷道面垂直,眼深和间排距偏差应符合作业规程的规定标准。

(8)锚索打眼后,先关水,再停风。

3.组装锚索

用钢刷除去钢绞线表面浮锈,在自由段涂防锈油脂。

4.安装锚固锚索

(1)检查锚索眼及注浆孔质量,不合格的及时处理。

(2)把锚索末端套上专用驱动头、拧上导向管并卡牢。

(3)将树脂药卷用钢绞线送入锚索孔底,使用2块以上树脂药卷时,按超快、快中速顺序自上而下排列。

(4)用锚索钻机进行搅拌,将专用驱动头尾部插入锚索钻机上,一人扶住机头,一人操作锚索钻机;边推进边搅拌,前半程用慢速后半程用快速,旋转约40s。

(5)停止搅拌,但继续保持锚索钻机的推力约1min后,退下锚索钻机。

5.树脂锚固剂凝固1h后进行张拉和顶紧上托盘工作

(1)卸下专用驱动头和导向管,装上托盘、锚具,并将其托至紧贴顶板的位置,把张拉油缸套在锚索上,使张拉油缸和锚索同轴,挂好安全链,人员撤开,张拉油缸前不得有人。

(2)开泵进行张拉并注意观察压力表读数,分级张拉,分级方式为30kN、60kN、90kN、130kN。达到设计预紧力或油缸行程结束时,迅速换向回程。

(3)卸下张拉油缸,用液压剪截下锚索过长的外露部分,并套上防护套。

五、喷浆工

严格按操作规程进行操作。

(一)开机操作

准备工作结束后,风动输送系统打开主风路、上风路、下风路、辅助风路手动截止阀。速凝剂输送系统关闭给水开关阀、清洗水开关阀,打开速凝剂供给开关阀。电控系统闭合总开关DK、控制电源开关DYK、主电机空气开关1DK,依次启动计量泵电机、振动电机、主电机,然后向料斗中加入拌和料，设备进入正常工作状态。

（二）停机操作

停止喷射前，首先停止加料，待料斗内无存料，观察喷头处无料喷出时，喷浆手将喷头喷口离开受喷面，操作人员关断速凝剂供给开关阀，打开给水开关阀、清洗水开关阀。然后清洗速凝剂输送管路、料斗和转子料腔内的残料。清洗干净后，先关停主电机和给水开关阀。待喷头处无液体喷出时，再关停计量泵电机，关闭清洗水开关阀，切断主风路。并按维护与保养方法对机器进行保养维护。

（三）注意事项

（1）在进行喷砼作业时，若发生堵管故障或某种原因造成风路尽力达到0.7MPa时，压力保护回路动作，将切断各驱动电机电源。此时应关闭主风路，检查砼料输送系统并排除故障，然后操作人员应先按故障复位按钮GFA，解除电气系统故障联锁。打开风路手动截止阀，清吹输料管路中的余料，最后按开机操作程序重新开机，进入正常作业。

（2）喷射作业时，若计量泵突然停止或辅助风路气压过商，应停机检查速凝剂输送管路是否堵塞，待故障排除后方可重新开机。

（3）喷射作业时，操作人员要密切注意速凝剂箱液位指示。当液位到下限时，应立即添加速凝剂。一般每一小时需添加一次。

（4）喷射作业时，向料斗加料时应尽量保持料流既不完全阻塞进料口，又均匀连续，以便使喷射性能更趋稳定。

（5）喷射作业时，应严防螺栓、螺母等较长大的金属物块进入料腔，以免造成较大的毁机事故。

（6）电控系统安装时已将各驱动电机旋转方向进行了统一调整。观察主电机转向是否正确，即可确定其他电机转向正确与否。调整主电机转向时，应从输入电源处统一调相，切不可单独调整主电机电源相序。

（7）电源输入电缆采用航空插头联接，动力电源接入前必须检查机箱接地端子是否可靠接地。

要特别注意调整好风压和配水量，以减少回弹量，降低粉尘的浓度，保证喷射质量。尽量使喷头与喷射面保持垂直，并与喷射面保持1m左右的距离。喷射顺序应先墙后拱。由上向下呈螺旋状轨迹移动，轨迹直径200~300m，一圈压一圈地按作业规程喷射击顺序工。

复习题

1.巷道支护常见的类型有哪几种？

2.各类巷道支护方式的特点及适用情况。

4.简述锚杆支护的作用原理。

5.常用锚杆的类型有哪些？各自的结构及适用条件是什么？

6.简述锚杆的安装及检验方法。

7.简述喷射混凝土支护的作用原理。

8.喷射混凝土的材料有哪些？各自的要求是什么？

技能训练题

在支护完好的煤巷内进行(注:顶板为煤层),每位学员打注2根锚杆(在原支护锚杆之间空隙处):1根顶部垂直锚杆,1根顶角锚杆。垂直方向与顶板成20度夹角,顶角锚杆距巷帮不大于0.2米。并测试其拉力。

讨论题

锚固力与锚杆拉拔力的讨论。

要点:

(1)锚固力是锚杆对围岩产生的约束力,是限制围岩变形,起支护作用的力。

锚杆拉拔力是杆体、锚固剂、岩石黏结到一起后,锚杆破断或失效的最大拉力。

(2)锚固力随着被支护的围岩变形、膨胀而增大,因此锚固力是一个动态发展并不断变化的力。如果围岩不发生变形且不考虑杆体的松驰效应,锚固力等于初锚力。

锚杆拉拔力通常是指设计拉拔力,其值应大于锚杆锚固力和锚杆破断力的一种固定的力,不随围岩变形和锚杆受力而改变。

(3)锚固力检测使用安装于锚杆螺母和托盘之间的锚杆测力计,一般在锚杆安装时把锚杆测力计安好。检测锚固力是为了监测锚杆受力状况,需要进行长期观测。

锚杆拉拔力检测使用锚杆拉力计,检测可以在锚杆安装完成后任何时候进行,检测锚杆拉拔力是为了查验锚杆杆体、锚固剂、岩石黏结效果。在施工中,检测锚杆拉拔力时,一般只要达到设计锚固力即可;在做破坏性检测时,则要求锚杆被拉断或锚杆被拉出才终止。

(4)监测分析锚杆工作情况时,测锚固力。测量锚固力是为了验证支护的可靠性,为以后修改支护设计提供依据。

检查锚杆施工质量时,一般检查锚杆拉拔力。设计和施工时,必须保证锚杆拉拔力大于杆体破断力这一基本原则,即锚杆杆体受力超过其破断力后,锚杆只能被拉断,但锚杆不能被拉出。常见的错误是设计的锚杆拉拔力小于杆体破断力。

(5)施工、设计中锚固力与锚杆拉拔力经常混淆、混用。二者混淆原因一方面是由于一些标准、教课书说法不一,造成混乱;另一方面是对二者内涵认识理解有误,辨识不清。

第十一章 巷道施工组织与管理

第一部分 系统理论知识

巷道施工要达到快速、优质、高效、低耗和安全的要求，除合理选择施工技术装备及施工方法外，正确地选择施工作业方式、采用科学的施工组织与施工管理方法，也是很重要的组成部分。

第一节 一次成巷及其作业方式

巷道施工方法基本有两种：一种是一次成巷法，另一种是分次成巷法。分次成巷法的实质，是先把整条巷道掘出来或按照施工计划安排掘进一段距离后，暂时用临时支架维护，以后再拆除临时支架进行永久支护。多年的实践经验证明，这种方法坑木消耗量大，初次只掘不支（永久支护）围岩暴露时间长，受风化和其他外力的作用易引起冒顶、片帮，给施工带来很大的困难，施工速度和安全都受到影响。故除工程上的特殊要求外，尽量不采用这种分次成巷的施工方法。

一次成巷，就是一次把巷道做成。具体做法是将巷道施工中的掘进、永久支护和掘砌水沟三项分部工程（有条件的还应将铺设永久轨道、安装永久管线等也作为巷道的分部工程）视为一个整体，有机地联系起来，在一定距离内，按设计及质量标准要求，相互配合，前后连贯地最大限度地同时施工，一次做成巷道，不留收尾工程。由于一次成巷施工法能在掘进后及时对围岩进行永久支护，因此，不但作业安全、有利于保证支护质量、加速成巷速度，且材料消耗及工程成本也显著降低。

一、掘进与永久支护平行作业

这种作业方式的难易程度，主要取决于永久支护的类型。如永久支护采用支架（木支架、金属支架或预制钢筋混凝土支架）支护，则工艺过程就很简单，永久支护随着掘进而架设即可，最多在爆破之后进行一些修复工作就可以了。

若永久支护采用料石或混凝土砌碹，掘进与砌碹之间就必须保持一定的距离（一般为20~40m），这样才不会造成两工序互相干扰和影响，也可防止爆破时崩坏碹拱。在此段距离内，一般多采用金属拱形临时支架作为控制顶板的临时措施。

当永久支护采用喷射混凝土时，喷射工作可紧跟工作面进行，先喷一层30~50mm厚的混凝土，作为临时支护来控制围岩，随着掘进的前推，在距工作面20~40m处（在装岩机后）再进行二次补喷，使其达到设计厚度（50~200mm）。

如永久支护采用锚喷联合支护时,锚杆可紧跟工作面安设,喷射混凝土工作可在工作面后一定的距离内进行。如遇顶板围岩不太稳定,亦可在爆破后立即喷射一层30~50mm厚的混凝土封顶,然后再打锚杆,最后喷射混凝土至设计厚度。

掘进与永久支护平行作业的方式由于永久支护不单独占用时间,可提高成巷速度约30%~40%;施工机械设备能得到充分利用,可降低施工成本。但同时需要的人力、物力较多,组织工作比较复杂,一般适用于围岩比较稳定及掘进断面大于8m²的巷道,以免掘、砌工作相互干扰,影响成巷速度。

二、掘进与永久支护顺序作业

这种作业方式,是指掘进和永久支护不同时进行施工而在时间上按先后顺序进行施工。即先将巷道掘进一段距离,然后停止掘进,边拆除临时支架,边进行永久支护。当围岩稳定时,一般掘、支间距为10~20m。若永久支护采用锚喷支护,也要根据围岩的稳定情况来决定掘进和锚喷的距离。通常有两种方式,即两掘一锚喷或三掘一锚喷(即掘进2~3个班,然后用一个班进行锚喷),一般空顶距以不超过5m为宜。这种作业方式的特点是掘、支轮流进行,由一个工作队来完成。因此要求工人做到一专多能,既会掘又会砌或会锚喷。这种作业方式组织工作比较简单,但成巷速度慢,故适用于掘进断面小于8m²、巷道围岩不太稳定的情况。

若巷道穿过松软岩层或断层破碎带,用平行作业和顺序作业施工都有困难时,即可采用短段掘砌和边掘边锚喷的办法来施工,其效果是很显著的。掘、支间距为2~4m,一般不用临时支架,但对不太稳定的地方,可适当地打些点柱或者以刹杆和前探梁来控制顶板。这样既能保证工作安全,同时也节约了坑木,并能提高成巷速度。

三、掘进与永久支护交替作业

在距离接近而又平行的两条巷道内掘进时,可以由一个综合掘进队负责施工。对每条巷道来讲,掘进与永久支护是顺序进行的,但在相邻的两条巷道中的掘、支(或锚喷)工作则是交替进行的。它集中了顺序作业和平行作业的特点,这样可以避免掘进和永久支护工作的相互影响,有利于提高施工的熟练程度和掘进设备的利用率。该作业方式一般用于车场的主副水仓,正副石门及上山巷道等施工中。

四、一次成巷的主要优点

(1)成巷速度快。全断面一次掘进,可大大简化施工工序,同时施工空间较大,为施工机械化创造了条件。如采用掘、支平行作业,还可以在巷道的各个区段内安排多工种、多工序的平行交叉工作,充分利用巷道空间,加快施工速度。此外,采用一次成巷施工还可减少收尾工程,缩短施工工期。

(2)能节约材料,降低工程成本。由于实行一次成巷,可以减少大量的临时工程,从而可以节省因处理临时工程而耗费的大量工时、财力和物力,必将导致巷道施工成本的降低。永久支护若采用锚喷支护,其效果就更为显著。

(3)施工作业安全,并有利于提高工程质量。随着全断面一次掘进,立即架设临时支架,随后不久即进行永久支护,围岩暴露的时间短,可以减少围岩的风化、变形和破碎,故施工作业比较安全,施工质量容易得到保证。如采用锚喷支护,由于施工及时,空顶距更短,安全作业便更有保证。

五、一次成巷应注意的几个问题

采用一次成巷施工时,应注意以下几个问题:

(1) 工序间距。平行作业的掘、砌间距,大约在20~40m之间,在具体确定该距离时,要在满足掘砌设备合理布置的原则下取其最短距离。这是因为掘、砌间距加长,虽然便于掘、砌工作的安排,减少掘、砌各工序之间的干扰,但临时支架用量加大、周转周期长,更重要的是顶板不易控制,作业安全性不好。

(2) 水沟掘砌。水沟的掘砌最好和基础同时施工。在巷道宽度较小的情况下,为装岩而铺设的临时双轨可能暂时占用了水沟的位置。这样,水沟的掘砌就可后移一定的距离。

(3)永久轨道最好是紧跟永久支护之后铺设。由于临时轨道一般不铺设道碴,在临时轨道与永久轨道之间会存在标高差。为了避免重车走上坡,永久轨道的铺设也可适当向后移50~100m。

(4) 管线布设。临时管路应敷设于巷道底板两角处,风筒应平直地吊挂在两帮;永久管路在永久支护完成后最好一次安装好。

在一次成巷施工中,掘进和支护是两项主要工序,如能正确处理好二者之间的关系,就能保证快速、安全的进行施工,也能降低掘进成本。当穿过的岩层是坚固、稳定、整体性强的砂岩、石灰岩时,掘进工作比较困难,而支护工作相对比较简单,就要注意加强掘进工作。若穿过的岩层松软、破碎、压力大,掘进工作比较容易,而支护工作比较困难,就要突出地加强支护工作,以确保成巷速度和掘、砌之间的合理间距。

根据以上分析,在选择施工作业方式时,必须加强调查研究,详细了解有关施工的各方面情况,如巷道断面形状和大小,采用的支架材料与结构;巷道穿过岩层的地质及水文地质情况,如岩石的坚固性、整体性,是否易于风化、变形、剥落,以及岩层中含水或瓦斯的情况等;对巷道施工速度的要求及技术装备情况,如器材供应情况、工人技术水平等等,进行综合分析和比较,才能选择出合理的施工作业方式。

第二节　一次成巷的施工组织

巷道施工要实现快速、优质、高效、低耗和安全的生产方针,除了采用新技术、新设备、新工艺、新方法等技术措施,还必须与科学的组织管理相结合。

一、正规循环与多工序平行作业

正规循环作业就是指工作面在规定的时间内,以一定的人力、物力和技术装备,按照作业规程、爆破图表和循环图表的规定，完成全部工序及工作量，取得预期的进度，称为正规循环作业。

在巷道掘进过程中，包括主要工序（钻眼、爆破、装岩和临时支护）和辅助工序（通风、铺轨和接长管线等）；同样，在永久支护过程中，如锚喷支护，也包括打锚杆眼、安装锚杆和喷射混凝土等工序，这些工序是按一定顺序周而复始进行的。

实践经验证明，实现正规循环作业是全面、有计划、均衡地完成施工任务的有力保证，是提高掘进效率的一项重要措施，也是改进施工管理、降低成本的重要环节。为了确保正规循环的实现，必须选择合理的循环方式与循环进度，制定出切实可行的循环图表。掘砌平行作业一次成巷的典型循环图表如图11-1所示。从图中可以看出：

工序名称	循环时间
交接班	T_1
安全质量检查	
看中腰线	
准备打眼	
打上部眼	t_1
装岩	T_2
打下部眼	t_2
清扫炮眼	
装药联线	T_3
爆破通风	
临时支架	T_4
铺轨	
掘砌水沟	
永久支架	

图11-1　平行作业典型循环图表

（1）在掘进中，钻眼和装岩这两项工作的工作量大，占用的时间也长，故要在既定循环时间内完成预定的工作量，或进一步缩短循环时间、加快掘进速度，就必须在这两项工序上采取有效措施。如在坚硬岩石中掘进时，钻眼艰难速度慢，就要设法缩短钻眼时间；而在软岩中，钻眼速度较快，而相对的装岩工序就是关键了，这时就要设法提高装运岩石的效率，以加快掘进速度。另外，从工序安排上应使钻眼和装岩两工序进行最大限度的平行作业。一般钻上部炮眼可与装岩平行作业。从图表中可以看出，总的钻眼时间为t_1+t_2，其中钻上部炮眼的时间t_1与装岩时间完全平行，故不占循环时间；占循环时间的只有钻下部炮眼的时间t_2，通常把t_2与t_1+t_2的比值φ称为钻眼工作的单行作业系数，即：

$$\varphi=\frac{t_2}{t_1+t_2} \tag{11-1}$$

由上式可知，值是小于1最多等于1的系数。钻眼与装岩平行作业时，一般φ值为0.3～0.6。当 值等于1时，说明钻眼和装岩是单行作业。φ值越小，钻眼与装岩平行的时间越多，即钻眼占的循环时间就越少，这正是我们所希望的。为了降低φ值，在一定的条件下，可以用抛碴爆破的方法，从工作面多抛出一些矸石，减少被矸石所遮盖住的巷道断面，从而在装岩的同时可以多钻些炮眼，以提高钻眼与装岩两工序的平行程度，缩短循环时间。

(2)在交接班时间T_1内，班组长和各工种都在各自的地点进行交接班工作，同时在工作面上应进行安全检查，处理顶板危岩，后面则应进行钻眼和装岩的准备工作。

(3)临时支架的架设，当围岩不太稳定时，爆破后应立即架设无腿棚式支架，维护顶板，保证了安全，使装岩和钻眼工作能很快进行作业。到装岩工作快要结束时，挖出柱窝、立起棚腿，补架成完整支架。当围岩比较稳定时，也可只用无腿棚式支架，并可在装岩将要结束时进行架设。

若永久支护采用锚喷，可使锚喷紧跟工作面，取消临时支护。爆破后，根据岩石条件，立即进行钻锚杆眼、安装锚杆；或者立即喷射一层35～50mm厚的混凝土封顶。这样，它既是永久支护的一部分，也起到临时支护的作用。

(4)装岩工作结束后，在钻下部眼时轨道上没有行驶车辆，可利用这段时间铺设临时轨道，而装岩司机可在后面检查维修装岩机。

(5)永久支护工作，可在T_1的时间内进行中腰线检查及其他准备工作，然后即可开始挖基础、砌墙、砌拱的平行作业。从图表中看出，除了爆破和通风时间外，永久支护都能和掘进工作平行作业。

如采用锚喷作为永久支护，同样可使锚喷与掘进平行作业。若前面已打了锚杆或喷了一层混凝土作为临时支护，那么在距掘进工作面适当的距离将混凝土喷射到设计厚度即可。

(6)如图11-1可以看出，采用多工序平行作业时，一个掘进循环所需的总时间，是由以下几个工序所需的作业时间组成的，即：

$$T=T_1+T_2+t_2+T_3+T_4=T_1+T_2+\varphi(t_1+t_2)+T_3+T_4 \tag{11-2}$$

式中　T——一个掘进循环的时间；

T_1——安全检查及准备工作时间；

T_2——装岩时间；

t_1——钻上部眼时间；

t_2——钻下部眼时间；

φ——钻眼工作单行系数；

T_3——装药连线时间；

T_4——爆破通风时间。

显然，这个循环时间T比各个工序单行作业所需要的总循环时间要短。因此，要加快巷道施工速度，应尽量采用多工序平行作业，将能够同时施工的工序最大限度地组织在同一时间内进行。根据多年来施工的实践经验，在一次成巷中，可组织如下各工序的平行作业：

①交接班与工作面检查及架设临时支架的准备工作平行作业；

②检查中腰线与钻眼准备工作和敷设风水管路平行作业；

③钻上、中部炮眼与装岩平行作业；

④钻下部炮眼与工作面铺设临时轨道和清洗炮眼平行作业；

⑤架设临时支架与装岩清扫道心等平行作业；

⑥装药与掩护设备、工具平行作业；

⑦工作面打锚杆与装岩平行作业；

⑧砌筑水沟与铺设永久轨道平行作业。

应当指出，在目前我国巷道施工机械化水平和设备生产率不高的情况下，实行多工序平行作业对提高掘进速度是必须而有效的。但是，随着掘进机械化程度的不断提高，各工序所需要的作业时间将显著减少，特别是钻眼和装运岩石这两大主要工序，当采用多台效率高的凿岩机或液压凿岩机车以及高效率的装运设备时，不仅难以实现钻、装平行作业，且由于作业时间比一般情况下减少75%～80%，平行作业的意义也就大大降低了。而主要工序采取顺序作业，作业单一，工作条件好，便于推广高效率的机械设备，提高掘进机械化水平，加快施工速度。从国内外井巷施工技术的发展趋势来看，越来越多地采用大型高效率的机械设备，那么顺序作业的使用范围也将随之不断扩大。

二、循环图表的编制

为了确保正规循环作业的实现，必须制定出切实可行的循环图表。

(一)合理选择施工作业方式和循环方式

首先应根据设计的巷道断面和地质条件、施工任务、施工技术水平和设备等因素，选择并确定巷道施工的作业方式。据我国目前煤矿巷道施工装备和水平的条件下，应尽可能采用一次成巷多工序平行作业，但随着掘进机械化水平的提高，以钻眼和装运岩石为主要工序的顺序作业也应予以考虑。

循环方式的确定，可根据具体条件，采用每班一个循环或每班2～3循环。对于断面大、地质条件差、围岩不稳定的巷道，亦可实行一日一循环或一日两循环。施工中应尽量做到小班循环次数为整数，以避免跨班(日)循环，否则易造成工序之间互不衔接，施工管理困难，不利于实现正规循环作业。因此，当求得的小班循环次数非整数时，应调整为整数。调整方法应以尽量提高工效和缩短辅助作业时间为原则。

关于工作制度，目前我国煤矿多数都采用“三八”作业制，但有的煤矿在组织岩巷快速施工时，因劳动强度大，辅助工作量多，也常采用“四八交叉”作业制或“四六”作业制，后两种作业制度对提高劳动生产率、加快掘进速度是有利的。

(二)确定循环进尺

掘进循环进尺与掘进循环次数是密切相关、互相制约的。只要循环进尺确定了，则每个循环的工作量也就确定了，同时也就确定了每个循环所需的时间，从而可求得每小班的循环次数。但是，循环进尺取决于炮眼深度和炮眼利用率，因此还必须根据钻眼爆破效果的合理性来确定。根据我国目前的钻眼爆破技术条件，一般以1.5～2.0m的炮眼深度较为合理。当然，随着高效率凿岩机和爆破器材的应用，可进一步采用2.5～3.5m的深孔爆破，这对提高掘进速度更为有利。

(三)确定各工序作业时间和循环时间

当确定了炮眼深度，也就知道了各主要掘进工序的工作量，然后可根据设备情况、工作定额(或实测数据)计算各工序所需要的作业时间。在所需的全部作业时间中，扣除能与其他工序平行作业的时间，便是一个循环所需要的时间，即：

$$T=T_1+T_2+\varphi(t_1+t_2)+T_3+T_4$$

一般情况下，交接班时间T_1为20min；爆破通风时间，要求吹散炮烟T_4为15～20min。

装药连线时间T_3与炮眼数目和同时参加装药连线的工人组数有关：

$$T_3=\frac{Nt}{A} \tag{11-3}$$

式中 N——工作面炮眼总数；

t——一个炮眼装药所需时间；

A——在工作面同时装药的工人组数。

钻眼时间：

$$t_1+t_2=\frac{NL}{mv} \tag{11-4}$$

式中 L——炮眼平均长度，m；

m——同时工作的凿岩机（或钻机）台数；

v——凿岩机的实际平均钻速，m/h。

装岩时间：

$$T_2=\frac{SL\eta\cdot\sin\alpha}{nP} \tag{11-5}$$

式中 S——巷道掘进断面积，m^2；

η——炮眼利用率，一般为0.8～0.9；

P——装载机实际生产率（指实体岩石）；

n——同时工作的装载机台数；

α——炮眼的平均倾角。

将以上各式代入式（11-2）得：

$$T=T_1+T_2+t_2+T_3+T_4=T_1+T_2+\varphi\ (t_1+t_2)+T_3+T_4$$

$$=T_1+\frac{SL\eta\cdot\sin\alpha}{nP}+\varphi\frac{NL}{mv}+T_4 \tag{11-6}$$

在实际工作中，为了防止难以预见的事故及短时间停工而打乱循环，应考虑留有10%的备用时间，故循环时间为：

$$T=1.1(T_1+\frac{SL\eta\cdot\sin\alpha}{nP}+\varphi\frac{NL}{mv}+T_4) \tag{11-7}$$

从式（11-7）还可以看出，如先确定循环时间，也可以求出相应的平均炮眼深度。即：

$$L=\frac{0.9T(T_1+\frac{Nt}{A}+T_4)}{\varphi\frac{N}{mv}+\frac{S\eta\cdot sin\alpha}{nP}} \tag{11-8}$$

平均炮眼深度为：

$$L_1=L\cdot \sin\alpha\cdot m \tag{11-9}$$

通过以上的计算及初步确定的数据，即可着手编制循环图表。编制出来的循环图表还要在实践中进一步检验修改，使之不断完善，才能真正起到指导施工的作用。

第三节　劳动组织和施工管理

一、劳动组织

我国施工建设项目部常用的劳动组织有综合掘进队和专业掘进队两种组织形式。将巷道施工所需要的主要工种（掘进、支护）以及辅助工种（机电维修、运输等）组织在一个掘进队内的，称为综合掘进队；按主要工种组成施工队，而施工辅助工作（如机电维修等）由另外辅助队配合承担的，称为专业掘进队。

一次成巷平行作业是把掘进、永久支护、掘砌水沟以至铺轨等几个分部工程视为一个整体，前后有机配合并保持一定距离，进行最大限度的平行施工。因此必须有与这种施工方法相适应的劳动组织，才能保证各项施工任务的顺利完成。实践证明，综合掘进队是实现一次成巷平行作业的一项行之有效的组织形式，是保证各工种之间配合和协作的有效措施，因而得到了广泛的采用。

综合掘进队的主要特点是，将巷道施工中的主要工种和辅助工种都组织在一起，使各工种既有明确的分工，又要在统一领导下密切配合和协作，共同完成各项施工任务。因此，它具有以下的优点：

(1)各工种间能够互相协助，基本上消除各工种间工作量不均衡现象，从而能充分利用工时，加快掘进速度，提高工效。

(2)各工种在统一指挥和调动下，工序的衔接更加紧密，可减少或避免相互间的影响，有利于缩短循环时间。

(3)能使各主要工种和辅助工种人员的思想统一，目标一致，形成一个团结协作的有机整体，易发挥各工种工人的主动性，为创造全优工程提供条件。

专业掘进队任务比较单一，管理比较简单，有利于钻研其专业技术和提高效率。

二、施工管理

在一次成巷施工中，为了充分利用工时，提高施工速度和质量，做到安全生产，减少材料消耗，在正确选择施工作业方式与合理的劳动组织的同时，还必须建立和健全以工种岗位责任制为中心的各项规章制度。

(1)工种岗位责任制。工种岗位责任制就是按照工作性质，将每个小班的全体人员划分若干个小组，每个小组或每个人自始至终按照规定的循环次数和进度，在一定时间内，每循环如此，每班如此，形成固定人员、固定设备、固定任务、固定地点、固定时间的一项制度。它的主要特点是：任务到组、固定岗位、责任到人，达到人人有专职，事事有人管，办事有标准，工作有检查。因此可以加强工人的责任感,努力做好本职工作,同时又可使各项工作井然有序,减少混乱现象,从而有利于提高工程质量和施工速度,并能有效地防止事故的发生。

(2)技术交底制。施工队在每项工程施工前,都要有施工组织设计(或施工技术安全措施、作业规程),在开工前由技术人员向掘进队全体施工人员进行技术交底,并在工作面处挂有施工大样图、爆破图表、循环图表。

(3)施工原始资料积累制。对掘进队施工的工程质量,班级要有自检、掘进队要有旬检、工程处要有月检的质量检查原始记录;班组应有工作出勤、主要材料消耗、班组进度和工程量、正规循环作业完成情况等原始记录;对隐蔽工程应作好原始记录(包括隐蔽工程图);对砂浆、混凝土强度应作取样试验,并有试压证明书,以及锚杆拉力试验记录等资料。

(4)交接班制度。在巷道掘进中,要实行工作面的交接班制度,不仅每班的负责人要进行交接,而各工种甚至每个岗位上的工人都应进行对口交接,同时要做到"四交"——交任务、交措施、交设备、交安全,使下一班能很快做到情况清、任务明,使工作面能即时连续作业,充分利用工时。

(5)巡回检查制。掘进队必须组织有关人员,对工作面进度、安全、质量以及设备使用情况等作定期的巡回检查,以便及时掌握施工情况,发现问题及时解决。

(6)设备维修保养制度。对施工中所使用的设备,要建立定期的维修、保养、检修制度,从而使设备经常处于完好状态,不断提高设备的完好率。

(7)质量负责制。百年大计,质量第一。井巷工程是煤矿建设中的主体工程,保证施工质量意义十分重大,因此,施工中必须严字当头,确保工程质量,尤其是隐蔽工程,更要随时加强施工质量的检查,以防患于未然,把不合格的工程消灭在施工过程当中,为了切实把好质量关,掘进队要建立起班组质量自检和互检制度。

(8)岗位练兵制。对工程队各工种的工人,都要明确指出在巷道施工技术的具体要求;对设备操作、维修、保养等方面应达到一定的技术水平。这样可以进一步调动工人的积极性,鼓励工人钻研技术,对技术精益求精,以不断提高施工队伍的技术水平。

(9)安全生产制。为确保安全生产,要根据作业特点,制定灾害预防计划、安全技术措施,并严格执行;要定期开展安全生产活动,经常进行安全生产教育;要建立和健全群众性的安全组织和正常的安全检查制度;要按规定配齐安全生产工具和职工的劳动保护用品;要搞好工业卫生,改善劳动条件,做好综合防尘。

(10)班组经济核算制。班组经济核算制是依靠群众、人人当家做主、把勤俭办企业的方针落实到基层的一项重要制度。要求各个工种对自己所担负的施工任务,在工时、出勤率、材料消耗方面进行核算,做到施工有预算、消耗有定额、领料有记录、完工有核销。另外,要大力提倡修旧利废、交旧领新的节约风尚,努力降低工程成本。在工程队内要设立专职的核算员,班组内设不脱产的核算员,掌握每天工料消耗、出勤率和掘进进尺,及时填表报队,对成绩好的要给予表扬和奖励。

多年的实践经验证明,以上各项管理制度都是行之有效的,是搞好企业基层管理所必不可缺的。只有切实执行这些管理制度,才能优质、快速、高效、低耗、安全地完成巷道施工任务。

第二部分　专业核心知识点

1.一次成巷和分次成巷的区别。

2.一次成巷应注意的问题。

3.正规循环和循环图表。

4.劳动组织形式和施工管理。

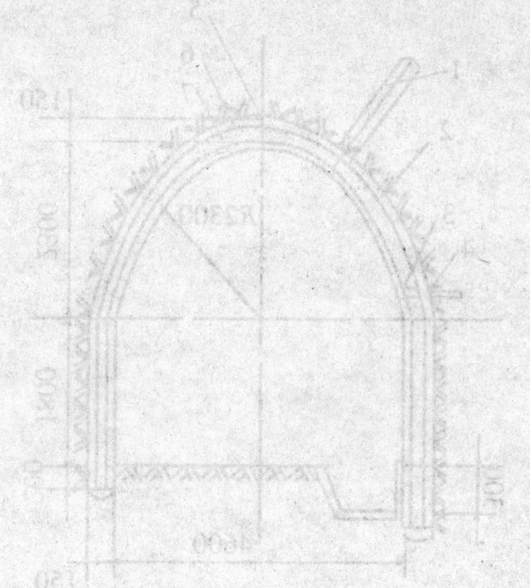

第三部分 专业技能训练

一、巷道施工实例

淮北煤炭建设公司猛虎掘进队1987年5月～10月，在任楼矿-315m水平回风巷施工中，尽管巷道断面大、围岩破碎，5个月仍掘进672.9m，平均月进134.58m，合计折算进尺188.4m。

(一)工程概况

任楼矿-315m水平南翼回风巷断面如图11-2所示。巷道所穿过的岩石主要为泥岩、砂岩，由于巷道穿过几条不导水、淋水小的断层，岩层松软破碎。

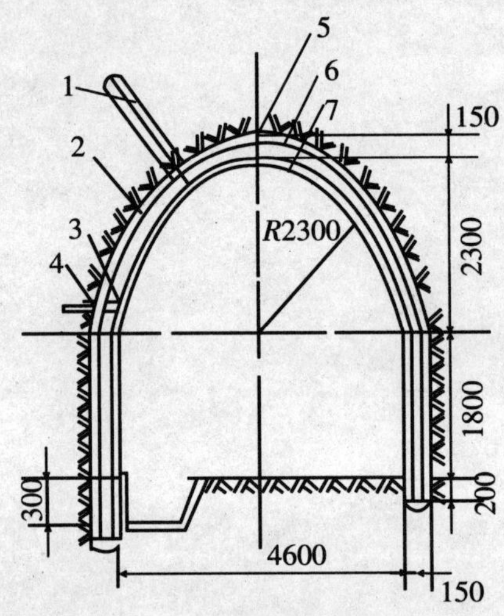

图11-2 巷道断面图

1——螺丝锚杆(φ14mm×1600mm，间排距800m×800mm)；2——拉钩环；3——支架托梁(φ30mm×400mm)；4——钢轨橛子(每帮2根)；5——混凝土喷层(30mm)；6——16支架(@1.0m)；7——混凝土喷层(50mm)

(二)施工作业

考虑到断面大、围岩破碎等因素，决定采用短掘短砌，永久支架跟迎头的方法施工；采用“四六制”作业，一小班一循环。

(1)破岩。采用预留光爆层爆破，炮眼布置如图11-3所示，有关参数、数值见表11-1、表11-2。

表 11–1　　爆破参数表

炮眼名称	眼号	数目	眼深/m	装药量/(卷/kg) 单孔	装药量/(卷/kg) 小计	联系方式	起爆顺序	备注
掏槽眼	1～5	5	1.70	5/0.75	20/3.0	串并联	Ⅰ	2号眼为空眼
辅助眼	6～30	34	1.60	4/0.60	136/20.4		Ⅱ、Ⅲ	4圈眼Ⅱ，其他Ⅲ
帮眼	40～44 62～66	10	1.60	2/0.30	20/3.0		Ⅳ	
底眼	67～75	9	1.65	4/0.60	36/5.4		Ⅴ	
周边眼	45～75	17	1.65	1/0.15	17/2.55		二次起爆	
合计	229卷，34.35kg							

表 11–2　　预留光爆层调整数值表

炮眼参数	眼距/mm	最小抵抗线/mm	装药量/卷
围岩完整	400～500	500～550	2
层、节理发能	300～350	600～650	1.5～2隔眼装药
断层破碎带	200～150	700～750	1～0.5隔眼装药

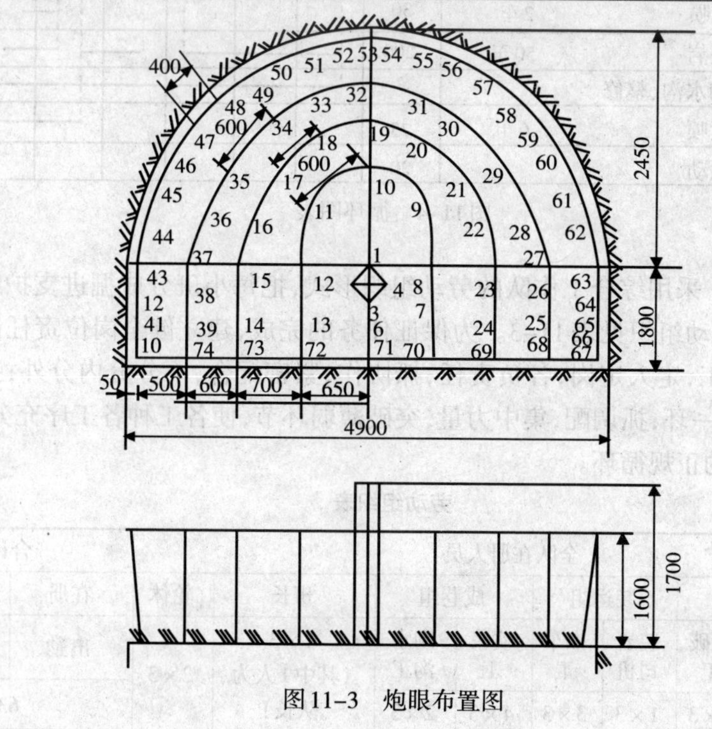

图 11–3　炮眼布置图

钻眼用5台YT–23型气腿凿岩机同时进行，除周边眼使用直径为25mm的水胶炸药外，其余使用普通水胶炸药。正向连续装药结构，毫秒延期电雷管串并联，发爆器引爆。

(2)装岩与调车。采用一台P–30B型耙斗装载机装岩，2.5t蓄电池机车运输。

(3)支护。爆破后首先架设金属支架拱部部分，打拱部锚杆，随出矸随打两帮锚杆。完成金属支架的架设，初喷混凝土，与装岩同时复喷成形。

(4)正规循环作业。为了实现快速掘进，采用多工序平行交叉正规循环作业。每小班完成一个循环，循环进尺1.6m。在工作面实行钻眼、装岩与喷射混凝土平行作业，安装锚杆与装岩平行作业，钉道移耙斗装载机与喷射混凝土平行作业。实行永久支护紧跟工作面，水沟紧跟耙斗装载机后做到掘进、支护、水沟三到头，一次成巷。循环图表如图11–4所示。

<table>
<tr><th rowspan="2">序号</th><th rowspan="2">工序名称</th><th rowspan="2">工作量</th><th rowspan="2">时间/min</th><th colspan="6">循环时间/h</th></tr>
<tr><th>1</th><th>2</th><th>3</th><th>4</th><th>5</th><th>6</th></tr>
<tr><td>1</td><td>交接前准备</td><td></td><td>20</td><td></td><td></td><td></td><td></td><td></td><td></td></tr>
<tr><td>2</td><td>安全检查</td><td></td><td>10</td><td></td><td></td><td></td><td></td><td></td><td></td></tr>
<tr><td>3</td><td>打下部眼</td><td>31个</td><td>30</td><td></td><td></td><td></td><td></td><td></td><td></td></tr>
<tr><td>4</td><td>打拱部锚杆</td><td>14个</td><td>45</td><td></td><td></td><td></td><td></td><td></td><td></td></tr>
<tr><td>5</td><td>架设金属支架</td><td>2架</td><td>30</td><td></td><td></td><td></td><td></td><td></td><td></td></tr>
<tr><td>6</td><td>装岩</td><td></td><td>40</td><td></td><td></td><td></td><td></td><td></td><td></td></tr>
<tr><td>7</td><td>打下部眼</td><td>44个</td><td>40</td><td></td><td></td><td></td><td></td><td></td><td></td></tr>
<tr><td>8</td><td>炸药、爆破、通风</td><td></td><td>60</td><td></td><td></td><td></td><td></td><td></td><td></td></tr>
<tr><td>9</td><td>安全检查</td><td></td><td>20</td><td></td><td></td><td></td><td></td><td></td><td></td></tr>
<tr><td>10</td><td>初喷</td><td>2车</td><td>30</td><td></td><td></td><td></td><td></td><td></td><td></td></tr>
<tr><td>11</td><td>装岩</td><td>50车</td><td>200</td><td></td><td></td><td></td><td></td><td></td><td></td></tr>
<tr><td>12</td><td>砌水沟、整修</td><td></td><td></td><td></td><td></td><td></td><td></td><td></td><td></td></tr>
<tr><td>13</td><td>复喷</td><td>6车</td><td>75</td><td></td><td></td><td></td><td></td><td></td><td></td></tr>
<tr><td>14</td><td>机动</td><td></td><td>20</td><td></td><td></td><td></td><td></td><td></td><td></td></tr>
</table>

图11–4 循环图表

(5)劳动组织。采用综合工作队的劳动组织形式，把每小班分成掘进支护组、装岩运输组、成巷组，全队劳动组织见表11–3。为保证任务的完成，建立健全岗位责任制，工作中实行"四抓"，即抓分工，定人定岗，各负责任；抓协作，紧密配合，不分分内分外；抓连续，走上部，看下部，一环扣一环；抓调配，集中力量，突破薄弱环节，使各工种各工序充分利用时间和空间，保证各工序的正规循环。

表11–3 **劳动组织表**

<table>
<tr><th colspan="8">全队在册人员</th><th colspan="2">合计</th></tr>
<tr><td colspan="2">掘支组</td><td colspan="2">装运组</td><td colspan="2">成巷组</td><td>班长</td><td>轮休</td><td>在册</td><td>21×3</td></tr>
<tr><td>钻工、支护工</td><td>爆破工</td><td>装岩司机</td><td>推车工</td><td>喷浆工</td><td>砌水沟工</td><td rowspan="2">1×3
(其中1人为队长)</td><td rowspan="2">2×3</td><td>出勤</td><td>19×3</td></tr>
<tr><td>7×3</td><td>1×3</td><td>1×3</td><td>3×3</td><td>4×3</td><td>2×3</td><td colspan="2">63</td></tr>
</table>

(三)施工管理

(1)生产管理。建立以工种岗位责任制为中心的交接班制度,安全生产制度,设备维修保养制度。交接班制度实行“四交”制度,即交工作进度、交安全情况、交设备、交措施,使下一班很快掌握工作面情况。安全生产制度做到“三定两及时”,即定期开展安全活动,定期、定点检查安全生产情况,及时检查当班工作面安全情况,及时处理不安全因素。机械设备维修制度执行“二定三包”,即定人员、定设备,包管、包修、包用。

(2)技术管理。建立以TQC为中心的质量管理制度和技术练兵制度。TQC小组定期开展活动,实行质量负责到人,建立队长、技术员巡回检查制,班组自检与互检相结合,原始记录正规化。以生产岗位为课堂进行技术练兵,定期举办技术讲座和技术操作比赛,使每个人都成为掘、支、装、运的多面手。

(3)经营管理。全队实行计件工资、超额加成的工资分配办法。建立以班组核算为中心的材料领退制度、成本核算制度、奖金发放制度。具体做法是:小件施工工具、用具,分配到班组,实行以旧换新,多领退还,用多罚款的办法;大宗材料,分班组按工作量核算,超支者罚,节约者奖。奖金发放实行“三奖三罚”,即光爆成形好、巷道周边留有半眼痕者奖,喷射混凝土回弹率低、拱墙平均18%以下者奖,工作量多者奖;质量不符合要求者罚,影响循环进尺及工作量者罚,工作无效者罚。

技术分析:猛虎掘进队应用较落后的施工装备,在掘进断面18.18m^{2}围岩破碎的岩巷中,始终保持月进100m以上,这与工人素质、工区管理水平有重要关系。工人在施工中以耙斗装载机为中心,大搞多工序平行交叉作业,人人是多面手,个个抢活干,这是快速施工的前提。工区制定的一系列管理制度并严格执行,这是快速施工的保证。也正是这两方面坚持下来了,才使掘进队长期保持先进的掘进水平。

如果猛虎队在钻眼、装岩设备不变的情况下,改人工调车为机械调车或增设一转载设备,将更能充分发挥装载机的能力,为提高循环进尺创造条件,即将循环进尺从1.6m提高到2m则是完全可能的。

如果围岩条件允许,采用四掘一喷,即四个班负责掘进、打锚杆,喷浆班随后喷射混凝土,即掘、支平行作业,这将更好地利用时空关系,有利于提高掘进速度。

二、循环图表实例介绍

徐州矿务局建井工程处101工区施工张集煤矿-700m水平东大巷时,于1990年10月实现岩巷掘进月成巷260.7m,其循环作业图表如图11-5所示。

班次	工序名称	时间	一班						二班						三班						四班					
		h / min	1	2	3	4	5	6	7	8	9	10	11	12	13	14	15	16	17	18	19	20	21	22	23	24
掘进	交接班准备	10																								
	打锚杆眼	60																								
	打炮眼	90																								
	装药联线爆破	40																								
	通风	20																								
	找顶、安装锚杆	40																								
	初喷	40																								
	装岩	140																								
	重车线、钉道	40																								
	移电缆开关	30																								
喷混凝土	准备	60																								
	复喷巷	240																								
	清理	60																								

图11-5 张集煤矿-700m水平东大巷掘、喷循环作业图表

其施工条件是：10月份巷道要穿过页岩、砂页岩及部分石灰岩和砂岩，属二、三类围岩，掘进断面积15.5m²，锚喷支护。用凿岩台车与侧卸装载机配合的机械化作业线施工，采用“四六”作业制度。采用一次成巷，掘进与永久支护平行作业的施工方案。直眼掏槽，光面爆破，炮眼深2.0m。锚杆锚固深度1.8m，混凝土喷厚150mm，初喷厚度50mm，复喷成巷距工作面20m。

其作业方式是：四个班掘进，两个班喷射混凝土，喷射混凝土班平行穿插在各工序中。凿岩台车打眼时，侧卸式装载机退离工作面30m，进行日常维修。爆破时凿岩台车退至侧卸式装载机后面，停放在空车道上。爆破后，侧卸式装载机由外向里清理积矸，与此同时一台喷射机在工作面进行初喷，以及安装锚杆，另一台喷射机在凿岩台车打眼时进行复喷，装岩时穿插在距工作20m处的空车道上进行复喷。

三、掘进质量验收工操作规程

（一）一般规定

（1）上岗前必须经过专门培训并考试合格，具备本工种岗位操作资格证书。

（2）认真学习作业规程的有关内容，熟练掌握掘进施工质量验收标准和有关计量器具的使用、操作与维护，熟悉掘进施工工艺，具有一定的现场施工经验及自保、互保的意识和能力。

（3）质量验收工要有高度的工作责任心，严格遵循“检查上道工序，保证本道工序，服务下道工序”的工序管理原则，认真做好施工过程中每道工序的质量监督、检查。

(4)质量验收工对各种检测数据要认真记录、及时整理,对于质量不合格的应及时安排整改,并做好复查工作。

(5)验收工作应与现场施工负责人一起进行,以便确认和安排整改。

(6)严格执行现场交接班制度。交接班时对现场安全状况、施工质量、施工进度和现场材料、工具、设备的使用状况以及其他重要事项,要交代清楚。

(二)准备工作

1.作业环境安全检查

(1)按照由外向后、先顶后帮的原则,认真检查工作范围内的支护状况,严格执行敲帮问顶制度,用长柄工具找掉顶帮及迎头的活矸、危岩。

(2)通风状况良好,各种安全设施齐全,设备灵敏、可靠。

(3)用于登高作业的梯子或手架,其敷设必须牢固可靠。

2.工具材料及中腰线检查、准备

(1)备齐各种计量器具及其他工具材料,对计量器具进行校核,保证计量准确和满足使用要求。

(2)对施工地点的中腰线标志点进行校核、延线。使用激光指向的施工地点,要对激光指向仪的工作状态进行检查,发现问题及时处理。

(三)验收操作

1.一般步骤

(1)确定验收基准线:根据设计要求及现场情况,按照巷道中心线与施工中心线、拱基线的关系,确定验收基准线并做好标记。

(2)画巷道轮廓线:根据巷道断面图及施工大样图,画好施工巷道轮廓线。

(3)验收:根据验收基准线和巷道轮廓线,按照作业规程和工程质量验收标准逐项进行检查、验收,对不合格项目安排整改并做好记录。

2.验收基准线确定方法

(1)采用激光指向的掘进工作面:根据施工巷道的中腰线与激光点中心位置关系确定。

(2)无激光指向的掘进工作面:

a.采用人工看线确定巷道施工中心线,根据施工中心线与巷道中心线的位置关系确定巷道中心线,并做好标记。

b.采用坡度规(或其他量测工具)分别由两帮腰线标志点,按设计坡度向迎头延接腰线,根据施工腰线与验收基准腰线的关系,确定验收基准腰线并做好标记。坡度规延腰线时线要拉紧,取正反两次标志点的中间位置。

3.半圆拱巷道工作面积矸过多无法找出半圆拱中心位置时,可以采用平弦法确定积矸上部半圆拱轮廓线

(1)巷道中心线可以按验收操作中第2条的有关要求确定。

(2)将原腰线或拱基线,换算提高到超过矸石堆积高度作为施工腰线并延到迎头,以确定半圆拱拱顶高度并做好标记。

(3)结合上述(1)、(2)两条规定确定拱顶中心位置。

(4)根据施工大样图中各弦线位置与弦长的数据关系,从拱顶向下依次确定弦线的端点用平滑曲线进行连接,即得出拱部巷道轮廓线。

(5)将确定的弦线端点用平滑曲线进行连接,即得拱部巷道轮廓线。

4.质量验收

(1)支护材料的规格、质量、数量、位置、顺序等是否符合要求。

(2)掘进毛断面质量:光爆眼痕率、超挖和欠挖尺寸、迎头断面平整度、循环进尺、最大控顶距等是否符合要求。

(3)临时支护质量:前探梁的数量、规格、位置、吊环状况、迎头空顶距是否符合要求。

(4)巷道支护质量:净宽、净高及中腰线是否符合要求。

(5)锚喷质量:锚杆(索)间排距、角度、位置、外露长度、预紧力、拉拔力,托盘压网质量、金属网铺设搭接、混凝土厚度、表面平整度、基础深度等是否符合要求。

(6)炮眼角度、深度、位置等是否符合爆破图表要求。

(7)水沟、轨道质量。

(8)风水管路、电缆吊挂、卫生清理、材料码放等是否符合要求。

(9)其他验收项目是否符合要求。

5.注意事项

(1)量测巷道几何尺寸时,必须垂直巷道中腰线。

(2)使用坡度规(或其他仪表)量测坡度或角度时,必须将坡度规正反方向量测两次取两次的平均数值。

(3)现场测试锚杆(或锚索)的拉拔力时,必须由专人扶住与锚杆(或锚索)连接的张拉位置,张拉时人员应躲至安全地点。

(四)数据处理

(1)根据现场验收记录表的内容要求,如实填写各种测量数据,不得遗漏或弄虚作假。

(2)质量验收工上井后,必须将各种验收记录及时送交有关人员进行统计处理。

(3)各种验收记录必须妥善保管,以便作为奖惩和质量评定的依据。

复习题

1.巷道施工方法有哪两种?何谓一次成巷?它具有哪些优点?

2.按照掘进与永久支护的相互关系,一次成巷有哪几种作业方式?各适用于什么条件?

3.一次成巷施工应注意哪些问题?

4.什么是正规循环作业?循环图表的编制应考虑哪些因素?

5.巷道施工劳动组织形式有哪几种?综合掘进队的优点有哪些?

技能训练题

为利于组织施工,试合理确定炮眼深度。

讨论题

回采巷道一次成巷和分次成巷的比较。

范例：

神宁集团梅花井煤矿116101工作面运输巷采用一次成巷施工，114202工作面运输巷，没有设计喷浆、地坪及管路延接的分次成巷施工。

一、分次成巷导致巷道在施工中出现了以下问题

1.巷道因不及时封闭，巷道风化，遇到淋水段顶板泥化，巷道变形严重，顶板下沉、脱层，后期维护量很大，挑顶、重新进行二次支护。

2.运输条件差：

(1)物料运输：

由于巷道底板没有硬化，巷道底板遇水泥化，胶轮车无法进入，只能把材料运至巷口，再由人力搬运至掘进工作面，每班需4~6人进行搬运物料。

(2)人力运输：

每班上下班工人坐胶轮车至114202工作面运输巷巷口，所有施工人员全部行走至工作面或从工作面走至巷口。

在运输环节上，浪费了大量的人力及物力。

3.因管路不能及时延接，排水系统不畅通、巷道淋水大时巷道底板泥泞，文明施工差。

4.掘进速度慢。由于巷道顶板破碎，运输条件差，导致了掘进速度缓慢。

5.生产环境存在安全隐患。巷道底板泥泞，顶板破碎，存在很大的安全隐患，给安全生产带来了威胁。

二、采取一次成巷后，解决了以上问题

1.巷道掘进速度快。116101工作面运输巷（机掘）正常情况下每月进尺在450m以上，最高月进尺520m。

2.支护稳定。一次成巷后，及时喷浆封闭围岩，不风化，巷道顶板完整、稳定，根据顶板离层指示仪显示巷道最大下沉量为45mm，其他大部分处于30mm以下，无需进行二次维护。

3.费用节约。116101工作面运输巷一次成巷主要是减少了后期的巷道维护量，及时施工地坪，确保物料及人员能直接进入到工作面，加快了巷道掘进速度，相对来说，节约了很大一部分费用。

4.文明生产，安全可靠。116101工作面运输巷采用一次成巷后，各种管路延接至工作面，确保工作面的供风、供水、排水的便利，巷道卫生清洁，行人、行车安全可靠，工作面物料、设备归类码放，摆放井然有序，现场施工环境安全可靠。

第十二章　采区巷道和采区煤仓施工

第一部分　系统理论知识

采区巷道是直接为采区生产服务的各类巷道,如采区车场、采区上下山、区段运输平巷、区段回风平巷及溜煤眼等。在这些巷道中有岩巷、煤巷、半煤岩巷,有平巷,也有斜巷。

在新建矿井中,采区巷道工程量占井巷总工程量的30%~45%,而采区开拓时间又约占整个矿井工期的30%~40%。在生产矿井中采区巷道工程量占的比重更大,达60%以上。所以,合理地安排和选择采取巷道施工顺序和施工方法,对加快巷道掘进速度,缩短施工工期,合理安排采区接替,都是十分重要的。

采区巷道与主要运输巷道施工条件相比,具有以下特点:

(1)采区巷道所穿过的煤层及岩层的坚固性系数较小,掘进较容易,但围岩稳定性较差,而且采区巷道还要受到采动的影响,所以在施工时不但要注意顶板的管理,在支护方式的选择上还要根据其服务年限短、地压变化大、巷道维护困难等特点进行合理的选择。

(2)采区巷道一般都沿煤层或在煤层附近的岩层内掘进,因此常常受到瓦斯、煤尘的威胁,故必须加强瓦斯检查,并采取相应的安全技术措施,以确保安全。此外,还要特别注意探水,防止老窑采空区积水造成的危害。

(3)由于煤层褶曲起伏且有各种断层的影响,施工时必须根据生产使用要求和安全原则正确确定巷道方向,避免无效进尺。

(4)采区巷道一般远离井底车场,掘进工作面多且分散,工程量又大,所以通风和运输工作比较复杂。

第一节　采区巷道掘进顺序及定向方法

一、采区巷道掘进顺序

由于采区巷道掘进工作面多且分散,工程量又大,为了缩短施工工期,必须合理地安排这些巷道的施工顺序,一般要遵守以下原则:

(1)应根据巷道的用途、支架的形式以及通风、运输等各种因素来确定采区巷道掘进的先后。在保证重点工程的前提下,只要运输、提升、通风、排水等条件许可,应多工作面进行施工。

(2)采区巷道施工,应先掘进上山,这样做有利于多工作面施工。

(3)对于区段运输巷道的掘进,则应先掘进区段中间轨道巷,因为区段中间轨道巷大都是沿煤层走向掘进，可为区段输送机巷确定方向，当上山掘进到中部车场位置时，即可开始掘进区段巷道。但当采区地质情况不清，亦即有可能因为有地质构造影响区段巷道位置时，为了避免区段巷道布置不合理，最好等上山全部掘完或掘过一部分后再掘区段巷道。

(4)当设计有两翼风井并可提前开工时，可由风井负担全部或部分采区巷道开拓任务，此时上山可由上向下掘进，必要时也可上下对头掘进，提前贯通上山，改善采区巷道施工时的通风及运输工作。

二、采区巷道掘进时的定向方法

对于已完工的各种采区巷道，均应满足生产的要求，如不能为生产服务，视为无效进尺。因此，施工人员在施工前必须充分了解巷道设计意图及巷道的位置、方向坡度、使用的运输设备的类型和规格，了解过去类似巷道在使用中存在的问题，通过各种方法预测、推断巷道前方即将遇到的地质情况，特别是煤层走向、倾角变化以及断层等。当施工巷道不能开掘在原来的位置时就应该重新定位。为此，施工人员必须掌握一套采区巷道掘进时的定向方法，以保证巷道顺利施工。

下面介绍几种巷道掘进时的定向方法：

(一)利用钻孔资料定向法

当巷道掘进长度较长，如通向采区的煤层运输大巷，由于穿过的煤层褶区较多构造复杂，为使该巷道不至于过分弯曲，又不远离煤层，利用地质钻孔资料确定其掘进方向既简单又可靠。图12–1是简化的利用钻孔资料确定巷道掘进方向的示意图。图中6个钻孔，可获得巷道周围煤层产状的详细情况。图中巷道3已掘到Ⅰ–Ⅰ剖面处，发现煤层褶曲变化很大，如按原方向继续掘进巷道将进入底板岩层而远离煤层。根据钻孔资料作出Ⅰ–Ⅰ和Ⅱ–Ⅱ剖面图。在Ⅰ–Ⅰ剖面图上巷道1(中间平面图的3点)全在煤层内，其底板标高–150m，从Ⅱ–Ⅱ刨面图上也可以看出煤层已有变化，为保证巷道处于同一水平，可先在剖面Ⅱ–Ⅱ上找出–150m水平与煤层底板相交的点2，把剖面Ⅱ–Ⅱ的点2投到平面图的Ⅱ–Ⅱ剖面线上，可得点4，将3点和4点连接起来，即为该巷道应该调整的掘进方向。然后巷道即可按此中线向前掘进，即使之间有一段掘在岩层中，但也不致远离煤层，并有把握在Ⅱ–Ⅱ剖面处使其再与煤层相遇，这样就保证了巷道不致过分弯曲而影响使用。

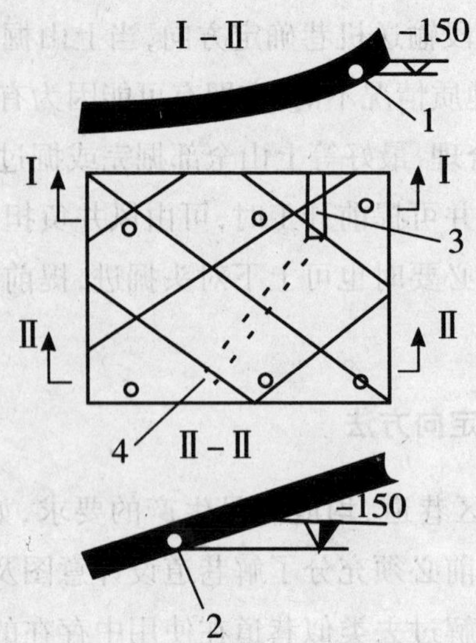

图 12–1　巷道掘进利用钻孔资料的定向方法

(二)煤层平巷遇断层的定向法

在采区巷道掘进中,经常会遇到与煤层走向相交叉的一些断层,这常给采区巷道布置及施工带来不少困难。

遇到断层后,判断巷道应如何改变掘进方向,以便重新找到断失煤层,是一个较复杂的生产与地质问题,所以必须首先根据掘进工作面揭露的地层和断层面上痕迹特征,判断断层的性质,并参考临近地质钻孔资料,推断煤层断失的方向,然后根据巷道的使用和维护要求调整掘进方向,如图 12–2 所示,表示采区平巷掘进遇断层时改变掘进方向重穿煤层的例子。

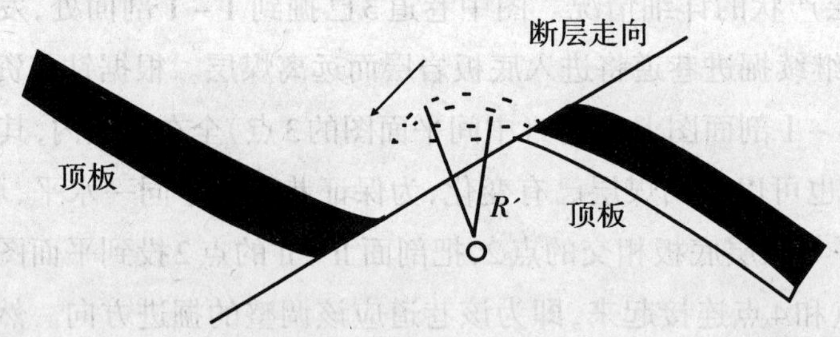

图 12–2　巷道掘进遇断层时改变掘进方向

掘进巷若为轨道巷,则应在穿过断层后,按轨道运输要求的曲率半径转弯并与断层走向保持一定距离以避开破碎带掘进,并重新进入煤层顶板。

若为输送机巷,巷道的掘进应以按折线方向穿向断失煤层,以满足生产时布置输送机的要求。掘进时要使折线与原巷的夹角,能满足施工时的运输要求。

(三)平行于断层掘进的巷道定向法

平行于断层掘进的巷道,为了减少巷道压力,便于巷道维护,也为了减少煤柱损失,巷道与断层应保持适当的距离(8 ~ 15m),故在巷道施工过程中,每向前掘进 20 ~ 30m,便需垂直于巷道向断层方向掘一小洞去探明断层情况,如图 12–3 所示。

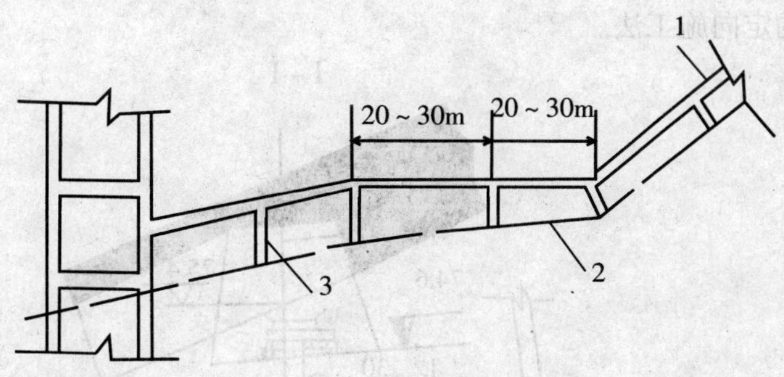

图12–3　平行于断层掘进的巷道掘进方法

1——掘进巷道；2——断层；3——小洞

(四)采区上山掘进定向法

采区上山一般是两条，即一条轨道上山和一条输送机上山，这两条上山其中的一条兼作通风和行人使用。但对于有煤与瓦斯突出或高瓦斯矿井的采区，从安全角度考虑，可另做一条通风上山，即采用三条上山。这些上山的位置是根据地质勘探剖面图结合生产需要而设计确定的。但预计的地质剖面图不一定能反映出实际煤层的变化情况，因此在施工时，必须根据煤层具体变化情况，不断修改上山的掘进方向，以满足生产使用的要求。若输送机上山采用的是带式输送机，其倾角必须小于17°，所以，在上山掘进时必须先掘轨道上山，以便及时探明煤层变化情况，作为调整带式输送机上山定向掘进的依据，若输送机上山采用的是链板输送机，由于链板输送机对坡度要求不严，特别是煤层倾角较小且起伏变化较多时，则应先掘链板输送机上山，然后再定向掘进轨道上山，以避免轨道上山坡度变化过大，造成矿车上下运行时掉道或停滞等事故。

当采区地质构造复杂、煤层变化规律没有搞清时，可先掘一条探煤上山，专为轨道上山和输送机上山掘进定向服务。

对于厚煤层或煤层数较多、总厚度较大的联合布置采区，为了改善上山维护条件，常常将上山布置在煤层的底板岩层中，此时上山受煤层变化影响较小。因为轨道上山一般较长，距煤层比输送机上山近，便于通过它来开拓采区中间巷道，所以一般都先掘轨道上山，为掘进输送机上山的定向创造条件。

(五)利用轨道中间巷定向法

轨道中间巷又称区段回风平巷。由于生产和施工上的要求，轨道中间巷与区段输送机巷一般都采用双巷掘进。轨道中间巷是为了准备上个区段时掘进区段输送机巷服务的，而当下个区段进行生产时，这时它又作为下个区段生产时的回风和运料之用，由于轨道中间巷的服务年限较长，且受上区段的采动影响，所以在施工时，一般是沿煤层顶板掘进不留煤顶，它的坡度要求较严格，但允许做成曲线。区段输送机巷服务于上一区段运煤之用，为了使输送机与采煤工作面的输送机能够很好地衔接，在掘进时应适当卧底，所以区段运煤送机巷都是沿煤层等高线掘进的。并且这种巷道可以做成折线，但每段折线长度应该和生产时期的输送机长度相适应，对坡度要求不严，但也要尽量控制起伏，以免给施工运输造成困难。

山东新汶协庄煤矿，为了使轨道中间与区段输送机巷均能满足生产的要求，采用了图

12-4所示的定向施工法。

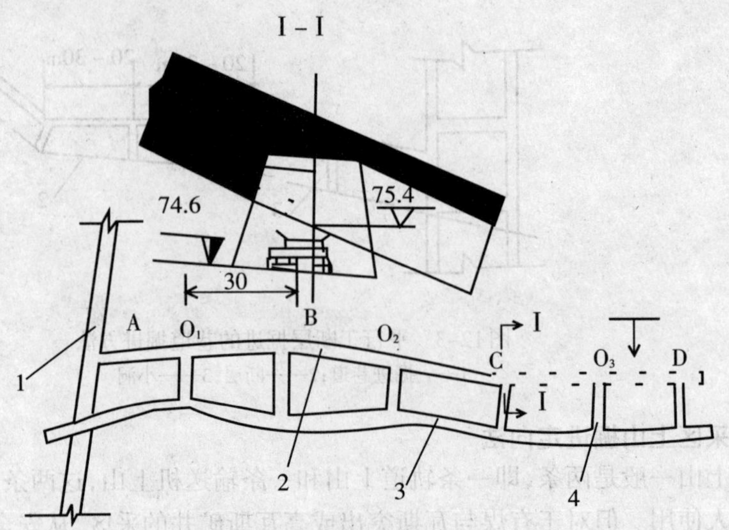

图12-4 采区中间巷道的定向方法

1——采区带式输送机上山；2——区段输送机巷；3——区段中间轨道巷；4——联络巷

沿煤层顶板按一定坡度超前掘进中间轨道巷3，每向前掘进30m就沿煤层倾向向区段输送机巷2方向掘一联络巷4，通过测量将已掘巷道标在1:500的平面图上，先按照煤柱的规定宽度以及区段输送机巷中安装的输送机的直线长度这两项要求，初步绘出区段输送机巷2的位置，然后再检查联络巷4与区段输送机巷2各交叉点上的卧底情况，一般只要在巷道断面中心线处卧底高度在0.5m左右即可。图中，区段输送机巷2在C点处的底板标高为74.6m，巷道中心线与煤层底板交点标高为75.4m，故卧底量为0.8m，此时从工作面伸出的链板输送机和该巷道中的输送机很容易衔接。

在中间轨道巷3超前掘进并为区段输送机巷定向后，区段输送机巷2即可随后掘进。

该例是将区段输送机巷一次掘到采区边界，然后进行回采的一例。

对于厚煤层或煤层数较多、总厚度较大的联合布置采区，一般多使用岩石（或煤层）集中输送机巷出煤，区段输送机巷则是随回采工作面掘进的，此时仍应先掘进中间轨道巷，以便为岩石集中巷和区段输送机巷定向服务。当在厚煤层中沿顶板掘进中间轨道巷时，由于煤层的变化，往往使巷道远离顶板或底板，因此可每隔20～30m用普通电钻向顶板（或底板）打探煤钻孔，以便及时探明煤层变化情况，为其他巷道掘进定向提供准确资料。

第二节 煤巷施工

在巷道掘进断面中，煤层占4/5以上（包括4/5在内）的巷道就称为煤巷。因煤较软，掘进煤巷中除了采用钻眼爆破方法外，各大矿区都在大力推广使用掘进机掘进煤巷。煤巷施工时，破煤比较容易，用时较少，装煤工作量相对占掘进循环作业时间较长，为减轻工人劳动强度，提高掘进率，宜采用机械化装运煤。

一、钻眼爆破法掘进煤巷

(一)破煤方法

由于煤较软比较容易破碎，在煤巷掘进中广泛采用煤电钻进行打眼，炮眼深度一般为1.5～2.5m。炮眼布置方法和岩巷的炮眼布置方法基本相同，一段情况下都采用斜眼掏槽，为了防止崩倒支架，多将掏槽眼布置在工作面中下部。当煤巷掘进断面内有一层较软的煤层时，掏槽眼应布置在软煤层中，可用扇形或半楔形掏槽，若炮眼较深，可用复式掏槽，如图12-5所示。

煤巷掘进同样要推广光面爆破和毫秒爆破。在有瓦斯的煤层中，毫秒雷管只能使用前五段，即毫秒雷管的总延期不能超过130ms，以确保爆破时的安全。

由于煤层较松软，为了达到良好的光面爆破效果，巷道周边眼要与顶帮轮廓线保持适当的距离。一般硬煤取150～200mm，中硬煤取200～250mm，软煤取250～400mm。周边眼的装药量也应适当减少，并根据煤质软硬和炮眼的深度进行调整，以免发生超挖现象。一般在硬煤和中硬煤中，炮眼深度为1.5m时，周边眼的药量要比辅助眼少装1.0～1.5个药卷，在软煤中少装2个药卷。周边眼的间距与最小抵抗线的比值一般采用1.1～1.3，在施工中，这些数据还要结合具体条件，反复实践，从而得出切合实际的最优参数。

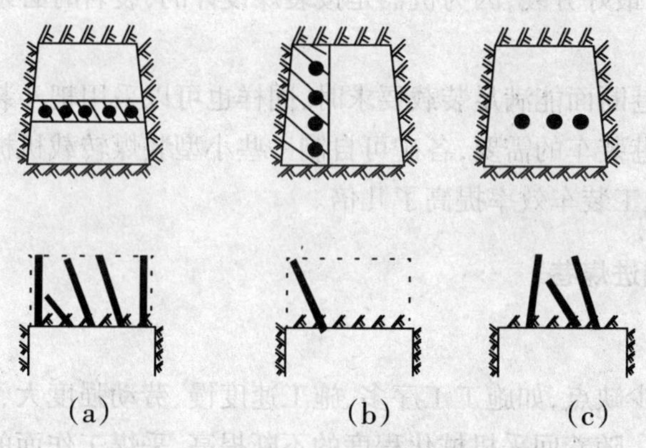

图12-5　煤巷掘进的掏槽方法
(a)扇形掏槽；(b)半楔形掏槽；(c)复式掏槽

(二)装煤方法

我国煤巷掘进中常用的装煤方法有人工装煤和机械装煤两种。人工装煤，工人劳动强度大，劳动生产率低，巷道掘进速度慢，逐渐被机械装煤所代替。目前我国煤巷掘进中常用的装煤机械是ZMZ-17型扒抓式装煤机，其外形如图12-6所示，它适用于断面8m²以上、净高1.6m以上的煤巷及倾角小于10°的上下山。该机由扒抓、可弯曲的链板输送机及履带行走部组成。生产能力为50t/h，履带行走速度为17.5m/min，其尾部链板输送机部分可以回转

45°,机器外形尺寸,长×宽×高等于6315mm×1550(1390)mm×2200(920)mm,机重4010kg。

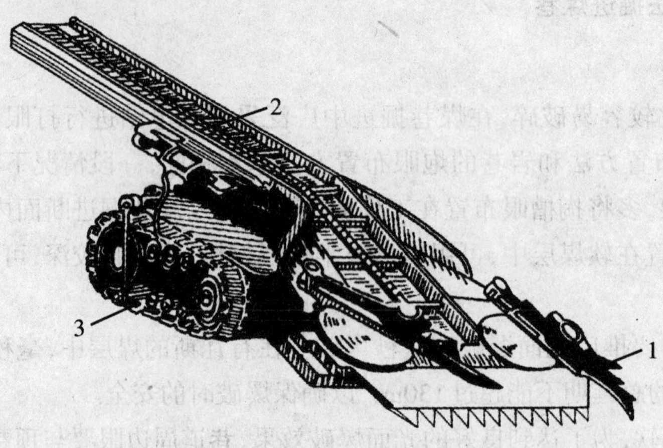

图12-6 ZMZ-17型扒抓式装煤机

1——扒爪;2——链板输送机;3——行走履带

这种装煤机能连续装载,效率高。用履带行走,机动灵活适应性强,装载宽度不受限制,而且清底干净,是保证高效和快速掘进的一种装载设备。

ZMZ-17型扒抓式装煤机不仅能使用于煤巷掘进,也可用于半煤岩巷道的装煤和装岩,但在使用时,煤和岩石最好分装,因为机器是按装煤设计的,装岩时必须注意减轻其负荷,以利于其安全运转。

在煤巷和半煤岩巷断面能满足装载要求时,同样也可以采用耙斗装载机进行装载。

为满足小断面煤巷装车的需要,各矿可自制一些小型装煤转载机械,它不仅能减轻工人劳动强度,而且也比人工装车效率提高了几倍。

二、煤巷掘进机掘进煤巷

(一)煤巷掘进机

钻眼爆破法有不少缺点,如施工工序多、施工速度慢、劳动强度大、劳动效率低和围岩易受爆破的震动破坏等。随着回采机械化程度的不断提高,采煤工作面的推进速度越来越快,回采巷道施工速度也要求相应提高。在这种情况下,钻眼爆破法掘进煤巷已不能适应,为了加快巷道的掘进速度,以保证采掘平衡,必须提高煤巷掘进机械化程度。目前采用较多的掘进机械就是煤巷掘进机。

煤巷掘进机能够把掘进中破煤、装煤、转载等工作一并完成,有的掘进机上还装有锚杆钻装机,也可同时完成支护工作。它与钻眼爆破法相比,具有工序少、速度快、效率高、质量好、施工安全、劳动强度小等优点。

目前我国研制、引进和中外合作生产的煤巷掘进机有25种型号。其中性能好、质量稳定的掘进机有ELMB型、EL-90型、EM1A-30型、AM-50型及MRH-S100-41(S-100)型五种掘进机。这些掘进机的主要技术特征见表12-2。

表 12-2　　我国推广的煤巷掘进机的主要技术特征

	项目	ELMB	EL-90	AM-50	EM1A-30	S-100
整机	适应巷道断面/m^2	6 ~ 12	8 ~ 22	7.5 ~ 20	6 ~ 13	21
	最大掘进高度/m	3.5	3.76	4	3.75	405
	最大掘进宽度/m	4.7	6.23	4.8	4.0	5.1
	切割岩石硬度/MPa	0.4	0.60	0.60	0.46	0.60
	巷道最小曲率半径/m	10	10	10	7	7
	适应巷道坡度/(。)	± 12	± 16	± 16	± 0	± 15
	总功率/kw	100	145.8	163	68	145
	质量/t	21.50	37.20	24.0	16	25
切割机构	切割头直径/mm	690	900	—	450	600 ~ 970
	切割头行程/mm	500	500	2 × 750	500	500
	切割头转速/r.min^{-1}	56	21.3/60.3	73.5/88.7	71.60	23/46
	功率/kw	55	90	100	30	100
装运机构	装载形式	扒爪式	扒爪式	扒爪式	双环刮板	扒爪式
	运输机形式	双链刮板机	刮板机	单链刮板机	双链刮板机	双链刮板机
	装运生产能力/t.h^{-1}	100	35 × 125	100	70	180
	功率/kw	55	2 × 10	2 × 11	10	100
行走机构	行走形式	履带式	履带式	履带式	履带式	履带式
	行走速度/m.min^{-1}	2.86/5.04	2.0	5	3.9	7.5/9.5
	功率/kw	油马达驱动	2 × 11.4	2 × 15	2 × 10	油马达 2 × 17
转载机构	转载形式	胶带转载	桥式转载机	桥式转载机	胶带转载	胶带转载
	输送带速度/m.s^{-1}	1.67	1.6	1.6	1.6	
	输送带宽度/mm	500	650	650	500	
	输送能力/t.h^{-1}	100	194	194	70	
液压系统	额定压力/MPa	20/25	14	20	14	20.6
	流量/L.min^{-1}	126	66.1	34 ~ 40	8	45
	功率/kw	26.7	13	11	100	
电气系统	电压/V	660	660	660	660	660
	总功率/kw	100	153.8*	163	68	145
喷水系统	水压/MPa	1.5	—	1.2 ~ 1.5	0.5	3
	水量/m3.h^{-1}	—	4.0	2.4	5	2.88
	研制单位	上海煤科院南京机械厂	太原煤科院	淮南煤机厂	太原煤科院佳木斯煤机厂	日本引进佳木斯煤机厂

注:*包括转载机功率。

这五种煤巷掘进机的构造及工作原理大体相同,都属于部分断面巷道掘进机。

1.ELMB型煤巷掘进机

BLMB型煤巷掘进机由截割机构(工作机构)、装运机构、行走机构、喷雾系统和电气控制系统等部分组成,其构造如图12-7所示。

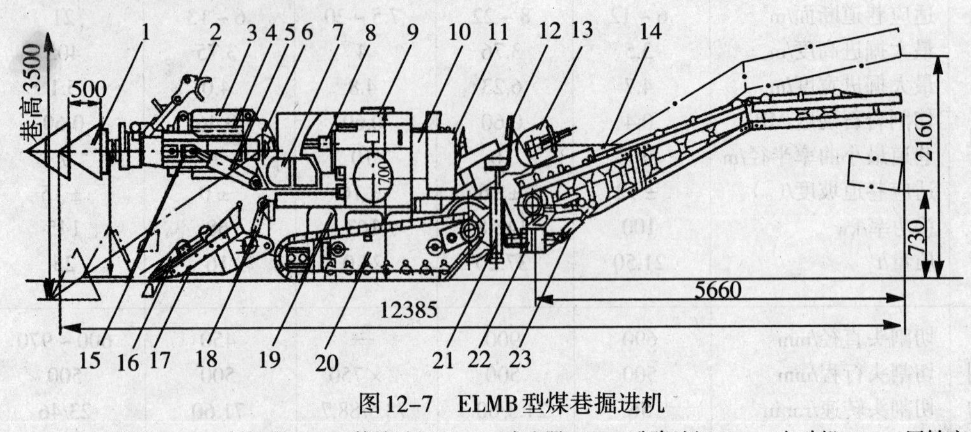

图12-7　ELMB型煤巷掘进机

1——截割头;2——托梁器;3——伸缩油缸;4——减速器;5——升降油缸;6——电动机;7——回转座;8——回转油缸;9——油箱与泵站;10——电控箱;11——操纵台;12——司机座;13——刮板输送机;14——胶带机;15——导轨架;16——扒爪;17——铲板;18——铲板油缸;19——主机架;20——行走部;21——起重油缸;22——胶带机转座;23——胶带升降油缸

(1)截割机构。截割机构又称工作机构。截割机构由截割头、工作臂、减速器、电动机、导轨架、回转座、回转油缸和升缩油缸等部件组成。如图12-8所示,截割头上按螺旋形布置有30个截齿连接在工作臂上。截割头由一台55kw电动机经二级行星轮减速器带动,以56r/min的转速进行破煤或破岩。利用推进油缸使工作臂轴向滑动,实现机体不动而截割头可自动钻进和回缩。滑动的最大行程为500mm,同样工作臂可随回转座转动,回转座是支承整个工作机构的承载部件,它通过回转轴承和底座固定在主机架上,利用升降油缸和回转油缸使工作臂带动截割头上下和左右运动,即可切割出所需要的巷道断面形状。

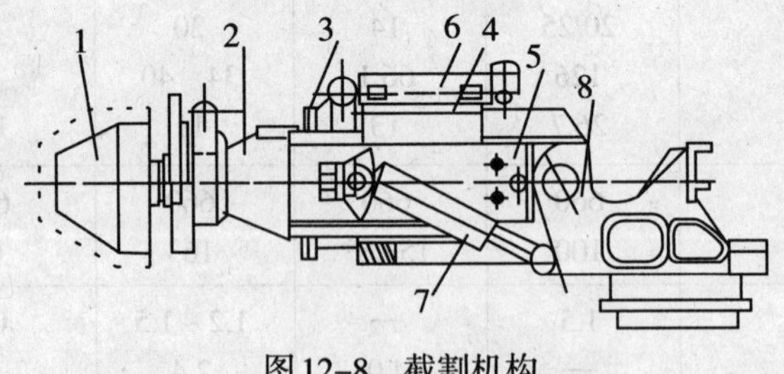

图12-8　截割机构

1——切割头;2——工作臂;3——行星减速器;4——电动机;5——导轨架;6——推进油缸;7——升降油缸;8——回转座

(2)装运机构。装运机构的最大特点是装载和运输是联动的。它由组合铲板、扒爪式装载机、双边链刮板输送和装运油马达等组成。其动力装置为两台布置在刮板输送机后部的BM-E630型摆线马达。刮板输送机前部的尾轴输出作为耙爪减速器的动力输入,其出轴驱动偏心圆盘,由偏心圆盘带动装载耙爪,使扒爪以30次/min的速度不断地扒取落煤或矸石。

(3)转载机构。为使掘进机能向不同配套的运输设备卸煤,机器后面安装了胶带转载机,转载机构由带式输送机、输送机转座、升降油缸和回转油缸组成。胶带机的动力装置为一台BM-E400型摆线马达。胶带机转座连接在主机架的后部,主要起铰接固定胶带机的作用。在胶带机左侧设有回转油缸,使皮带机能在水平方向相对机组中心线左右摆动各20°以适应不同的卸载位置。胶带机下部设有升降油缸,不仅支撑转载机,也可调节转载机的卸载高度(730～2160mm)。

(4)行走机构。行走机构为履带式,由履带板、主链轮、导向轮、托链轮、支重轮、履带架及主机架等组成。左右履带架通过销轴与主机架连接,分别由一台内曲线大扭矩马达通过花键轴直接带动主链轮再经履带板与驱动轮的啮合,实现履带的运动;通过操纵换向阀,可实现机器的前进、后退及左右转弯等动作。

正常情况下行走速度为2.86m/min,若空载调动机器时,可通过调节液压系统回路合流,将行走速度提高到5.04m/min。

(5)托梁器。托梁器由托架、前臂等组成。在侧面装由两个翻转手柄。整个托梁器通过销轴铰接在工作臂上。

架梁时,将架体翻转向前方,支架顶梁放在托梁器上,工作臂上升到要求的高度,然后开动机器前进,将顶梁运送到位,从而达到上梁的目的。

(6)喷雾系统。为了防尘和降温,该机装备了多种防尘喷雾系统,如内喷雾、外喷雾和引射器。供水泵采用PB80/35型喷雾水泵,水泵输出的压力水经水门分成3条水路同时工作。

内喷雾在截割头上按螺旋线布置19个喷嘴,截割头切割煤或岩石时,喷嘴也随截割头旋转并伸入煤、岩之内,喷出的水雾渗进煤壁中,形成湿式切割,除降低煤尘外,还可大幅度降低刀齿温度,防止摩擦火花,确保生产安全,喷嘴工作水压为1.5MPa。

外喷雾布置在工作臂上,8个喷嘴呈马蹄形分布,喷出的水雾扩散后将截割包围,以提高降尘效果,喷嘴工作水压为1MPa。

引射喷雾器由喷嘴、引射风筒和底板组成,它安装在工作机构导轨架前方的两侧,喷出圆锥状水雾喷嘴,工作水压为1MPa。

(7)液压系统。掘进机的装运、行走、转载等各机构都采用液压传动。整个液压系统由一台45kw双输出轴电动机分别带动一台CBZ2063/032型和一台CBG1025/025型双联齿轮泵,两台双联齿轮泵分别向工作机构、行走机构、装运机构和转载机构4个液压回路系统供油,液压油采用N68号普通液压油,油箱容积为700L。

(8)电气系统。电气系统由KBJM-125/600矿用隔爆型兼安全火花型电气箱和LHJM矿用安全火花型操作箱组成。电气系统具有失压、过载、断相、短路、漏电闭锁保护和显示,并能提供本机工作面照明以及截割功率负荷显示功能等功能,可保证掘进机安全可靠地使用。适用于具有瓦斯及煤尘爆炸危险的煤矿井下660V电压等级电力系统,掘进机的总功率为100kw。

2.其他掘进机简介

AM-50型掘进机是由奥地利引进的一种悬臂横轴式掘进机。1989年全部实现国产化,它是我国目前使用的掘进机中较好的一种机型。它具有稳定性好、切割功率大(100kw)、切割断面大、切割硬度高、机体外形尺寸小、结构简单、拆装方便和维护容易等特点。与ELMB型掘进机相比,它在结构设计上采用了悬臂横轴式切割机构,转载部分采用桥式胶带转载机。

EL-90型掘进机是我国自行设计和制造的半煤岩巷掘进机,该机属于悬臂纵切割方式,切割f=6的中等硬岩和硬煤的性能比较好,也能适应大断面巷道掘进的要求。

EM1A-30型煤巷掘进机是适用于小断面采准巷道综合掘进机械化的主要配备设备。适用于断面为6~12m²,岩石普氏系数f≤4的巷道。与ELMB相比,它的行走机构和装运机构是采用电动驱动;装煤机构采用双环刮板,双环刮板装载机构由铲链、刮刀紧链装置和减速器等部件组成,对称均匀分布在铲板两侧,每个刮板链上装有6把刮刀,刮板装载机构与中间输送机同步运转。

(二)煤巷施工机械化作业线

煤巷施工采用掘进机掘进,因掘进速度快,所以必须有一套与之相适应的机械运输设备,它们相互配置形成一条机械化作业线,这是加快煤巷掘进速度和提高劳动生产率的根本途径。目前常用的煤巷施工机械化作业线有以下几种:

1.掘进机—刮板输送机机械化作业线

此作业线的主要设备是煤巷掘进机和刮板输送机,是目前国内采用较多的机械化作业线。掘进机截割下来的煤(岩)通过装载机构经胶带转载机卸给其下方的刮板输送机,并经过刮板输送机输送卸载到煤仓或其他运输设备上,这样可保证截割下来的煤不间断地运出。掘进机向前掘进一段距离后,在停机支护的时间内接长刮板输送机。因此该作业线虽然在机器工作时能连续运输,但由于频繁接长刮板机,仍然存在间断运输,而且劳动强度大、占用人员多的问题。该作业线主要适用于巷道坡度变化大、巷道长度较短的煤巷施工。

2.煤巷掘进机—可伸缩双向带式输送机机械化作业线

该作业线的主要设备是煤巷掘进机和可伸缩双向带式输送机。掘进机切割下来的煤经装运机构、桥式转载机、可伸缩双向带式输送机再卸至其他运输设备上,它可以长距离连续运输,并减少胶带伸长的次数,生产能力基本上可满足掘进机快带掘进的要求。带式输送机向外送煤的同时,在带式输送机的下胶带上能向工作面运送各种材料,使上胶带出煤和下胶带(回空胶带)进料形成一个运输系统。为减少接长胶带辅助时间,胶带可储存100m的长度。掘进工作面延长带式输送机的方法如图12-9(a)所示。掘进机在工作面向前掘进到桥式转载机的最大搭线长度以后,掘进机后退使其尾部与可伸缩胶带式输送机尾部连接,同时将可伸缩胶带式输送机的外端带式输送机尾部与中间架部分的连接装置脱开,如图12-9(b)所示;通过掘进机前移,将外段带式输送机机尾部拖前12~15m,如图12-9(c)所示,然后在预留的间隔空间中进行中间架的组装工作。

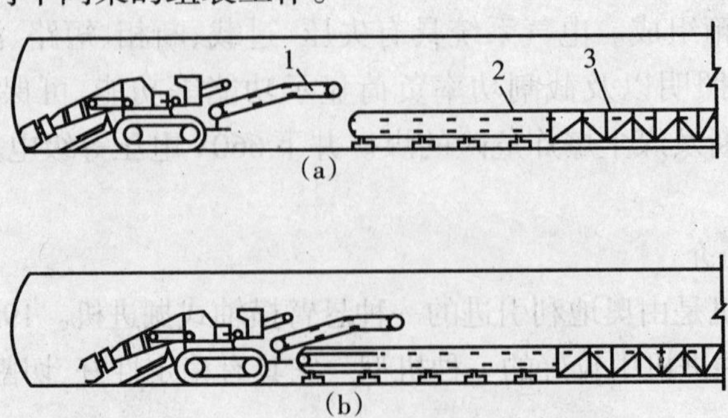

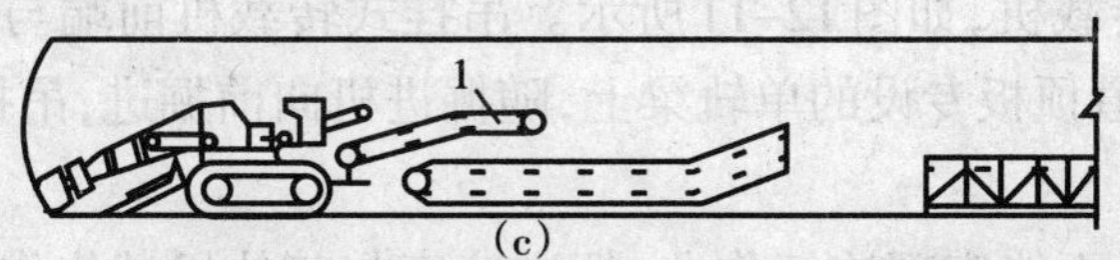

图 12-9 伸缩式带式输送机延长方法

(a)胶带延长顺序Ⅰ;(b)胶带延长顺序Ⅱ;(c)胶带延长顺序Ⅲ

1——桥式转载机;2——外段带式输送机尾部;3——可伸缩带式输送机的中间架

这种机械化作业线的主要特点是:可充分发挥掘进机的生产效率,切割、装载、运输生产能力大,掘进速度快,出煤、运料同兼顾,胶带延长速度快(延长 12m 胶带仅需 30min),接长伸缩胶带可利用永久支护时进行,掘进循环时间短。

该机械化作业线主要适用于连续掘进的独头巷道长度大于 800m 的条件。

3.煤巷掘进机—梭式矿车(或仓式列车)机械化作业线

该作业线由煤巷掘进机、梭式矿车(或仓式列车)、电机车(或牵引绞车)等几部分组成,图 12-10 为仓式列车外貌示意图。掘进切割下来的煤(岩)经装载机构,胶带转载机卸载于梭式矿车(仓式列车),然后通过梭式矿车(或仓式列车)车箱底板上刮板输送机逐渐运向后部,直至均匀装满仓式列车,然后由电机车(或牵引绞车)牵引至卸载地点卸载。它适用于断面为 4.5 ~ 8.5m²的较小巷道。

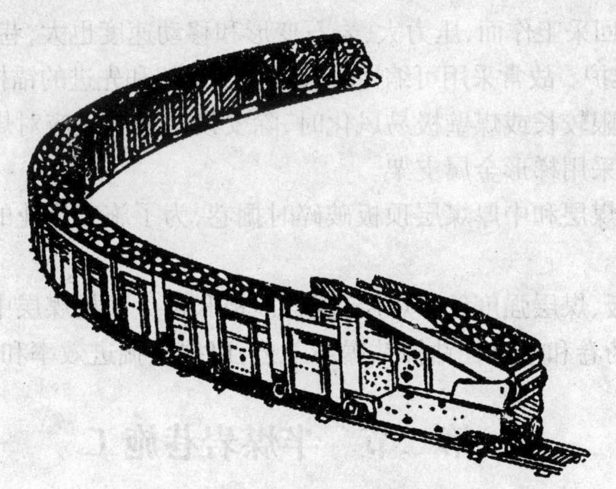

图 12-10 仓式列车外貌示意图

该机械化作业线最大的优点是可将一个截割循环中截落的煤岩一次运走,其不足的是不能平行作业,掘进机效率不能充分发挥。该机械化作业线适用于装卸距离较短的巷道,井下必须有卸载站。

4.煤巷掘进机—吊挂式胶带转载机—矿车、电机车机械作业线

该作业线对采用金属永久支护、矿车运输的小断面巷道适用。为了提高掘进效率,减少调车次数和调车停机时间,在巷道转弯半径允许的前提下尽量选用长度较大(可容 8 ~ 10 辆

矿车）的吊挂式胶带转载机，如图12-11所示。吊挂式转载机前端与掘进机相连，另一端通过行走导轮吊挂在巷道顶板专设的单轨梁上，随掘进机向前掘进，吊挂胶带转载机随着一起向前移动。

该机械化作业线，不能实现连续作业，掘进速度与其他机械化作业线相比较低，另外永久支架的质量要求比较严格，辅助工程量也较大，多在输送机运煤系统建成前采用。

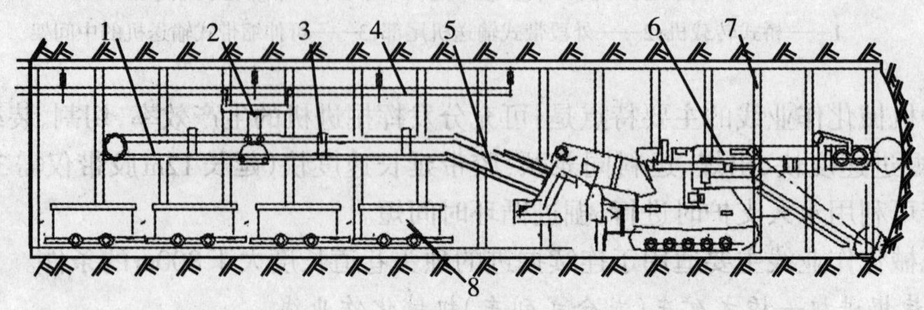

图12-11 掘进机与吊挂胶带转载机、矿车组成的机械化作业线

1——机尾部；2——吊挂小车；3——中间架

4——I140E轨道；5——机头部；6——掘进机；7——拱形支架；8——矿车

三、煤巷支护

因为煤巷临近回采工作面，压力大，岩石变形和移动速度也大，巷道又多受采动压力的影响，使得巷道不易维护。故常采用可缩性较大的金属支架和先进的锚杆联合支护系统支护。

在巷道服务年限较长或煤壁极易风化时，除安设锚杆外还应对煤壁喷浆。

工作面顺槽多采用梯形金属支架。

若在松软的厚煤层和中厚煤层顶板破碎时掘巷，为了施工作业的安全，必须采用前探梁支架。

当在顶板、底板、煤层强度较小煤层，复合顶板和再生顶板煤层中掘进巷道时，可推广小直径钻孔、小直径药卷和小直径钻杆钻爆新工艺，以提高掘进效率和维护好顶板。

第三节 半煤岩巷施工

巷道中岩层占掘进工作面积1/5～4/5（不包括1/5及4/5）时，就称为半煤岩巷道。当巷道在薄煤层中掘进时，为了保证巷道的高度和坡度不变，必定有部分巷道断面位于岩层中，通常把这种情况称之为挑顶或卧底。半煤岩巷道的施工方法与岩巷和煤巷的施工方法基本相同，但有其自身的施工特点。

一、半煤岩巷道采石位置的选择

在半煤岩巷道施工中，根据采石的位置不同，一般有挑顶、卧底、挑顶兼卧底三种情况，如图12-12所示。具体采用哪种方式为好要综合考虑生产使用的要求、便于维护和施工难易程度等因素。一般情况下，应尽可能采用卧底而不挑顶的方式，从而保证顶板的完整性和稳定性；只是在煤层上部具有薄层假顶时，才将假顶挑去；对于区段回风巷，由于它还兼有向采煤工作面下料的用途，就采用挑顶的方式掘进。

在实际生产过程中，由于煤层起伏变化，也为了保证巷道的顺直和一定的坡度，在同一条半煤岩巷道施工中，挑顶或卧底并非是固定不变的，有时挑顶、卧底或挑顶兼卧底的三种方式往往都可能出现，甚至暂时离开煤层进行全岩掘进的情况也不是不会出现的。

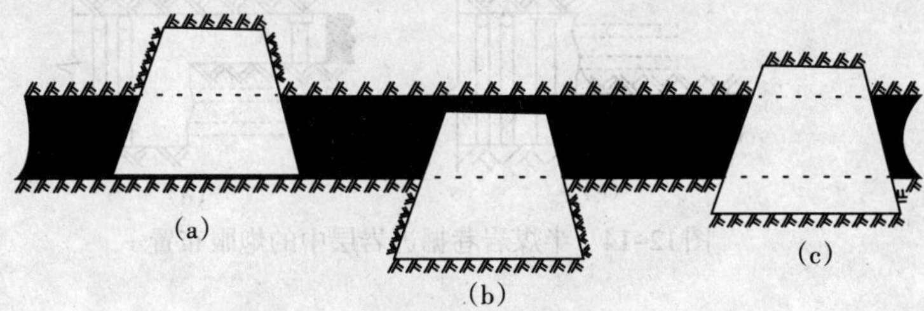

图12-12　半煤岩巷采石位置的三种情况

(a)挑顶；(b)卧府；(c)挑顶兼卧底

二、炮眼布置特点

由于煤层较软，掏槽眼一般都布置在煤层部分，采用斜眼掏槽，如图12-13所示。半煤岩巷道在施工过程中，掘进所用的钻眼设备应尽量做到动力单一，但在煤与岩的硬度相差较大时，也可选用两种不同动力的钻机钻眼。

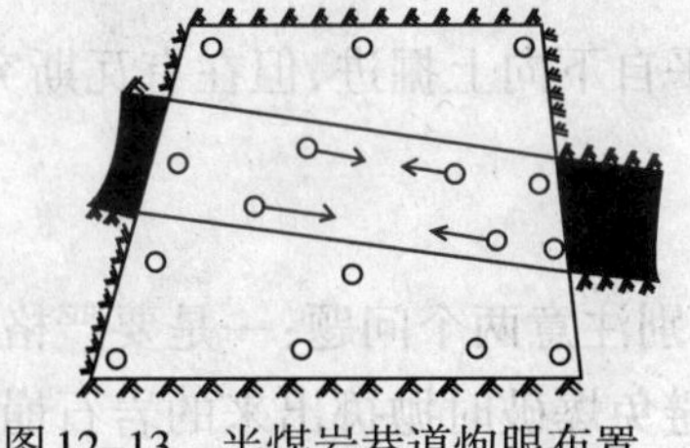

图12-13　半煤岩巷道炮眼布置

三、施工组织特点

半煤岩巷道的施工组织方式有两种：一是煤岩不分掘分运，全断面一次掘进；另一种是煤岩分掘分运。全断面一次掘进时，工作组织简单，巷道掘进速度快，但所出的煤灰分很高，煤的损失也大，这种施工组织方式，主要适用于煤层厚度小于0.5m、煤质差的半煤岩巷中。分掘分运的施工组织方式能保证煤的质量，克服了全断面一次掘进的缺点，但工作组织较复杂，掘进速度慢。选择哪一种施工组织方式，应根据生产矿井的采掘平衡关系、经济效益，以及资源的利用等实际情况全面考虑。

当采用全断面一次掘进时，其施工方法与一般煤巷相同。

采用煤岩分掘分运方式时，一般采用煤层工作面超前于岩石工作面的台阶工作面施工法。当煤层厚度大于1.2m时，岩石工作面可以钻垂直炮眼（眼深不小于0.65m），这样钻眼和爆破效果较好，如图12-14(a)、(b)所示。若煤层较薄，岩石工作面的炮眼应平行于巷道轴线方向，如图12-14(c)、(d)所示。采用该方式时，为了提高速度，必须采取一定措施，尽量使煤岩工作面的主要工作平行作业。

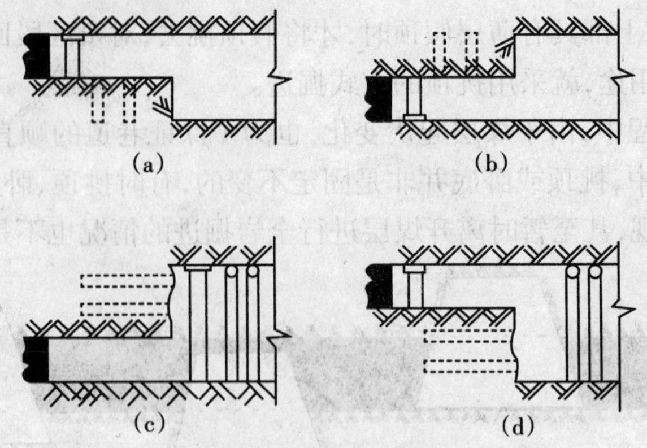

图12-14　半煤岩巷掘进岩层中的炮眼布置

第四节　上下山施工

上山和下山都是采区巷道中的倾斜巷道。自运输水平向上倾斜的巷道称为上山，自运输水平向下倾斜的巷道称为下山。上山、下山在掘进时，可从下向上施工（常称上山掘进），也可由上向下施工（常称下山掘进）。

一、上山掘进

上山一般都是由运输水平自下向上掘进，但在有瓦斯突出的煤层中，如无专门措施，只能由上一水平向下掘进。

（一）钻眼爆破工作

在上山掘进施工中，要特别注意两个问题：一是要严格按照设计的倾角施工，防止底板掘不够，巷道"上漂"；二是要避免爆破时抛掷出来的岩石崩到棚子。因此在炮眼布置时，多采用底部掏槽（距底板1m左右），掏槽眼的数目视岩石软硬而定。若沿煤或软岩层掘进，可采用三星掏槽，如图12-15所示，其中下边两个炮眼的角度及深度一定要掌握好，上方的一个掏槽眼，应沿巷道轴线方向稍向下倾斜一些。当岩石较硬时，底眼要适当下插，一般插入底板200mm左右，并要多装药，避免拉底不到位巷道"上漂"。在煤或软岩中掘进，同样要采用光面爆破，以利永久支护。

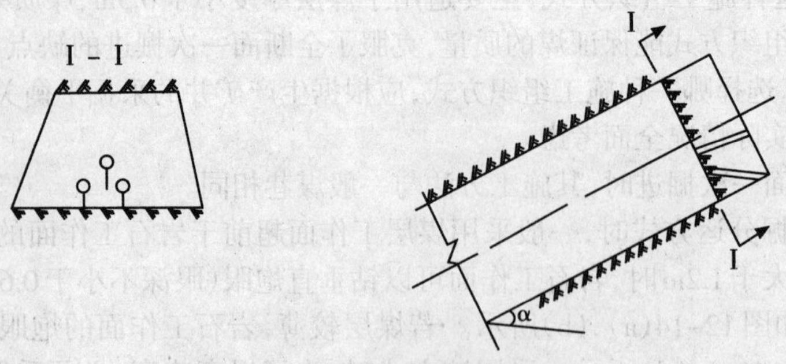

图12-15　上山掘进掏槽方法

(二)通风工作

由于瓦斯比空气轻,上山掘进时工作面上方易于积聚瓦斯,所以通风工作尤为重要,应注意加强工作面通风和瓦斯检查。在地质条件不复杂的情况下,轨道上山和运输机上山或人行上山一般可同时掘进,每隔一定距离(20～30m)用联络巷贯通,以利于通风。如果是单巷掘进,当瓦斯量不大时,可采用双通风机,双风筒压入式通风。无论工作期间还是交接班时,都不能停风。如果因检修停电等原因不得不停风时,全体人员必须撤出工作面,待恢复通风并检查瓦斯后,才准进入工作面;在高瓦斯矿井中,如果上部风巷已掘好,则可利用钻孔解决通风问题,否则宜采用由上向下施工法。

(三)装岩工作

在进行上山掘进施工过程中,爆破下来的煤(岩)可以依靠自重下滑,所以装岩和排矸比较容易。

(1)当采用人工装岩时,配合人工装岩的运输设备,可选择刮板输送机或溜槽。在倾角小于25°的上山掘进时可用刮板输送机运输,倾角在25°～35°的上山掘进时可用铁溜槽运输,搪瓷溜槽可用于15°～28°的上山掘进。溜槽的安装和接长都很方便,生产能力大,但粉尘量较大,一般尚需配水冲刷。为了防止煤矸飞起伤人,应在巷道中溜槽的一侧设置挡板,并在巷道下口设置临时贮矸仓,以便装车。图12-16所示倾角大于35°的上山,煤(矸)可沿巷道底板自溜,这时应在巷道两侧做出一个密闭的溜矸间,专供煤(矸)下溜,以免伤人或破坏设备。

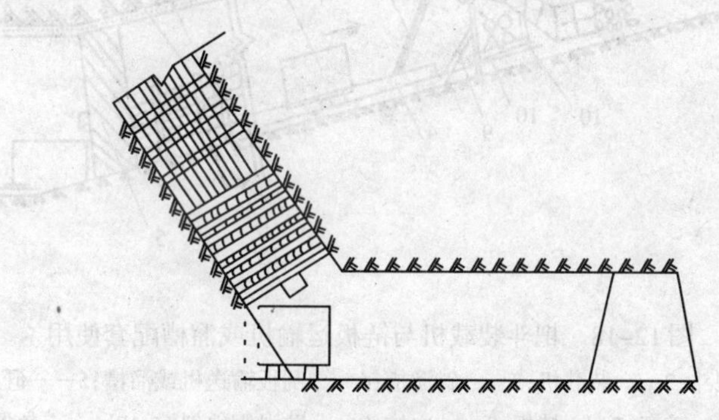

图12-16　上山掘进利用溜槽运输

(2)倾角小于10°的上山,可以使用ZMZ-17型装煤机,配合刮板输送机运输,生产率比较高。目前比较广泛应用的是耙斗装岩机,它可应用在倾角小于30°的巷道,生产率也很高,但在使用耙斗装载机时,其下滑问题比较突出。为此除在装岩机下部装设卡轨器以外,还在装岩机后立柱上装设两个可以转动的斜撑,如图12-17所示。为使防滑效果更好,可在斜撑的下部放2～3根枕木进行阻挡。耙斗装岩机距工作面应不小于6m,随工作面的移动,耙斗装岩机每20～30m移动一次。移动装岩机可用提升绞车。如上山倾角大,可用提升绞车和耙斗装岩机绞车联合作业。使用耙斗装岩机装岩时,也可配合使用刮板输送机或溜槽,如图12-18所示。这样耙斗装岩机就能够连续作业、提高装岩生产率,但在耙斗装岩机卸载部位需要另加一斜槽。

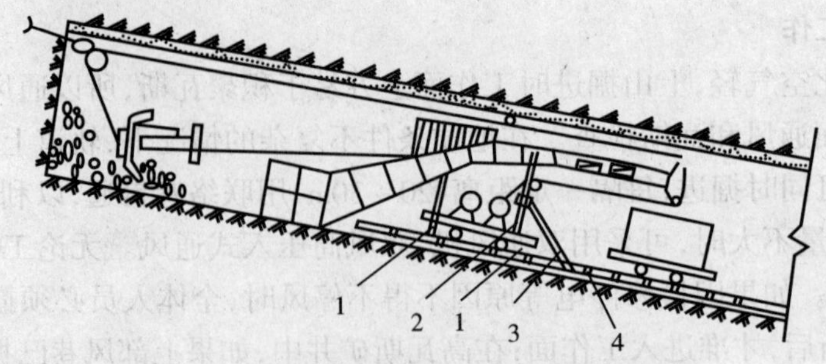

图 12-17　上山掘进时耙斗装载机防滑装置

1——卡轨器；2——耙斗装载机的后立柱；3——钢轨斜撑；4——枕木

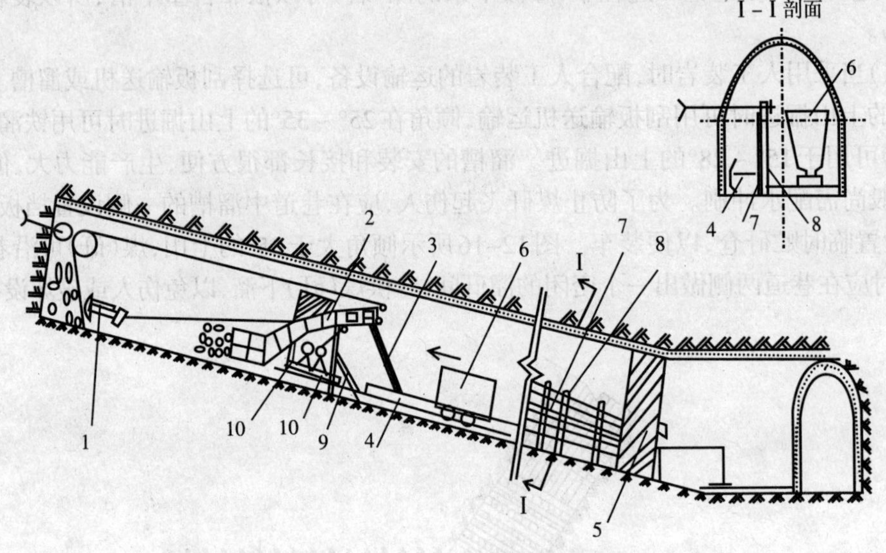

图 12-18　耙斗装载机与链板运输机或溜槽配套使用

1——耙斗；2——装载机；3——斜溜槽；4——刮板输送机或溜槽；5——矸石仓；

6——矿车；7——挡板；8——立柱；9——防滑钢轨斜撑；10——卡轨器

(四)提升运输工作

在上山掘进中，向工作面运送材料相对来说比较困难，如果是单巷掘进，既要铺设刮板输送机，又要铺设轨道，如图 12-19 所示；若是双巷掘进，则一条巷道铺设刮板输送机，另一条巷道铺设轨道，用矿车向工作面运送材料。这时，输送机巷道所需材料可经联络巷搬运，轨道巷道的煤(矸)可由矿车直接运出，也可用联络巷铺设的刮板输送机转运到输送机巷的刮板输送机上，集中外运。

提升或下放矿车时，可用设在上山与平巷相接口处一侧的专用提升绞车(图 12-20)，钢丝绳牵引至工作面绕过一固定滑轮(回头轮)用挂钩挂在矿车上。凡是倾角小于 30°的上山，都可以用矿车提升材料或运出煤、岩。但必须注意的是，回头轮安设一定要牢固。如果上山斜长超过提升绞车缠绳量时，则需在上山中部增设临时绞车分段提升，增设临时绞车时要开凿的躲避硐，如图 12-21 所示。

在机械化程度不高的矿井中，常采用重车带空车的提升方式，重车下放时将空车(或材料车)提至工作面。但一定要注意滑轮的直径要等于两条轨道的中心距，为了控制车速和制动，在滑轮上要装刹把，以免造成事故。

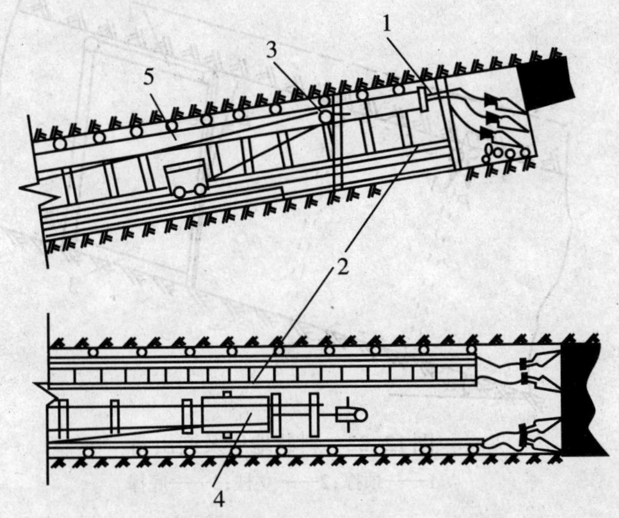

图12-19　单巷掘进上山的提升运输方式

1——压气管；2——刮板输送机；3——滑轮；4——矿车；5——风筒

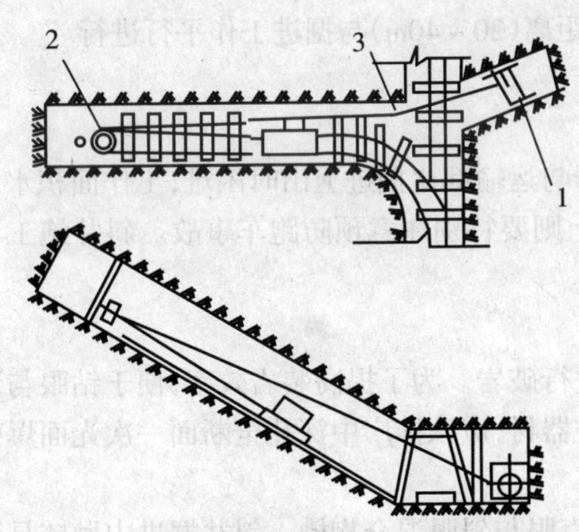

图12-20　上山掘进时提升绞车及导绳轮的布置

1——绞车；2——立轮；3——滑轮

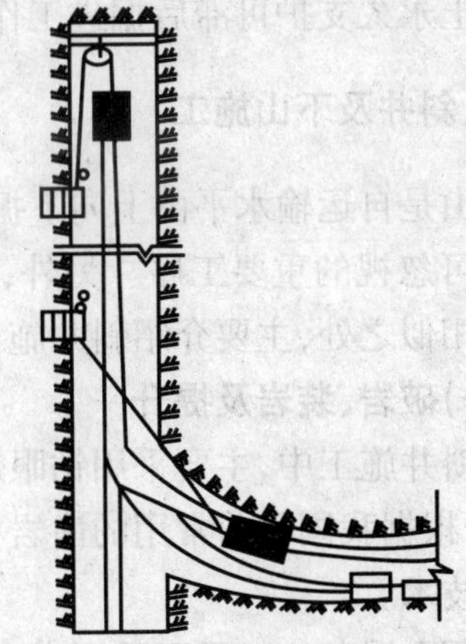

图12-21　上山掘进时的多段提升方式

(五)支护工作

上山巷道顶板岩石的重力P作用可分为两个分力，一个分力N垂直作用在支架上，另一个分力T有使支架沿倾斜向下滑动的趋势，图12-22虚线部分。因此在架设支架时，支架腿要向倾斜上方与顶板、底板垂线间成一夹角，这个夹角称为迎山角(图12-22中的β角)，其角度大小取决于上山的倾角α及围岩的稳定性。一般巷道每倾斜6°～8°，便应具有1°的迎山角，以保持支架的稳定性。随上山倾角的增大，为加固支架的稳定性和防止爆破时崩倒支架,对支架还应进行加固,如在支架之间打上顶撑、底撑,架设底梁,使其变成一个封闭的框式结构。

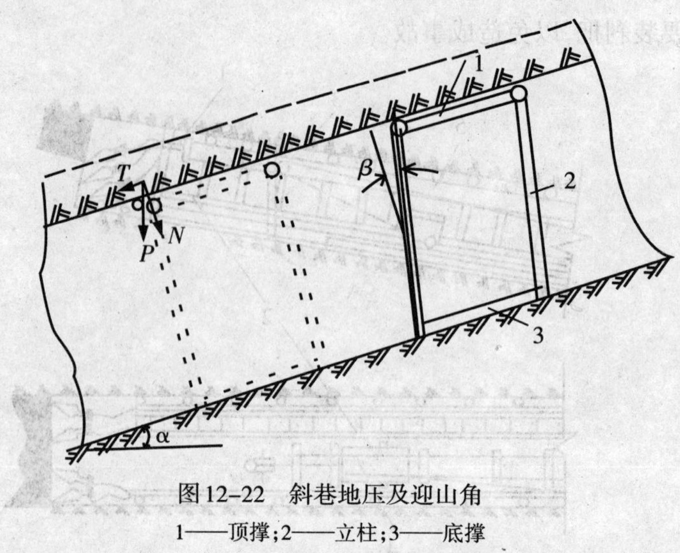

图12-22 斜巷地压及迎山角

1——顶撑;2——立柱;3——底撑

采用石材支架时,砌碹工作应由下沿倾斜方向往上进行。随着巷道倾角α的增大,砌碹基础应采用台阶形。若底板岩石松软,则应砌筑底拱,甚至每隔一定距离还应修筑壁座。

若采用锚喷支护,施工工艺与平巷、下山基本相同,锚杆应尽量垂直上山顶板与侧帮,喷射混凝土永久支护可滞后掘进工作面一段距离(20~40m)与掘进工作平行进行。

二、斜井及下山施工

下山是自运输水平由上向下掘进,装岩与运输都比掘进上山时困难,工作面积水的排放也是不可忽视的重要工序。另外,在安全上则要特别注意预防跑车事故。斜井施工与下山施工有相似之处,主要介绍斜井施工特点。

(一)破岩、装岩及提升

在斜井施工中,主要采用钻眼爆破法进行破岩。为了提高装岩效率,便于钻眼与装岩平行作业,根据我国目前常用的凿岩机和爆破器材,应该推广中深孔全断面一次光面爆破和抛碴爆破技术。

中深孔爆破一般需要采用直眼掏槽或直眼与斜眼混合掏槽。斜井掘进中抛碴是比较困难的,为了取得较好的抛碴效果,底眼上部辅助眼(或专门打一排抛碴眼)的角度比斜井倾角小5°~10°;加深底眼200~300mm,使眼底低于巷道底板200mm;加大底眼装药量;底眼最后起爆。另外,在施工中应特别注意斜井的坡底,要使其符合设计要求。

斜井掘进工作面常会有积水,所以在破岩时应选用抗水炸药、毫秒延期电雷管进行全断面一次爆破。

装岩与提升工作是斜井掘进过程中的主要生产环节,是影响掘进速度的关键,占掘进循环总时间的60%。因此应尽量采用机械装岩,而不采用人工装岩。

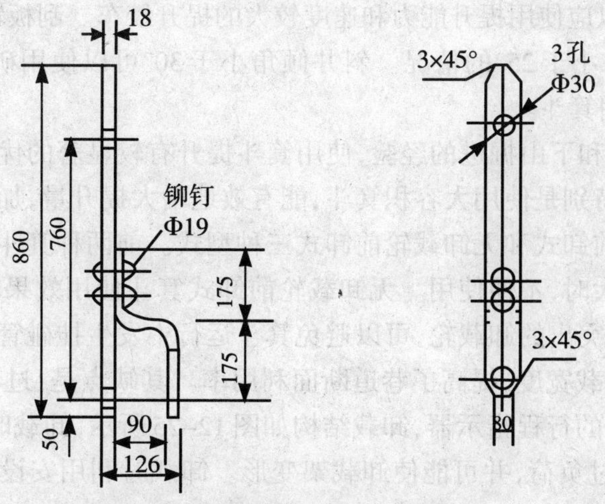

图 12–23　斜井防滑用大卡轨器

目前在斜井施工中，常用的装岩机械是耙斗装载机，在使用时应特别注意防止耙斗装载机下滑。当斜井倾角 < 25° 时，除用耙斗机本身的四个卡轨器进行固定外，还应在机身后部增设两个大卡轨器，如图 12–23 所示。当斜井倾角 > 25°时，除增设上述的大卡轨器外，还应另设一套防滑装置。如用 4 副 U 形卡子把车轮和钢轨一起卡住，也有在巷道底板上钻两个 1m 左右深的眼，楔入两根圆钢或钢轨橛子，用钢丝绳套将耙斗装载机拴在橛子上。斜井掘进使用耙斗装载机也能起到阻挡跑车的作用，掘进工作面比较安全。图 12–24 是耙斗装载机不足斜井工作面的布置图。

为提高耙斗装载机装岩效率，装载机距工作面的距离不要超过 15m。耙斗刃口的插角选为 65°左右，它随斜井倾角增大而相应增加。工作面两侧上方的炮眼，可加深 400 ~ 500mm，并填上炮泥，爆破后利用此孔固定尾轮。

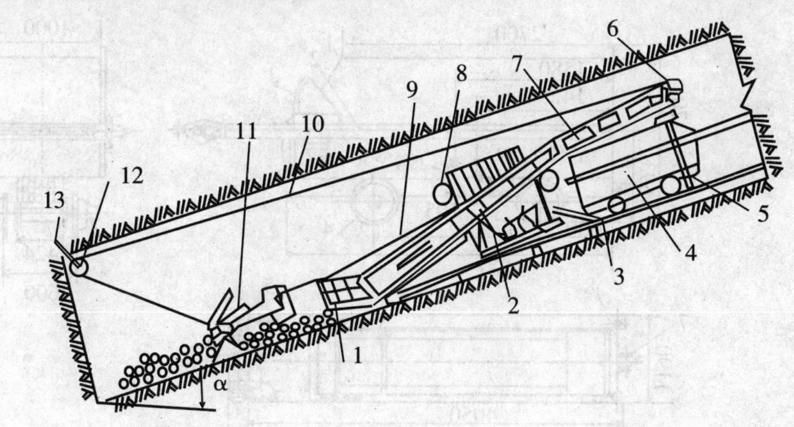

图 12–24　耙斗装载机在斜井工作面布置

1——挡板；2——操纵杆；3——大卡轨器；4——箕斗；5——支撑；6——导绳轮；7——卸料槽；
8——照明灯；9——主绳；10——尾绳；11——耙斗；12——尾绳轮；13——绳头与铁楔

斜井提升工作非常重要。使用的主要提升设备是矿车或箕斗，但无论使用哪一种，出矸都是不连续的，所以应使用提升能力和速度较大的提升绞车。刮板输送机虽也可以使用，但只能用在斜井倾角小于25°的情况。斜井倾角小于30°可以使用矿车或箕斗，斜井倾角在30°以上时只能使用箕斗。

根据我国斜井和下山掘进的经验，使用箕斗提升有较显著的优点，它装载简便、提升连接装置安全可靠，特别是使用大容积箕斗，能有效地增大提升量，加快掘进速度。我国采用的箕斗有后卸式、前卸式和无卸载轮前卸式三种型式。前两种箕斗因有卸载轮凸出于车身外，当巷道断面不大时，不便使用。无卸载轮前卸式箕斗使用效果较好，其优点是：由于去掉了箕斗箱体两侧突出的卸载轮，可以避免箕斗运行中发生挂碰管缆、设备及人员等事故；加大了箕斗有效装载宽度，提高了巷道断面利用率。其缺点是：过卷距小，仅0.5m左右，要求提升绞车有可靠的行程指示器，卸载结构如图12–25所示，卸载时如操作不当，卸载冲击力大，易引起绞车过负荷，并可能使卸载架变形。卸载时利用安设在矸石仓中的活动轨翻卸，如图12–26所示。

采用箕斗提升时，斜井上部需设矸石仓，这种提升方式多用于长度比较长的主斜井，特别是将来生产时安设带式输送机的斜井，此矸石仓可作为生产时间的煤仓之用。

(二)排水与治水

斜井下山掘进时，通常工作面有水积聚，从而恶化了工作条件。妥善处理工作面积水是加快掘进速度、保证工程质量的一项重要工作，对水的处理，应视其来源和大小不同，采取相应的对策。

(1)截。如果是上部平巷水沟漏水，应采用混凝土或陶管将上部水沟密封起来；如果是斜井上部的含水层、断层或裂隙涌水，可以将水流截引入腰泵房水仓，必要时可在含水层进行注浆封水。

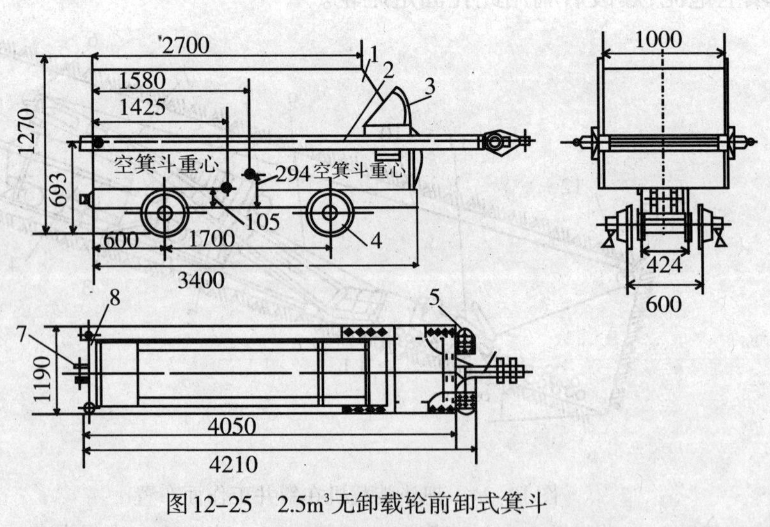

图12–25　2.5m³无卸载轮前卸式箕斗

1——斗箱；2——牵引框；3——后盖板；4——箕斗行走轮；

5——导向轮；6——连接装置；7——护绳环；8——转轴

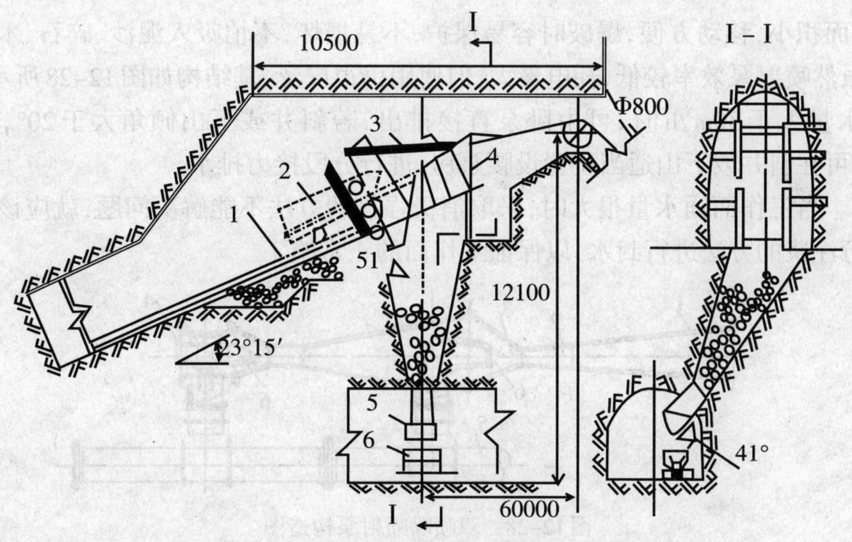

图 12-26　无卸载轮箕斗卸载工作示意图

1——翻转架；2——2.5m³箕斗；3——牵引框架；

4——导向架；5——放矸门；6——0.6m³V形矿车

(2)排。对于斜井掘进工作面的积水，可根据涌水量大小，采用不同的排水方法，当涌水量小于5m³/h～6m³/h时，可用潜水泵将工作面积水直接排入提升容器内随矸石一起运出。目前常用的有QOB-15N气动隔膜潜水泵，该潜水泵吸程大(7m)、扬程高(58m)、噪声小于80Db、寿命长，由于用压气作动力，安全，是较理想的掘进迎头排水设备。若涌水量小于30m³/h时，也可采用喷射泵排水，但扬程不得超过50m，如图12-27所示。

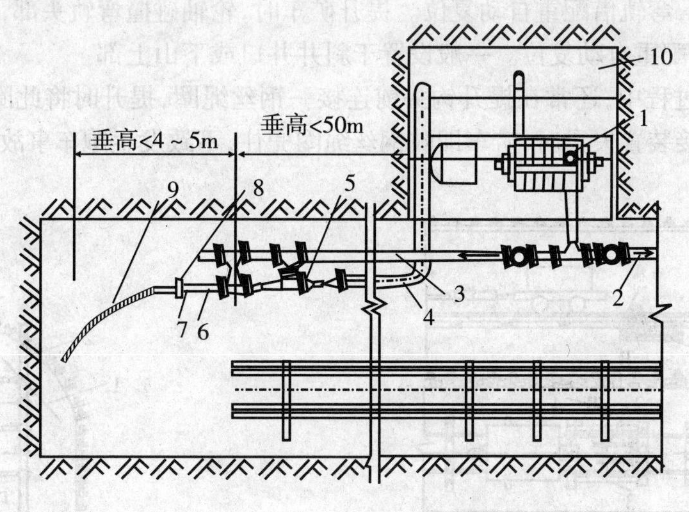

图 12-27　喷射泵及卧泵排水工作面布置图

1——离心式水泵；2——排水管；3——压力水管；4——喷射泵排水管；5——双喷嘴喷射泵；6——Φ50mm伸缩管；

7——填料；8——伸缩管法兰盘；9——吸水软管；10——水仓

喷射泵是利用高压水由喷嘴高速喷射形成负压，从而吸取工作面积水的排水设备。它具有：占地面积小，移动方便，爆破时容易保护，不易损坏，不怕吸入泥沙、碎石、木屑和空气等优点。虽然喷射泵效率较低，耗电量大，但使用仍很广泛，其结构如图12-28所示。

当涌水量大于30m³/h时，可由卧泵直接排出，若斜井或下山倾角大于20°，斜长超过200mm时，可在斜井或下山适当位置设腰泵房，进行分段接力排水。

(3)注。当工作面涌水量很大时，采取消极强排的方法不能解决问题，就应该采用在含水层中进行注浆的方法进行封水，以保证工作面的正常施工。

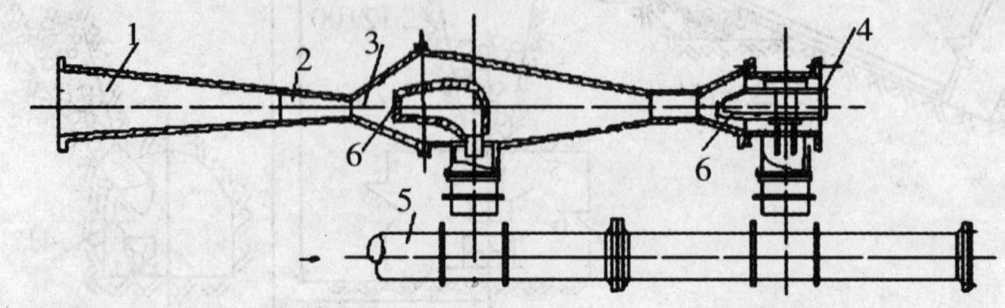

图12-28　双喷嘴喷射泵构造图

1——扩散器；2——喉管；3——混合室；4——丝堵；5——供高压水管；6——喷管

(三)安全工作

斜井、下山施工中，最突出的安全问题是跑车事故。例如提升容器脱钩或断绳等原因，发生的提升容器直冲工作面，很容易造成人身伤亡事故，为此必须严格按操作规程操作，要经常对钢丝绳及联结装置进行检查，并采取设置预防跑车的安全装置和挡车器等安全措施。阻车器(图12-29)是将两根等长的弯轨1焊在一根横轴2上，再用轴承3将横轴固定在轨道下部专设的道心槽内。由于弯轨尾部带有配重，平时保持水平，而头部则抬起高出轨面，恰好能阻挡矿车的轮轴，防止跑车。需要下放矿车时，踏住踏板4使弯轨头部低于轨面；矿车通过后，松开踏板，弯轨借配重自动复位。提升矿车时，轮轴碰撞弯轨头部，使之倒下而顺利通过，然后弯轨借配重自动复位。一般设置于斜井井口或下山上部。

在斜井施工过程中，还常在提升钩头前连接一钢丝绳圈，提升时将此圈套住矿车，这样当插销脱出或连接装置失灵时，矿车即被钢丝绳圈兜住，不致发生跑车事故。

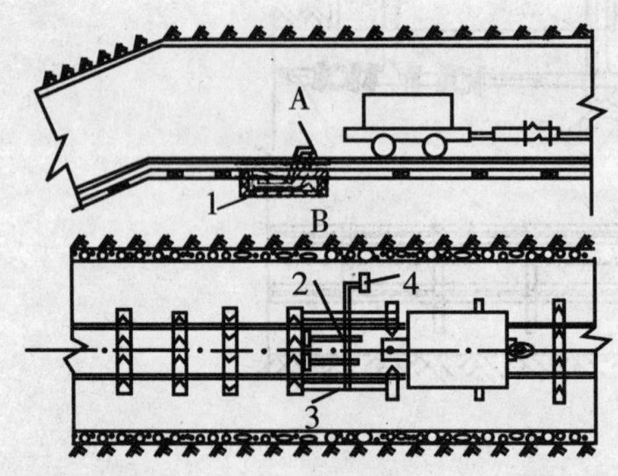

图12-29　逆止阻车器

1——弯轨；2——横轴；3——轴承；4——踏板

A——阻车位置；B——通车位置

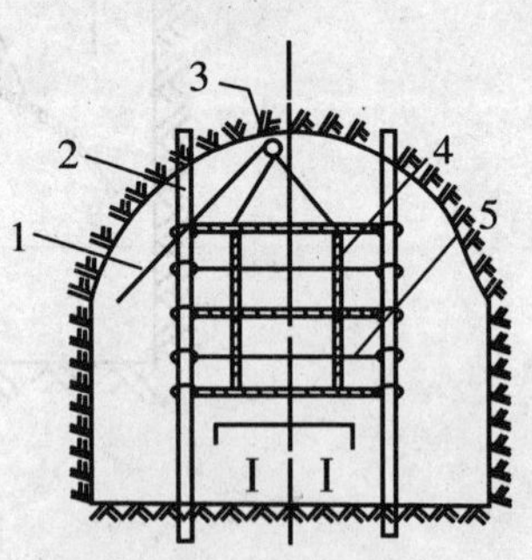

图12-30　钢丝绳挡车窗

1—悬吊绳；2—立柱；3—吊环；

4—钢丝绳编网；5—圆钢

为了防止跑车冲至工作面，斜井和下山工作面前应设置挡车器。挡车器类型很多，常用的有钢丝绳挡车帘、钢丝绳挡车器等，如图12-30、12-31所示。

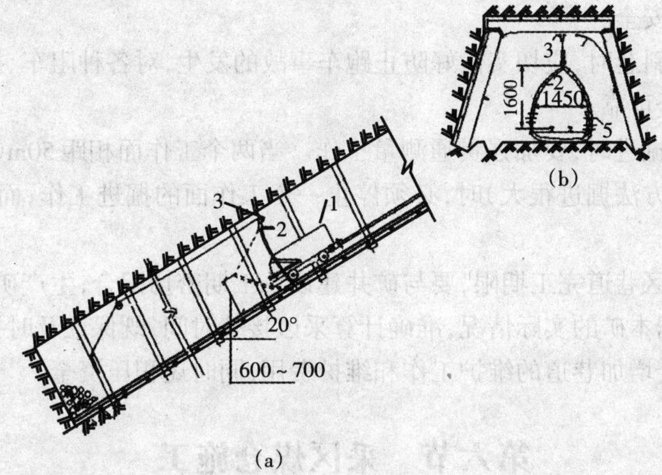

图12-31　钢丝绳挡车器

(a)布置系统图；(b)断面图

1——箕斗；2——钢丝绳挡车器；3——滑轮；4——牵引麻绳；5——绳卡子

第五节　采区巷道施工的技术和安全措施

采区巷道是直接为回采服务的，大多数巷道都是沿煤层掘进的，当遇到地质变化就应该根据生产的要求适当调整巷道的位置，为此必须加强矿井地质工作，尽量搞清井田范围内的地质情况，在巷道施工之前，要根据邻近已掘的巷道和钻孔资料绘制预想的地质图，用以指导巷道的掘进方向。已掘过的巷道位置及地质情况，要及时填入工程实测图，以便及时检查巷道的掘进方向并累积实测的地质资料。

采区中间巷道的掘进，如果条件允许，可等到上山全部或部分掘完后再进行施工，这样就可得到采区内的地质情况，以便指导采区中间巷道的掘进。特别在发现断层时，可据断层位置来修改采区中间巷道的位置，以免造成采区布置不合理的现象。

在准备采区时，必须在采区内构成通风系统以后，才允许开掘其他巷道。以往从通风及安全作业的角度出发，煤巷都用双巷掘进，这就增加了许多生产上无用的工程。现在我国通风设备和技术管理水平已大有改观，凡条件允许的巷道，均应推广单巷掘进，但在施工过程中必须严格遵守《煤矿安全规程》的有关规定。

采区巷道或多或少都要受到采动压力的影响，因此在选用支护方式和结构时，应能适应这种压力的特点，如选用锚喷支护、金属可缩性支架等，只有在局部稳定地压或不适合锚喷支护的地段，才选用刚性较大的料石或混凝土支护。

由于采区巷道多在煤层和接近煤层的岩层中掘进，工作面往往有瓦斯、煤尘，因此施工中应特别注意安全，严格执行有关规章制度并制定有效措施，以预防煤尘和瓦斯突出及爆炸。

采区巷道施工中还要特别注意防止各种水患。对可能有透水危险的地段，必须坚持“有疑必探,先探后掘”的防水原则。

采区巷道施工中,要加强机电设备的维修工作,坚持必要的规章制度,确保一切机电设备正常运转和人身安全。

由上向下掘进斜巷时,应切实做好防止跑车事故的发生,对各种阻车、挡车安全装置,应做到认真检查,安全可靠。

巷道对头贯通掘进时,要加强贯通测量工作。当两个工作面相距50m(综合机械化掘进巷道)或20m(其他方法掘进很大)时,必须停止一个工作面的掘进工作,而由另一个掘进工作面进行贯通。

新建矿井的采区巷道完工期限,要与矿井建设总工期密切配合;生产矿井采区巷道的开拓准备工作,应根据本矿的实际情况,准确计算采区接替时间,既保证及时接替,又要避免过早完工,过早完工会增加巷道的维护工作和维护费用,同时还积压资金。

第六节　采区煤仓施工

在矿井生产过程中,当大巷用非连续运输方式时,为了保证采区均衡连续地生产,缩短装车时间,提高运输效率,一般应在上山采区下部车场或下山采区上部车场设置采区煤仓。

采区煤仓按倾角不同分为垂直式(立式)和倾斜式。垂直式一般是圆形断面,而倾斜式一般是拱形断面,其倾角在60°以上。无论哪一种形式,其下口均要收缩成适应装车安装闸门的断面。

采区煤仓永久支护一般采用料石砌碹或采用混凝土浇筑,壁厚300～400mm,也可用喷射混凝土,喷厚一般为150mm左右。煤仓位于稳定坚固的岩层中时,也可以不支护,但下部漏煤口斜面应采用混凝土浇筑。

煤仓的施工方法,普遍采用先自下向上掘凿小反井,然后再自上向下刷大至设计断面的施工方法。主要有普通反井法、掉罐反井法、深孔爆破法和反井钻机法等几种。

一、普通反井施工法

在工作面无瓦斯、岩层稳定、无涌水的情况下,采用普通反井施工煤仓是简易易行的。现以某煤矿一煤仓施工为例,介绍采用普通反井法施工采区煤仓的过程。

该煤仓是一立式煤仓,煤仓下方的大巷5m一段未砌碹,其两侧大巷均已砌好。煤仓上部的胶带运输机机头硐室已掘进完毕,硐室高2.0m,但未进行永久支护。设计要求:仓高10.3m,净径3.6m,掘进直径4.2m,混凝土支护,安装闸门的断面直径0.63m,收口倾角为60°。如图12-32所示。该矿属低瓦斯矿井,煤仓穿过的岩层为黏土砂岩、砂岩、泥灰岩,岩层倾角10°,层理发育。

该煤仓的施工分三部进行:第一步是自下向上掘小反井;第二步自上向下刷大至设计断面;第三步自下向上进行永久支护。

(一)掘进小反井

小反井断面为长方形,临时支护用四角木盘。

施工前由测量人员挂好十字中线，按照十字中线架好抬棚，将木盘座落在抬棚上，如图12-33所示，用扒钉与抬棚连接牢固。木盘间距为1m，四个角打有撑柱，撑柱与四角盘也用扒钉钉牢。

为防止片帮，空帮高度不得超过1.8m。木盘与岩帮之间均用木板与木楔背牢，小反井掘进至距离机头硐室底板2m时，从上方向下掘透。

掘进时，用宽200mm、厚80mm的木板拼合成临时工作台搭在木盘上，工人可站在临时工作台上进行打眼，在爆破前拆除，虽然是低瓦斯矿井，但为了防止意外事故发生，放炮前也要测定瓦斯浓度。爆破下来的矸石由下面的大巷扒装运走。小反井的一侧安设木梯，供人员上下之用。

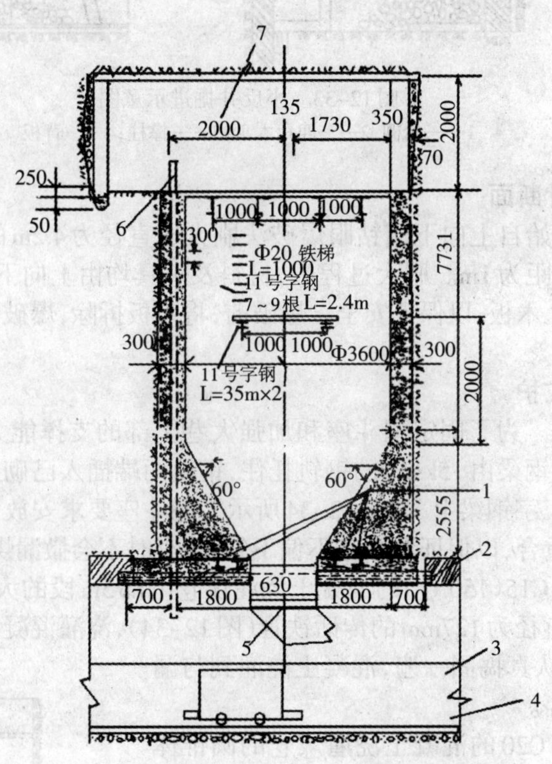

图12-32　煤仓施工图

1——20号工字钢500mm×4；2——15kg/m钢轨6000mm×2；3——大巷拱基线；
4——大巷装车场；5——煤仓闸门；6——ϕ127mm传话铁管；7——带式输送机机头硐室

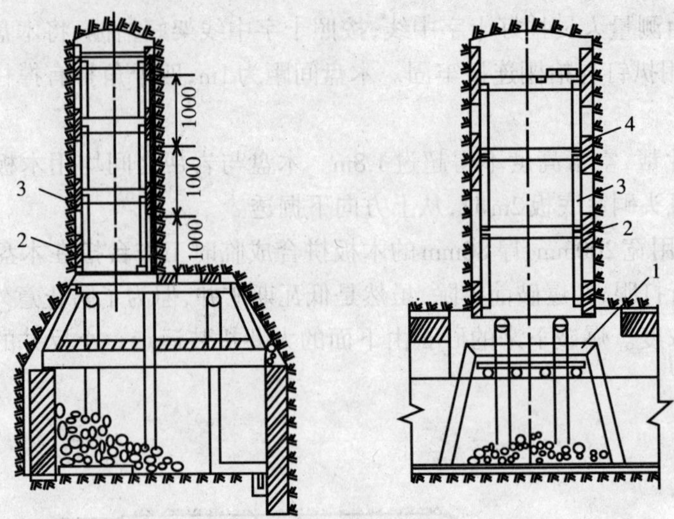

图 12-33　小反井掘进示意图

1——抬棚；2——四角木盘；3——撑柱；4——背板

(二)刷大至设计断面

反井掘透后，开始自上向下用钻眼爆破法刷大成直径为4.2m的圆形断面，用六角木盘做临时支架，支架间距为1m。刷大过程中，材料及工具均由上向下运送。打眼或临时支护时应在小反井上盖上木板，以保证安全。爆破前，将盖板拆除，爆破下来的矸石由反井落下，在大巷装车运走。

(三)砌筑永久支护

(1)固定漏斗座。为了固定漏斗座和加强大巷上部的支撑能力，在煤仓底部设置四根20号工字钢梁，工字钢梁由15kg/m的钢轨托住，钢轨两端插入已砌好的大巷的碹帽上，漏斗座固定在中间两根工字钢梁上，如图12-34所示。漏斗座要求安放水平，且十字中心线必须与大巷轨道中心线重合，以保证漏斗座不偏不斜，装车时不会撒漏煤炭。

(2)用强度等级C15(150号)的混凝土浇灌煤仓下部5m段的大巷碹帽。事先在大巷的东肩处敷设了一根直径为127mm的传话铁管(图12-34)，浇灌混凝土由两边向中间进行，每浇灌300mm高时要认真捣固一遍，混凝土浇灌到与漏斗座上口齐平时暂停。

(3)用强度等级C20的混凝土浇灌煤仓的圆锥体部分。该项工作最关键的工序是支模板，模板应在地面按设计要求制成并组装成型，编号下井。支模时，对号入座，这样不但支模速度快，还能保证工程质量。

固定模板前，先在漏斗口内做一木衬，然后放上模板，模板的下端直接座在木衬上并与木衬钉牢，上端用木撑杆撑牢(图12-34)。撑杆的一头钉在模板上，另一头撑在岩帮上。

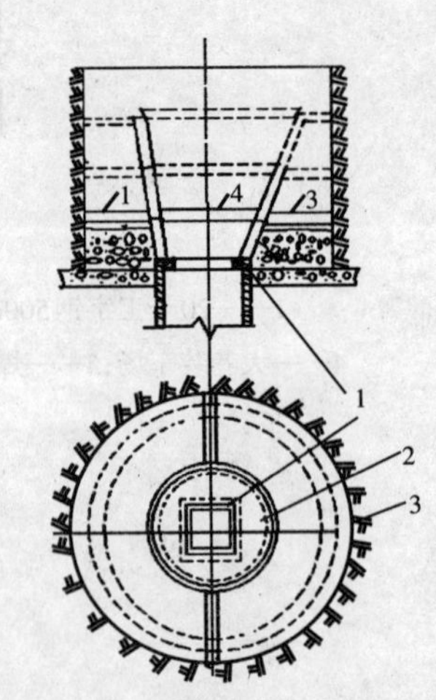

图 12-34　浇灌煤仓圆锥体支模示意图

1——衬木；2——模板；3——拉杆；4——碹骨

全部斜长分三次浇灌，模板长度1m。

混凝土在煤仓顶部带式输送机机头硐室内搅拌好以后，沿铁风筒送下，铁风筒的下端接有一节帆布风筒，使混凝土直接灌于模板内，一边浇灌，一边捣固。

每茬均空出100mm的高度，以便进行下一次支模工作和保证工程质量。

为了保证施工安全，防止掉下的物料伤人，煤仓顶部要用木板盖严。

(4)用强度等级C15的混凝土浇灌煤仓壁。首先拆除六角木盘临时支架，每次只拆一架，并加固上面的几架木盘，然后支模浇灌混凝土，浇灌煤仓壁用的碹骨和模板也是事先做好的，由4个小碹骨组成一个圆形碹，碹骨钉在模板的接头处，如图12-35所示。碹骨的厚度不小于80mm，碹骨的接头处做成亲口式，亲口的下面打上垂直撑柱，模板的长度应与临时支架间距相适应，即长为1m。按中线支好模板以后，经检查若误差较大，必须重新调整。

在浇灌煤仓的过程中，应注意煤仓内设置的缓冲台、形梯和顶盖梁的位置，随着向上浇注混凝土，随时完成安装任务。

(5)拆模。混凝土凝固后才能拆模。首先将下部的漏斗口打开，把拆下的模板从漏斗口放下去。为了保证工作面安全，工作人员必须配置安全带。

二、深孔爆破法

深孔爆破法是掘进煤仓的一种较先进的方法，其实质为用深孔钻机自上而下或自下而上钻凿一组平行炮眼，然后一次或分次爆破，形成所需的断面和长度的反井(或煤仓)。这种方法的最大特点是：施工速度快，效率高，工作安全方便。但钻眼的垂直度要求严格，爆破技术要求高，装药困难，炸药消耗量大。

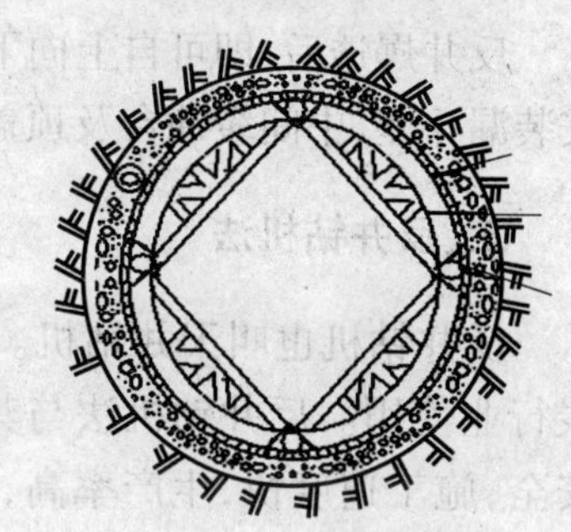

图12-35　浇灌煤仓壁支模示意图

1——模板；2——碹骨；3——撑柱

现以某矿煤仓施工为例，说明深孔爆破法的施工过程。

该煤仓为立式圆筒煤仓，高度分别为7m和8m，净直径为3.4m，喷层厚度为150mm的喷射混凝土支护，煤仓上口与17层煤带式输送机上山机头硐室相接，下口与运输大巷相通。图12-36为煤仓示意图。

先在带式输送机机头硐室内安设TXV-75型液压钻机，沿煤仓中心打一钻孔，然后再以中心钻孔为中心，直径为1m的圆周上均匀地打4个钻孔，这5个钻孔均与大巷穿透，钻孔直径都为89mm。爆破所用炸药为2号岩石硝铵炸药，药卷直径和长度为35mm×180mm，重150g，1～4段秒延期电雷管和导爆索起爆。

将7m深的炮眼一次装药分两段起爆，每段各炮眼装药长度为2.52m，装药量为8.4kg，中间用500mm炮泥相隔，如图12-37所示。

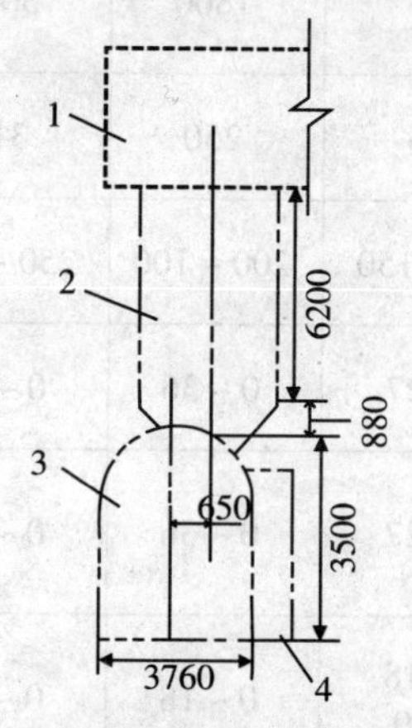

图12-36　煤仓示意图

1——带式输送机机头硐室；2——煤仓；
3——运输大巷；4——小绞车硐室

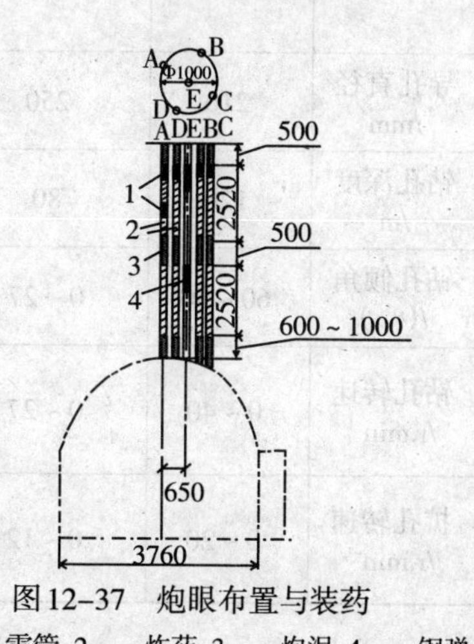

图12-37　炮眼布置与装药

1——雷管；2——炸药；3——炮泥；4——钢弹

装药前，先将眼底用木锥、炮泥封好（600～1000mm），再把炸药捆成小捆，每捆4卷，然后把14捆炸药对接起来，用导爆索上下贯穿，并一块固定在一根铁丝上，送入眼底。封500mm长间隔炮泥，再用同样方法装好上段炸药，用500mm炮泥封好上口。合计每孔装药量为16.8kg。为了确保起爆，在每段炸药的上部和中部各装一个同号雷管。中心孔不装药，用铁丝悬吊两个用直径89mm、长500mm的钢管制成的钢弹，分别放在每分段的上部位置，每个钢弹内装药1.2kg，一次起爆总装药量为69.6kg。

每孔下段炸药和中孔下部钢弹分别装入1段和2段雷管，每孔上段炸药和中孔上部钢弹分别装入3段和4段雷管。下部的过量炸药爆炸后，将中心岩石充分预裂，再借助于该段上部钢弹的爆炸威力实现挤压抛渣。同理，上段也是如此。

反井爆透后，即可自上向下刷大至设计断面。边刷大，边喷射混凝土，直至下部漏斗口，安装漏斗座、中间缓冲台及顶盖梁之后，煤仓即施工完毕。

三、反井钻机法

反井钻机也叫天井钻机。目前我国已研制多台不同规格型式的反井钻机在冶金和煤炭行业使用。反井钻机法与其他反井施工法相比，具有机械化程度高，劳动强度低，作业安全，施工速度快，生产率高，成本低及施工过程中不破坏围岩，井壁光滑，成井质量好等一系列优点。

国产反井钻机有TYZ-1000、AF-2000、LM-120和ATY-1500等机型其主要技术特征见表12-3，主要由主机、钻具（钻杆和钻头）。动力车、油箱车和起吊装置等组成。

现以LM-120型反井钻机施工煤仓为例介绍其施工方法。

表12-3　　国产反井钻机技术特征

主要参数	TYZ-1000	AF-2000	LM-90	LM-120	LM-200	ATY-1500	ATY-2500
扩孔直径/mm	1000	1500～2400	900	200	1400～2400	1200 1500 1800	2000 2500 3000
导孔直径/mm	216	250	190	244	216	250	311
钻孔深度/m	120	80	90	120	200～150	200～100	250～100
钻孔倾角/(°)	60～90	0～27	0～45	0～34	0～27	0～36	0～36
钻孔转速/r.min^{-1}	0～40	0～27	0～45	0～34	0～27	0～36	0～36
扩孔转速/r.min^{-1}	0～20	0～12	0～27	0～22	0～18 0～9	0～18	0～18

续表

<table>
<tr><th colspan="2">主要参数</th><th>TYZ-1000</th><th>AF-2000</th><th>LM-90</th><th>LM-120</th><th>LM-200</th><th>ATY-1500</th><th>ATY-2500</th></tr>
<tr><td colspan="2">钻孔推力/kN</td><td>245</td><td>392</td><td>150</td><td>250</td><td>350</td><td>488</td><td>—</td></tr>
<tr><td colspan="2">扩孔拉力/kN</td><td>705</td><td>980</td><td>380</td><td>500</td><td>850</td><td>1155</td><td>1793</td></tr>
<tr><td rowspan="2">扩孔扭矩
/kN.m</td><td>额定</td><td>24.1</td><td>69.4</td><td>—</td><td>19.6</td><td rowspan="2">40</td><td>42</td><td>68.6</td></tr>
<tr><td>最大</td><td>29.9</td><td>62.2</td><td>—</td><td>31.8</td><td>66</td><td>107</td></tr>
<tr><td colspan="2">总功率/kw</td><td>92</td><td>92</td><td>52.2</td><td>62.5</td><td>82.5</td><td>118.5</td><td>161</td></tr>
<tr><td colspan="2">主机质量/kg</td><td>4000</td><td>8900</td><td>6000</td><td>8000</td><td>10000</td><td>5985</td><td>9300</td></tr>
<tr><td rowspan="2">外形尺寸
（长×宽
×高）/mm</td><td>工作时</td><td>2940×
1320×
2823</td><td>3046×
1634×
3327</td><td>2380×
1275×
2847</td><td>2977×
1422×
3277</td><td>3230×
1770×
3448</td><td>2180×
1250×
3700</td><td>2868×
1505×
4043</td></tr>
<tr><td>运输时</td><td>1920×
1000×
1130</td><td>2200×
1200×
1592</td><td>1900×
950×
1115</td><td>2290×
1110×
1430</td><td>2950×
1370×
1700</td><td>2530×
1000×
1775</td><td>2803×
1310×
1930</td></tr>
<tr><td colspan="2">研制单位</td><td>长沙矿山
研究院</td><td>长沙矿山
研究院</td><td>煤科总
院北京
建井所</td><td>煤科总
院北京
建井所</td><td>煤科总
院北京
建井所</td><td>煤科总
院南京
研究所</td><td>煤科总
院南京
研究所</td></tr>
</table>

（一）准备工作

（1）施工前应在反井上口位置，按照设计尺寸要求用混凝土浇筑反井钻机基础，并铺设轨道。反井钻机基础必须水平，而且要有足够的强度。

（2）钻进时油冷却器的冷却水要求流量为7.2m³/h，压力为0.8Mpa；导孔钻进时，用于冷却钻头和排除岩屑的冲洗水要求流量为30m³/h，压力为0.7～1.5MPa。

（3）LM-120型反井钻机的电器线路极简单，没有专门配置电气控制箱，只需用两台隔爆型磁力启动器和两台隔爆启动按钮，在施工现场将电源分别接入电机即可。本机总功率为62.5kw，主泵电机DYB-55的功率为55kw，电压为660V/1140V电源，副泵电机BJ02-51-4功率为7,5kw电压为380V/660V，共有电压660V，若井下只有380V或1140V电源，则需增设变压器。

（4）钻机安装与调试。把钻机和配套设备运到钻井地点后，按图12-38所示的位置排列，然后找正机车的位置，用卡轨器卡紧钻机，在其附近放好操纵箱，将油箱加满油，连接液压系统的管路，连接动力电源，启动副油泵（型号25SCY），升起翻转架将钻机竖起，使其动力水龙头接头体轴心线对正预钻钻孔中心，安装斜拉杆，卸下翻转架与钻机架的连接销，放平翻转架，安装转盘吊与机械手，调平钻机架，固定钻机架（支起上下支承缸），接洗井液胶管和冷却水管。钻机安装好后，要全面检查各个部件的动作是否准确，液压供水系统是否漏油、漏水等。待一切正常后方可进行钻机试运转。

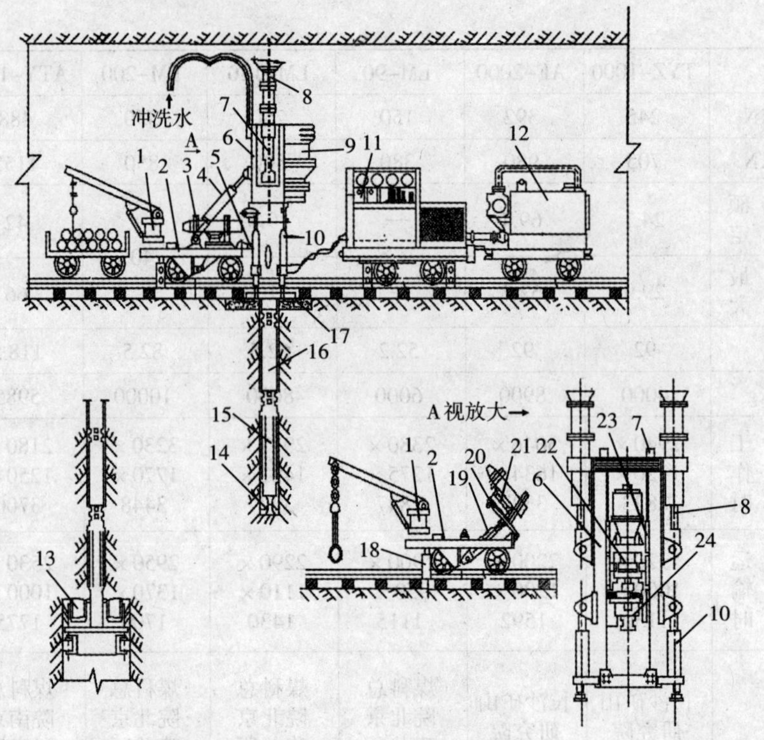

图12-38　LM-120型反井钻机

1——转盘吊；2——钻机平车；3——钻杆；4——斜拉杆；5——长销轴；6——钻机架；7——推进油缸；8——上支承；9——液压马达；10——下支承；11——泵车；12——油箱车；13——扩孔钻头；14——导孔钻头；15——稳定钻杆；16——钻杆；17——混凝土基础；18——卡轨器；19——斜撑油缸；20——翻转架；21——机械手；22——动力水龙头；23——滑轨；24——接头体

(二)反井施工

(1)导孔钻进。把事先与稳定钻杆接好的导孔钻头放入井中心就位，将液压马达调成串联状态，启动马达，慢慢下放动力水龙头，连接导孔钻头，启动水泵向水龙头供水。开始以低钻压向下钻进，开孔钻速控制在1m/h～1.5m/h，开孔深度达3m以后，增加推进油缸推力，进行正常钻进，在钻进过程中要根据岩石的具体情况控制钻压，硬岩采用高钻压，软岩采用低钻压，在钻透前，应逐渐降低钻压。

据在导孔钻进中，采用正循环排碴，将压力≤1.2MPa洗井液通过中心管和钻杆内孔送至钻头底部，水和岩屑再由钻杆外面与钻孔壁之间的环形空间返回。

(2)扩孔钻进。导孔钻透后，在下部巷道将导孔钻头和与之相接的稳定钻杆一同卸下，再接上扩孔钻头，将液压马达变为并联状态，调整主泵油量，使水龙头出轴转速为预定值(一般为17r/min～22r/min)。扩孔时将冷却器的冷却水放入井口，水沿导孔壁及钻杆外壁自然下流，即可达到冷却刀具及除尘防爆的目的。扩孔开孔时应采用低钻压，待刀盘和导向辊全部进入孔内后，方可转入正常钻进。

在扩孔钻进时，岩石碎屑自由落到下部巷道，停钻时装车运出。

扩孔临近上水平2m时，为确保钻杆及人员安全，停止钻进，待钻杆全部拆除后可用爆破法或风镐凿开。

当直径1.2m的反井扩成后，即可用钻眼爆破法自上向下将反井刷大成设计断面，最后安装漏斗座和进行永久支护。

第二部分　专业核心知识点

1.采区巷道掘进时的几种定向方法；
2.钻眼爆破掘进煤巷、煤巷掘进机掘进煤巷支护；
3.半煤岩巷施工，包括半煤岩巷到采石位置的选择、炮眼布置特点、施工组织特点；
4.上下山施工，包括上山掘进、斜井及下山掘进；
5.采区巷道施工的技术和安全措施；
6.采区煤仓施工方法及特点。

第三部分 专业技能训练

一、机械运输注意事项

(一)刮板输送机

刮板输送机用于煤巷、半煤巷掘进工作面运输,具有速度快、效率高、劳动强度低、安全条件好等优点,因而被广泛用于掘进运输上。

(1)安装移设刮板输送机时,必须将机头与过渡槽的连接螺栓安装齐全紧固,在机头下部的撬板上加打压柱,防止机头翻翘。压柱不得打在减速器或机头壳上。为了防止机尾翻翘,机尾也要打压柱。同时,机头铺设位置和高度应适当,防止浮煤带入下槽,增加下槽阻力或使刮板链卡阻,造成机头或机尾翻翘。

(2)铺设或接长溜槽时,应注意铺平摆直放稳,链条松紧要适中,避免运转时链条跑偏、飘链、掉链、卡链等事故的发生。

(3)刮板输送机不得超负荷强行启动。因负荷过大会出现闷车,启动2次(每次不超过15s)输送机仍不能正常运转时,必须卸掉中部槽上的煤,启动后,再将煤装入中部槽中。多机启动时,应先外后里,最后启动工作面输送机;停刮板输送机时应先里后外,先停工作面输送机。停机后不要再向刮板输送机上装煤。

(4)在输送机运转过程中,应随时注意刮板链的运行情况,经常检查电动机、减速器和轴承的温度是否升高,倾听各运转部位的声音是否正常,及时清理洒落在机头部位的煤粉。

(5)刮板输送机运送长物料时的操作顺序:放料时,先放前端,后放尾端;取料时,先取尾端,后取前端。以免取放不当致长物料顶伤人员。

(6)处理输送机飘链时,应停止截煤和装煤作业,调整链槽的平恒度,严禁用脚蹬、手搬运转中的刮板链。

(7)点动开车进行掐、接链工作时,人员必须躲离链条受力方向,以防断链伤人。

(8)输送机运转过程中,禁止清理转动部位的煤粉,不准人员从机头上部通过,严禁人员乘坐刮板输送机。

(二)带式输送机

带式输送机在煤矿井下主要用于平巷、斜井及上下山输送煤炭,一般向上运送原煤时,最大倾角不允许超过20°,运送煤块时为18°。与刮板运输机相比较,其运输能力大,工作阻力小,耙电量低,运送过程中抛撒煤炭少,煤炭破碎性也小,因而降低了煤尘和损耗。

带式输送机的类型很多,常用的有吊挂式带式输送机和固定带式输送机。使用带式输送机注意事项有如下方面。

1.开机前的检查

(1)带式输送机工作之前,必须仔细检查液力耦合器有无漏油现象,油量是否充足,各个防护罩是否齐全,若出现问题应及时处理。

(2)检查带式输送机机头部及尾部有无障碍物,减速机油量是否充足,齿轮磨损是否过度。

(3)检查胶带张紧是否合适,接头连接是否良好,胶带有无损坏等。

(4)检查机器周围是否清洁,电机周围不允许有浮煤,要保证电机、液力耦合器和减速机有良好的散热条件。

(5)检查机头、机尾中各滚筒、托辊、吊架的位置是否与输送机的中心线保持垂直。

2.运行中的注意事项

(1)尽量避免频繁启动电动机,一般情况下要空载启动。

(2)运转中要注意托辊的转动情况,要定期检修,保证润滑良好,转动灵活。

(3)随时注意胶带的张紧情况,出现打滑现象要及时张紧,保持张紧力适当。如遇胶带跑偏要及时调整,以免其边缘磨损。

(4)经常检查胶带接头情况,出现破裂和折断现象时,要及时更换接头。

(5)经常检查胶带清扫装置工作情况。清扫刮板与胶带接触应严密,一定要使清扫后的胶带表面无浮煤等物。

(6)几台带式输送机在一条巷道中相接时,开车顺序是先外后里,停车顺序是先里后外。

3.胶带跑偏的处理

胶带跑偏是运行当中常见的一种故障,如不及时调整,会磨损胶带,摩擦起火。

胶带跑偏的调整方法,应根据胶带的运行方向和跑偏方向来确定。在换向滚筒处,胶带往哪边跑,就把哪边的滚筒逆胶带运行方向调动一点,也可以把另一边的滚筒顺着胶带的运行方向调动一点。在托辊处,胶带往哪边跑偏,就将哪边的托辊朝胶带运行方向移动一个距离,使托辊稍稍向前倾斜一点。就这样边调边试,直到调好为止。

(三)绞车运输

1.绞车的固定

(1)安设绞车时,绞车突出部位与轨道间距不得小于规程中的规定尺寸,且绞车安装方向要正。

(2)跟耙斗机移动的绞车,可以用立柱固定,其他绞车一律用地锚固定,并要符合规程的规定。

(3)倒拉绞车与耙斗机之间、各部绞车之间(对拉)及拉放范围内,都必须有清晰、灵敏、通畅、可靠的声光信号指挥,严禁说话、吹哨、摇头灯。

(4)各部绞车都必须挂有操作要领牌板,打点器、电铃等一律上牌板吊挂。

2.平巷绞车运输

(1)对拉绞车,要一拉一放,严禁全拉全放。所有车辆进出车场,两股道中间严禁有人。

(2)运送车辆,只有停稳并设好阻车器后,才准摘钩。

(3)必须按规定数量挂车,严禁超挂车。

(4)信号规定:一声停、二声拉、三声放、四声慢拉、五声慢放。

3.斜巷绞车运输

(1)斜巷上下车场,均应开凿安全躲避硐(兼作信号硐)。斜坡上按规定开凿安全躲避硐(兼作绞车硐)。

(2)斜巷各车场端必须设有可靠的阻车器。变坡点向上20m,起坡点向上20m均应安设可靠有效的防跑车装置。

(3)斜巷运输,各矿车之间必须挂双链(双三环链),钩头连接必须牢固可靠,保险棍、木楔、保险绳必须齐全、合格。

(4)严格禁止绞车司机兼作摘挂钩工作,必须有专职摘钩工进行操作。

(5)矿车掉道时,严禁绞车拉车上道。

(6)斜巷矿车落道上道方法,必须在作业规程中明确规定。

(7)各部绞车必须有专人管理和专人检查维修,并有记录。

(8)检查运输线路是否畅通,不准有任何障碍物,发现问题,及时处理,在未处理好以前,不准矿车运行通过。

二、综合掘进机

(一)掘进机的主要结构

掘进机主要由切割、行走、装载、运输四大机构和液压、电气二大系统组成,通过各部分的协调和配合,最终由液压、电气执行元件和机械传动机构实现所规定的动作,完成整个作业过程。从而可以截割出任意形状的断面。

1.截割机构主要结构及工作原理

截割机构主要由截割头、截割动力装置、内伸缩臂、外臂、伸缩油缸、外喷雾装置等部分组合,截割机构在升降油缸的作用下能完成上下运动,在回转油缸的作用下能完成左右运动,在伸缩油缸的作用下能完成截割头的钻进。截割动力装置由液压马达和减速器组成,将动力传递给截割头,完成截割头的钻进。工作臂由内伸缩臂和外臂组成,臂体承担着来自切割时的弯矩。其前端与切割头连接,截割头上装有矿用硬质合金截齿。在截割的同时,外喷雾压力水通过水管输送之外喷雾架的喷嘴喷射出水雾,达到降尘和防止产生火花的目的。

2.行走机构主要结构和工作原理

行走机构由左右结构相同、完全对称的两部分组成,分别通过高强度螺栓和油箱连接成一体。左右行走机构分别由油缸、张紧装置、支重轮、履带、履带架、拖链轮、引导轮、驱动链轮和动力驱动装置等多部分组成。行走机构采用独立式驱动液压马达,其质量可靠、安装方便,液压装置有断油自动刹车系统,保证了掘进机不工作时不会下滑,增加了安全性。行走马达所提供的动力传输给行走减速器,直接带动驱动轮,再经履带和驱动轮的啮合而实现掘进机的行走。

3.装载机构主要结构和工作原理

其作用是将截割机构割落的矸(煤)铲起并运送到后面的输送机构上。装载机构主要由铲板体、两个三爪星轮、两个装载马达等三大部分组成。装载机构与左右行走机构通过销轴铰接在一起,上部通过两只铲板油缸与泵站连接,在铲板油缸的伸缩作用下,装载机构可上下摆动。向下摆动可撑起机器,可使铲板前端紧贴地面,在机器切割煤岩时,以增加机器的稳定性;向上摆动抬起铲板有利于机器的爬坡。驱动装置包括液压马达和减速器,将动力传递给两面可相向旋转的星轮,使星轮以适当的转速进行周期性的装载动作。

4.运输机构

运输机构将装载机构传递的物料运输到机器尾部的配套转载机、矿车、刮板机等物料运输设备中,形成一个连续不断的运输系统。

运输机构主要由输送槽、刮板链和刮板链张紧装置等组成。刮板链的张紧由布置在尾部输送机槽两侧的丝杆来完成，张紧后用螺丝紧固，防止松动。刮板驱动装置由油马达直接驱动六爪链轮，再带动刮板链将物料运到后面的其他配套运输设备上，结构简单，力传递环节少，可靠性高。刮板机运输平稳、均衡。

(二)掘进机的操作和使用

(1)只有经过相关部门培训的合格人员才允许操作。无关人员严禁操作使用。

(2)工作时必须设置机载瓦斯断电仪或便携式瓦斯检测报警仪。

(3)掘进机操作注意事项：

①操作人员应遵守《煤矿安全规程》。

②与工作无关的人员未经许可，严禁操作掘进机。掘进机作业的转弯半径2m内不准站人或从事其他工作。

③在开动机器前应发出开机信号(即电铃预警)使在场人员注意安全。

④掘进机在有坡度的巷道内停车或发生故障时，截割头必须落置地面，所有操作手柄扳回“中立”位置，并在履带下方垫楔块。

⑤在可能冒顶的工作面下方工作或停放时要有防护措施，不允许在有可能掉落煤块或煤矸石的场地工作。

⑥截割头下落时应缓慢，不可有剧烈冲击以免损坏截齿。

⑦工作面需爆破时，掘进机应行驶到安全警戒线以外。

⑧安装在液压系统的溢流阀和安全阀，出厂时已调好，不允许操作及维护人员随意调整，在更换或修理等非调不可的情况下，必须用仪表测量。

⑨启用新机器时，一定要进行适当的磨合运转，使各部件得到良好的磨合，从而延长机器的使用寿命。新机器磨合运转的起初50h，负荷应在80%左右。

⑩一旦发生危急情况，必须使用紧急停止开关(即急停按钮)，立即切断电源。当故障处理完时，再将按钮向外拉出，然后启动。

⑪机器作业期间，严禁维修。在工作面有危险的地带和没有支护的顶板下，严禁维修。

⑫大块煤(矸)卡龙门时，必须人工破碎，不得强行正反转开运输机。

⑬巷道断水，外喷系统不能工作时不得开机工作。

⑭液压元件出现故障一定要按使用说明书规定排除。若主油泵、液压马达、阀类、油缸等出现故障，未经许可不准随便拆装。

⑮掘进机停止工作和检修以及交班时，必须将掘进机截割头落地，并断开掘进机上的电源开关。

⑯遇到下述情况不得开机：

a.巷道断水，喷雾冷却系统不能工作；

b.油箱中油位低于油标指示范围；

c.截齿损坏5把以上；

d.切割马达、截割头、伸缩臂之间重要连接部位的紧固螺栓松动；

e.电气闭锁和防爆性能遭到破坏；

f.液压油发生渗漏。

⑰机器在工作过程中若出现异常响声应立即停机查明原因，排除故障后方可开机。

⑱液压系统和冷却喷雾系统的压力不准随意调整，若需调整，须由专职人员进行。

⑲油箱的油温若超过80℃时，须停机冷却，待降温后再开机工作。

⑳当发现液压系统压力值严重波动，溢流阀经常开启，系统产生噪声和严重发热时，立即停机检查。

㉑机器加油时须用洁净的容器，避免油质污染，造成部件损坏。

(4)掘进机安全操作顺序：

①先将闭锁急停按钮旋转弹出接通电源，再将电气控制箱上的隔离开关手柄打到接通位置。

②按信号预警，警报器发出声响。

③开启主驱动油泵电机和副驱动油泵电机，两泵工作。

④根据实际生产要求，按照液压操纵台和电气控制箱面板上的操作指示，完成各个动作。

(5)截割工艺操作顺序：

启动油泵电机→开动刮板运输机→启动装载星轮→启动截割马达。

(三)掘进机的截割程序

掘进机的作业程序应由作业规程规定，一般应要据巷道断面煤岩的性质及分布情况，按照有利于顶板维护、钻进开刀，使截割阻力小、工作效率高，避免出现大块，有利于装载转运的原则确定截割程序。正确的截割程序：对于较均匀的中等硬度煤层，采取由上而下的程序；对于半煤岩巷道，采取先软后硬，沿煤岩分界线的煤侧钻进开切、沿线掏槽的程序；对于硬煤，则采取自上而下的程序，这样可避免截落大块煤岩而有利于装运；对于松软破碎顶板，采取先截割断面四周的方法。不论采用哪种截割程序，都应特别注意扫底。一般情况下，开始截割时，首先从左下角钻进，先沿底板水平扫底，将底板清理好后，再循序向上截割。

为了保持巷道的稳定性，防止围岩发生垮落或过大变形，巷道掘进后一般都要进行支护。近年来，锚喷支护在矿山得到了广泛的应用，棚式支架与砌筑石材整体式支架也在矿山中得到较多的使用。

复习题

1.采区巷道掘进时所采用的定向方法各适用于什么条件?

2.煤巷和半煤巷施工有什么特点?

3.煤巷综合掘进机械化作业线的合理配套方法及其适用条件?存在哪些主要问题?

4.挑顶、卧底的含义是什么?在半煤岩巷施工中根据什么条件确定?

5.上下山施工的特点是什么?

5.目前我国在煤仓施工中采用的主要方法有哪些?试述其主要优缺点和适用条件?

6.简述斜井掘进中主要注意的安全问题。

7. 斜井掘进水是如何处理的?

技能训练题

熟练掌握上下山支架的架设。

讨论题

采区煤仓施工的讨论。

范例：

当采区内的煤炭是连续运输，而大巷用非连续运输时，为了保证采区均衡连续的生产，缩短装车时间，提高运输效率，一般应在上山采区下部车场或下山采区上部车场设置采区煤仓。采区煤仓的施工方法，我国普遍采有的是普通反井施工法。忻州窑矿自开采以来，采区煤仓施工一直使用手工反井法进行施工，且施工进度慢，工期长，事故发生率高。近年来，自从使用了反井钻机，减少了工序和工人的劳动强度，改善了工作环境，施工速度是原来日进度的5倍多，用工由原来每天的10人减少到每天4人，为回采工作面出煤创造了有利条件。

一、地质概况

忻州窑矿井田位于大同煤田向斜东翼的东北部，井田呈不对称向斜构造，设计开采9#、10#、11#、12-1、12-2、14、15等7层煤，煤系地层主要由陆相碎屑岩和煤层构成。施工的采区煤仓均穿越10#、11#、12-1层，各层之间还夹着少量中砂岩、粗砂岩和灰质页岩，且层煤赋存较稳定，结构完整，致密坚硬（硬度系数f =3 ~ 4.5），整体性强，岩层倾角10°，层理较发育，煤的抗压强度在0.35MPa左右。

二、施工方法

一般煤仓施工分三步进行，第一步是自下向上掘小反井，第二步是自上向下刷大到设计断面，第三步是煤仓下口采用浇灌混凝土永久支护。根据设计要求，东三9#层煤仓直径为3m圆形断面，垂高60m，中间穿越10#、11#、12-1煤层。上下收口均为浇灌工字钢混凝土支护。为了便于施工，保证安全，采用反井钻机，小直径 1.2m断面掘井，待贯通后，自上而下刷大至设计断面并收上下口。

三、施工步骤

（1）钻场的施工。钻场要符合稳装后的钻机要求，钻场高度达到3.5m，钻场顶、帮都要有可靠的支护，无空顶、无片帮。钻机基础稳固，轨道铺设水平，尾部固定。

（2）导孔钻进。导孔钻进时，必须使用稳定钻杆，开孔3~5m内必须使用扶正器。钻井过程中，若发现卡钻现象，应边旋转边把转具提升一定高度。再慢慢往下扫孔，往复几次。

在下列情况下，必须采用低钻压：

（1）开孔3~5m内；

（2）当距下部巷道钻透差3m时；

（3）地层松软或遇过渡地层时。

导孔钻通后，须在钻孔下部巷道维护工作面，钻孔中心1.5m范围内，凡缺少支护的地方要补齐，不平或宽度不够的地方要整平、拓宽。

（3）扩孔钻井 扩孔时，钻孔下部应安装矸石装运设备，若采用人工装矸，施工人员必须在钻机停止运转情况下清矸，清矸结束后，方可开钻。在找孔开始1.5m内和扩孔结束差3m钻透时，必须采用低钻压。

在煤仓刷大时，由上向下进行，采用打眼放炮方式一次成孔法施工，施工前，确保工作面无沼气，岩层稳定，无淋水。采用人工佩带保险带，7655型风钻打眼，3#矿用硝铵炸药与毫秒电雷管爆破，以后施工仅采用吊笼提升，风钻打眼，3#矿用硝铵炸药与毫秒雷管爆破，直径刷大到设计要求3m为止。

(4)炮眼布置。刷煤仓上部3m时，炮眼间距0.5m，眼深1.2m，每眼装药2卷，放炮时，一次只准拉6眼，严禁一次放炮。刷煤仓距下0.5m时采用多打眼、少装药、打浅眼的方法进行。眼深1m，每眼装药2卷，每次连2眼放炮。打眼放炮时应根据炮眼布置图和爆破说明书进行施工。忻州窑矿使用M2-120反井钻机法施工，收到了明显效果，既节约资金又提高了工效，为综采队提前出煤提供了保证，对降低成本、提高效益，有着非常重要的意义。

第十三章　硐室及交岔点

第一部分　系统理论知识

第一节　硐室施工方法

在井底车场内的硐室，如马头门、水泵房、变电所、箕斗装载硐室和翻笼硐室等，由于用途不同，其形状、结构和规格有很大差异。在组织硐室施工时，除应注意其本身特点外，还要考虑到各工程之间的相互关系与合理安排，同时要尽量采用新技术，如光面爆破、锚喷支护等。

一、硐室施工特点

硐室施工与一般巷道相比，具有以下特点：

(1)硐室的断面大、变化多、长度短，使得联合掘进机等大型机械设备难于在此施展；

(2)硐室周围井巷工程较多，一个硐室常与其他硐室或井巷相连，加之硐室本身结构复杂，故其受力状态复杂且难以准确分析，施工难度大，支护要求高；

(3)硐室的服务年限长、工程质量要求高，不少硐室安有各种不同的机电设备，一般要求硐室应具有隔爆、防潮和防火等性能。硐室内还要浇筑机电设备基础，预留管线沟槽，安装起重梁等。

二、硐室施工方法

根据硐室的形状、规格、结构及其所处围岩的稳定程度，硐室所采用的施工方法较多，这些方法归纳起来有三类。

(一)全断面施工法

全断面施工法与普通巷道施工法基本相同，采用较大型的凿岩台车、装载机和运输设备，可以取得较好的技术经济效果。但是在一般矿井条件下，只采用巷道施工的常规设备，钻上部炮眼和打顶部锚杆眼就必须蹬碴作业，装药联连则必须用梯子，此外还会遇到全断面一次爆破雷管段数不够，爆破后处理浮石困难等问题，故在常规设备条件下，全断面一次掘进一般适用于岩层稳定，且整体性好，断面小于15m^2，高度不超过5m的不特别大的硐室。如果采用光爆锚喷技术，适用范围可适当扩大。其优点是一次成巷，工序简单，劳动效率高，施工速度快；缺点是顶板围岩暴露面积较大，维护困难，上部打眼装药及爆破后处理危岩较困难。

(二)台阶工作面施工法

台阶工作面施工法适用于围岩稳定或比较稳定的条件，由于硐室高度大，不便于操作，便将整个硐室分成几个分层，施工时形成台阶状。按台阶工作面施工的前后顺序，可分为正台阶工作面施工法和倒台阶工作面施工法。若上分层工作面超前下分层工作面施工，则称为正台阶工作面施工法又称下行分层法；若下分层工作面超前上层工作面施工，则称为倒台阶工作面施工法又称上行分层法。

1.正台阶工作面(下行分层)施工法

根据硐室的全高，将整个断面分成2~3个分层，每分层的高度以1.8~2.5m为宜，最大不超过3m；也可按拱基线分为上、下二个分层，上分层的超前距离一般为2~3m。如某矿水泵房施工时，就采用了正台阶工作面施工法，如图13-1所示。

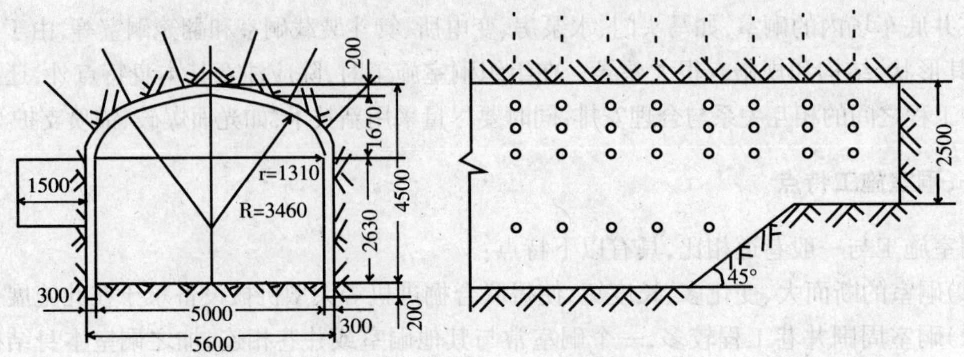

图13-1　正台阶工作面施工法

具体方法为将整个水泵房三硐室分为二个分层，上分层工作面高2.5m，超前2m左右，下分层工作面呈45°斜坡是为了便于上分层工作面向下溜放矸石，在下分层用装载机装岩，施工组织为“两掘一锚喷”，随掘随喷一层厚5mm水泥砂浆用以临时封闭围岩，待掘进20~30m后，再按设计厚度喷射混凝土作为永久支护。如果硐室的长度较小，也可以待上分层全部掘喷完后，再掘喷下分层，如图13-2所示。

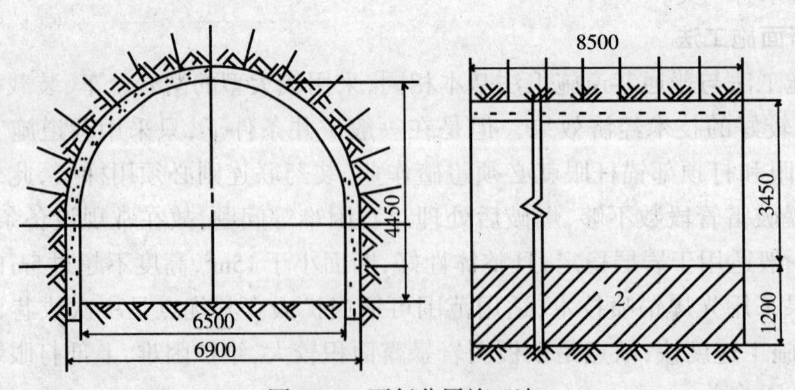

图13-2　下行分层施工法

若围岩稳定性较差，硐室采用砌碹支护时，也可以采用正台阶工作面施工法，此时在上分层掘进时用无腿金属支架支护。砌碹工作有两种做法：一种是砌碹可落后于下分层掘进1.5～2.5m。另一种是先拱后墙，即上分层采用短段掘砌，先砌拱并适当加大上分层的超前距离，使下分层掘进爆破时不致损伤拱帽。下分层的掘进与砌墙也采用短段掘砌法，使墙紧跟迎头。这时整个拱部后端与墙体连成整体，前端则支在岩石台阶上，所以施工是安全的。硐室不太长时，也可把上分层拱部完全掘砌后再刷掘下分层，同时砌墙与拱连接。

采用这种施工方法应注意的问题是：要合理确定上分层的超前距离，距离太大上分层出矸困难，距离过小上分层打眼困难，故上分层工作面的超前距离以便于凿岩机正常工作为宜。

正台阶工作面施工法的优点是：断面呈台阶式布置，施工方便，有利于顶板维护，下台阶爆破效率高；缺点是：使用铲斗式装载机装岩时，上台阶要人工扒矸，劳动强度大，上下台阶工序配合要求严格，不然容易产生干扰。

2.倒台阶工作面（上行分层）施工法

倒台阶工作面施工法就是下分层工作面超前上分层工作面一段距离施工，并进行临时支护。上分层工作面爆破后，再进行永久支护。抚顺老虎台矿-580m中央水泵房硐室就是采用此法施工的，下分层工作面超前3～5m，边掘边锚，上分层工作面施工时，站在挑顶下来的矸石上打锚杆眼。顶板岩石稳定时，可掘锚15m后再喷射混凝土；顶板岩石不太稳定时，可边掘边挂金属网，最后喷射混凝土，如图13-3所示。

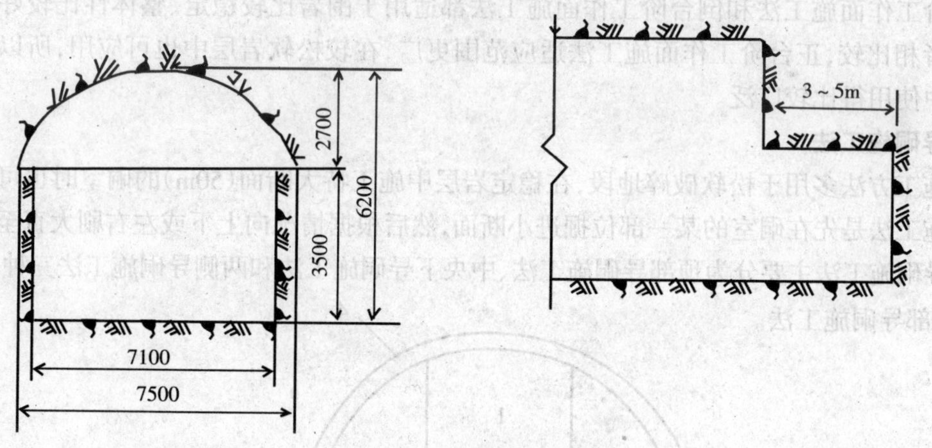

图13-3　倒台阶工作面施工法

在采用砌碹支护时，下分层高度以设计硐室墙高为宜。下分层工作面超前上分层工作面4～6m或更长一些。下分层在掘进时一般采用棚式临时支架，如图13-4所示。砌墙时应先用抬棚托住顶梁，再拆除临时支架腿。上分层挑顶工作是在下分层掘砌完成后进行，挑顶后立即进行砌拱。

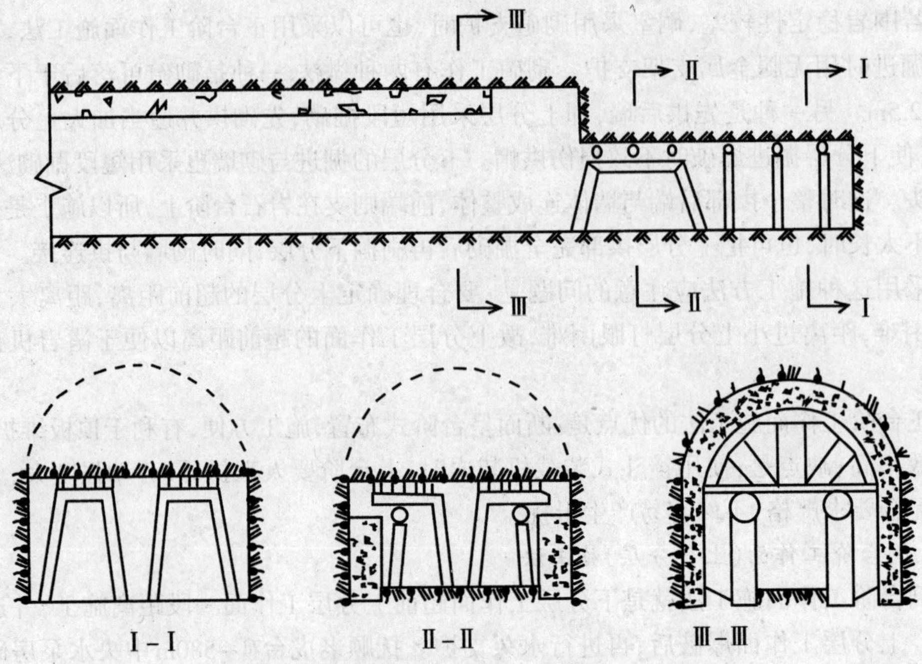

图13-4　砌碹硐室的倒台阶工作面施工法

倒台阶工作面施工法的优点是:爆破效率高,装岩方便。缺点是:如果采用砌碹支护,临时支架的安设与拆除麻烦。

正台阶工作面施工法和倒台阶工作面施工法都适用于围岩比较稳定、整体性比较好的岩层。两者相比较,正台阶工作面施工法适应范围更广,在较松软岩层中也可应用,所以在实际施工中使用得比较广泛。

(三)导硐施工法

这种施工方法多用于松软破碎地段,在稳定岩层中施工特大断面(50m)的硐室时也可采用。导硐施工法是先在硐室的某一部位掘进小断面,然后根据情况向上下或左右刷大直至设计断面。导硐施工法主要分为顶部导硐施工法、中央下导硐施工法和两侧导硐施工法三种。

(1)顶部导硐施工法。

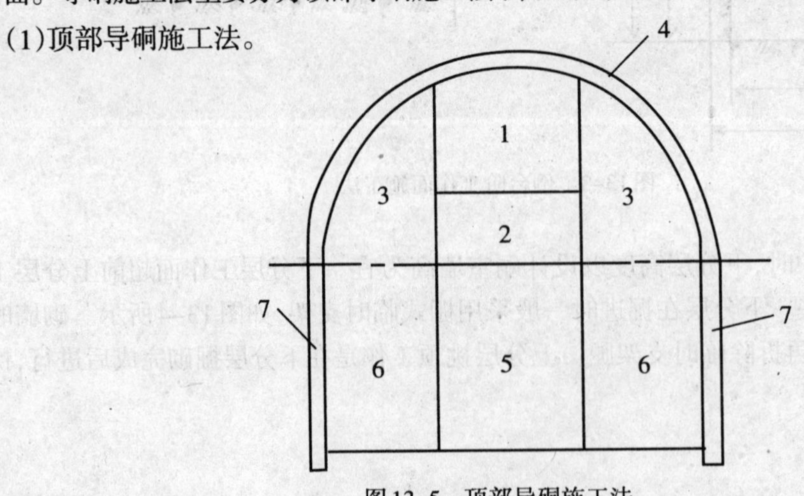

图13-5　顶部导硐施工法

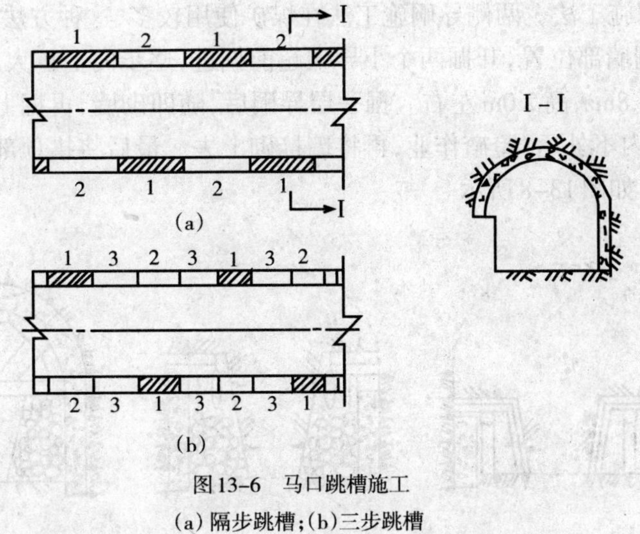

图13–6 马口跳槽施工

(a) 隔步跳槽；(b)三步跳槽

如图13–5所示，先掘顶部导硐1，超前5m来探明地质情况，随后卧底2，掘进15m左右开帮3，上部拱部掘出，进行的支护4。然后再掘进中心底部5，最后刷帮6和支护7，在掘进导硐1和2时，导轨铺设在2内，导硐1的矸石用人工攉到2中，由2内的装岩机装运，待3刷开后，立即将拱部支护好。若硐室不超过100m，可将拱部全部施工完后，先将中心底部5全部掘出，并在其中铺轨，然后将6分成若干段，挖出一段就形成一个缺口(马口)。根据施工经验马口的长度:f=1时取3.0m；f=2时取4.2m；f=3时取6.0m。在马口内砌墙接拱，待墙的强度达到规定强度的75%，即可另开马口，在行砌墙。开马口的顺序称为跳槽，有隔步跳槽和三步跳槽之分(图13–6)。跳槽方法可根据拱部材料及拱下岩石的稳定情况选定。只要选的合适，它可用在相当松软的岩石中。

(2)中央下导硐施工法。如图13–7所示，首先在硐室断面中下部开掘导硐1，超前3～5m以探明地质情况，后挑顶2，崩落下来的矸石集中在中央导硐内，此时可蹬碴对拱顶进行支护，然后装岩，开帮3和向两帮喷射混凝土，最后进行永久支护。此法适用于硐室高度较大(4～6m)，围岩稳定性较差的情况。

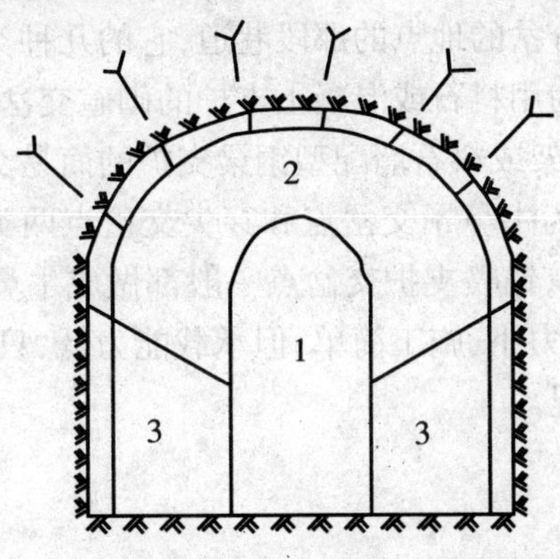

图13–7 中央下导硐施工法

(3)两侧导硐施工法。两侧导硐施工法在煤矿使用较多,这种方法就是从硐室的底板开始,在硐室的两侧墙部位置,开掘两个小导硐超前掘进,逐步向上扩大。小导硐断面不宜过大,一般宽1.5~1.8mz,高2.0m左右。掘一层导硐后,随即砌墙,再掘上一分层的小导硐,矸石存在下层导硐内不外运,蹬碴作业,再将墙接砌上去。最后将拱顶部分整个施工完后,再除去中间岩石柱,如图13-8所示。

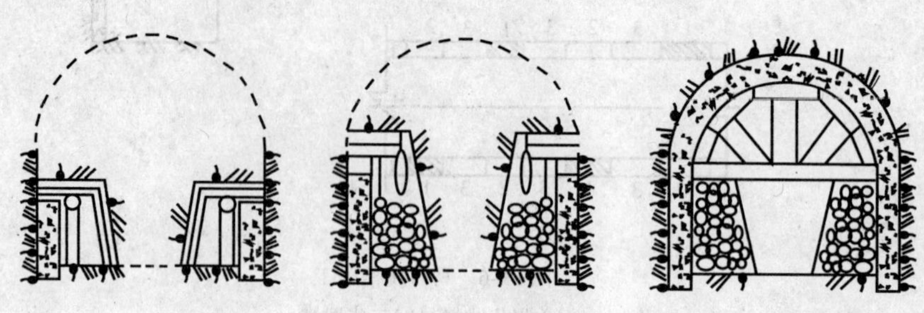

图13-8 两侧导硐施工法

采用锚喷支护时,两侧导硐可沿全长一次作业,随掘随喷,然后进行拱部掘进并完成拱部锚喷工作,最后消除中间岩柱。

两侧导硐施工法主要适用于稳定性较差的松软岩层以及掘进宽、高大于6m,断面积在50m²左右的硐室。当硐室穿过的是断层破碎带时,两侧导硐的长度不宜超过4m。

需要指出的是,从安全角度出发,在矿井开拓设计中,应尽可能地将硐室布置在稳定岩层中,若经过技术、经济比较后,硐室必须布置在不稳定的岩层中,那就应采取可靠的技术措施,保证硐室施工安全和工程质量。

第二节 交岔点施工

一、交岔点类型

交岔点是指巷道相交或分岔的地点的那段巷道,它的几种类型如图13-9所示。

交岔点按支护形式可分为用料石或混凝土支护的砌碹交岔点;用锚杆、喷射混凝土支护的锚喷支护交岔点;用棚式支架或料石墙配型钢梁支护的简易交岔点。

交岔点按结构形式可分为牛鼻子交岔点和穿尖交岔点两类,如图13-10所示。牛鼻子交岔点受力好,使用比较广泛,锚喷支护交岔点一般都做成牛鼻子交岔点;穿尖交岔点长度短、拱部低、工程量小、通风阻力小、施工简单,但承载能力低,只用于巷道跨度小于5m、围岩稳定、巷道转角大于45°的情况。

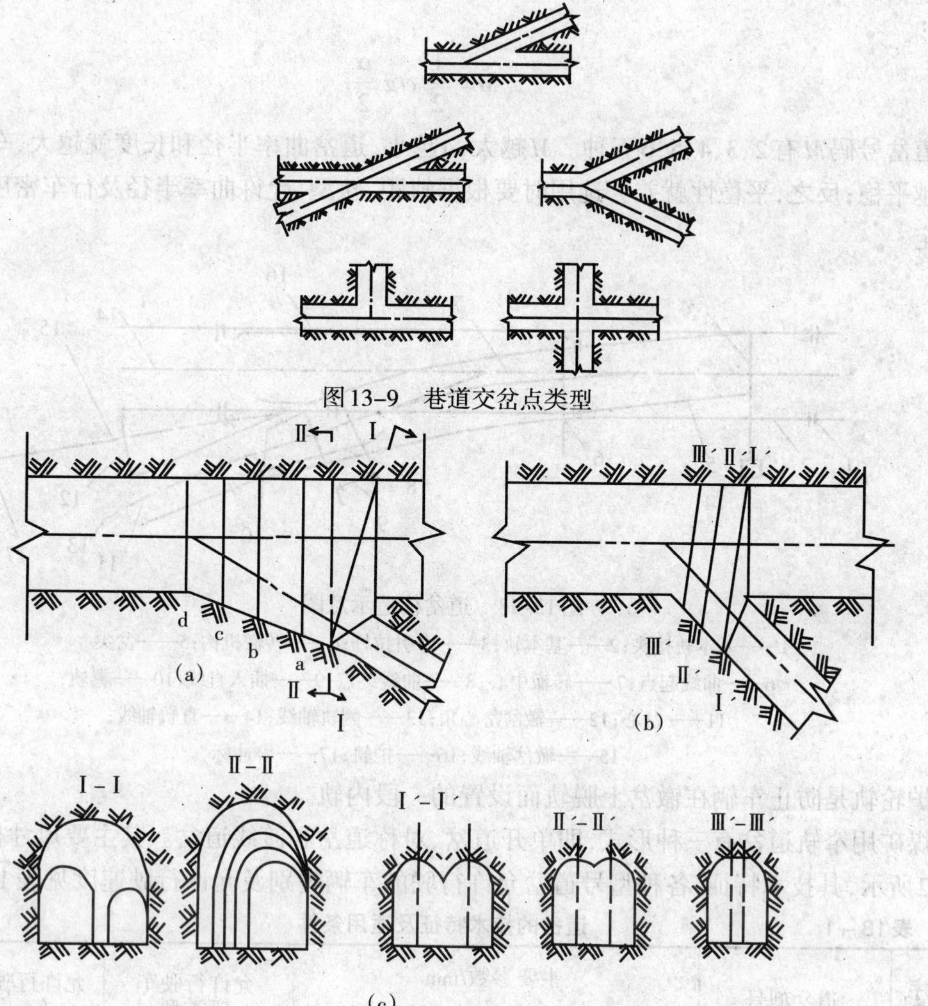

图13-9　巷道交岔点类型

图13-10　牛鼻子交岔点和穿尖交岔点

(a)牛鼻子交岔点;(b)穿尖交岔点;(c)断面图

二、道岔的概念

在进行交岔点设计时,道岔的类型和参数是不可缺少的重要依据,故必须先了解道岔的类型及尺寸。

道岔是把巷道交岔处的轨道相互衔接起来,使车辆能由一条线路过渡到另一条线路的设施,其构造如图13-11所示。

道岔由岔尖、基本轨、辙岔(岔心和翼轨)、转辙曲线、护轮轨以及转辙器等部件构成。

岔尖是道岔引导车辆左向线或右向线运行的重要部件,矿车通过时它承受较大的冲击力,应具有足够的强度。

辙岔是由岔心和翼轨铆接或者焊接而成,它的作用是防止矿车掉道,保证矿车轮缘能顺利通过,并引导车辆行使方向的一组轨道。

转辙曲线是位于岔尖和辙岔之间的一段曲线,其曲率半径取决于道岔的型号。

辙岔岔心角α(简称辙岔角),是道岔的最重要参数。用$\frac{\alpha}{2}$的余切值表示道岔的号码

M，即：

$$M=\frac{1}{2}ctg\frac{\alpha}{2}$$

道岔号码M有2、3、4、5、6五种。M越大，α越小，道岔曲率半径和长度就越大，车辆通过时就越平稳；反之，平稳性就差。选用时要根据轨距、轨型、允许曲率半径及行车密度等因素来决定。

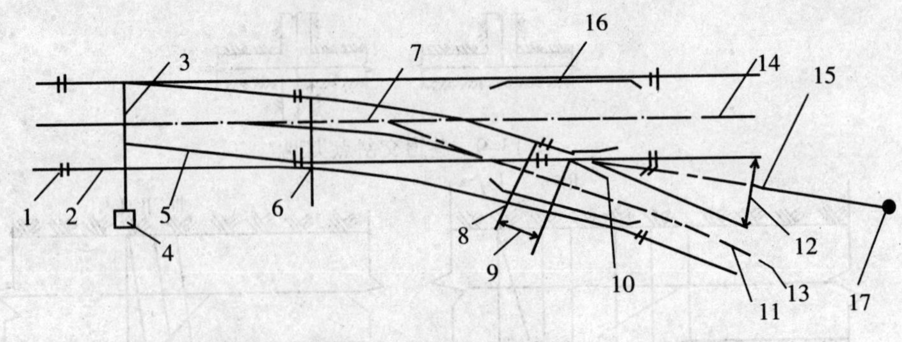

图13-11　道岔构造示意图

1——基本轨接头；2——基本轨；3——牵引拉杆；4——转辙机构；5——岔尖

6——曲线起点；7——转辙中心；8——曲线终点；9——插入直线；10——翼轨；

11——岔心；12——辙岔岔心角；13——侧轨轴线；14——直轨轴线；

15——辙岔轴线；16——护轨；17——警冲标

护轮轨是防止车辆在辙岔上脱轨而设置的一段内轨。

煤矿用窄轨道岔有三种形式，即单开道岔、对称道岔和渡线道岔。其主要尺寸标注如图13-12所示，其技术特征，各种型号道岔允许行驶的车辆类别及允许行驶速度见表13-1。

表13-1　**道岔的技术特征及适用条件**

序号	道岔型号	主要参数/mm				允许行驶车辆类型	允许行驶速度/($m\cdot s^{-1}$)
		α	a	b	L		
1	DK615-2-4	28° 04′20″	1649	1851	3500	1t矿车	≤1.5
2	DK615-3-6	18° 55′30″	3218	2882	6100	1t矿车	1.5～3.5
3	DK615-4-12	14° 15′00″	3340	3500	6840	7t及以下电机车	1.5～3.5
4	DK615-6-25	9° 31′38″	4026	5124	9150	7t及以下电机车	1.5～3.5
5	DK618-2-4	28° 04′20″	1714	1986	3700	1t矿车	≤1.5
6	DK618-4-12	14° 15′00″	3472	3328	6800	7～10t电动车	1.5～3.5
7	DK618-5-15	11° 25′16″	3251	4149	7400	7～10t电机车	1.5～3.5
8	DK624-4-12	14° 15′00″	3496	3404	6900	7～10t电机车	1.5～3.5
9	DK918-3-9	18° 55′30″	3694	3706	7400	3t矿车	≤1.5
10	DK918-4-15	14° 15′00″	3710	4690	8400	7～10t电机车	1.5～3.5
11	DK918-5-20	11° 25′16″	4070	5630	9700	7～10t电机车	1.5～3.5
12	DK924-5-20	11° 25′16″	4066	5734	9800	14t电机车	1.5～3.5
13	DK918-6-30	9° 31′38″	4507	6693	11200	14t电机车	1.5～3.5
14	DC615-2-6	28° 4′20″	2102	1898	4000	1t矿车	1.5～3.5
15	DC615-3-12	18° 55′30″	2000	2880	4880	7t及以下电机车	1.5～3.5
16	DC618-3-12	18° 55′30″	2077	2723	4800	7～10t电机车	1.5～3.5

续表

序号	道岔型号	主要参数/mm				允许行驶车辆类型	允许行驶速度/($m\cdot s^{-1}$)
		α	a	b	L		
17	DC624-3-9	18°　55'30″	1945	1755	4700	1t矿车	1.5～3.5
18	DC624-3-12	18°　55'30″	2064	2736	4800	7～10t电机车	1.5～3.5
19	DC918-3-9	18°　55'30″	1946	3554	5500	3t矿车	≤1.5
20	DC918-3-20	18°　55'30″	2405	3495	5900	7～10t电机车	1.5～3.5
21	DC924-3-20	18°　55'30″	2375	3525	5900	14t电机车	1.5～3.5
22	DX615-4-1213	14°　15'00″	3340	3500	11799	7t及以下电机车	1.5～3.5
23	DX615-5-1516	11°　25'16″	3117	4233	14154	7t及以下电机车	1.5～3.5
24	DX618-4-1213	14°　15'00″	3472	3328	12063	7～10t电机车	1.5～3.5
25	DX618-5-1516	11°　25'16″	3251	4149	12937	7～10t电机车	1.5～3.5
26	DX624-4-1213	14°　15'00″	3496	3404	12111	7～10t电机车	1.5～3.5
27	DX624-5-1516	11°　25'16″	3258	4142	14436	7～10t电机车	1.5～3.5
28	DX918-4-1516	14°　15'00″	3710	4690	13720	7～10t电机车	1.5～3.5

表内的"DK""DC"和"DX"分别表示单开道岔、对称道岔和渡线道岔；615、618、624、918和924中的第一个数字6或9表示轨距为600mm或900mm，后两个数字表示轨型为15kg/m、18kg/m或24kg/m；两横线间的数字为道岔号码M；最后一组数字，对单开和对称道岔来说，是表示以米为单位的道岔曲线半径，对渡线道岔而言，其前两位数字表示的是以米为单位的道岔曲线半径，后两位数字表示的是以分米为单位的轨道中心距；单开和渡线道岔还有左右之分。

道岔的选择原则是：

(1)与基本轨的轨距相适应；

(2)与基本轨型相适应，只能选用与基本轨同级或高一级的道岔型号，但不能采用低一级的道岔；

(3)与行驶车辆的类别相适应；

(4)与行车速度相适应。

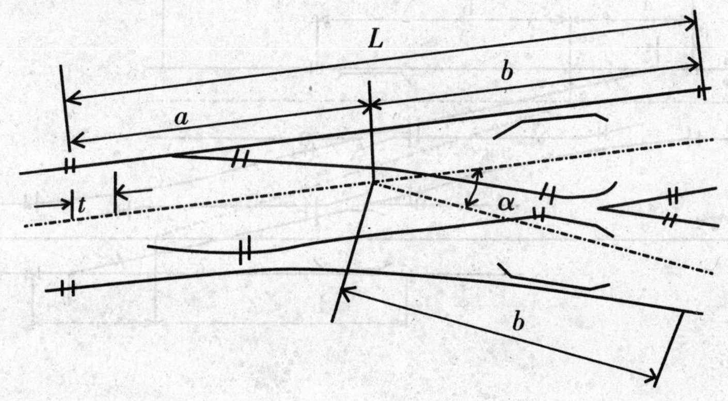

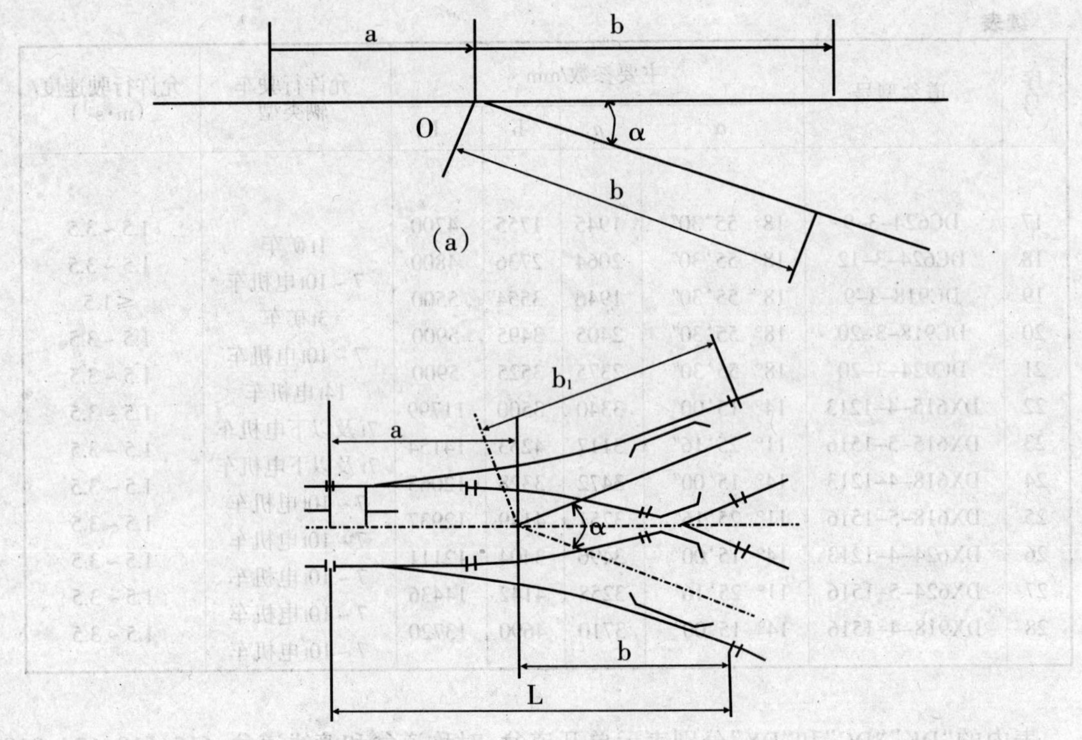
a
b
O
α
b
(a)
b₁
a
α
b
L

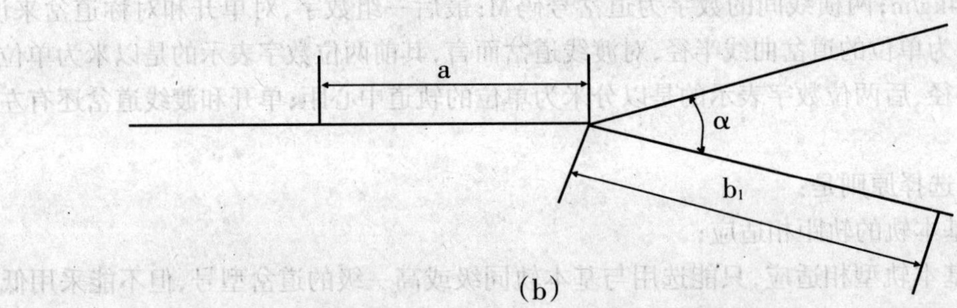
a
α
b₁
(b)

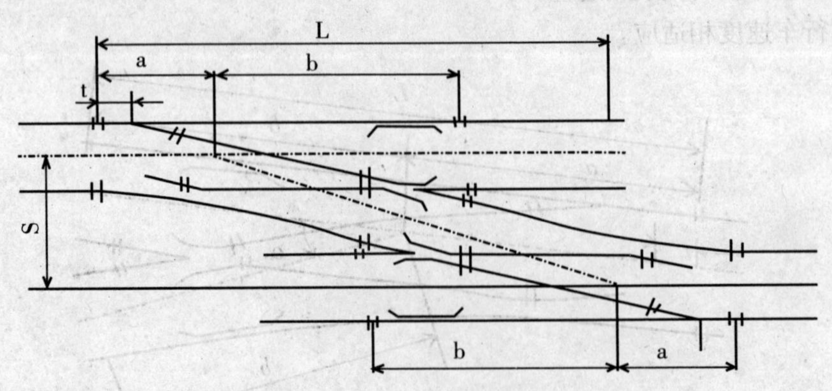
L
a
b
t
S
b
a

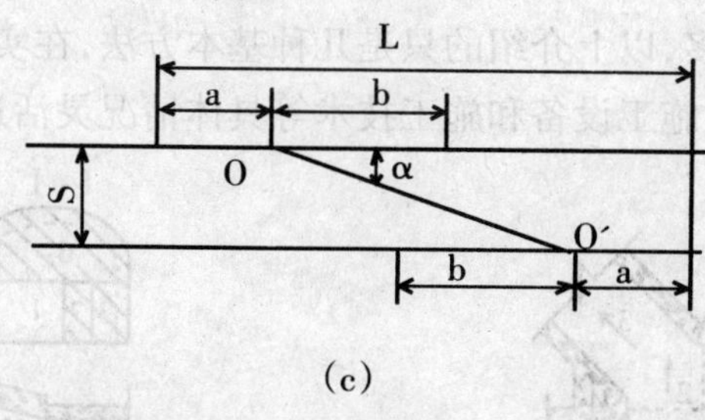

图13-12　矿用窄轨道岔主要尺寸标注图

(a)单开道岔;(b)对称道岔;(c)渡线道岔

a——转辙中心至道岔起点的距离;b——转辙中心至道岔终点的距离;L——道岔长度

三、交岔点施工

交岔点施工与硐室施工方法基本相同,应推广使用光面爆破,锚喷支护。只要条件允许要尽量做到全断面掘进一次成巷,尽量缩短掘支间隔时间,以防止围岩松动。在井底车场施工中,为了服从总的施工组织安排,加速连锁工程的施工,当岩石条件较好时,可以允许先掘进其中的一条巷道,然后再在该巷道继续向前掘进的同时,对交岔点进行刷大与支护,不过此时的刷大与支护工作,应不影响前面巷道的施工,以保证连锁工程的连续与快速施工。

(一)交岔点施工方法

交岔点施工方法有很多,归纳起来主要有以下几种:

(1)若围岩稳定或稳定性较好,可采用一次成巷的方法,随掘随锚喷或先锚后喷一次完成。

(2)若围岩中等稳定,或巷道断面较大时,为了使顶板一次暴露面积不致过大,可先掘出一条巷道,并对边墙进行锚喷,余下的周边喷上30~50mm厚混凝土(围岩条件差时,可加锚杆)作临时支护,然后回过头来分段刷帮挑顶,随即进行锚喷。如采用砌碹支护,开始可以全断面由主巷向支巷方向掘砌,至断面较大处,改用小断面向两支巷掘进,架设棚式临时支架,掘过柱墩端面2m掘砌好,先将此2m砌好,然后再回头由小断面向柱墩进行刷砌,最后在岔口封顶并做好柱墩端面(齐脸、迎脸)。

(3)若围岩稳定性较差,可采用先掘砌柱墩,再刷砌扩大断面部分的方法。一种方法是正向掘进:由主巷向支巷方向掘进,随掘随砌边墙,掘通后以小断面横向掘出岔口,并将支巷掘出2m,将柱墩及两巷口处的拱、墙砌好,然后再回头刷砌扩大断面处,如图13-13(a)所示。另一种方法是反向掘进:先由支巷掘至岔口,然后以小断面横向与主巷贯通,并将主巷掘过岔口2m,同时将柱墩及两巷口的2m拱墙砌好,随后向主巷方向掘进,过斜墙起点2m后,将边墙及此2m巷道拱墙砌好,然后反过来向柱墩方向刷砌,做好收尾工作,如图13-13(b)所示。

(4)若围岩稳定性差,不允许围岩一次暴露的面积大,可采用导硐法施工。如图13-14所示。此法与第3种方法基本相同,先以小断面导硐,将交岔点各巷口、柱墩和边墙掘砌好后,从主巷向岔口方向挑顶砌拱,为了加快施工速度,缩短围岩暴露时间,从安全角度出发,中间岩柱待交岔点刷砌完成后,再用放小炮的方法除掉。

交岔点的施工方法很多，以上介绍的只是几种基本方法，在实际施工中应根据围岩稳定程度、断面大小、掘进方向、施工设备和施工技术等具体情况灵活运用。

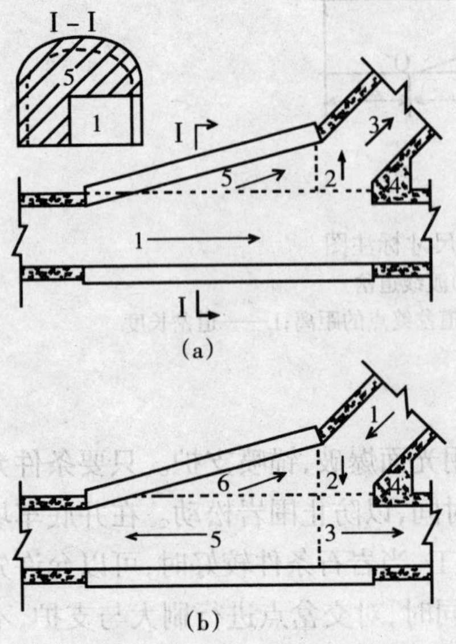

图13–13　先掘砌柱墩再刷砌大断面的施工顺序

(a)正向掘进；(b)反向掘进

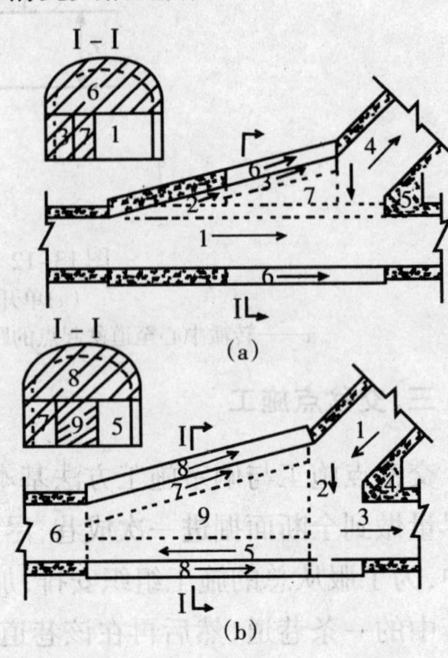

图13–14　交岔点导硐法施工序

(a)正向掘进；(b)反向掘进

(二)施工中应处理好的技术问题

(1)做好测量工作。施工测量除了定期延长中腰线外，还要给出变断面部分的起点，有时还要找出主巷与支巷轨道中心的交点。根据交岔点施工图计算出开帮长度和开帮量。图13–15所示，是确定刷帮范围的方法之一，主巷轨道中心线的P点是刷帮点，通过P点作一直线平行于扩大边墙，并与支巷轨道中心线交与Q点，根据交岔点施工图可定两轨道中心线的交点O及OP或OQ的长度，其值亦可通过计算求得，施工测量可在现场定出P点，放出PQ线，与PQ相距为S得一条平行线即为开帮线。

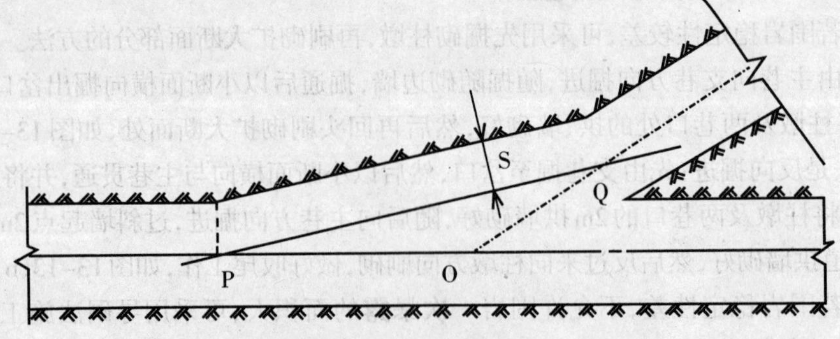

图13–15　交岔点的测量方法

(2)交岔点一般应从主巷向分岔口的方向进行刷大与砌碹，即在两支巷先行砌成功以后，再自小断面向岔口刷砌，这样砌拱和壁后充填容易保证质量，最后在岔口封顶。

(3)刷砌扩大部分时,若围岩条件不好,必须采用过顶梁作临时支护,过顶方法如图13-16所示。挑顶后将过顶梁的一端搭在已砌好的碹拱上,另一端插入事先在迎头岩面上掏好的梁窝内,或搭在支于原支架梁顶上的小柱上,然后依次由中间向两边刷大,逐步穿梁,梁后用背板背紧,一直到墙为止,在过顶梁的保护下,架立碹胎,拆一根梁,砌一部分拱,两边对称进行施工,直到封顶(合龙门)为止。

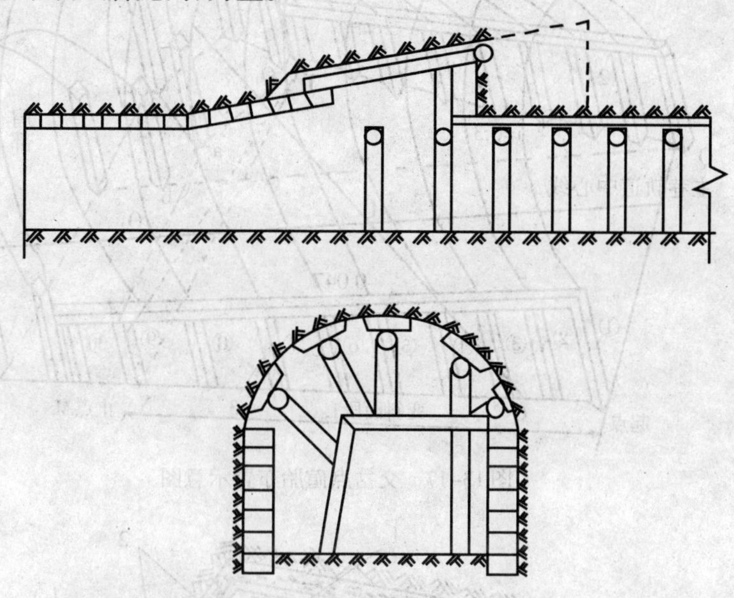

图13-16　刷大时的过顶梁方法

(4)交岔点断面变化部分,拱跨度增加,拱高也随之增加,而墙高却可能逐渐降低的。在架设碹胎时,各架碹胎基脚点必须精确测定,并架设牢固,不使其移动,尤其是起始的两架碹胎更应测准,以便作为以后碹胎的标准。通常在碹胎两肩处各用一两块长度为普通模板两倍的长模板进行,用来观察各架碹胎位置是否正确。如图13-17所示。扩大部分如用料石砌碹,则为了满足逐渐加宽的要求,在恰当位置上要增加楔形料石,并逐渐增加料石行数。施工中不允许利用砂浆或石片代替楔形料石,更不允许将行与行的关系弄乱。

(5)柱墩是交岔点受力最大的地方,可以用料石砌筑,抓好施工质量。当用锚喷支护交岔点时,常采用在交岔点掘进到柱墩处时,预留一层300~400mm光爆层,交岔点其他部分掘锚结束后,再用打浅眼放小炮(眼距150mm)的方法刷出柱墩,随后按设计尺寸放线,锚喷成形。在不稳定岩层条件下,为了加强支护强度,可在锚杆上挂金属网后再喷混凝土,必要时还可在岔口处加几架金属骨架后再行喷射。

(6)岔口处的碹胎是整个工程的关键,用混凝土砌碹时,先将岔口两巷道口的拱墙砌筑好,TN处应设立一架大拱碹胎,若MN距离较大,TM处也应架设一架大碹胎,将柱墩向上砌筑至与两巷口拱顶齐平的位置在从巷口的拱顶碹胎向大拱TM碹胎搭设模板,浇筑好混凝土后再进行三角带TMN部分的施工和封顶(图13-17)。用这种方法施工的迎脸上半部呈一斜面,比垂直的岔口迎脸通风阻力小,如图13-18(a)所示。若交岔点用料石砌筑,TM大拱碹胎更为重要,在两巷口拱顶上还要特设一架和TM大拱碹胎规格相同的“爬骨”,使顺着TN

与TM铺放的模板能顺势成形。先将拱部碹砌入迎脸内一块料石左右，然后在填实碹后空隙，砌起迎脸与大拱相接，如图13-18(b)所示。

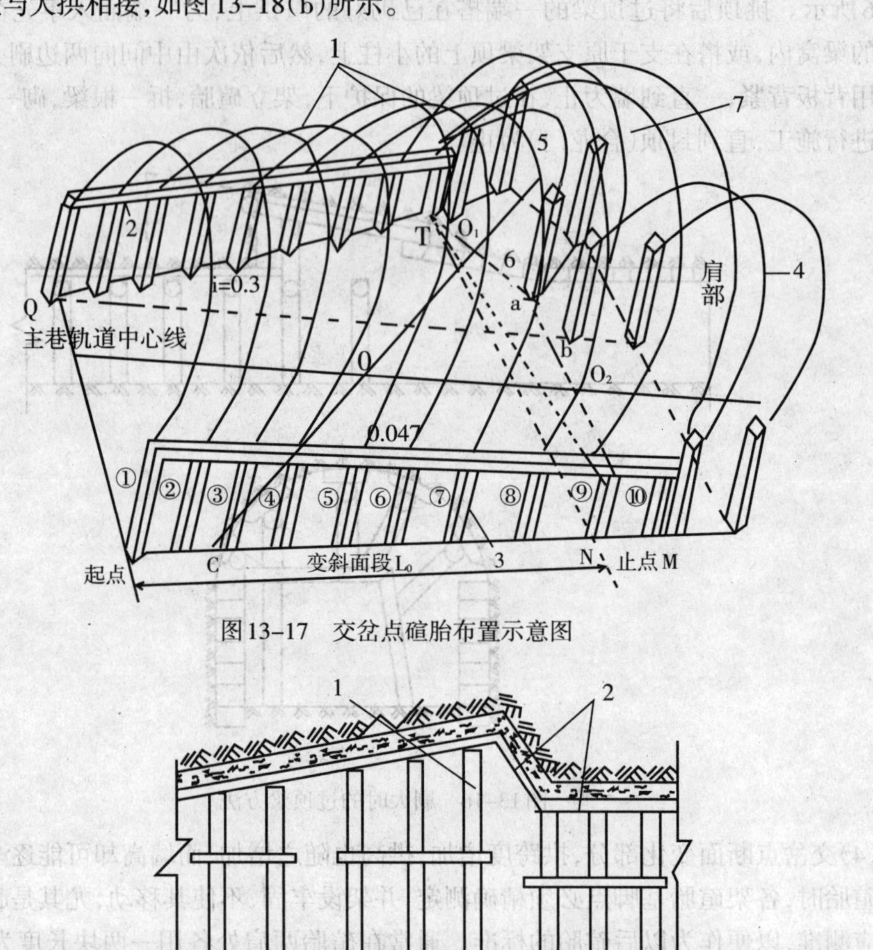

图13-17　交岔点碹胎布置示意图

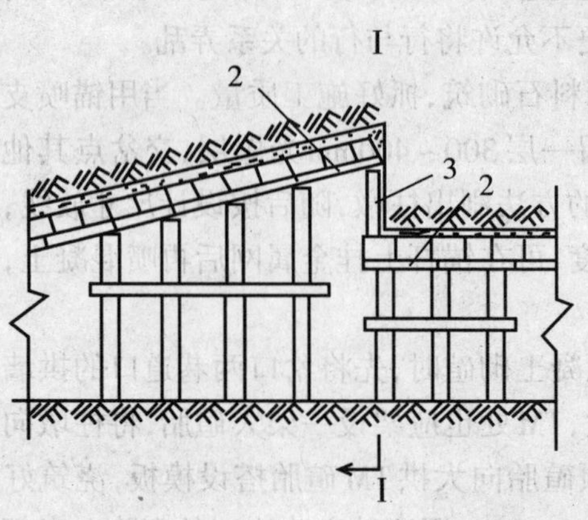

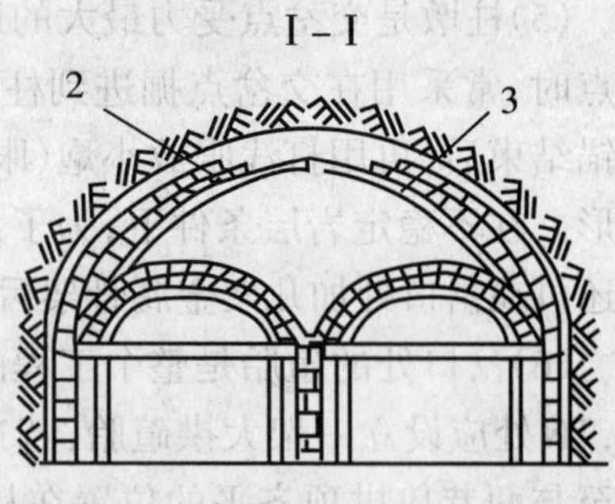

(b)

图13-18　柱墩端面施工示意图

1——碹胎；2——模板；3——爬骨

(三)棚式支架交岔点结构与施工

棚式支架交岔点主要在岩层稳定、服务年限较短的巷道中使用。其结构有直角交岔点，如图13-19(a)所示，在连接处架设抬棚1和钩形棚子3、顶梁2可用工子钢或圆木作成；锐角交岔点，它的棚子架设与前者不同，它是在抬棚旁再架设一个辅助抬棚4，如图13-19(b)所示，当连接巷为弯曲巷道时，其棚梁中线都要和巷道曲率半径方向一致。这类交岔点宽度变化而高度不变，施工方法比较简单，在施工时首先将主巷掘过分巷3～5m，然后在开口处架设抬棚，再进行分巷掘进。

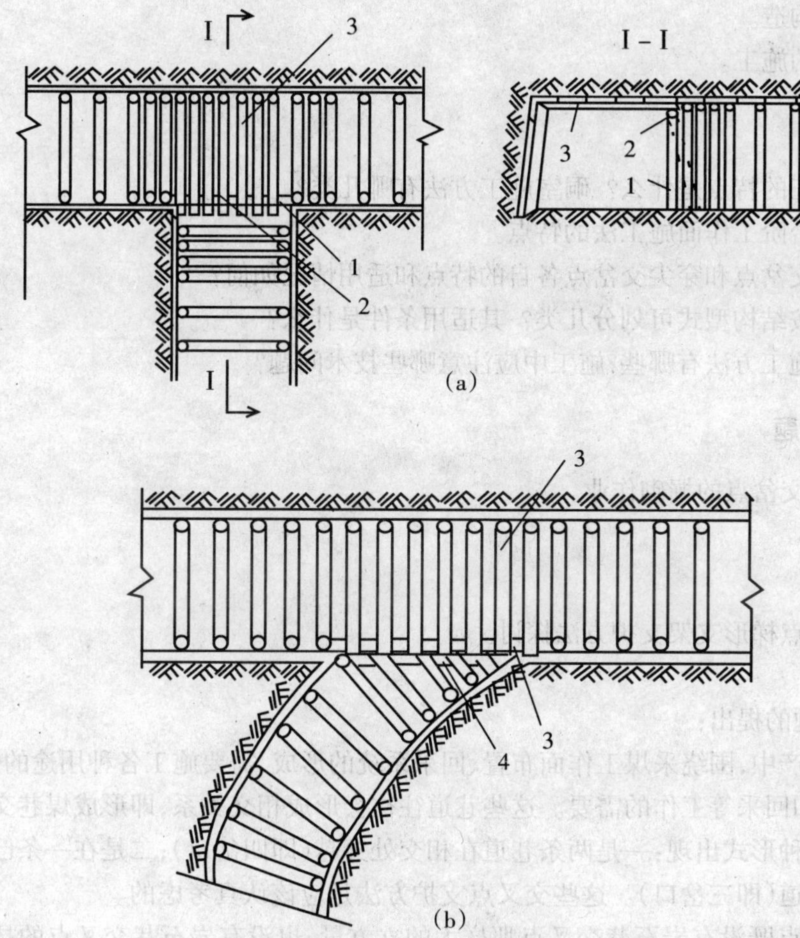

图13-19 棚式支架交岔点结构

(a)直角交岔点；(b)锐角交岔点

1——抬棚；2——抬棚顶梁；3——钩形棚子；4——辅助棚子

第二部分 专业核心知识点

1.硐室施工的特点。
2.硐室施工的方法。
3.交岔点的类型。
4.道岔的构造。
5.交岔点的施工。

复习题

1.硐室施工的特点是什么？硐室施工方法有哪几类？
2.试述正台阶工作面施工法的特点。
3.牛鼻子交岔点和穿尖交岔点各自的特点和适用情况如何？
4.交岔点按结构型式可划分几类？其适用条件是什么？
5.交岔点施工方法有哪些?施工中应注意哪些技术问题?

技能训练题

组织各类交岔点的掘砌作业。

讨论题

煤巷交叉点梯形支架支护方法探讨。

范例：

第一,问题的提出：

在煤矿生产中,围绕采煤工作面布置、回采系统的形成,需要施工各种用途的煤巷,以满足通风、运输和回采等工作的需要。这些巷道往往会形成相交关系,即形成煤巷交叉点。煤巷交叉点以两种形式出现:一是两条巷道在相交处穿越(即四岔口);二是在一条已存在的巷道中施工新巷道(即三岔口)。这些交叉点支护方法是应该认真考虑的。

煤巷交叉点既没有岩石巷交叉点那样大的立方量,也没有岩石巷交叉点的技术要求那么精细。现在,煤巷一般采用工字钢梯形支架支护,在有关的《技术规范》要求中,仅对煤巷开口方法作了如下规定:巷道开口要架设双暗抬棚,上长穿梁(数量6根)。长穿梁比基本棚梁长500mm,双暗抬棚比基本棚梁长200mm。长穿梁长梁爪长度不少于300mm。此外,对煤巷交叉点的支护没有见到别的什么规定。笔者以为以上规定只是部分地对煤巷交叉点提供了技术要求,不能完全反映施工中的情况,并且无法保证能够达到设计巷道的几何尺寸,有时会影响巷道的有效使用。

根据现场的经验,煤巷交叉点,不管是三岔口还是四岔口,具体施工时就是在已掘巷道中施工开口(或者是以贯通的形式出现,但支护方法还是同于开口)。所以对于煤巷交叉点,支护方法问题就是开口时的支护问题。下边就结合生产中的实际情况,就对此进行一些探讨。

第二,煤巷交叉点分类:

首先,对于相交巷道,我们按其相交角度可以分为正交和斜交巷道(见图1),其中斜交巷道又分为小交角(小于600)和大交角(大于600)两种情况;按其支护形式可以划分为等长长穿梁支护(图1)和不等长长穿梁支护(图2);按其相交所位于的平、斜面可以分为平交和斜交。

以上每一种划分,都对应有不同的情况。由于井下巷道间的位置关系复杂,施工开口时,需要根据现场情况进行认真分析。首先我们要考虑巷道的交角关系,然后采取相应的支护形式。下边我们作一下具体分析。

第三,煤巷开口方案探讨:

两条巷道相交时(不管平面相交还是斜面相交),由于交角有不同,所产生的开口长度会有较大的变化(如图1所示)。我们设定开口巷道宽为b,开口宽为a,那么a和b之间存在如下关系:a=b/sinθ,当θ=900时,a=b;当θ<900(无论左右侧),a>b;取b=2.6,θ=450,则a=3.7m。如果我们取a=2.8m时,此时可以满足开口抬棚比基本棚梁长200m,但是,2.8m却比3.7少0.9m。如果按这样的尺寸施工开口,不但不能满足巷道的几何尺寸,甚至将影响到巷道的使用,对通风和运输产生影响,这是不能被允许的。因此,考虑到巷道开口宽度是随巷道相交角度而变化的,在施工巷道开口时,必须考虑两条巷道的相交角度。我们根据实际经验,认为当相交角度大于600时,可以采用双暗抬棚比基本棚梁长200mm的方法来选用双暗抬棚梁长,而当相交角度小于600时,应当考虑按正确计算方法计算双暗抬棚梁的长度,并比计算所得几何尺寸再加200mm。关于长穿梁的尺寸按规定比基本棚梁长500mm就可以了。

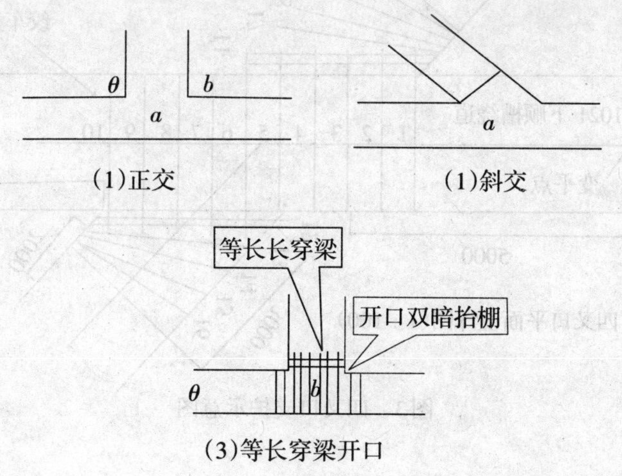

图1 等长长穿梁开口示意图

以上是等长长穿梁开口方法的分析,考虑到井下地压大,如果双暗抬棚或者长穿梁梁长度不宜过长。一般不应长于3.6m,因为长度过大,会因无法承受地压而产生弯曲变形,引起巷道开口破坏。在这种情况下,我们需要考虑应用不等长长穿梁进行开口。这就是通常所说的交叉点施工,但这也好不例外的是一种巷道开口方法(图2)。

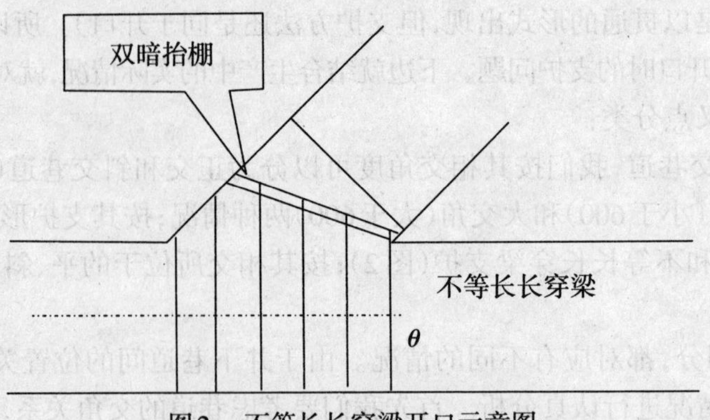

图2　不等长长穿梁开口示意图

在不等长长穿梁开口时，每一根长穿梁需要用几何做图法求得，双暗抬棚也可以通过几何法得到。双暗抬棚可以平行于开口基本棚，也可以考虑好不等长长穿梁长度，根据长穿梁来调整双暗抬棚的方向，这是可以灵活处理的。

对于不等长长穿梁开口支护，我们需要做得细致一些。对于长穿梁，我们需要标出巷道中心线后，准确标出棚梁的中左中右位置。

最后，需要特别说明的是，等长或不等长长穿梁开口，如果开口巷道中心线方向与原掘进方向不正交，需要在刚开口的几棚里，逐步调整棚梁位置（如图3所示），巷道两邦迈前慢后（迈步）需要通过计算来获得，并且需要在施工大样图中标明，以指导施工。在开口措施中，应该明确支架棚梁在几棚内可以调到与开口巷道相垂直的位置，保证开口巷道能够满足使用要求。

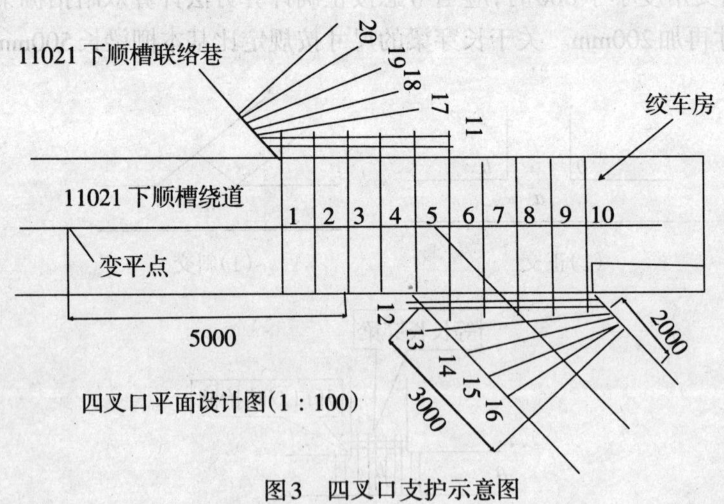

图3　四叉口支护示意图

结语：

煤巷交叉点是煤巷施工中的难点，无论是巷道在平面相交还是斜面相交，支护方案也主要是等长或不等长长穿梁开口两种。最关键的是要编制好开口安全技术措施，开口中一定要搞好顶板管理，保证施工安全。

现在一些巷道使用U形钢支护，在开口时，也是采用梯形棚支架，开口后再改换为U形钢支架。对相交巷道处理方法是一样的。

第十四章　特殊条件下的巷道施工

第一部分　系统理论知识

第一节　巷道通过松软岩层破碎带的施工方法

一、概述

松软岩层具有松、散、软、弱四种不同属性。所谓“松”，是指岩石结构疏松、密度小、孔隙度大的岩层；“散”，则指岩石胶结程度很差或未胶结的颗粒状岩层；“软”，是指岩石强度很低、塑性大或含黏土矿物质易膨胀的岩层；“弱”，则指受地质构造的破坏，形成许多弱面，如节理、层理、裂隙等，破坏了原有的岩体强度，极破碎、易滑移冒落的不稳定岩层，但其岩石单轴抗压强度还是较高的。

在松软岩层巷道中施工，掘进较容易，维护却极其困难，采用常规的施工方法和支护形式、支护结构，往往不能奏效，因此研究解决软岩支护问题便成为井巷施工的关键问题。由于各矿区松软岩层的组成、结构和性质差异很大，迄今为止还没有一种能适应各个矿区的施工方法和支护方法。但经过多年的实践和研究，还是逐步摸索出一些松软岩层巷道施工的基本规律和应当注意的问题，其中最主要的是必须根据岩层性质和地压显现特点选择合理支护方法和结构，正确选择巷道位置和断面形状，同时加强巷道底板的管理，采用合理的掘进破岩工艺以及对围岩进行量测监控等，如能结合工程的具体地质条件，采取相应的技术措施，就有可能顺利地在松岩层中进行施工，并使巷道易于维护且处于稳定状态。

二、松软岩层巷道施工的几个问题

(一)合理选择巷道位置

合理选择巷道位置是保证巷道处于稳定状态最关键的条件之一。选择巷道位置应着重考虑以下两个方面的问题：

(1)岩石性质。应尽量将巷道布置在遇水膨胀量小、质地均匀、较坚硬的岩层中。在同一条巷道内，即使围岩性质只有微小的差异，巷道压力的显现也有明显的差别。如沈北前屯二井-200m岩石大巷的两个交岔点，一个处于紫红色为主的杂色凝灰岩里，由于岩体较完整，交岔点比较稳定；另一个处于灰绿色为主的凝灰岩中，由于岩体较破碎，交岔点的破裂较严重。

辽原梅河三井+180m水平运输大巷，原布置在具有膨胀流变性质的第三纪泥灰质页岩内，采用料石砌碹，收敛量达620mm，60天后碹体逐渐破坏。当大巷后移70m，开掘在白垩

纪赤色砂岩中之后，虽然延长了石门长度，但巷道地压显现大为减弱，围岩变形仅有2mm。

(2)支承压力的影响。前屯煤矿经过多年的实践证明，回采动压是造成煤层底板岩石大巷破坏的主要原因。煤层开采以后，其底板岩石大巷的压力就有明显的增加。底板岩石大巷与煤层距离的大小和落煤方式有关。用风镐落煤时，岩石大巷距煤层达20～30m，基本上可不受动压的影响；而用爆破落煤时，岩石大巷距煤层40m以外仍然遭到破坏。

除了要避免支承移动压力的影响外，还必须避开采场上下固定支承压力的影响范围，应把巷道布置在应力降低区或原岩应力区内。前屯煤矿是将岩巷布置在距煤层垂距20～30m，与采场上端煤柱上角水平线成45度角的范围内，受到压力较小，如图14–1所示。

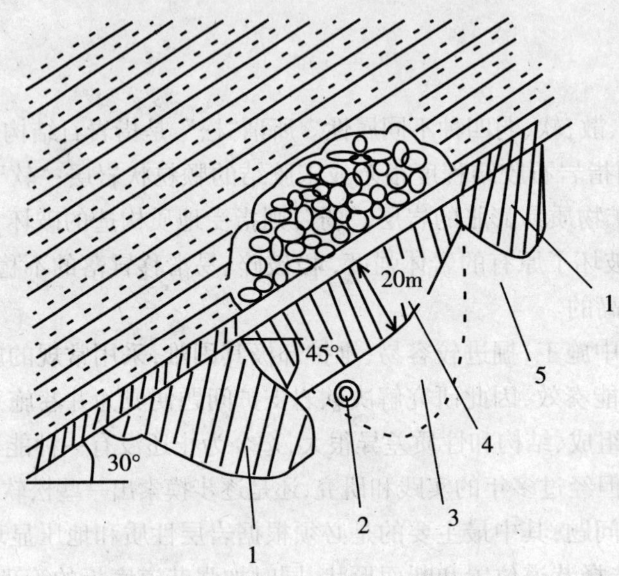

图14–1　煤层底板岩石巷道合理位置

1——固定支承压力影响区；2——煤层底板岩石巷道；3——应力降低区；4——移动支承压力有害影响区；5——原岩应力区

(二)巷道断面形状的选择

由松软岩层地质情况非常复杂，巷道支护不单纯受岩层的重力作用，同时周围还受到很大的膨胀侧压力。有时巷道的侧压比顶压大几倍，采用常规的直墙半圆拱或三心拱形断面难以适应，往往造成巷道的破坏和失稳。因此，合理选择断面形状对维护松软岩层巷道的稳定尤为重要。

巷道断面形状应根据地压的大小和方向来选择。若地压较小，选用直墙半圆拱形是合理的；若顶压较大而侧压较小时，则选用直立椭圆形断面或近似椭圆形断面；若两帮水平压力特别大而顶压较小时，则应选用曲墙或矮墙半圆拱带底拱、高跨比小于1的断面，或平卧椭圆形断面；巷道周围均受到很大的压力，则以选择圆形巷道断面为宜。

(三)破岩方式的选择

在松软岩层中掘进巷道时，破岩方法最好以不破坏或少破坏巷道围岩为原则。若采用钻眼爆破破岩,也应采用光面爆破,以减少爆破对围岩的破坏。对松软岩层尽可能放小炮或使用风镐、掘进机破岩。淮南潘一矿在软岩中采用光面爆破,用超声波测定围岩松动范围,两帮大约为1.0m左右,而拱顶则为1.3~1.5m,对围岩还是有一定的破坏作用。龙口北皂煤矿在软岩中光爆效果不好,采用只放开心炮,而后用风镐或手镐刷大,对围岩稳定有利。沈北前屯矿基本上不用钻眼爆破法,而全部采用风镐掘进。舒兰丰广五井用煤巷掘进机破岩,巷道几乎没有变形。

(四)支护方式和支护结构的选择

在松软岩层中,巷道一经掘出,若不及时控制,则围岩变形发展较快,甚至围岩深处也有不同程度的位移,有可能出现围岩破裂、流变以至垮落。如果架设一般的梯形支架,将会出现断梁、折腿等现象。即使采用拱形料石或混凝土整体支护,也会因巨大的不均匀地压作用而导致巷道失稳和破坏。通过对穿过松软岩层巷道的研究及实践证明:对这种特殊的不良地层掘进时,其支护结构应有“先柔后刚”的特性,一般需要进行二次支护。

松软岩层的地压显现属于变形地压,初始支护应按照围岩与支架共同作用的原理,选用刚度适宜、具有一定柔性的可缩性支架。它既允许围岩产生一定量的变形移动,以发挥围岩自承能力,同时又能限制围岩发生过大的变形移动。锚喷支护是具有上述特性的支护形式,因而是一种比较理想的初始结构。此外,U形金属可缩性支架也基本上符合上述要求,也可用作初始支护。

二次支护的作用在于进一步提高巷道的稳定性和安全性,应采用刚度较大的支护结构。若采用锚喷支护作为初始支护时,二次支护仍可采用锚喷支护,也可砌碹。在重要工程或地压特大地段,喷射混凝土还应增加钢筋网和金属骨架,即构成了锚喷网金属骨架联合支护结构。锚喷支护总厚度以150~200mm为宜,锚杆长度一般根据开巷后的塑性区范围而定。在软岩巷道中,塑性区范围(一般2~3m,有时超过3~5m)有时很大,此时可采用长短结合锚杆,长锚杆大于1.8m,短锚杆在1m左右,长锚杆可以抑制塑性区的发展,而短锚杆可以积极加固松动圈的围岩,使其构成稳定的承载环。在锚杆的长距比相同的情况下,采用短而密的锚杆比长而疏的锚杆效果好。

采用料石或混凝土块砌碹作为二次支护时,因长条形料石和混凝土块在碹体中受力情况不好,在不均匀地压作用下,多数由于点接触形成应力集中而使碹体局部遭到破坏。为了克服这一特点,应选用异形料石或异形混凝土块作为砌体材料,金川、舒兰、沈北等矿区都有成功的经验。图14–2所示是舒兰设计采用的异形混凝土块碹,图14–3所示是前屯煤矿使用的异形料石圆碹。

料石和混凝土结构是国内常用的软岩支护形式,只要提高施工质量调整砌块的规格,保证壁后充填密实,或在砌块之间加入可缩性木板,均能大大提高碹体的支护效果。苏联、比利时等国在支护软岩巷道,尤其是采深较大的巷道时,常采用预制混凝土块支护,并向大型钢筋混凝土块发展,用吊装机械安装。近年来我国少数煤矿(如沈阳矿务局大桥煤矿)已开始使用这种钢筋混凝土块来支护软岩巷道,并取得了一定的效果。

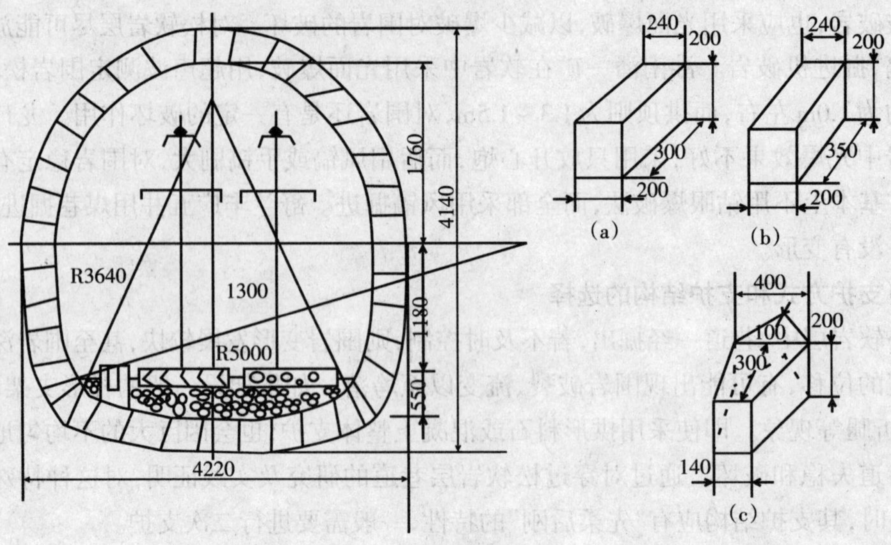

图 14-2 异形混凝土块碹

(a)拱顶、墙料石;(b)底拱料石;(c)底角处料石

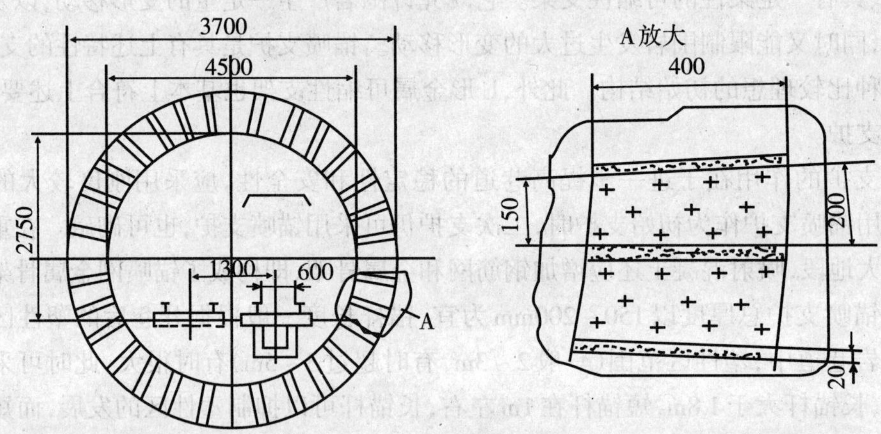

图 14-3 异形料石圆碹

二次支护应在围岩地压得到释放、初始支护与围岩组成的支护系统基本稳定后进行。围岩变形趋于稳定的时间,不仅取决于岩石本身物理力学性质,而且与初始支护时的支架刚度有关,因此它的变动范围往往很大。为了保证二次支护的效果,最好进行围岩位移速度和位移量的量测,绘制相应的变化曲线,如图 14-4 所示。取位移速度和位移量的峰值下降后所对应的时间 t_0 作为二次支护时间比较合适。

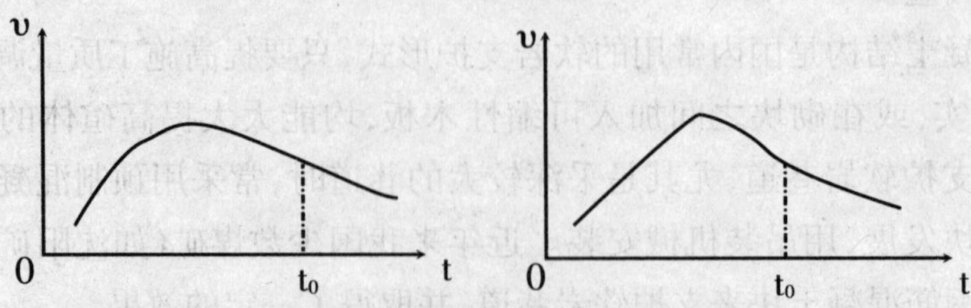

图 14-4 围岩位移速度和位移量变化曲线图

(a)围岩位移速度变化曲线图;(b)围岩位移量变化曲线图

应该指出，由于各矿区松软岩层的工程地质条件千差万别，必须从实际出发，选用适合本矿区岩层特点的支护形式。有的地层岩石流变很突出，若不立即封闭，围岩就要流动，此时不必采用二次支护，可从支架的结构上采取措施，使之具有一定的可缩量，以便有效地抵御变形地压，仅采用一次支护就可使巷道稳定。有的巷道围岩变形长期不能稳定，二次支护的时间不易掌握，有可能初始支护就需要多次，直至巷道基本稳定之后才能进行最后一次支护（即所谓二次支护）。

（五）加强巷道底板管理

软岩巷道，多数是要发生底鼓的，特别是在膨胀性围岩中的巷道，因此安设底拱的作用是不可忽视的。分析一些软岩巷道屡遭破坏的原因，除了施工程序、巷道断面形状和巷道布置不合理之外，很重要的原因就是底鼓。有的虽然设置了底拱，但因质量不好，等于虚设，底板仍然鼓起，巷道仍遭破坏。目前我国防止底鼓的措施一般是用砌块砌筑底拱，也有个别用锚杆加固的，但效果不好，一旦发生底鼓，锚杆翘起，很难处理。底拱的安置时间应视巷道支护方式而定。若用圆碹或椭圆碹作二次支护，砌碹时要按先砌底拱、后砌墙、最后砌拱的施工顺序一次完成。若用锚喷支护作初始支护，则可在初始支护完成一段时间，底板应力得以充分释放之后再砌筑底拱，与一次支护同时完成较好。不论采用何种底拱结构，都必须使底拱两端压在墙下，与墙连为一个整体。

苏联曾采用过底板钻眼松动爆破，然后注浆加固底板的方法防止底鼓（图14–5）。这种方法能降低围岩应力和提高围岩强度，受回采工作影响后，在加固地段中部底鼓量仅为70～100mm，而未加固的区段则进行了三次卧底。

此外，工作面有水的巷道，施工时应及时排水，尽量减少水与岩石的接触，防止岩石遇水膨胀。

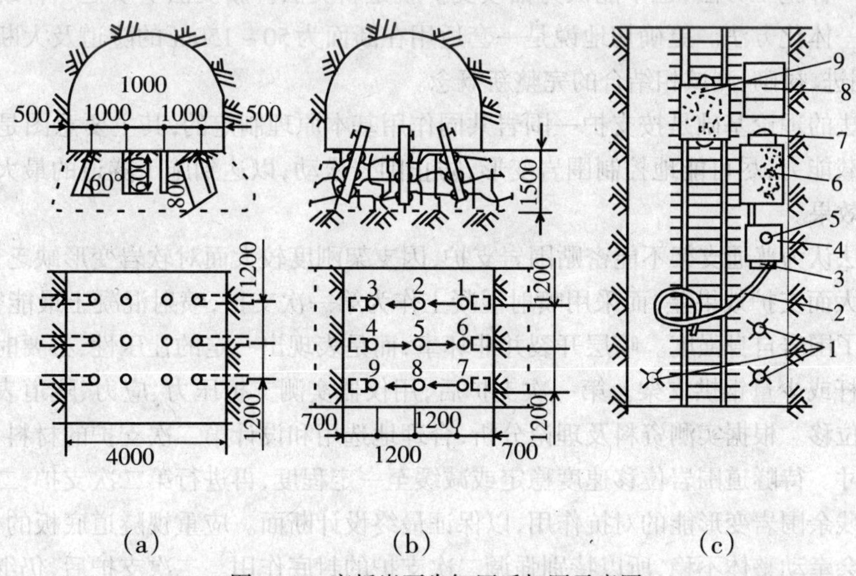

图14–5　底板岩石先卸压后加固示意图

(a)炮眼布置；(b)注浆孔的布置和注浆顺序；(c)加固岩层时的设备布置

1——注浆孔；2——注浆软管；3——闭锁开关；4——注浆泵；5——压力表；6——泥浆搅拌车；7——电动机和减速器；8——材料计量箱；9——装有水泥的矿车

(六)重视围岩的量测监控

在松软岩层巷道采用锚喷支护,一定要配合进行量测监控,以便及时调整支护参数,尤其对巷道围岩的收敛变形应特别重视,可用收敛计量测巷道的收敛变形,亦可有水准仪测量顶板下沉量和底鼓量;用各种多点式位移计量测岩层内不同深度的位移,从而可以算出位移速度。通过这些量测数据,有助于评价围岩的稳定程度,可以论证各设计参数是否合理和锚喷效果,也是修改设计和确定二次支护时间的依据。

锚杆的锚固力可用中空千斤顶式的锚杆拉力计来量测。锚杆的应力状态,可用专门设计的空心"锚杆"(它的构造是聚氯乙烯塑料管内壁用101号胶粘贴电阴片)来测定,以检验锚杆不同深度处的受力状态,从而能推知围岩内应力重新分布的情况,进而可调整锚杆的设计参数。

对于重要工程的大断面巷道,还要进行接触应力的量测,可采用电阻应变砖和钢弦压力盒等测试元件;根据测量结果,可以了解喷层的受力状态,有助于设计喷射混凝土的厚度。

地应力特大的矿区,还应量测构造应力场,这对巷道合理布置,减轻地应力对巷道支护的破坏影响具有重要意义。理论和实践证明,巷道沿最大主应力的作用方向布置比较有利,如果巷道走向垂直最大主应力的作用方向,则巷道围岩中受力变形现象比较严重,易使巷道的稳定状态恶化,导致失稳破坏。

(七)新奥法施工软岩巷道

新奥法是1964年由奥地利L.V.Labcewicz(腊布希威兹)教授根据多年隧道施工经验总结发表的,称为"新奥地利隧道施工法",简称"新奥法"(NATM)。

新奥法是隧道施工科学方法的总结,主要针对软岩隧道施工,重点在支护方面。新奥法不单纯是一种施工方法,也不能认为锚喷支护就是新奥法。新奥法实质是一种现代先进设计与施工一体化方法。更确切地说是一套适用在断面为50~150m^{2}的隧道及大断面地下工程设计、掘进、衬砌、测试相结合的完整新概念。

新奥法的理论基础是按支护—围岩共同作用基本原理制定的,其主要意图是调动围岩自身的承载能力,尽可能地控制围岩变形,防止围岩松动,以达到施工隧道的最大安全度和最好经济效果。

新奥法认为普通支架不能密贴围岩支护,因支架刚度较大而对软岩变形缺乏让压性,材料消耗量大而支护效果差,而采用喷射混凝土作为第一次支护,喷射混凝土最能密贴围岩,充分利用了围岩自身强度。喷层开裂并非坏事,而是表现出一定的让压性,必要时第一次支护加用锚杆或少量钢拱支架。第一次支护后,用仪器实测支护压力、应力、隧道表面位移及围岩内部位移。根据实测资料及理论分析,合理地选用和设计第二次支护的材料、结构型式及规格尺寸。待隧道围岩位移速度稳定或减缓至一定程度,再进行第二次支护,二次支护应体现出对残余围岩变形能的对抗作用,以保证最终设计断面。应重视隧道底板的处理,若底板不稳就会牵动整体不稳,所以特别强调二次支护的封底作用。二次支护后,仍继续监测支护压力及围岩位移,必要时再进行支护的调整。

新奥法的基本思想和方法不仅适用于隧道工程,而且适用于断面相对较小的煤矿软岩巷道工程。国外利用新奥法施工隧道,初始支护多采用锚喷支护,二次支护用补喷挂网。当围岩压力很大时,亦有用钢骨架钢筋混凝土整体浇灌作为永久支护的,而我国在某些软岩巷道和硐室,不论是初始支护还是二次支护,多数是采用锚喷或锚喷网,只有少数煤矿采用锚喷网钢骨架联合支护。

三、松软岩层巷道施工实例

(一)北皂煤矿软岩巷道施工方法

北皂煤矿位于山东龙口矿区黄县煤田的西北部,含煤地层属于第三纪,煤系地层主要岩石有:炭质泥岩、油页岩、含油泥岩、砂质页岩及黏土岩等。岩石的强度都很低,普氏系数f=0.6~2.8。其中煤1顶板炭质泥岩、煤2顶板含油泥岩及煤3底板黏土岩,均含有黏土质矿物——蒙脱石,开巷后易风化脱水,再遇水就产生膨胀。尤其是煤2顶板含油泥岩,蒙脱石含量较大,而且岩层较厚,在其中开巷后,膨胀压力也较为严重。至于煤1顶板炭质泥岩和煤3底板粘土岩虽也含有蒙脱石,但因强度略大,厚度略小,故膨胀压力显现也较小。

由于北皂煤矿借鉴了临近煤矿用一般常规的支护方式(棚式支架和料石砌碹)不能有效地抵御膨胀地压,因而在各种岩层中较多地使用了锚喷支护。该矿实践证明,在相对稳定的岩层,如顶板为砂质页岩的西运输大巷及各煤层巷道,采用常规光爆锚喷方法即可有效地维护巷道。

当通过稳定性较差的泥岩或黏土岩,施工断面较小的巷道时,还要加铺φ4mm冷拔钢丝编成150mm×150mm的金属网,用锚杆托盘固定,然后再喷一层混凝土,形成锚喷网。在二、三采区上山,部分回风巷及运输平巷中均采用这种支护形式。当围岩条件更差,巷道断面较大时,则采用φ12mm或φ16mm钢筋编成的250mm×250mm钢筋网代替上述金属网,如受压后变形严重,可补打锚杆校正钢筋网,最后再复喷混凝土。

在巷道必须通过本矿区膨胀性比较大的炭质泥岩和含油泥岩时,一般需要采用锚喷网架联合支护。如一水平东大巷,因通过含油泥岩,围岩难以控制,用风镐法掘进,有时只放开心炮,未爆下来的岩石按设计轮廓线用风镐或手镐挑顶刷帮成形。为了防止由于巷道围岩变形而影响巷道断面尺寸,可使巷道两帮比设计宽度各增加200mm,顶、底也外扩200mm,每日两掘一喷,班进尺1.0~1.2m,日进尺2~2.4m。巷道掘出后,应立即站在矸石堆上打顶部的锚杆,并及时扎装钢筋网。锚杆采用金属倒楔式锚杆,长1.8~2.0m,间距600~700mm,锚杆均按巷道轮廓法线方向布置,如图14-6所示。为了有效地控制围岩变形,每隔500mm架设一架16号槽钢金属骨架,然后再喷混凝土,厚度100~150mm左右。由于膨胀压力的影响,过一段时间有局部地段的喷层和钢骨架被压坏,需要重新修整,进行第二次喷射混凝土,总厚度一般在200mm左右。二次支护的时间,一般在三个月以后,最好是在半年以后进行,此时巷道围岩基本稳定。

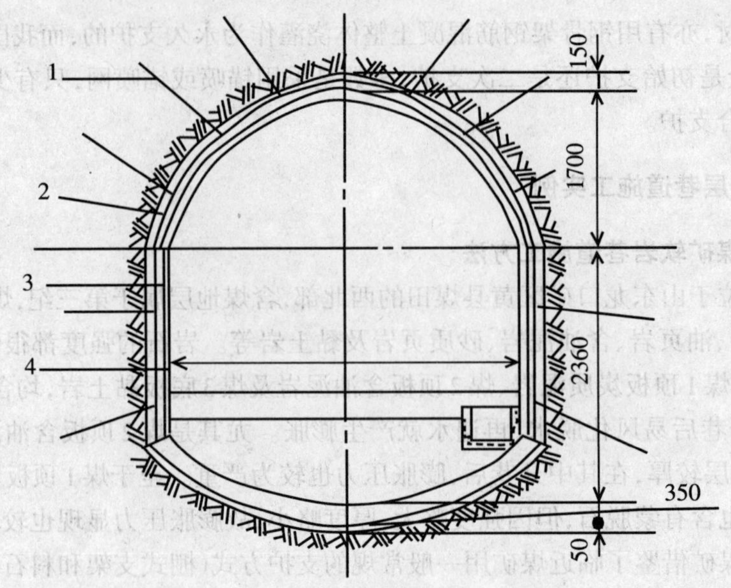

图 14–6　北皂煤矿动大巷施工图

1——锚杆；2——钢筋网；3——金属骨架；4——混凝土喷射层

龙口矿区在软岩中掘进巷道，一般都发生底鼓现象，特别是在具有膨胀性的含油泥岩中，底鼓比较严重，巷道施工时需设底拱。由于锚喷底拱养护条件差，在底鼓较严重的东大巷没有采用，而采用毛料石砌筑的底拱，底拱施工不宜过早，待到围岩应力得以充分释放后和二次支护一并施工为好。铺设底拱一定要与墙基紧密结合，复喷成巷。

(二)舒兰矿区松软层巷道施工

吉林舒兰矿区为第三纪中新统含煤地层，构成含煤地层的岩石均属松软岩石，以未胶结的疏松含水砂岩为主，其次为半胶结的粉沙岩、半坚硬的砂页岩以及黏土质页岩。其中半胶结和未胶结的砂岩，质地疏松，开挖后易溃砂，未胶结粉砂岩遇水后呈片状崩解，黏土质页岩具有塑性膨胀的特点。同时随着开采深度的增加，地压有明显的增大。以吉舒三井为例，当巷道距地表小于 100m 时，巷道容易维护，碹体的破坏率仅为 12.6%；距地表 100 ~ 150m 时，碹体的破坏率达 31.2%；而深度大于 150 ~ 200mm 时，巷道维护特别困难，碹体的破坏率高达 90% 以上。在遇水膨胀的围岩中，底鼓现象也很严重，一般巷道底鼓速度为 60mm/月~100mm/月。采场动压对相邻巷道的影响也很严重，动压波及范围远大于一般矿井，片盘斜井一侧的保护煤柱宽达 60 ~ 70m，仍能受到采动压力的影响。

在舒兰矿区开采最深的矿井之一——丰广四井暗斜井实验锚喷支护取得了初步成果。实践证明，在该矿区软岩地层中采用锚喷网支护是有效的。

丰广四井带式输送机暗斜井全长 357m，+40m 以上已经压垮，重新返修，永久支护为 U 形钢支架，+40m 以下为新掘斜井。为了克服以往采用的直墙半圆拱形断面局部受力不均的缺点，暗斜井井筒断面选用曲墙、半圆拱加底拱，形成近似圆形断面，如图 14–7 所示。

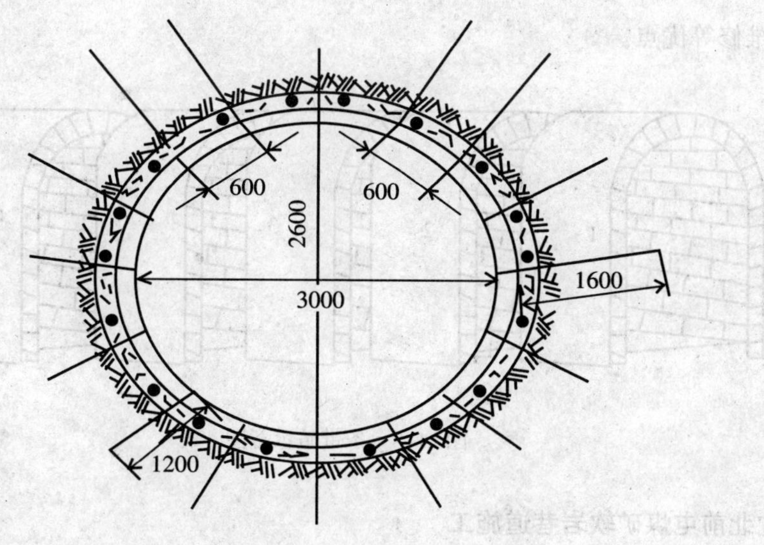

图 14–7　丰广四井暗斜井断面示意图

带式输送机暗斜井采用钻眼爆破法破岩，临时支护采用木支架，掘完一段并待围岩得到充分卸压之后（大约需要 1 ~ 2 个月），拆除临时支架，刷帮挑顶，接着打锚杆眼，安装倒楔式锚杆，注入砂浆，然后挂网，上垫板，最后喷射混凝土，一次喷厚 150mm。锚杆支护参数见表 14–1。

表 14–1　　　　**带式输送机暗斜井锚喷支护参数表**

项目	巷道断面 /m^2	锚杆长度		锚杆间距 /mm	锚杆排距 /mm	锚杆材料 /	垫板规矩 /mm	网络 /mm	混凝土强度 /MPa	锚固 /N	直接成本 /元·m^{-1}
		底 /m	顶、帮 /m								
数值	2.6 × 3.0	1.2	1.8	600	600	φ14 钢筋砂浆锚杆 φ120 × 12 铸铁					

该暗斜井在成井后的三年零七个月期间，除了经受正常静压考验外，还经受了三层煤的支承压力、五层煤的采动压力以及右侧反石门和溜煤岩掘进的动压影响，虽然局部巷道发生开裂和剥落，但围岩没有松脱和冒落，经两次补喷和局部地段用 U 形钢支架补强后，斜井仍然能正常为生产服务。

在舒兰吉舒一井副井六路半处还曾试用过“条带碹”代替常用的料石碹，这也是解决软岩支护问题的途径之一。“条带碹”是在一条巷道里，砌一段，空一段，如此反复构筑的碹体，如图 14–8 所示。其中 1 ~ 5 是砌碹条带，砌碹条带之间的空段是卸压通道。条带宽是 1.6m，卸压通道宽 0.6m。如若该试验巷道在设计和施工时考虑铺设底拱，其结构将更加合理。显然“条带碹”是一种支—让结合的支护方式，围岩可以向未砌碹的空间发展变形，以减小围岩对碹体的压力。条带碹适用于塑性流变大、有黏土膨胀性矿物成分的松软岩层平巷或坡度较小的斜巷，对受采动影响的巷道也有较大的适应性。此外，条带碹还具有成本低、施工速度快、便于维修等优点。

图14-8 条带碹示意图

(三)沈北前屯煤矿软岩巷道施工

辽宁沈北前屯煤矿煤层顶板是黑灰色泥质页岩,厚度为80m,底板是黏土页岩和亚黏土质页岩,厚度为40~100m。含有蒙脱石和伊利石,风干脱水后再遇到水的作用时,均产生膨胀和崩解现象,当含水率增大时,其力学强度降低,塑性增大,最后变为流动状态。巷道开掘后,围岩向巷道空间大量移动,如不采用封闭支架,巷道顶板一直不停地冒落,甚至波及地表,难以形成较稳定的平衡状态。

在这种特殊的地层中,曾采用一般的料石砌碹、混凝土碹和锚喷支护,均未达到预期的效果。为此,该矿采用木板砌缝的花岗岩料石碹,以柔刚结合的支架结构形式来适应较大的变形地压,采用风镐法掘进,防止围岩受到震动而失稳,及时排除巷道中的积水,减少岩石遇水膨胀的程度,合理选择巷道位置,减少支承压力的影响。

施工时,为了尽量缩小空顶面积,采用了短段掘砌一次成巷的施工方法,全断面掘完以后8~16h之内,就及时封闭。掘进步距为1.0~1.2m,用样模来保证巷道的圆度,碹体与围岩之间要保留100mm左右的空隙,壁后用河砂充填,即起到缓冲地压的作用,又控制了围岩只能均匀位移。

在围岩膨胀力大、岩石移动量大的主要巷道采用木版接缝的料石圆碹,木板的规格为(10~15)mm×400mm×200mm,采用异形料石,其规格为(150~200)mm×400mm×(200~250)mm。这种碹体具有一定的可缩性,并能适应围岩的应力变化,以"先柔后刚"的特性获得良好的技术效果。

前屯三井北五道因受地质构造影响,压力较大,采用木板接缝料石圆碹支护效果很好,而与其相邻的砂浆接缝料石圆碹却遭到了严重破坏。

(四)金川二矿区松散围岩巷道施工

甘肃金川矿区为震旦系古老结晶变质岩系,历次构造运动给本区留下了以断裂为主的构造形迹,大小断层裂隙纵横交错,整体性差,地应力大,开掘后呈现严重松散和内向挤压,围岩变形量大,具有明显的流变性,给巷道维护带来极大的困难,严重地影响矿区建设速度。

为解决金川矿区松散岩层的巷道支护问题,先后有多家科研单位对该矿区的工程地质构造、地应力特点、地压活动规律和巷道支护形式等进行了长期的量测、试验和研究,并分析总结多年的施工经验，对矿区的地压特点有了较全面的认识。根据这一认识，利用地压与支护共同作用的原理，在二矿区四个地点组织了二次支护的综合试验和推广运用。实验巷道全长32m，掘进断面宽6m、高4.5m。为满足承受较大水平应力、易于施工和有效利用面积较大等要求，选用矮墙半圆拱并带底拱的巷道断面，如图14–9所示。

施工时，采用控制爆破，减轻对围岩的破坏，保证巷道有较规则的断面形状。

巷道支护由初始支护和二次支护组成。初始支护采用钢筋网喷射混凝土和锚杆、喷锚作业紧跟掘进工作面，放炮后立即喷一层30～50mm厚的混凝土，然后安装锚杆，绑紧钢筋，再喷射混凝土至设计初始支护厚度100～150mm。试验巷道的支护参数见表14–2。

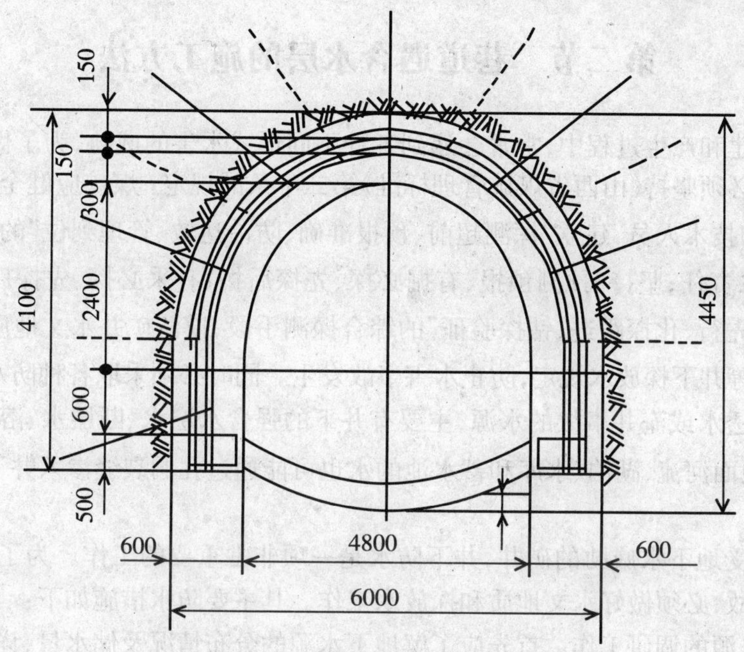

图14–9　金川矿区松散岩石试验巷道施工图

1——预留厚度300mm混凝土衬砌；2——混凝土块砌筑的底拱

表14–2　试验巷道的支护参数

段别	初始支护			二次支护	
	喷射混凝土厚度/mm	钢筋网	钢杆	喷射混凝土厚度/mm	钢筋网
第一试验段	100～150	主筋ϕ12mm或ϕ14mm；副筋ϕ6mm；网距250mm	ϕ20mm长度；顶拱部1.8m，侧壁2.5m 间距1.0m	150	主筋ϕ12mm或ϕ14mm；副筋ϕ6mm；网距250mm
第二试验段	100～150	主筋ϕ12mm或ϕ14mm；副筋ϕ6mm；网距250mm；	ϕ20mm；长2.5m；间距1.0m	150	主筋ϕ12mm或ϕ14mm；副筋ϕ6mm；网距250mm

为了及时掌握巷道开掘后围岩变化的动向和支护的力学状态，监视施工中的安全程度，确定和调整支护参数，为二次支护合理施工提供可靠的信息，在每一试验段均安设多种监测装置。量测项目有：巷道变形量测（用带钢尺和测杆）、围岩位置量测（用BM1型机械式多点位移计）、锚杆应力量测（用电阻片和电阻应变仪）、喷层径向和切向应变量测（用压磁元件和电感应力计）等。

初始支护后，巷道变形仍处于等速发展时，应考虑用锚杆补强，调整初始支护参数。当变形速率处于明显减小或月收敛量为几毫米时，再进行二次支护。在金川的地质条件下，二次支护的时间大约在120天以后。

第二节　巷道遇含水层的施工方法

在煤矿基建和产生过程中，常常会遇到各种不同形式水害的威胁，为了做到安全生产，在巷道掘进中必须坚持《山西省煤矿管理标准》第二十条的规定：煤矿应健全防治水管理机构，配足管理和技术人员，建立“探测超前、预报准确、防治达效、管理到位”的防治水工作体系，落实防治水责任；坚持“预测预报、有掘必探、先探后掘、有采必探、先探后采”防治水原则，采取“物探先行、化探跟进、钻探验证”的综合探测手段，摸清矿井水文地质情况，严格执行“探掘分离”等井下探放水规定，防止水害事故发生。同时必须采取各种防水措施。

煤矿发生透水或淹井事故的水源，主要有井下的强含水层水、断层水、溶洞水和老空区积水等，有时地面河流、湖泊、水库和蓄水池的水也可能通过孔洞裂缝渗入井下，造成透水或淹井事故。

对于一些受地下水威胁的矿井，井下防水是一项非常重要的工作。为了防止巷道掘进时发生透水事故，必须做好水文地质和探放水工作。其主要防水措施如下：

（1）做好水源的调研工作。首先应了解地下水源的分布情况及储水量，详细分析研究已有的水文地质资料，做好老空区过去生产情况的调查研究工作。如附近有生产矿井，就应调查并取得相应各含水层及生产期间有关水文、地质构造方面的详细资料，作为参考。

（2）密切注意透水前的征兆。在一般情况下，透水之前都有一些异常的表现和征兆，如挂红、挂汗、煤壁变冷、出现雾气、煤壁和顶板突然渗出水珠、掘进迎头淋水增大、工作面出现红色带臭味的水、煤层里有“吱吱”的水叫声、顶板来压底板鼓起、工作面有害气体增加等。当发现着些征兆后，应立即采取措施进行处理，并报告矿井调度室，如情况危急必须立即发出警报，撤出所有受水威胁地点的人员。

（3）认真做好探、放水工作。探、放水工作是矿井水文地质工作的重要内容之一。当巷道接近老空区、含水断层和强含水层时，都要进行探放水工作。

①钻孔布置。探水钻孔应保持适当的帮距、密度和超前距离。超前距离是允许巷道掘进的终止点与最浅钻眼终孔间的距离，它与巷道前进方向的岩（煤）层硬度、煤层厚度和水头压力有关，其决定方法见表14-3、表14-4。

表14-3　　根据巷道岩性确定超前距

炮眼参数	眼距/mm	最小抵抗线/mm	装药量/卷
围岩完整	400～500	500～550	2
层、节理发能	300～350	600～650	1.5～2隔眼装药
断层破碎带	200～150	700～750	1～0.5隔眼装药

表14-4　　根据煤层厚度确定超前距

煤层厚度/m	水头压力	最小超前距/m
1.6～2.2	>3 1～3 <3	20 16 14
1.2～1.6	>3 1～3 <3	20 14 10
0.7～1.2	>3 1～3 <3	18 12 10
0.7以下	>3 1～3 <3	16 10 8

帮距是中心眼终点与外斜眼终点的距离，原则上应与超前距离一致，但在实际施工中，因受巷道横断面的限制，外斜眼与巷道中心线的交角可能很大，所以帮距可根据煤的硬度等具体情况比超前距离小1～2m。

探水钻孔的密度是在允许掘进距离的终点，探水钻孔的间距，应视老空区巷道的宽度而定，在危险地区各探水孔终孔间的距离不得大于老巷的宽度。

②煤巷探水。钻孔布置方式及其控制范围应根据巷道前进方向积水分布情况而定。

当巷道处在受水威胁的地区时，井下探水必须与厚度掘进施工密切配合。配合方式有：

当巷道三面受水威胁时，应采取双巷掘进交叉探水，双巷之间每隔50m左右掘一条联络巷，作为安全躲避地点，甲巷探水时，乙巷掘进，两巷探水与掘进交叉进行，直到巷道达到设计终点而结束，如图14-10所示。

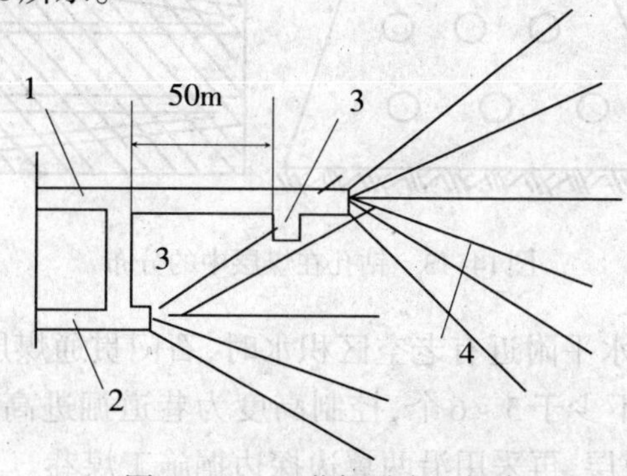

图14-10　双巷掘进交叉探水

1——甲巷；2——乙巷；3——联络巷；4——探水钻孔

双巷掘进，单巷超前探水，若巷道沿煤层走向掘进，当积水在巷道的上侧时，可采用单巷超前探水，上帮工作面应超前下帮工作面20～30m，且下侧巷道工作面应处于探水钻孔的控制范围以内，如图14–11所示。

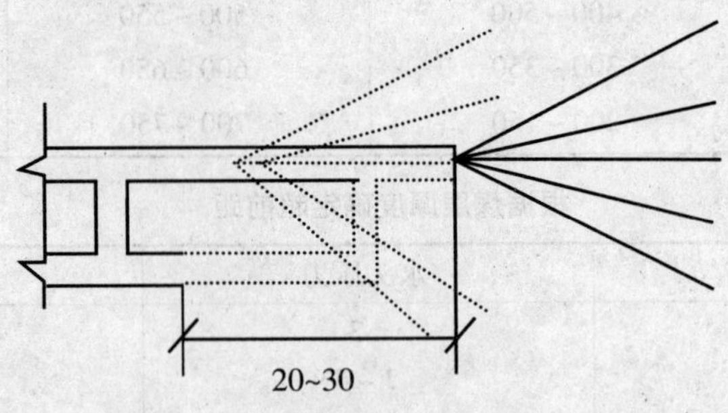

图14－11　双巷掘进，单巷超前探水

平巷与上山配合探水，在同一煤层内，上方掘进平巷，下方向上开掘上山，一般先探水掘进平巷，然后再开掘上山，如图14–12。这样既减少上山掘进的危险性，又减少上山掘进的探水工作量。

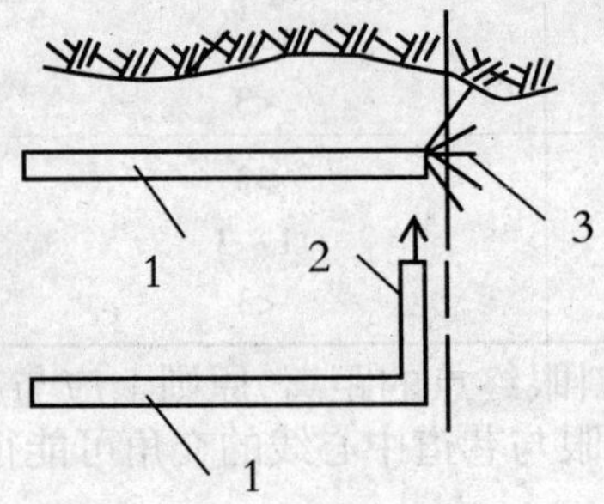

图14－12　平巷与上山配合探水

1——平巷；2——上山；3——探水钻孔

在中厚煤层中探水，钻孔在煤层中的分布密度，如图14–13所示。

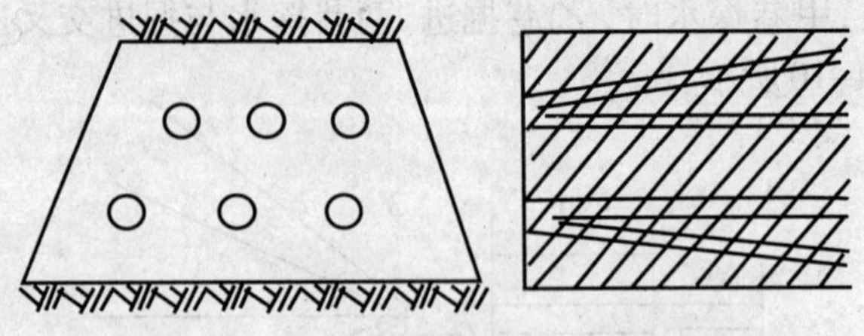

图14–13　钻孔在煤层中的分布

③石门探水。在生产水平附近有老空区积水时，石门贯通煤层之前均须探水。探水孔布置呈半圆形，孔数一般不少于5～6个，控制高度为巷道掘进高度的10倍，如图14–14所示。将积水放尽后，掘透煤层，再采用沿两翼边探边掘施工煤巷。

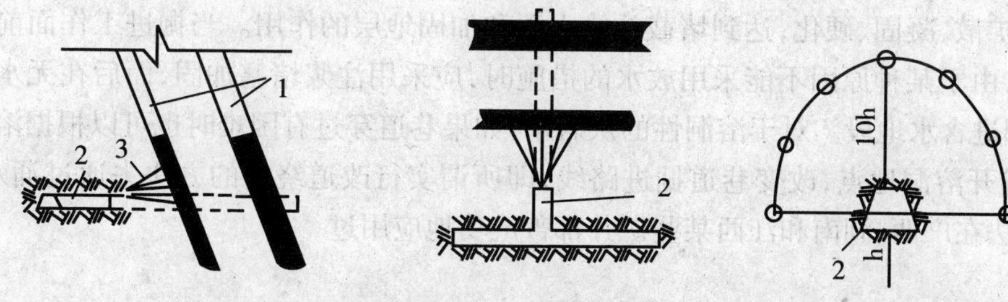

图14-14 石门探水方法

1——采空区集水区；2——石门；3——探水钻孔

④钻孔放水。巷道掘进时，如遇到涌水量很大的含水层，可采用钻孔放水法，造成降水漏斗，从而使掘进工作在已疏干的岩层中掘进。图14-15所示是钻孔放水方法之一，当掘进工作面距含水层30～40m时，从工作面沿底板向下倾斜10°～30°钻进2～3个直径为100～150mm的钻孔，在孔口外安设3～5m的套管，并在其露出端装设截止阀，然后即可用轻型钻机继续钻孔。如果预计水压很大，为防止水自钻孔中冲出，可在孔口管上安装保护压盖。为了测定水压配装压力表。钻孔水可由截止阀控制，在放水的同时应测定水压和涌水量。

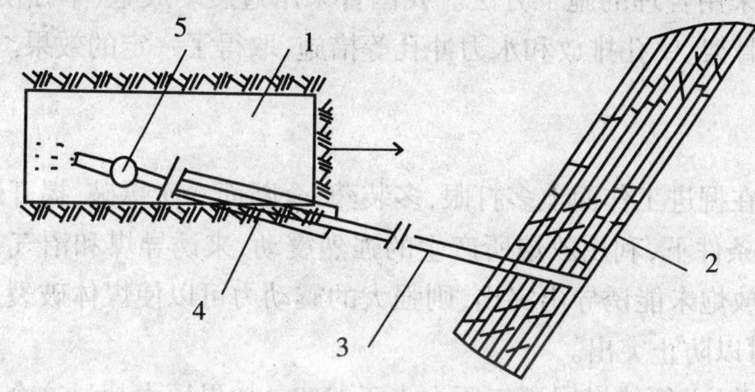

图14-15 利用钻孔放水的方法

1——石门；2——含水石灰岩；3——探放水钻孔；

4——孔口管；5——截止阀

当钻孔中的涌水量已经不大且水压降至0.1～0.2MPa时，即可开始在含水带内掘进。但有时水压虽已降低，而涌水量并未减少，可安设水泵进行抽水，使水位降至巷道底板以下，从而使掘进工作在已疏干的岩层内进行。

⑤探放水安全措施。在打探、放水钻孔之前要加强钻孔附近巷道的支架，背好顶帮，并在工作面上打好坚固的立柱；探水地点有可能涌出CO_2、H_2S、CH_4等有害气体，必须加强通风和瓦斯检查；水压较大地点的探水孔要设套管，以便安装截止阀调节流量；特别危险地区还要选择坚固地点砌筑水闸墙；安排好避灾路线并在探水地点设置通讯设施，在放水以前必须清理巷道、准备水沟或其他水路。同时必须估计储水量，并要根据矿井的排水能力和水仓容量控制钻孔放水流量。在排水过程中，还要有防止被水所封住的瓦斯突然涌出造成危害的措施。

（四）注浆堵水或改道绕行

注浆堵水就是利用注浆技术将制成的浆液压入地下预定地点（如突水点、含水层出水空间），使之扩散、凝固、硬化，达到堵截补给水源和加固地层的作用。当掘进工作面前方遇到强含水层，由于某种原因不能采用放水的措施时，应采用注浆堵塞加固，而后在无水的条件下，安全掘进含水地段。对于溶洞性的灰岩水，如果巷道穿过有困难时也可以根据溶洞分布的规律，避开溶洞地点，改变巷道掘进路线，即所谓实行改道绕行的方法去通过涌水地段。这种反复法在广西、湖南和江西某些矿井都曾成功地应用过。

第三节　石门揭开有煤和瓦斯突出煤层的施工方法

煤和瓦斯突出是在煤矿井下采掘过程中发生的一种煤和瓦斯的突然运动，它在极短的时间内，由煤体向巷道中突然喷出大量的煤和瓦斯。大突出时，喷出的煤粉和瓦斯有时带有暴风般的性质，逆风流可充满数千米长的巷道。突出的结果，可破坏采掘工作面的煤壁，摧毁巷道内的设施，破坏通风系统。所以，煤和瓦斯突出是煤矿安全生产的最严重的灾害。在有煤和瓦斯突出的矿井中，为了防止煤和瓦斯突出，确保安全生产，揭开突出煤层时，必须根据各地区不同条件采用合理的施工方法。我国曾采用过震动放炮（单独使用或配合其他措施综合使用）、金属骨架、钻孔排放和水力冲孔等措施，取得了一定的效果。

一、震动放炮

震动放炮就是在掘进工作面上多打眼，多装药，全断面一次爆破，揭开煤层，并且在人员撤离到安全地点的条件下，利用放炮所产生的强烈震动，来诱导煤和沼气突出，以保证作业的安全。如果震动放炮未能诱导出突出，则强大的震动力可以使煤体破裂，消除围岩应力和排放沼气，这样也可以防止突出。

在震动放炮之前，必须使煤层沼气压力小于1MPa，如果压力超过这个数值时，可采用钻孔排放沼气的措施将压力降至1MPa以下，然后用震动放炮法揭开煤层。

从震动放炮揭开煤层的要求出发，岩石柱的厚度越小越好，但最少不能低于规定数值。在急倾斜煤层条件下，巷道底、顶部岩石柱的厚度基本相等，比较容易做到一次破除岩柱，但对倾角较小的煤层，为了给炸开岩柱揭开煤层创造条件，在石门接近安全岩柱以后，尽量把工作面刷成和煤层倾角相近的斜面或台阶，如图14–16所示。

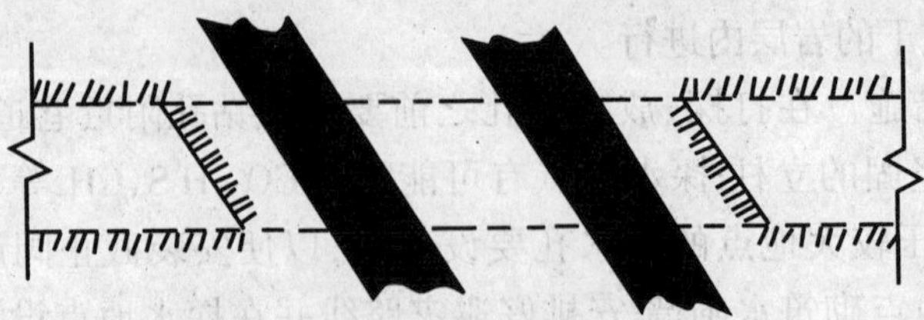

图14–16　石门揭开煤层刷斜面示意图

石门揭煤震动放炮的炮眼布置方法一般是：

(1)炮眼个数较一般爆破的炮眼数约两倍，但具体眼数应视岩柱情况而定。

(2)煤眼和岩眼要交错相间排列，顺序爆破。

(3)总炮眼中煤眼和岩眼的比例大致为1:2。

(4)炮眼的密度,巷道底部一般大于顶部,周边眼一般也大于中部。

(5)透煤炮眼深度应超过岩柱,如煤层相当厚,可进入煤层2~3m。

(6)石门周边眼应适当密一些,以保证爆破后石门周边轮廓整齐,避免在修整石门周边时发生突出。

(7)岩眼眼底应距煤层100~200mm,不应透煤,如已透煤,则应停止钻进,并在眼底填塞100~200mm长的炮泥。

图14-17为急倾斜岩层中一次穿透岩柱及煤层的炮眼布置图示例。

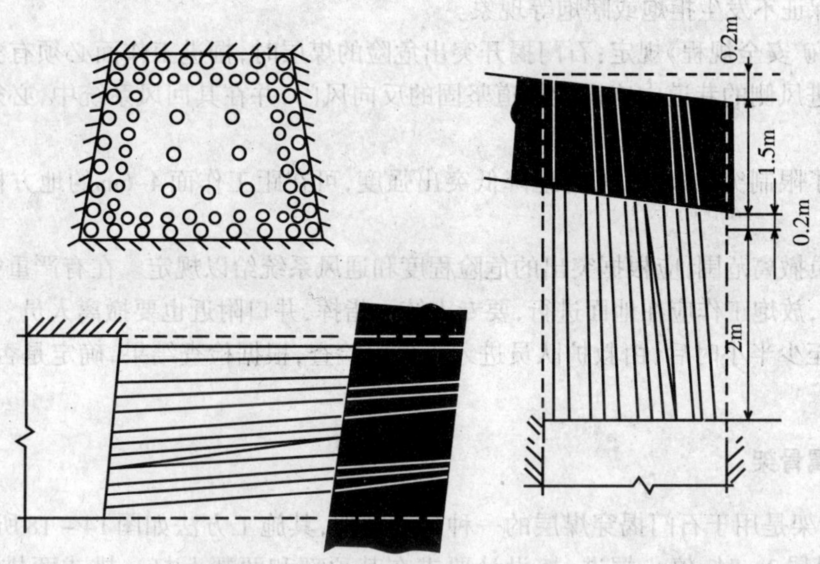

图14-17　一次穿透岩柱及煤层的炮眼位置

震动放炮的炮眼数目,可根据经验确定,也可按经验公式进行估算:

$$N=5\sqrt{S}\cdot\sqrt[3]{f^2}$$

式中　N——炮眼总数,个;

S——掘进巷道断面积,m^2;

f——岩柱的岩石坚固性系数。

爆破的装药量,根据我国一些矿井的统计,采用毫秒雷管时,岩石炸药消耗量为$2kg/m^3$~$3kg/m^3$,采用瞬发雷管时为$3kg/m^3$~$4.5kg/m^3$。

采用震动放炮应注意的几个问题:

(1)震动放炮必须所有炮眼一次起爆,炸开石门的全断面岩柱和煤层的全厚;如果第一次震动放炮没有全面揭开煤层时,第二次爆破工作仍应按照震动放炮的有关规定进行,直到全部揭开,并过完煤门若干米以后为止。

(2)当发现工作面的岩层特别破碎,岩柱崩落和压出,地压加大、瓦斯涌出量积剧增加,温度迅速下降以及产生震动声响等异常现象时,应立即停止作业,人员撤离至安全地区。

(3)当煤层的厚度在1m以下时,必须全部随岩柱一次崩开;当煤层水平厚度在1m以上时，至少应有1m的煤层随岩柱揭出。

(4)在缓斜、倾斜煤层中沿煤层底板或顶板揭煤时，有时可能岩柱没有一次全部揭开，留有“门坎”或“门帘”，在处理它们时，要特别小心，如需打眼，应密切注意突出预兆，爆破时也要按震动放炮的规定进行。

(5)每次震动放炮都应对岩柱性质、厚度、眼数、眼深、眼位、装药量、联线方式、起爆顺序、爆破效果等作详细记录，以便总结经验和分析。

(6)震动放炮只准使用带食盐被筒的煤矿安全装药；雷管事先要严格检查和分组，使用毫秒雷管时，其总延期时间不得超过130ms；装药后全部炮眼必须填满炮泥；爆破网路必须周密设计，保证不发生拒炮或瞎炮等现象。

(7)《煤矿安全规程》规定：石门揭开突出危险的煤层时，掘进工作面必须有独立的回风系统，在其进风侧的巷道中应设置两道坚固的反向风门，并在其回风系统中，必须保持风流畅通无阻。

(8)为了限制突出规模，人为地降低突出强度，可在距工作面4~6m的地方构筑木垛或金属栏杆。

(9)人员撤离范围，应根据突出的危险程度和通风系统给以规定。在有严重突出危险的石门揭盖时，放炮工作应在地面进行，要专人统一指挥，井口附近也要撤离人员、切断电源和火源，放炮至少半小时后，由救护队员进入工作面检查，根据检查结果，确定是否恢复送电、通风等工作。

二、金属骨架

金属骨架是用于石门揭穿煤层的一种超前支架，其施工方法如图14－18所示，当石门掘进距离煤层2m时，停止掘进，按设计要求在其顶部和两帮上打一排或两排直径为70~100mm、彼此相距200~300mm的钻孔。钻孔穿透煤层并穿入顶板岩层300~500mm，孔内插入直径为50~70mm或按设计尺寸的钢管或钢轨。钢管或钢轨的尾部固定在用锚杆支撑的钢轨环上，也可固定在其他专门支架上，然后一次揭开煤层。

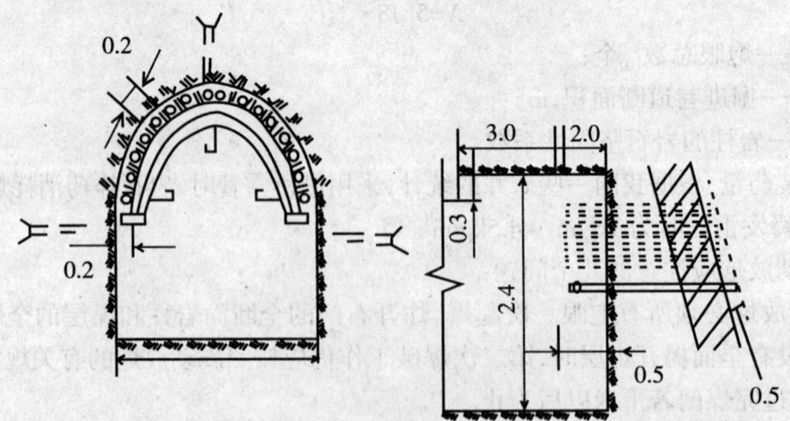

图14-18　金属骨架(单位：m)

金属骨架之所以能够防止突出，一方面是由于金属骨架支承了部分地压及煤体本身的重力，使煤体稳固性加强；另一方面是金属骨架钻孔起了排放瓦斯的作用，使瓦斯压力降低。

用金属骨架时，一般配合震动放炮，一次揭开煤层。

使用经验表明，金属骨架应用于地压和瓦斯压力不太大的急倾斜薄煤层，其效果是比较好的；在倾斜厚煤层中，因骨架长度过大，易于挠曲，不能有效地阻止煤体的位移，所以预防突出能力较差。

三、钻孔排放

钻孔排放就是石门工作面掘到距煤层适当距离停止掘进，向煤层打适当数量的排放沼气钻孔，在一定范围内形成卸压带，降低煤体中的瓦斯压力，缓和煤体应力，以防止煤和瓦斯突出。这一方法适用于煤层松软、透气性较大的中厚煤层。

排放瓦斯钻孔数量决定于瓦斯排放半径、排放钻孔直径和排放范围。排放钻孔数目可按下式计算：

$$N=K\frac{S_1}{S_2}$$

式中　N——石门全断面排放沼气钻孔的总数；个。

K——系数，视煤层的危险程度而定，一般取1.2。

S_1——应排放瓦斯的面积(包括石门四周1.5米范围内应排放瓦斯的面积)；m^2。

S_2——钻孔可排放瓦斯面积；m^2。

排放瓦斯钻孔的数量与钻孔的直径有密切关系。加大排放瓦斯钻孔的直径，就可以大大扩大排放瓦斯的半径，减少排放瓦斯孔数。

钻孔排放瓦斯的时间，以煤层瓦斯压力显著下降到1MPa以下为止，然后结合震动放炮揭穿煤层。如果煤层具有强度较大的突出特点，最好不单独采用震动放炮的方法诱导突出，因为发生特大突出将给以后清扫煤岩和巷道支护工作带来很大麻烦，对全矿井的安全也有很大的威胁。

四、水力冲孔

水力冲孔是在石门岩柱未揭开之前，利用岩柱作安全屏障，向突出煤层打钻，并利用射入的高压水，诱导煤和瓦斯从排煤管中进行小突出，这样在煤体内部就引起剧烈地移动，在孔洞周围形成卸压带，解除了煤体应力紧张状态，从而消除了煤和沼气突出的危险。这种方法用于揭开具有自喷现象的软煤层，比较安全可靠。

当石门掘进接近煤层的顶板或底板时，保留3~5m的岩柱做安全屏障，用钻机先打长为0.8~1.0m，直径为108mm的岩孔，然后换上直径为90mm的钻头一直打到煤层喷孔点，而后将岩心管退出，在孔口安装直径为108mm的套管和三通排煤管，并连接排煤软管、射流泵和输煤管道至400~500m以外的煤、水、瓦斯分离沉淀池。上述工作完成后，将钻机上的直径为42mm的钻头及钻杆通过三通卡头密封孔送到煤层喷孔点，连接压力水管，使水的射流经过钻杆冲击煤体，诱导小突出，喷出的煤、水、沼气经过钻杆和钻孔、套管间之空隙进入三通、排煤软管，吸入射流泵，将煤、水、沼气通过输煤管道送入沉淀池。钻杆反复冲洗，不断前进，直至钻杆打到预定深度和冲出的煤量合乎要求为止。

第二部分　专业核心知识点

1.松软岩层巷道施工要注意的问题。
2.探水方法。
3.石门揭开有煤和瓦斯突出煤层的几种施工方法。

复习题

1.在软岩中施工巷道应遵循哪些原则?
2.新奥法施工的主要特点?其施工的要点有哪些?
3.松软岩层巷道施工的方法有几种?
4.简述巷道通过含水层的方法。
5.矿井发生透水前的异常表现及预兆有哪些?
6.主要防水措施有哪些?
6.探放水的原则是什么?探放水的安全措施有哪些?
7.采用震动放炮应注意哪些问题?

技能训练题

能在不良地质条件下,组织掘进和支护工作。

讨论题

煤矿防治水措施讨论。

要点:

水害是煤矿五大自然灾害之一,在煤矿建设和生产过程中,常常会遇到水的危害,下面就如何防治水害措施进行讨论。

煤矿防治水害措施:

防治水工作应当坚持预测预报、有掘必探、先探后掘、先治后采的原则,采取防、堵、疏、排、截的综合治理措施。

1.地面防水措施:

地面防水是防止雨季地表水涌入矿井。在地面修筑防排水工程,防止或减少大气降水和地表水渗入井下。它是保证矿井安全生产的第一道防线,特别是对于以降雨和地表水为主要涌水来源的矿井尤为重要。它也是一项经常性的工作。在每年雨季前,都要建立专门的防洪(汛)机构,组织这一工作。 故地面防治水是在地面修筑一些防排水工程,用以阻止降雨汇集水和地表水涌入工业广场,并通过渗漏区流入井下所采取的技术措施。

(1)防、堵——在矿井设计时,井口和工业广场应选择在不受洪水威胁的地方,井口和工业广场内的主要建筑物的标高,必须高出当地历年来最高洪水位;如因地形限制,难于找到合适的井筒位置,就应修筑坚实的高台,以使井口标高高出历年最高洪水位;矿区受山洪威胁时,可在山坡上修挖防洪沟堵截山洪并在井口附近迎水流方向修筑防洪堤坎,以防山洪直接从井口灌入井下。矿区地表的塌陷区(包括塌陷裂缝、塌陷洞等)、废弃的钻孔及小窑古井等,要用黏土和石块堵塞、填平、夯实,对于较大范围的塌陷坑和裂缝塌陷区,如果填塞工程量太大,或某些原因不能进行填塞时,也可采取在其外围挖掘环状排水沟截水,不使雨水汇集。对于流经矿区的河流和沟渠,如确实查明有水流漏失情况,并对矿井安全构成威胁,可在矿区水流漏失地段,用黏土、料石或水泥修筑不漏水的人工河流。这种办法多用于流量不大或季节性河流。对于水量较大的河流,可采取改道的办法。河流改道虽可彻底解决河流对矿井安全的威胁,但工程大,耗资多,还要涉及当地工农业生产等许多问题,故不轻易采用,需作认真的调查和全面的经济比较后再作决定。

(2)疏——对矿区内的大面积积水或汇集水,可开掘疏水沟渠将积水排走。如果矿井四面是山,积水流不出去,可以开凿隧洞,把水引到矿区以外。修筑疏水沟渠时,应避开煤层和含水层露头、地表裂缝等,以防地表水渗入井下。

(3)排——对于地势低洼,水流疏排不出去,或洪水季节河水有倒流现象的矿区,可在泄洪总沟的出口处建立水闸,设置排洪站,利用水泵向外排水。

(4)截—— 在井口和工业场地上游的有利地形处,雨季前把水放到最低水位,以争取最大蓄洪量,减少对矿井的威胁。如果在山区,矿井应当查清矿区及其附近地面水流系统的汇水、渗漏情况,疏水能力和有关水利工程等情况;了解当地水库、水电站、大坝、江河大堤、河道 、河道中障碍物等情况;掌握当地历年降水量和最高洪水位资料,建立疏水 、防水和排水系统的规定外,还应当避开可能发生泥石流、滑坡的地段。山区以截为主,防截结合;配合建水库、种树,挖掘顺水沟,以减少矿区雨季洪峰流量;山区以外以防为主,防排结合,在可能往井下漏水的石灰岩露头周围筑堤挖沟,构成防洪包围圈,并在排洪沟下方建立水闸和排洪站,准备河水倒灌时往外排水。此外,还对井下有威胁的河流进行了整治,将河上游改道至排洪道,将流经石灰岩露头的排洪道和排水沟,用不渗水的材料铺低,减少河水的渗漏;山区内以疏为主,疏排结合,即在区内挖中央排洪沟,修建石渠,在塌陷区设泵站,将区内积水排出并引导到矿区以外。矿井井口及工业场广场内建筑物的标高低于当地历年最高洪水位的,应当修筑堤坝、沟渠或者采取其他防排水措施。

2.井下防治水措施:

井下防治水大致可分为井下防水和疏排水两大类,当煤层与水体或含水层之间有隔水层存在时,适合采用防水措施;当煤层离含水层很近或直接接触时,应采取积极的疏排措施。这类措施从安全的角度来说,要比防水措施更为有效,但疏排费用较高,因此,在考虑防治方法时应权衡利弊,洽当选择。

(1)加强矿井水文地质观测工作,注意收集整理资料,准确将积水巷、水窝、积水老窑绘在图上,以便进行采掘工程时采取相应防范措施。

(2)合理进行开拓与开采。在矿井设计中,要充分考虑矿区的水文地质条件,合理划分井田,选择合适的开拓、开采方法。在进行矿井布局时,应本着先简后繁、先易后难的原则,优先安排条件简单、水量小、易于开采的矿井上马,以便摸索和积累防治水经验,为开采水文条件复杂的煤层打下基础。

(3)留设防水隔离煤柱。在煤层与含水层或含水带的接触地段,预留一定宽度的煤层不采,使工作面与地下水源保持一定距离,这种预留不采的煤层,称为防水隔离煤柱。井下留设防水隔离煤柱,可以阻止地下水涌入矿井,同时还可以防止瓦斯与火灾事故漫延。防水隔离煤柱大致可分为以下类型:

①井田边界和风化带防水隔离煤柱。相邻两个矿井或井田之间是不能沟通的,否则一旦有一个矿井发生突水淹井事故,邻近矿井就会受到影响。井田防水隔离煤柱大都是人为留设的,此时,以煤柱中心线为矿井的边界;有些是以断层为界留设的,这种情况,断层两侧需各留一定宽度的煤柱,作为各自开采的边界;煤层露头风化带也必须留设防水隔离煤柱,在此煤柱中不准开掘硐室或巷道。

②与被淹井巷间的防水隔离煤柱。井下有时有局部积水或被淹井巷,当积水很多不易排出时,也要留设防水隔离煤柱,使生产区与被淹区隔开。

③冲积层或风化带防水隔离煤柱。井下采掘工作面有时离冲积层或地表很近,而冲积层内又往往有水和流砂。在这种情况下,采掘工作面必须与冲积层保持一定的距离。为此,要留设一定的煤柱。

④断层防水隔离煤柱。多数断层是导水的,断层破碎带本身,也常常含有大量的水,有的大断层沟通了多个含水层,或与地表水相通,形成复杂的导水联系。采掘工程碰到这样的断层是很危险的。因此,断层两盘有时也要留有一定的煤柱。

⑤其他防水隔离煤柱。在采掘过程中,如接近涌水量较大的钻孔,含水或导水陷落柱等,也要敷设防水隔离煤柱。 防水隔离煤柱是矿井用来防水的重要设施,各煤矿对各矿井的防水隔离煤柱应加强监督检查。严禁本矿或小煤矿开采或复采矿井留设的防水隔离煤柱,也不准在风化带防水隔离煤柱内开掘硐室或巷道。

(4)清理井下排水沟、储水仓,保障水沟畅通,水仓达到应有容量。

(5)加强排水设备检修维护,保持完好。

(6)坚持有掘必探,先探后掘的方针。

煤矿地下的地质条件是复杂的,地下水的情况也很复杂,在很多时候我们会遇到各种水害的威胁。根据现有资料,对无法确保没有水害威胁地区,必须采取探放水措施,探水后消除了水害威胁再向前掘进。多年来与地下水作斗争的经验告诉我们:井下防治水工作应当坚持预测预报、有掘必探、先探后掘、先治后采的原则。

总结:

如上述,为了防止水害事故的发生,保证矿井建设和生产的安全,我国煤矿工作者探索了一系列的防治水措施,通过一些方法和措施来降低水灾对矿井的威胁,这些措施在煤矿防治水方面取得了很好的效果。这些措施概括起来主要有:防治地表水涌入矿井、探放水、疏放排水、防水煤柱的留设、水闸门和水闸墙的设置使用、注浆堵水、建立防治水保障制度、加强水文地质工作,做好矿井涌水、积水预报等。

第十五章　立井施工

第一部分　系统理论知识

第一节　立井井筒断面设计

一、立井井筒的种类

立井井筒按用途和装备的不同可分为主井、副井、风井三种。

(一)主井

专门用作提升煤炭的井筒称为主井。在大中型矿井中,提升煤炭的容器为箕斗,所以主井又称箕斗井。井内一般还设有梯子间或延深间。

(二)副井

用来升降人员、设备、下放材料和提升矸石的井筒称为副井。副井的提升容器是罐笼,所以副井又称为罐笼井。井内还设有梯子间和管道间。副井通常都兼作全矿的进风井。

(三)风井

专门用作通风的井筒称为风井。风井除用作出风井外,又可作为矿井的安全出口,风井有时也安设提升设备。

除上述情况外,有的矿井在一个井筒内同时安装箕斗和罐笼两种提升容器,兼有主、副井功能,这类立井称为混合井。

二、立井井筒的组成

主、副井的用途不同,其结构也不同。从整体的组成部分来看,自上而下可分为井颈、井身和井底三部分,如图15-1所示。

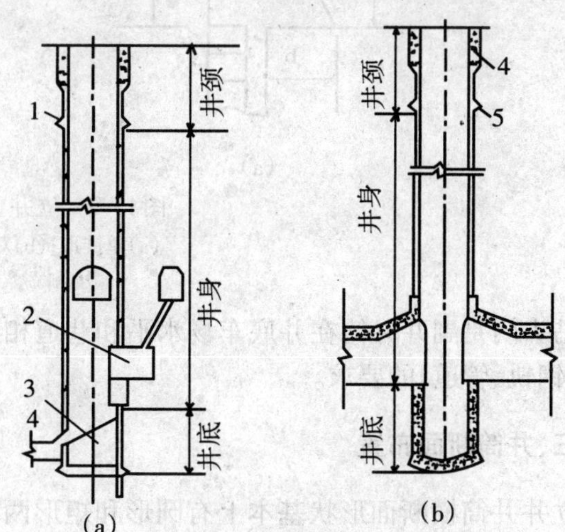

图15-1　井筒纵断面图

(a)主井;(b)副井

1——马头门;2——煤仓;3——箕斗装载硐室;4——井壁;5——壁座

(一)井颈

井颈是靠近地表并直接通达地面而且井壁需要加厚的那部分井筒。这是由于该段井筒处于松软表土层或风化岩层内,地压较大,又有地面构筑物和井颈上留有的各种硐口(如梯子间出口、暖风道和风道口等)的影响,使井颈内产生的应力加大。为此,井颈最上端壁厚往往可达1.0～1.5m，向下呈倒台阶式逐渐减薄。井颈深度一般为15～20m，井塔提升时可达20～60m。

（二）井身

井身是井颈以下至井底车场罐笼进出车水平（或箕斗装载水平）以上的这段井筒，是井筒的主要组成部分。

（三）井底

井底是井底车场罐笼进出车水平（或箕斗装载水平）以下的井筒部分。其深度是由提升过卷高度、井底装备要求的高度以及井底水窝深度决定的。一般罐笼井的井底深10m左右；箕斗井和混合井的井底深35～75m；风井井底深4～5m。

以上三部分的总和为井筒的全深。

壁座的主要作用是支撑正在向上砌筑井壁的重量和悬挂向下掘进段的临时支护。壁座用混凝土浇筑，其形式有单锥形和双锥两种，如图15-2。

一般b=0.4～1.2m，h=1.5～2.0m，a=30°～40°，β=20°～30°。

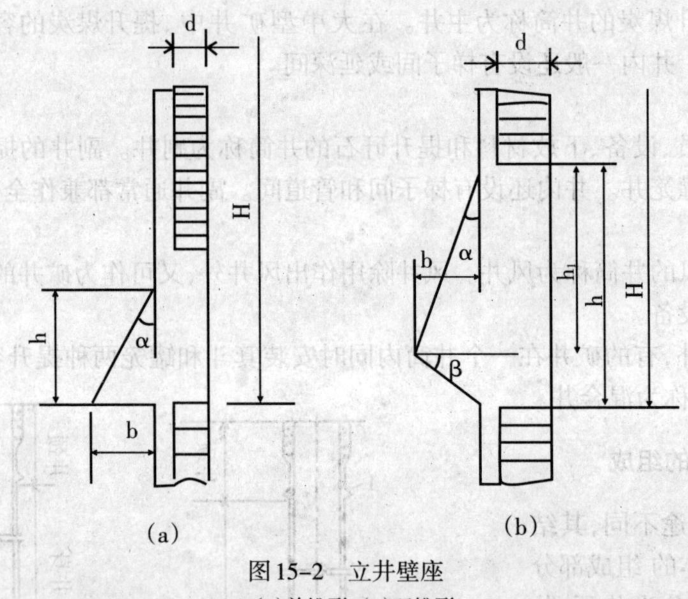

图15-2　立井壁座

(a)单锥形；(b)双锥形

马头门是副井井筒在井底车场水平和巷道相连贯的地方，其空间高度应满足下放长材料（如钢轨、管道）的要求。

三、井筒断面布置

立井井筒横断面形状基本上有圆形和矩形两种，煤矿立井井筒的横断面一般都采用圆形。这是因为圆形断面具有承载地压性能好、通风阻力小、服务年限长、维护费用少以及便于施工等优点。

井筒的断面应根据其用途、井筒装备及选定的提升容器来布置。井筒断面内通常布置有提升罐笼或箕斗、罐道梁、罐道、梯子间以及管缆间或延深间。井筒断面的布置，既要满足井筒内提升容器等设备布置的要求，又要力求缩小井筒断面，简化井筒布置，以达到既经济合理而又安全的目的。

根据立井井筒用途、井筒内提升容器和井筒装备的不同，井筒断面布置有许多不同形式。如图15-3所示：图(a)为主井的一种端面布置罐道形式，井筒内布置一对箕斗，罐道梁用树脂锚杆固定在井壁上，型钢组合罐道固定在罐道梁上；图(b)为风井的一种布置形式，井筒内布置有梯子间和管路间；图(c)、(d)和(e)为副井的布置形式，井筒内布置有一对罐笼以及梯子间和管路间。图(c)是采用钢轨罐道，单侧布置罐道；图(d)是采用木罐道，双侧布置罐道；图(e)是采用钢丝绳罐道；图(f)为混合井的一种布置形式，在同一个井筒内布置一对箕斗和一对罐笼，并采用钢丝罐道； 图(g)所示为对角布置方式，用于井筒内采用多箕斗提升时的布置。

钢丝绳罐道结构简单，安装方便，提升运行平稳，安全。钢丝绳罐道的根数为2～4根，在大中型矿井中通常采用四根罐道。四根钢丝绳罐道可布置在提升容器的一侧或布置成四角形。国内多采用四角布置，这样能减少提升容器的摆动，但国外有人认为单侧布置比四角布置运行平稳。对于罐道绳的布置方式，还有待进一步研究。

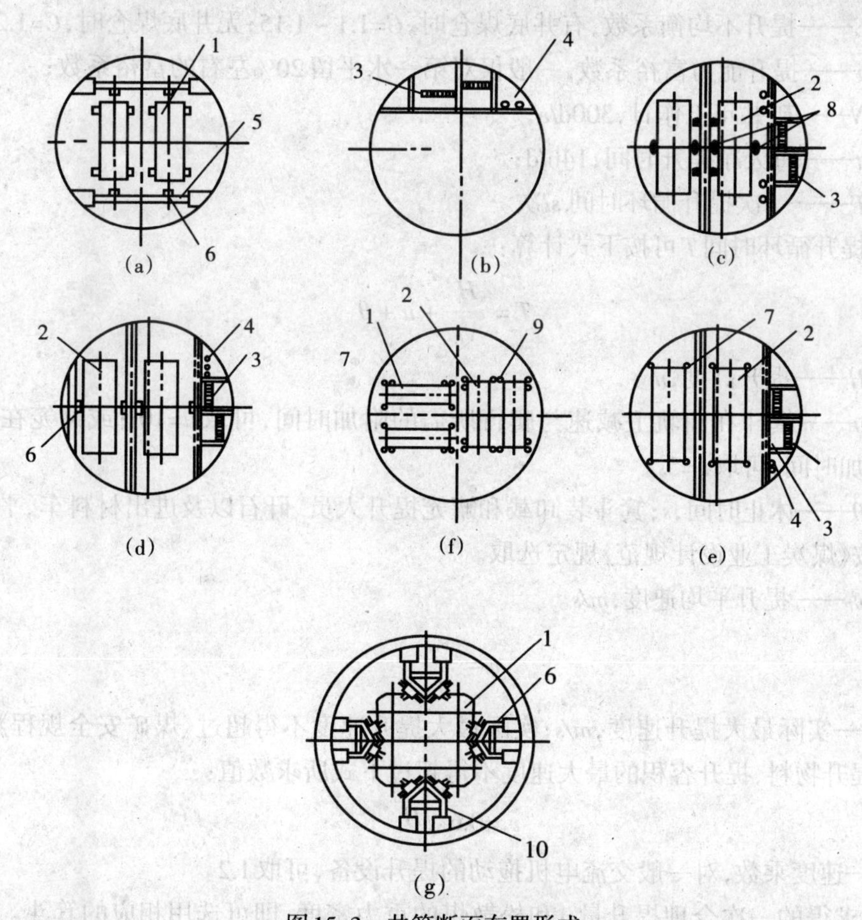

图15-3　井筒断面布置形式

1——箕斗；2——罐笼；3——梯子间；4——管道电缆间；5——管道梁；6——刚性罐道；7——钢丝绳罐道；8——防坠钢丝绳；9——防撞钢丝绳；10——装备式组合梁

四、提升容器

立井中的提升容器有罐笼和箕斗，提升容器类型的选择是由井筒用途、井筒深度、矿井年产量和提升机类型决定的。专门用作提升煤炭的容器，通常选用箕斗；用作升降人员、设备、下放材料和提升矸石的容器，一般选用罐笼。当一套提升设备兼作提煤和升降人员设备时，通常选用罐笼。提升容器的规格大小，可以通过计算来确定，也可通过类比法来确定，箕斗和罐笼的规格有多种，见15-1和15-2。

（一）箕斗的选择

箕斗的容积和规格主要根据矿井年产量、井筒深度和矿井工作组织来确定，箕斗的一次合理提升量q按下式计算：

$$q=\frac{ACaT}{3600Nt} \tag{15-1}$$

式中 q——箕斗的一次提升量，t/次；

A——矿井设计年生产能力，t/a；

C——提升不均衡系数，有井底煤仓时，C=1.1～1.15；无井底煤仓时，C=1.2；

a——提升能力富裕系数，一般仅对第一水平留20%左右的富裕系数；

N——矿井年工作日，300d/a；

t——每天净提升时间，14h/d；

T——一次提升循环时间，s/次。

一次提升循环时间T可按下式计算：

$$T=\frac{H}{v_P}+u+\theta \tag{15-2}$$

式中 H——提升高度，m。

u——箕斗在曲轨上减速与爬行所需的附加时间，可取u=10s；或罐笼在井口稳罐所需的附加时间，可取u=5s。

θ——休止时间，s；箕斗装卸载和罐笼提升人员、矸石以及进出材料车、平板车的休止时间，按《煤炭工业设计规范》规定选取。

v_P——提升平均速度，m/s。

$$v_P=\frac{v_m}{a} \tag{15-3}$$

v_m——实际最大提升速度，m/s；实际最大提升速度不得超过《煤矿安全规程》规定的速度；立井提升物料，提升容积的最大速度不得超过下式所求数值：

$$v_m=0.6\sqrt{H} \tag{15-4}$$

α——速度乘数，对一般交流电机拖动的提升设备，可取1.2。

根据求得的一次合理提升量q和松散煤的重力密度，即可选用相应的箕斗。箕斗的有效载重量，现行的标准有4t、6t、8t、12t、16t、20t。在选用箕斗时，应在不加大提升功率和井筒直径的前提下，尽量采用大容量的箕斗，以降低提升速度，节省电耗。

(二)罐笼的选择

罐笼的规格应先根据矿井选用的矿车规格进行初选,然后再根据《煤炭工业设计规范》的规定,按下列要求进行验算:

1.按最大班工人下井时间验算

按40min内将最大班的下井工人运送完毕的要求进行验算,即

$$\frac{40\times60}{T}n_0\geqslant n \tag{15-5}$$

式中　T——提升人员时一次提升循环时间,按式(15-2)计算,如最大速度 v_m 超过《煤矿安全规程》规定的提升速度12m/s时,T应按 v_m=12m/s计算;

n_0——所选罐筒每罐提升人员数;

n——最大作业班下井人数。

如不能满足上式要求,则可采用双层罐笼。升降人员时用两层,提升矸石或进行其他作业时只用一层。这样,一般情况下,既不必增大提升机工率和井筒断面,又能满足提升的要求。

2.按最大班净作业时间不超过5h验算

对于提升任务较重,矿井深度较大的大型矿井的副井,除应满足升降人员的要求外,还要根据最大作业班提升总时间不应超过5h进行验算。最大作业班提升总时间包括:最大班升降工人时间,按工人升降井时间的1.5倍计算;而升降其他人员的时间,按20%计算;提升矸石,按日出矸石量的50%计算;运送坑木、支架,按日需要的50%计算。计算出最大班总作业时间,以不超过5h进行验算。若计算出的最大班总作业时间超过5h,则应考虑多层或多车罐笼。

五、立井装备

立井井筒装备包括:罐道梁、罐道、梯子间、管道电缆间等。其中罐道、罐道梁是井筒装备的主要部分。它是保证提升容器安全运行的导向设施。

(一)罐道梁

立井井筒装备采用刚性罐道时,在井筒内需安设罐道梁以固定罐道。梁的两端插入井壁的梁窝内或用树脂锚杆固定,用树脂锚杆固定不消弱井壁,劳动强度低,安装速度快,使用较多。罐道梁沿着井筒全深每隔一定距离布置一层。常采用18～28号工字钢制作,或由型钢焊成(图15－4)。

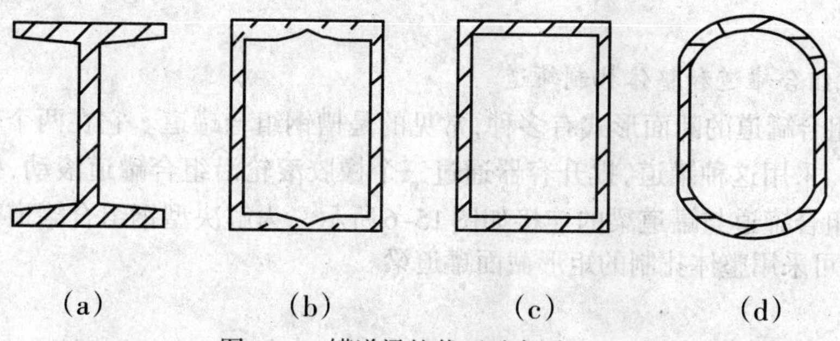

图15-4　罐道梁的截面示意图

(a)工字钢罐道梁;(b)槽钢组合罐道梁;(c)整体轧制罐道梁;(d)异性截面罐道梁

（二）罐道

罐道是提升容器在井内垂直滑行的导向装置。它必须具有一定的强度和刚度，以减少提升容器的横向摆动。

1.木罐道

木罐道是矩形断面，常用木质致密、强度较大的松木制成，并经过防腐处理，长度6m，断面180mm×160mm或200mm×180mm。过去应用于升降人员的罐笼井，由于木罐道木材耗量和罐道维修工作量都很大，又近年来钢丝绳防坠器已经成功地应用于矿井中，故木罐道已逐步被金属罐道所取代。

2.钢轨罐道

钢轨罐道常采用33kg/m、38kg/m、43kg/m的钢轨制作，每根钢轨的标准长度为12.5m，钢轨接头处必须留有4.5mm的伸缩缝。由于钢轨罐道在两个轴线方向上的强度和刚度相差较大，容易导致提升容器剧烈地横向摆动。所以采用钢轨罐道在材料使用上不太合理。

钢轨罐道与工字钢罐道梁之间的连接，用特制的罐道卡子和螺栓固定，如图15-5所示。

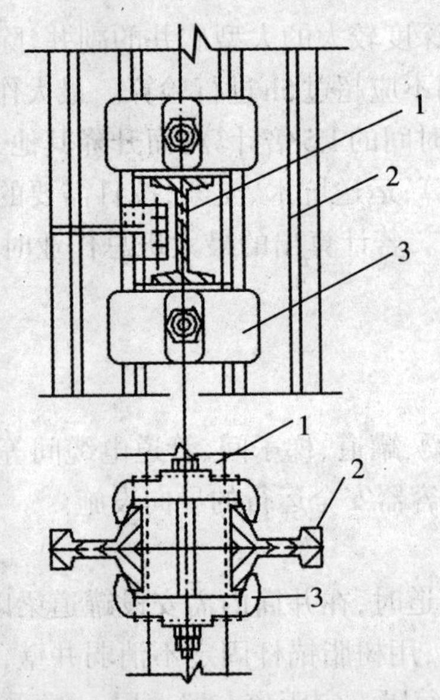

图15-5　钢轨罐道与工字钢罐梁连接

1——罐梁；2——罐道；3——罐道卡子

3.型钢组合罐道和整体扎制罐道

型钢组合罐道的断面形式有多种，常见的是槽钢组合罐道。它在两个轴线方向上刚度比较接近。采用这种罐道，提升容器通过三个橡胶滚轮沿组合罐道滚动，提升容器运行平稳。型钢组合罐道与罐道梁的连接如图15-6所示。为解决型钢组合罐道在加工过程中易变形问题，可采用整体扎制的矩形截面罐道梁。

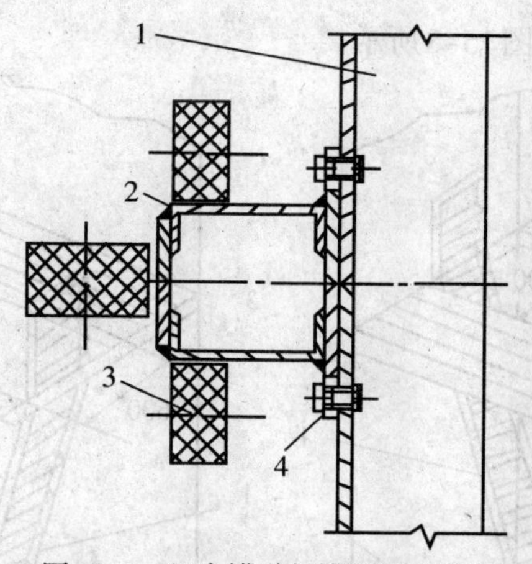

图15-6　组合罐道与罐道梁的连接

1——罐道梁；2——组合罐道；3——橡胶滚轮；4——连接板

近年来，由于井型的发展和深度的要求，需加大提升容器与增大提升速度，而钢轨罐道在侧向水平荷载作用下，容易导致提升容器剧烈地横向摆动，故侧向刚性系数和截面系数较大的型钢组合罐道、整体轧制罐道日益得到发展。

4.钢丝绳罐道

采用钢丝绳作为提升容器的罐道，简称为绳罐道（柔性罐道），其系统包括绳罐道、钢丝绳两端的固定拉紧装置、提升容器上的导向器、井口和井底进出车处的刚性罐道等，如图15-7所示。

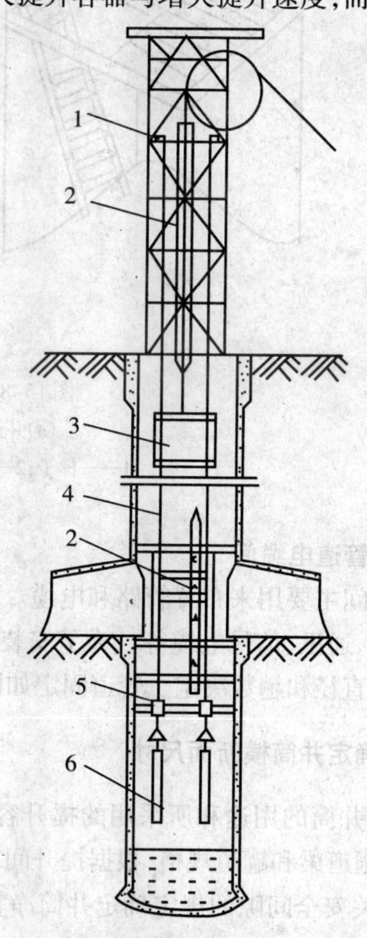

图15-7　钢丝绳罐道系统示意图

1——固定装置；2——进出车水平的刚性罐道；3——提升容器；4——绳罐道；5——罐道绳定位平台；6——井底拉紧装置

钢丝绳的固定方法有两种：一种是钢丝绳罐道的上端固定在井架的托梁上，下端在井底内以重锤拉紧；另一种是钢丝绳罐道下端固定在井底的钢梁上，而上端用安设在井架上的液压螺杆拉紧装置将罐道拉紧。

（三）梯子间

梯子间主要作为井下突然发生事故或因停电而中断提升时人员的安全出口，平时可利用它检修井筒装备和排除故障。

梯子间应与管道电缆间靠近，以便检修。梯子间由梯子、梯子梁和梯子平台组成，两平台之间的垂距不得大于8m，梯子斜度不得大于80° 其布置如图15-8所示。

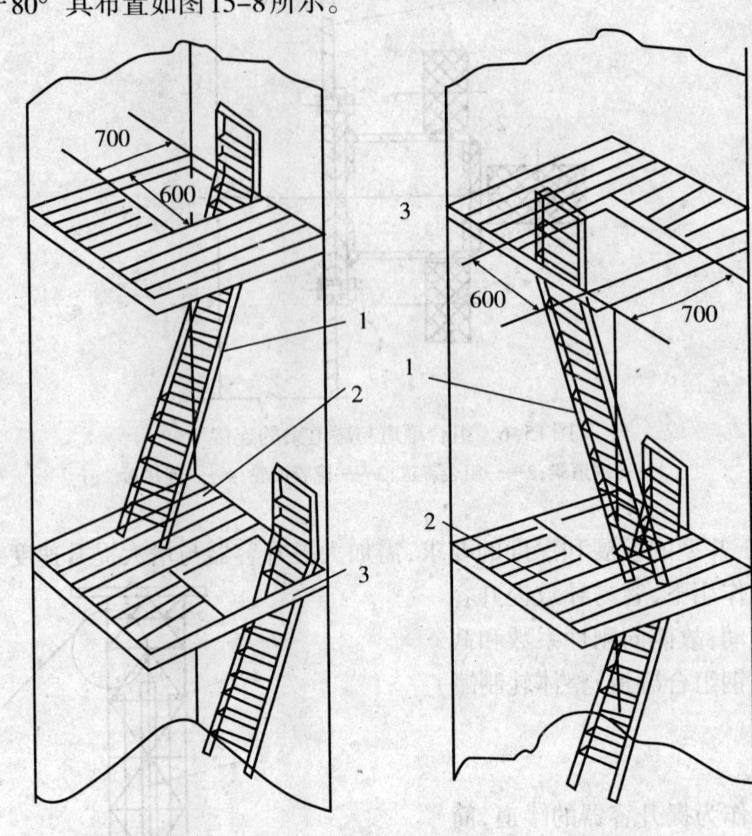

图15-8 梯子间布置

(a)并列布置;(b)交错布置

1——梯子;2——梯子平台;3——梯子间梁

(四)管道电缆间

管路间主要用来布置管路和电缆。管路包括排水管、压气管、供水管和充填管等;电缆包括动力、通讯、信号电缆等。为了安装检修方便,管路间应靠近梯子间一侧布置。其大小由管路的直径和趟数决定。管道固定如图15-9所示。

六、确定井筒横断面尺寸

根据井筒的用途和所采用的提升容器,选择井筒装备的类型,确定井筒横断面布置方式,预选罐道梁和罐道规格,根据提升间、梯子间、管路和电缆的布置与尺寸,以及《煤矿安全规程》有关安全间隙的规定确定井筒净直径。如图15-3所示,我国煤矿采用井筒内径标准尺寸为4.5m、5.0m、5.5m、6.0m、7.0m、8.0m。

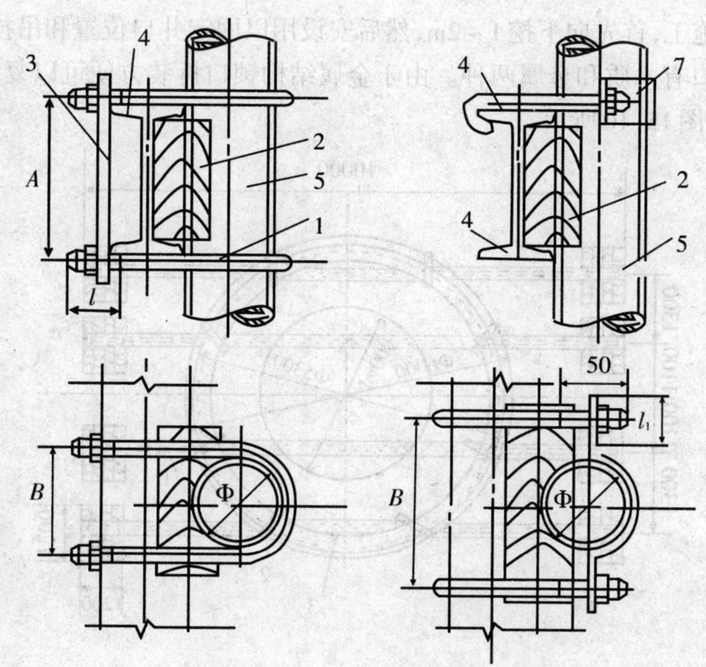

图 15–9　管道和罐道梁的固定方式

1——U形螺栓卡；2——垫木；3.7——扁钢；4——罐梁；5——管路；6——钩形螺栓卡

第二节　立井表土施工

覆盖于基岩之上的第四纪冲击层和岩石风化带通称为表土层。立井井筒施工方法是由表土层地质及水文地质条件决定的。立井井筒穿过的表土层，按表土的物理力学性质及施工的难易程度分为稳定表土层和不稳定表土层两大类。

稳定表土层：就是在井筒掘砌施工中井帮易于维护，用普通方法施工能够通过的表土层，包括含非饱和水的黏土层、含水量少的砂质黏土层、无水的大孔性土层和含水量不大的砾石层等。

不稳定表土层：就是在井筒掘砌施工中井帮很难维护，用普通方法施工不能通过的表土层，包括含水砂土、淤泥层、含饱和水的黏土、浸水的大孔性土层、膨胀土层和华北地区的红色黏土层。

一、稳定表土层的施工

在稳定表土层中施工井筒，其施工工艺比较简单。稳定表土段施工井筒，首先按测量方法定出井筒十字中心线，并按照井口布置图放好线。风硐口和安全出口要与井筒同时施工。下面简述在稳定或比较稳定的表土中，井筒的施工过程。

(一)安设锁口

表土段井筒施工,首先向下挖1～2m,然后安设用以固定井口位置和吊挂临时支护的临时锁口。临时锁口有木质和金属两种。由于金属结构锁口拆装方便可以复用,在施工中广泛采用,其结构如图15-10所示。

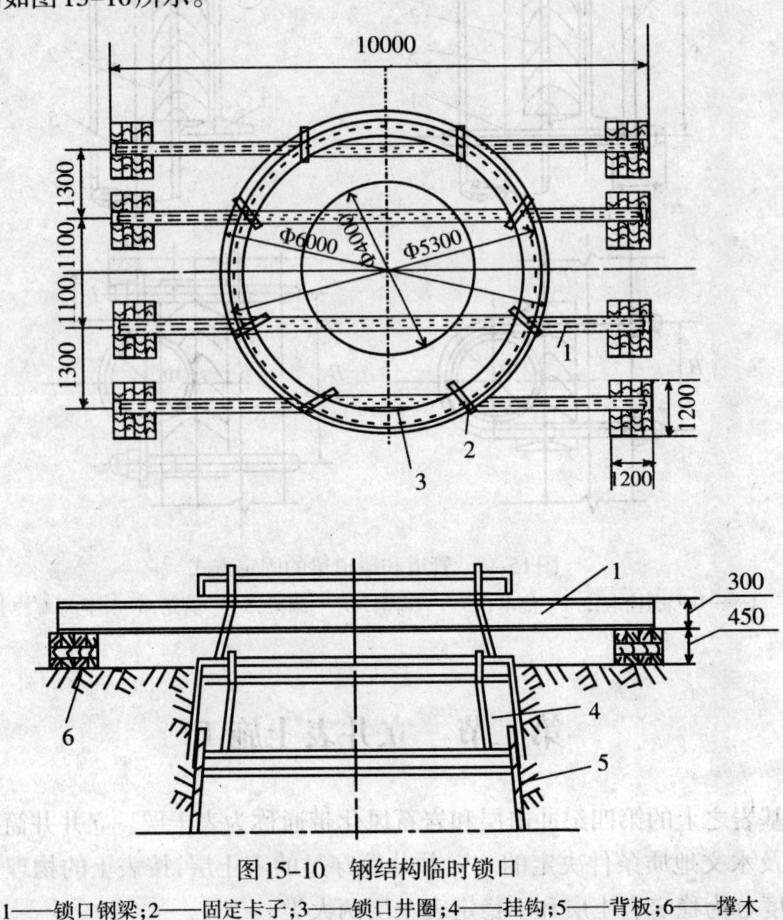

图15-10　钢结构临时锁口

1——锁口钢梁;2——固定卡子;3——锁口井圈;4——挂钩;5——背板;6——撑木

(二)提升方式

在设备条件允许时应尽量利用标准凿井井架,这样可以节省临时小井架的制作费用、拆装费用和拆装工期。只有在工程地质条件不允许时,如采用标准凿井井架有可能造成地表沉陷或片帮时,才采用临时小井架。临时小井架有三角式、龙门式和帷幕式(图15-11)等。当表土较浅时,也可采用汽车起重机提升。

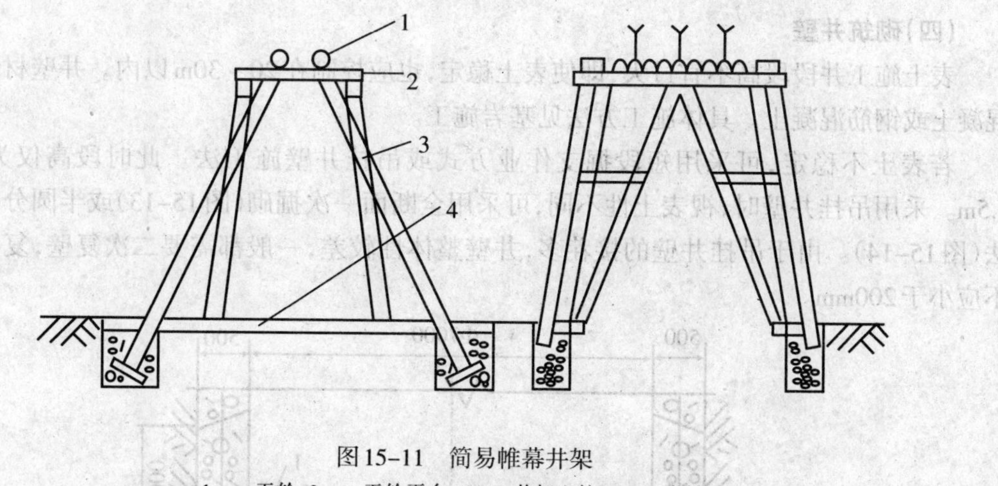

图15-11 简易帷幕井架

1——天轮；2——天轮平台；3——井架立柱；4——木锁口

(三)表土掘进

表土掘进可用手镐、铁锹、风镐和风铲。挖出的土装入吊桶提升至地面卸载。为防止井帮坍塌，挖掘后(一般空帮距不超过1.2m)需及时架设临时井圈背板(图15-12)。每架井圈由6～8段14～20号槽钢组成，各段之间用小槽钢借助销钉相连接。上下相邻井圈用Z形挂钩悬吊，挂钩用22～28mm圆钢弯成。靠近地面的第一圈悬吊在临时锁口上。井圈和背板之间插入木背板，板厚30～50mm、宽150～200mm。板长决定于井圈的圈距和背板的接头方式，一般为1～1.2m。表土施工多用搭接式背板，如图15-12(b)，背板与井圈之间需打入木楔。撑柱打在靠近挂钩的地方，上下挂钩和撑柱必须垂直对正，使井圈受力合理，以增强支架的稳定性。

表土松软易垮，侧压过大时，为预防井圈变形破坏，必须采取加固措施，如缩小圈距(0.5m左右)或架设双圈。

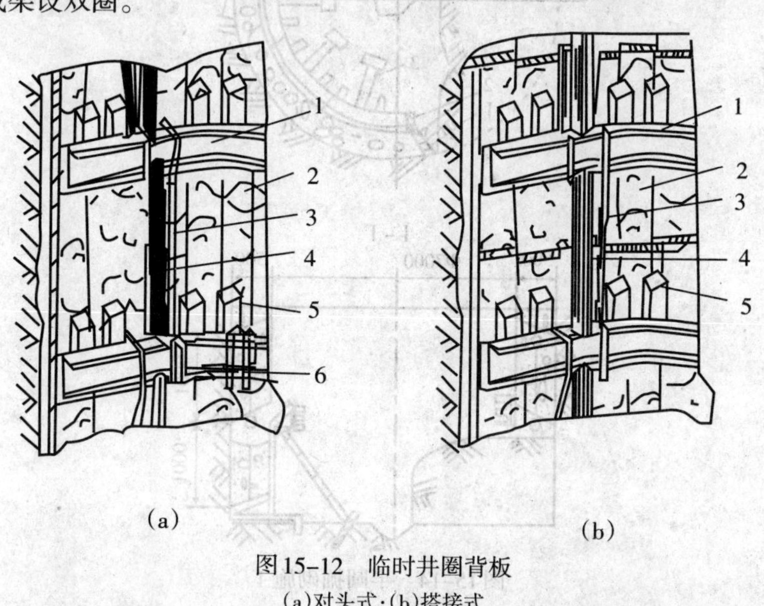

图15-12 临时井圈背板

(a)对头式；(b)搭接式

1——井圈；2——背板；3——挂钩；4——撑柱；5——木楔；6——插销

(四)砌筑井壁

表土施工井段段高不宜过大,即使表土稳定,也应控制在20~30m以内。井壁材料多用混凝土或钢筋混凝土。具体施工方法见基岩施工。

若表土不稳定,可采用短段掘支作业方式或吊挂井壁施工法。此时段高仅为0.5~1.5m。采用吊挂井壁时,视表土性不同,可采用全断面一次掘砌(图15-13)或半圆分次掘砌法(图15-14)。由于吊挂井壁的接茬多,井壁整体性较差,一般都需要二次复壁,复壁厚度不应小于200mm。

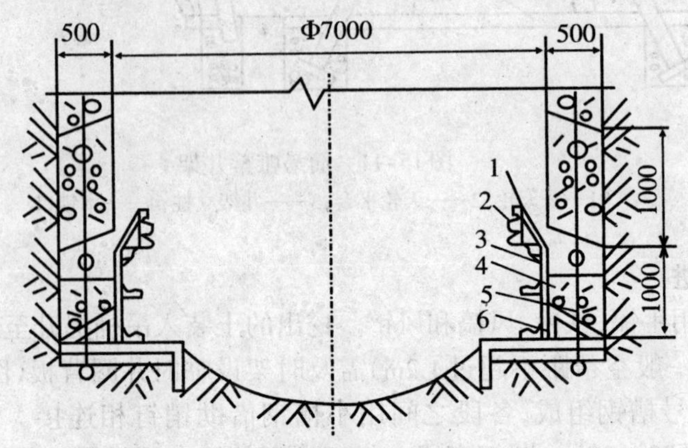

图15-13　全断面一次施工

1——接茬板;2——井圈;3——金属模板;4——钢筋棒;5——吊挂钢筋;6——托盘

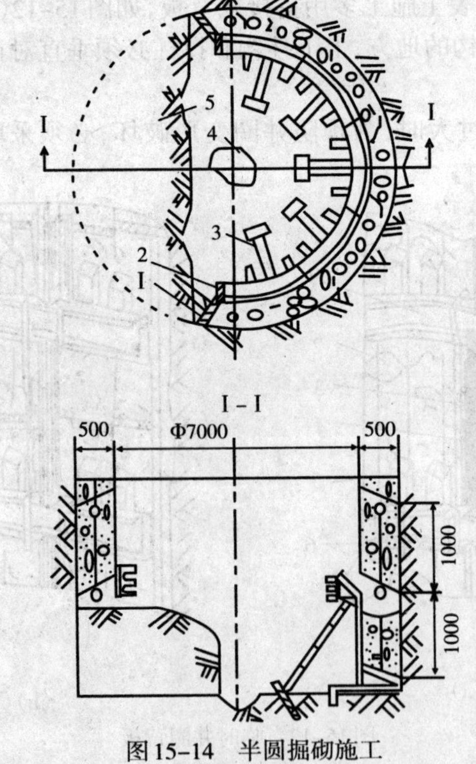

图15-14　半圆掘砌施工

1——堵头板;2——木模板;3——斜撑;4——水沟;5——未掘部分

三、不稳定表土的施工

在通过不稳定表土层时，井筒的施工方法有沉井法、钻井法、冻结法、帷幕法和注浆法等。这些采取特殊措施的施工方法，统称为特殊凿井法。在这些特殊凿井法中，比较常用的方法有沉井法、冻结法和钻井法。

（一）沉井法凿井

沉井凿井，就是为了使井筒通过不稳定表土层，采取先砌好井壁，在井壁的掩护下，挖土掘进井筒，井壁靠自重随着井筒下挖而下沉，使掘进工作始终在已砌好的井壁内进行，而井壁也随沉随砌。这种沉井方法，通常称之为普通沉井法。该法由于沉井井壁与井帮的摩擦阻力的影响，沉井下沉深度受到了限制，一般情况下只能下沉20～30m。

为了使沉井下沉得更深，施工现场采用在沉井上加外载荷以使其强制下沉，为了减少沉井下沉的侧面摩擦阻力，还有泥浆护壁淹水沉井法和壁后充气淹水沉井法。

1.沉井结构

在普通沉井、强制沉井、泥浆护壁淹水沉井和壁后冲气淹水沉井诸方法中，泥浆护壁沉井使用得最为广泛。泥浆护壁淹水沉井的施工设备和沉井结构如图15-15所示。沉井由刃角1和钢筋混凝土井壁4组成，在沉井井壁内埋设有泥浆管12。随着沉井下沉，不断地接长井壁和泥浆管，直至沉到设计深度。

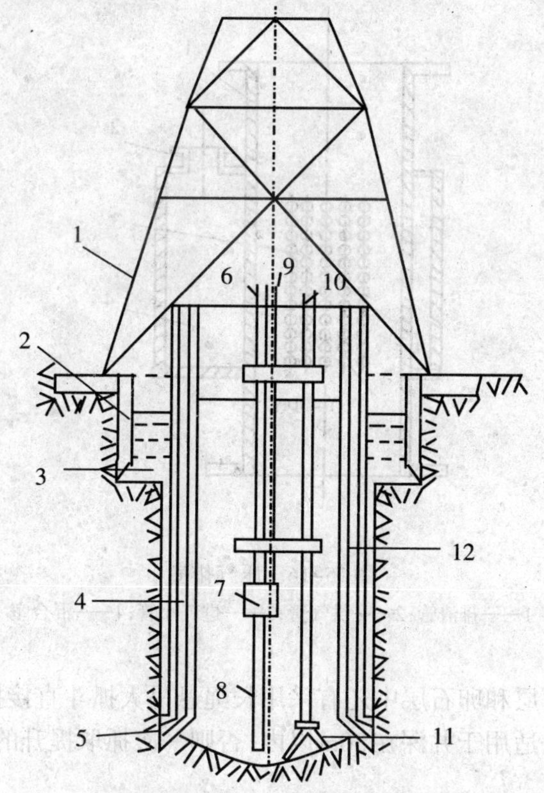

图15-15　淹水沉井示意图

1——井架；2——套井；3——泥浆水枪；4——沉井井壁；5——刃脚；6——压风管；7——混合器；8——吸泥管；9——排碴管；10——高压水管；11——水枪；12——泥浆管

2.套井施工

在淹水沉井施工中，首先施工套井2，然后在套井内构筑带刃角的钢筋混凝土沉井井壁4。套井的深度是由第一层含水层深度决定的，一般为8～15m。套井与沉井的间隙，一般取0.5m左右。

3.泥浆护壁

在泥浆护壁淹水沉井中，沉井井壁与井帮之间充满着触变泥浆。触变泥浆的作用，一是平衡含水层中的地下水的静水压力、在井帮上形成泥皮而起支护作用；二是减小井壁与井帮侧面的摩擦阻力，使井壁顺利下沉。

泥浆是由地面储浆池用泵将泥浆压入预埋在井壁中的6～8根泥浆管，经刃脚上端6～8根水平管向壁后供给的。

4.破土排碴

淹水沉井法施工，其破土方法有高压水枪破土和钻机破土两种。采用高压水枪破土，其水压约为1.8～3.0MPa。排碴方法一般都采用压气排碴，其原理见图15－16。压气进入混合器7内与水混合，与管外淹水造成压力差，在井内淹水液柱压力作用下，使管内水气混合物带动泥砂沿排渣管9上升排到地面泥浆沉淀池内。

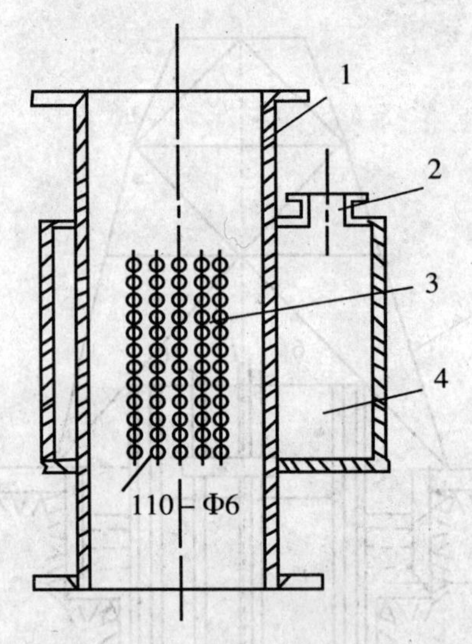

图15-16　压气排渣

1——排渣管；2——供气管；3——进气小管；4——混合室

在井深不大的碎石层和卵石层中还有采用长绳悬吊大抓斗直接抓取泥砂提到地面上来的破土方法。这种方法适用于井深在30m以内，否则一次抓取提升的时间较长，排碴效率将显著下降。

5.防偏纠偏

沉井在下沉过程中，由于土层倾角、刃脚下局部有大块卵石、刃脚处涌砂冒泥、出土不均衡以及沉井井壁不直等诸多因素的影响,往往沉井要产生偏斜。

纠正沉井偏斜的方法,一般可在地面用千斤顶或小顶柱斜顶沉井刃脚较低一侧的井壁同时在沉井刃脚较高一侧的刃脚附近用水枪加强破土,在沉井下沉过程中进行纠偏。应当指出,纠偏工作在实际操作时是很困难的,尤其偏斜大时操作更不容易,所以在沉井施工中一定要以防偏为主。为了防偏,在制作井壁时,必须保证沉井井筒的垂直度和圆滑度;在沉井下沉过程中,在沉井井壁外侧安设导向装置,同时要安装仪器,及时而准确地进行测量,随时掌握井筒的偏斜情况,做到及时发现及时处理。

6.注浆固井

沉井下沉到设计深度后,井筒的偏斜值又在允许范围内,应及时进行注浆固井工作,把沉井井壁与井帮固结在一起,防止井壁继续下沉和漏水。注浆前一般需要在工作面浇注止水垫封底,以防止冒砂跑浆。如果刃脚已插入风化基岩内又不冒砂跑浆,可以不封底而直接注浆。注浆时,一般利用原来泥浆管和预埋的注浆管向壁后注水泥砂浆,沉井和套井之间的间隙要用毛石混凝土充填。

(二)钻井法凿井

钻井法凿井,通常是利用大型回转式钻机,将井筒全断面一次钻成或者是分次扩孔钻成。主要工艺过程有钻井、泥浆洗井护壁、下沉井壁和壁后注浆固井,如图15-17所示。

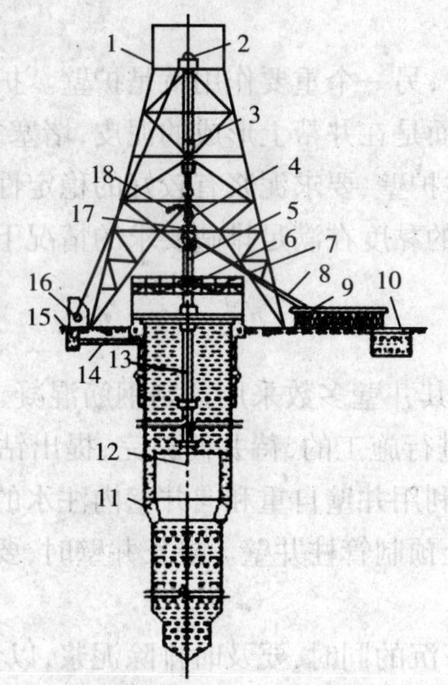

图15-17　钻井工艺流程

1——井架;2——天车;3——游车;4——水龙头;5——六方钻杆;6——转盘;7——钻台;8——排浆管;9——溜槽;10——沉淀池;11——刀具;12——钻头;13——钻杆;14——进浆地槽;15——泥浆池;16——提升绞车;17——三通;18——压气管

1.井筒钻进

井筒钻进是钻井法凿井的关键工序。钻进方式多采用分次扩孔钻进,即首先用超前钻,一次钻至基岩(基岩部分占的比例不大时,可一次钻到井底),而后分次扩孔到基岩(或井底)。在扩孔时,先扩表土段,以保证优质泥浆用于表土;但表土段的最后一级扩孔要同基岩段一次扩成,以使表土段井帮暴露的时间为最短。

钻进的扩孔次数,主要由钻机转盘的额定扭矩和岩石性质决定,一般扩孔次数为2~3次。在转盘和提调系统能力允许的情况下,扩孔次数应尽量减少,以缩短辅助时间提高钻井速度。

钻机的动力设备,有设置在地面的,也有设置在井内的,目前我国制造的钻井机的动力设备多数设置在地面。钻进时由钻台上的转盘带动六方钻杆和钻头回转破岩。

为了保证钻井的垂直度,都采用减压钻进,使钻杆处于受拉状态。即是钻头上加铸铁块配重,而钻杆用钢丝绳吊挂在井架上,以避免钻杆弯曲、钻头偏斜使井筒的垂直度产生误差。

2.泥浆洗井护壁

钻头破碎下来的岩屑,必须及时地用循环泥浆从工作面清除,以使刀具始终直接作用在未被破碎的岩石面上,保证钻头正常钻进,提高钻进效率。泥浆由泥浆池经过进浆地槽流入井内,进行洗井护壁。压气通过中空钻杆中的压气管而进入混合器内,压气与泥浆混合后在钻杆内外造成压力差,使清洗过工作面的泥浆带动破碎下来的岩屑被吸入钻杆内,经钻杆和压气管之间的环状空间排至地面。泥浆量的大小,应能保证泥浆在钻杆内的流速大于1m/s,使得破碎下来的大小岩块全部排到地面。泥浆沿井筒自上而下流动,洗井后沿钻杆上升到地面,这种洗井方式叫做反循环洗井。钻井实践证明,当泥浆冲洗量为400m^3/h~600m^3/h时可排除27kg重的大岩块。

泥浆除了用于排除岩屑外,另一个重要作用就是护壁。护壁作用,一方面是借助泥浆本身液柱压力平衡地压,另一方面是在井帮上形成的泥皮,堵塞裂隙,隔绝地下水和防止片帮。

为了利用泥浆有效地洗井护壁,要求泥浆有较好的稳定性,不易产生沉淀;失水量较少,能形成薄而坚韧的泥皮;泥浆的黏度在满足排碴要求的情况下,要具有较好的流动性和便于净化。

3.沉井和壁后充填

采用钻井法施工的井筒,其井壁多数采用预制钢筋混凝土管柱结构。钢筋混凝土预制管柱是在钻井的同时在地面进行施工的,待井筒钻完,提出钻头,用起重大钩将带底座的预制井壁悬浮于井内的泥浆中,利用井壁自重和向井壁内注水的重量使井壁缓慢下沉。同时,在井口不断地接长钢筋混凝土预制管柱井壁。接长井壁时,要注意测量工作,以保证井筒的垂直度。如图15-18所示。

在预制钢筋混凝土井壁下沉的同时,要及时排除泥浆,以免泥浆外溢和沉淀。为了防止片帮,泥浆面不得低于锁口以下1m。

当井壁下沉至设计深度1~2m时,应停止下沉,测量井壁的垂直度并进行调整,然后再沉到底。井壁沉到底后,要及时进行壁后充填。最后把井壁里的水排净,通过预埋的注浆管进行壁后注浆,以提高壁后充填质量和防止破底时发生涌水冒砂等事故。

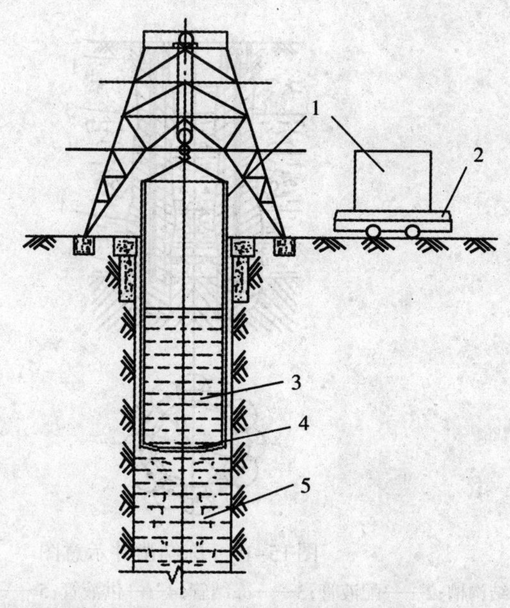

图15-18　悬浮下沉井壁示意图

1——预制钢筋混凝土管柱；2——钻台；3——水；4——井壁底座；5——泥浆

（三）冻结法凿井

冻结法凿井是在井筒开凿之前，先从地面在井筒圆周钻一圈冻结孔，然后在冻结孔内安装冻结管用人工制冷的方法使冻结孔周围逐渐形成冻土圆柱，各冻土圆柱逐渐扩大相互交圈，将井筒周围的不稳定表土层和风化岩层冻结成封闭的圆筒——冻结壁，以防止水和流砂涌入井筒并抵抗地压，然后在冻结壁的保护之下进行掘砌，如图15-19所示。待井筒掘砌达到预计深度后，停止冻结。井筒冻结方案有：一次冻结全深、局部冻结、长短段交叉冻结和分期冻结等，其中最常用的井筒冻结方案为一次冻结全深。

1.冻结孔的布置

冻结孔一般布置在以井筒中心为圆心，一定长度为半径的圆周上，其圈径的大小由井筒的直径、冻结深度、钻孔允许偏斜值和冻结壁厚度来确定。孔距一般为1.2～1.3m，孔径为200～250mm，孔深应比冻结深度深5～10m。

2.制冷过程及冻结设备

井筒周围的冻结圈，是由冷冻站制出的低温盐水在沿冻结管流动过程中，不断吸收孔壁周围岩土层的热量，使岩土逐渐冷却冻结而成。盐水起传递冷量的作用，称为冷媒剂。盐水的冷量是利用液态氨气化时吸收盐水的热量而制取的，所以氨叫做制冷剂。被压缩的氨由过热蒸汽状态变成液态过程中，其热量又被冷却水带到大自然中去。可见，整个制冷设备包括氨循环系统、盐水循环系统和冷却水循环系统三部分。制冷过程及冻结设备如图15-20所示。

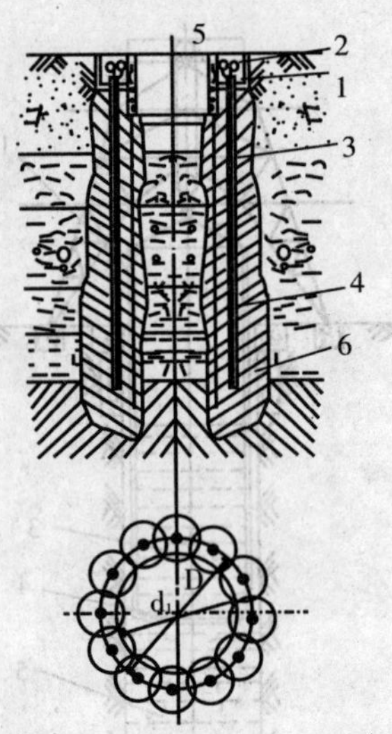

图15-19　冻结凿井示意图

1——冻结沟槽；2——配液管；3——冻结管；4——供液管；5——回液管；6——冻土圆柱；

D——冻结钻孔布置直径；d_1——井筒掘进直径

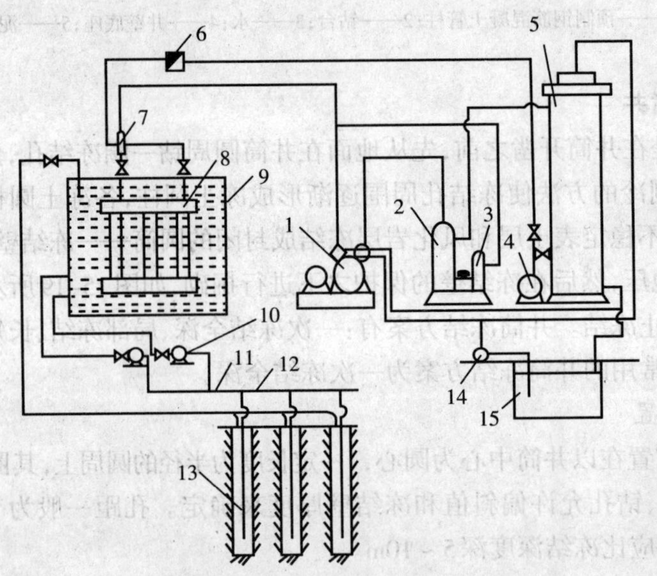

图15-20　制冷原理和工艺过程示意图

1——氨压缩机；2——氨油分离器；3——集油器；4——储氨器；5——冷凝器；6——调节阀；7——蒸发器；

8——蒸发器；9——盐水箱；10——盐水泵；11——配液管；12——集液管；

13——冻结孔；14——冷却用水泵；15——水池

制冷剂循环。制冷剂通常用氨，氨气经压缩机1压缩后，温度升高到80℃～120℃处于过热蒸气状态，高位高压的氨气进入氨油分离器2，除去从压缩机中带来的油脂微粒，纯净的氨进入冷凝器5，在16℃～20℃冷却水的淋洗下，氨冷凝成液态氨。液态氨（多余的氨流入储氨器4）经调节阀6，使体积增大压力下降到0.155Mpa，温度降低到蒸发温度-25℃～-35℃。液态氨进入蒸发器7后便开始全面蒸发，并大量吸取周围岩石的热量，使盐水温度下降。氨气从蒸发器出来后，经氨液分离器和除尘器又被氨压缩机吸入，进入下一循环。

盐水循环。在设有蒸发器7的盐水箱中的盐水被冷却到-20℃～-25℃以下，用泵10将盐水排到配液管11，再分别流向各冻结孔中冻结管的供液管，流至冻结管底部，然后沿冻结管徐徐上升，吸收周围岩土层的热量后由回液管返回集液管12，经回液干管返回到盐水箱。这种盐水流动循环方式叫做正循环方式，其冻结壁厚度上下比较均匀，故常被采用。还有一种反循环方式，盐水由原回液管进入冻结管缓缓下流，然后从原供液管返回集液管。反循环方式可加快含水层上部冻结壁的形成。

冷却水循环。冷却水是用来冷却制冷剂氨的，要求有充足的低温水（18℃以下）。用泵14将储水池15或地下水源井的冷却水压入冷凝器5中，吸收了过热氨气的热量后由冷凝器排出。

3.冻结段井筒的掘砌

采用冻结法施工的井筒，开掘时间选择在当冻结壁形成而尚未冻结至井筒范围以内时最为理想。因为在冻结壁形成之前开挖会造成涌水冒砂事故；但很难处理到理想状态，常常整个井筒被冻实，这时开挖则比较困难，可采用风镐或钻眼爆破法施工。

冻结法的井壁施工，往往是在0℃以下进行，由于水泥在低温时硬化过程很缓慢，在0℃时凝结和硬化过程将停止，又有冻融过程的形变，这对井壁的强度和抗渗性影响很大。目前，多采用钢筋混凝土或混凝土双层井壁，外层井壁厚为400mm在积极冻结期随掘随浇注，内层井壁厚为600mm在消极冻结期施工。内层井壁自下而上一次施工，井壁结构如图15-21所示。双层井壁的优点是：内壁无接茬，井壁抗渗性好；内壁在消极冻结期施工，混凝土养护好，可避免和减少井壁出现干缩裂缝，提高了井壁质量。缺点是：工序复杂，需两种规格模板，在施工内壁前必须清洗外壁的霜冻和进行打毛，以利于内外井壁结合严密。

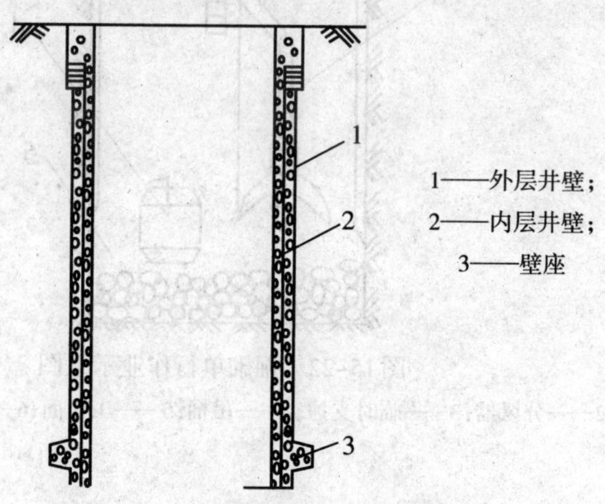

图15-21 双层井壁结构示意图

第三节 立井基岩施工

一、施工方案与施工设备

（一）施工方案

立井基岩施工，是指在表土层或风化岩层以下的井筒施工。根据掘进、砌壁和安装三大工序在时间和空间的不同安排方式，立井施工方案有掘砌单行作业、掘砌平行掘、砌混合作业和掘砌安一次成井。

1.单行作业

它的特点是将井筒自上而下分成若干个井段，自上而下逐段施工，在同一段内掘砌先后顺序作业。也就是在同一个井段内首先自上而下进行掘进，同时进行临时支护，待该井段掘完后停止掘进工作，再自下而上施工本段永久支护(图15-22)。每个井段高度视围岩稳定性、涌水量的大小、施工速度和临时支护而定，采用挂圈背板临时支护时，段高以30~40m为宜，最大不应超过60m；采用锚喷临时支护时，由于井帮围岩得到及时封闭，宜采用较大段高。单行作业方案的优点是占用施工设备少，施工组织简单便于管理，工作安全；缺点是掘砌顺序作业，成井速度受到限制。

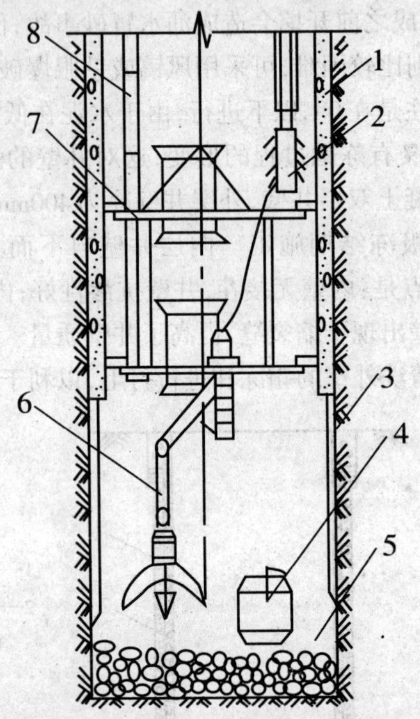

图15-22　掘砌单行作业示意图

1——永久井壁；2——分风器；3——临时支护；4——吊桶；5——工作面；6——抓岩机；7——吊盘；8——风筒

2.平行作业

它的特点是在井筒工作面进行掘进的同时，在上一井段的吊盘上平行进行永久支护工作(图15-23)。其优点是充分利用空间和时间，为快速建井创造了条件；缺点是需要的设备多，掘砌工作相互干扰，施工组织复杂，工作安全不易保证。

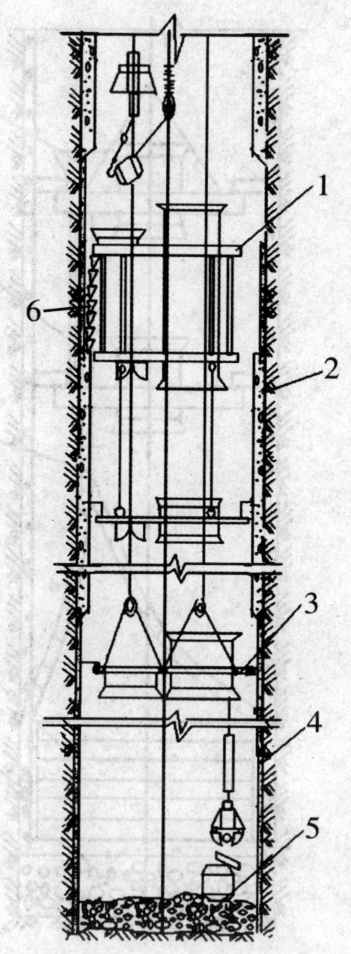

图15-23 掘砌平行作业

1——砌壁吊盘；2——井壁；3——稳绳盘；4——锚喷临时支护；5——掘进工作面；6——输料管

3.混合作业

掘砌混合作业，就是掘进和砌壁工作在工作面上先后进行或部分平行进行，砌筑永久井壁工作混入到掘进工作中间构成一个循环（图15-24）。这种作业方式区别于短段单行作业，具体操作是当装岩工作进行到围岩暴露高度相当于金属活动模板一个高度后，就立模砌壁，当浇灌混凝土达1m高左右时，在继续浇筑混凝土的同时，即可装岩出碴。待井壁浇注完成后，作业面上的掘进工作又转为单独进行，依此往复循环。这种作业具有不需临时支护、施工成本低、围岩暴露时短、作业安全、适应性强等优点，得到广泛应用。

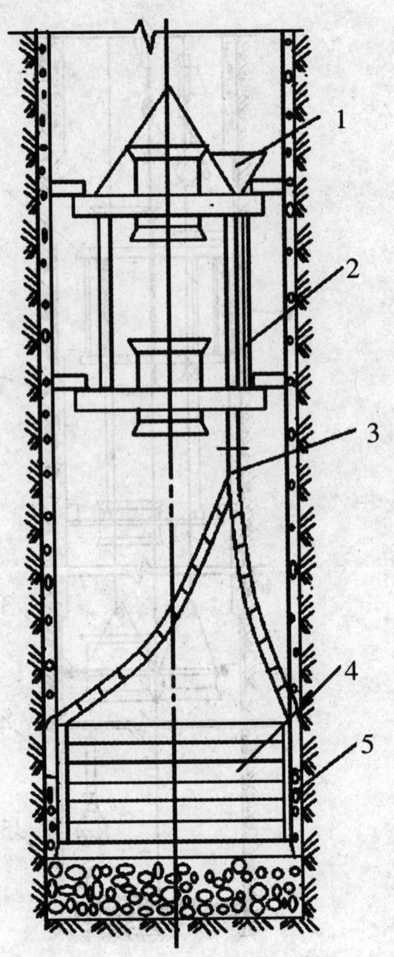

图 15-24　混合作业示意图

1——分灰器；2——吊盘；3——输料管；4——金属活动模板；5——混凝土井壁

4.一次成井

掘砌安一次成井，就是在井筒掘砌过程中完成罐道梁等工作。

由于施工组织太复杂、各工序的干扰大、安全性差，故很少采用。

总之，立井井筒施工方案的选择，是由具体的施工条件决定的。合理的施工作业方式应该是技术上先进，经济上合理，成井速度高，安全上可靠。目前我国立井施工采用单行作业和混合作业的较多，混合作业发展较快。平行作业和一次成井作业方式，在我国虽然未收到理想的效果，但是只要不断提高施工组织管理水平，今后在深井施工中必将受到重视。

（二）凿井主要施工设备和设施

凿井主要施工设备和设施有凿井井架、卸矸台、吊盘、固定盘、封口盘、凿井绞车和凿井提升机等。立井井筒施工概貌如图 15-25 所示。

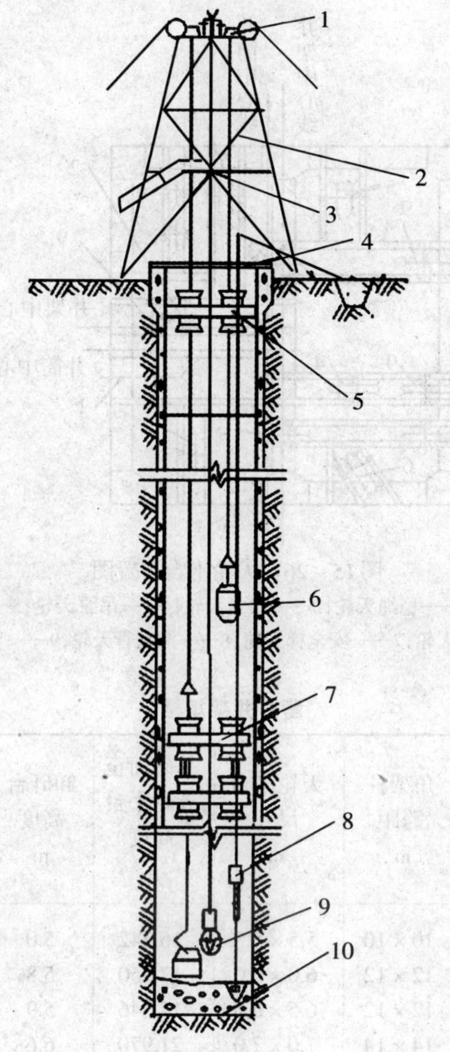

图15-25　立井井筒施工示意图

1——天轮平台；2——凿井井架；3——卸矸石；4——封口盘；5——固定盘；6——提升吊桶；7——吊盘；8——吊泵；9——抓岩机；10——掘进工作面

1.凿井井架

凿井井架是专门为了立井井筒施工而设立的井架，目前主要采用的是装配式金属凿井井架，有时也可以采用永久井塔凿井。凿井井架的规格如表15-1所示。天轮平台是凿井井架的重要组成部分，用来承担凿井时全部提升和悬吊设备的载荷。天轮平台是由四根边梁和一根中梁组成的框形平台结构，平台上设有天轮梁和天轮。其结构和天轮布置如图15-26所示。

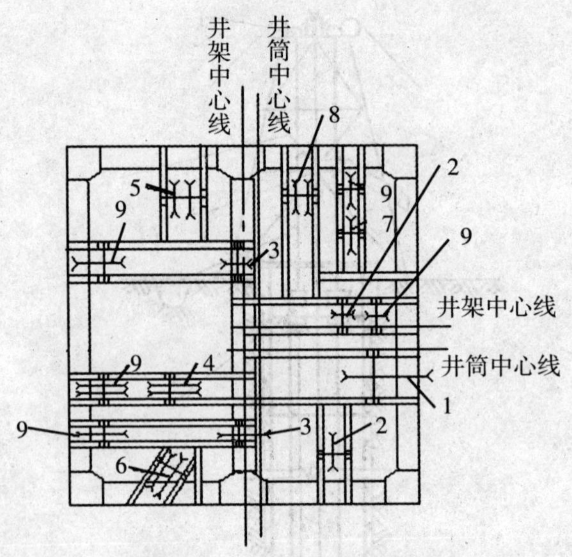

图15-26 天轮平台布置图

1——提升天轮;2——稳绳天轮;3——吊盘天轮;4——吊泵天轮;5——压气管天轮;6——风筒天轮;7——安全梯天轮;8——溜灰管天轮;9——导向天轮

表15-1　　凿井井架规格

井架型号	井架深度 m	井筒直径 m	角架柱跨距 m	天轮平台尺寸 m	基础面至天轮平台高度 m	卸矸台高度 m	井架金属结构重 t	
							钢管井架	槽钢井架
Ⅰ	200	4.5~6.0	10×10	5.5×5.5	16.242	5.0	25.694	27.656
Ⅱ	400	5.0~6.5	12×12	6.0×6.0	17.250	5.8	30.584	33.495
Ⅲ	600	5.5~7.0	12×12	6.5×6.5	17.346	5.9	32.284	36.959
Ⅳ	800	6.0~8.0	14×14	7.0×7.0	21.970	6.6	48.215	—
Ⅴ	1100	6.5~8.0	16×16	7.5×7.5	26.274	10	98	—

2.卸矸石

卸矸石是用作将吊桶提出的矸石经翻矸设施或采用人工挂钩将矸石倒入溜槽,而后经溜槽装入矿车或汽车的排矸设施。卸矸石要有一定的高度,保证溜槽具有30°～40°的倾角,也必须满足伞钻出入立井的要求,一般为6m左右。

3.封口盘与固定盘

封口盘也叫做井盖,它是升降人员、材料设备以及拆装各种管路的工作平台;同时又是保护井上下工作人员安全的结构物。为此,要求封口盘上的各种孔口必须加盖封严。

固定盘是为了进一步保护井下人员安全而设置的。同时在固定盘上通常安有测量井口中心线的装置,它也被用来作接长封筒、压气管和水管的工作台。固定盘位于封口盘以下4~8m处,与地面用梯子相连。如果在施工中对封口盘加强管理,固定盘可不设。

4.吊盘与稳绳盘

吊盘是进行井筒永久支护的作业盘,用钢丝绳悬挂在地面的稳车上。吊盘多为双层,在单行作业和混合作业时，还起到拉紧稳绳（吊桶罐道）、保护井底掘进工人安全和安设抓岩机等掘进施工设备的作用。

采用掘砌平行作业时，井筒内除设有砌筑吊盘外还设有稳绳盘。稳绳盘用来拉紧稳绳、安设抓岩机等设备和保护掘进工作面人员的安全。

5.凿井提升机与凿井绞车

凿井提升机是专门用于凿井提升的设备。凿井绞车也称稳车，用来悬吊吊盘、吊泵和各种管路等凿井设备和拉紧稳绳。

二、凿岩爆破工作

凿岩爆破工作是立井井筒掘进的主要工序，约占整个循环时间的20%～30%，其效果好坏直接影响立井施工速度、工程成本、工作安全和工程质量。

（一）凿井设备

立井凿岩设备有手持式凿岩机和伞形钻架。手持式凿岩机设备简单，易于操作，适用于断面较小，岩石不很硬的浅眼施工中。在大断面的井筒中主要使用可安装多台凿岩机同时进行打眼的伞形钻架。

伞形钻架的结构如图15-27所示。打眼前用提升钩头将伞形钻架送至井筒工作面上进行对中、固定和打眼。打完眼后，将伞形钻架收拢起来，提升至地面转挂在井架上。

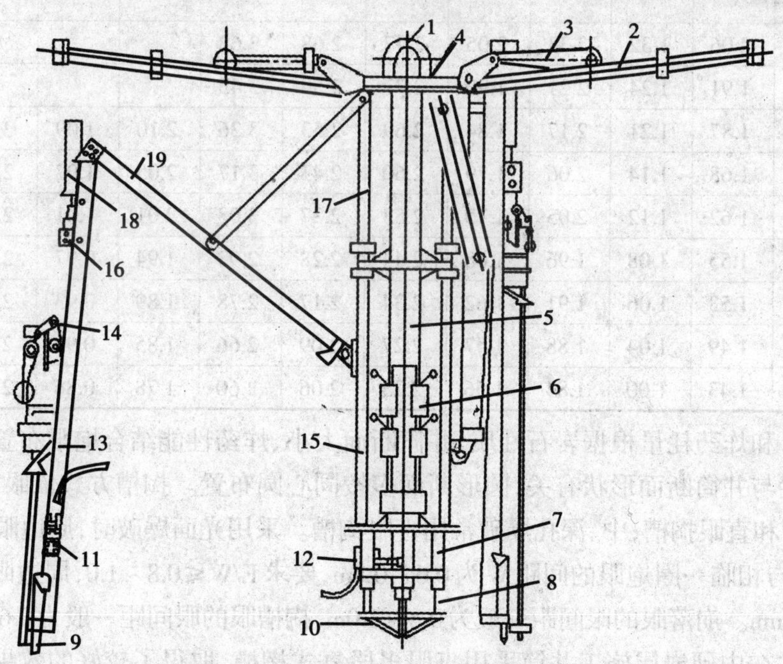

图15-27　FJD-6型伞形钻架

1——吊环；2——支撑壁油缸；3——升降油缸；4——顶盘；5——立柱钢管；6——液压阀；7——调高器；8——调高器油缸；9——活顶尖；10——座底；11——操纵阀组；12——气马达、油缸；13——滑轨；14——YGZ——70型凿岩机；15——滑道；16——推进气马达；17——动壁油缸；18——升降气缸；19——动臂

（二）爆破工作

爆破工作包括选择爆破材料，确定爆破参数和编制爆破图表。

(1)爆破材料的选择。立井掘进由于工作面常有积水,要求使用抗水炸药,目前常采用有抗水岩石硝铵炸药、水胶炸药和乳化炸药。起爆材料通常采用8号秒延期电雷管、毫秒延期电雷管。电源采用220V或380V交流电源。

(2)爆破参数的确定。炮眼的装药结构与平巷一样,掏槽眼和崩落眼采用连续装药结构,周边眼应采用径向和轴向空气间隙装药结构,或不耦合缓冲间隔装药结构。

炮眼深度与岩石性质、钻眼设备、爆破材料的性能、循环工作组织等因素有关。目前,立井井筒掘进的炮眼深度当采用凿岩机时,一般为1.5~20;采用伞钻打眼时,一般为3.0~4.0m。现场主要按计划进尺、循环时间、炮眼利用率确定眼深。炸药消耗量可参照表15-2选取。

表15-2　炸药消耗量定额表　kg/m³

井筒净直径/m	浅孔爆破								中深孔爆破			
	f<3		f<6		f<10		f>10		f<6		f<10	
	炸药/kg	雷管/个	炸药/kg	雷管/个	炸药/kg	雷管/个	炸药/kg	雷管/个	炸药/kg	雷管/个		
4.0	0.81	2.06	1.32	2.33	2.05	2.97	2.68	3.62				
4.5	0.77	1.91	1.24	2.21	1.90	2,77	2.59	3.45				
5.0	0.73	1.87	1.21	2.17	1.84	2.69	2.53	3.36	2.10	1.09	2.83	1.24
5.5	0.70	1.68	1.14	2.06	1.79	2.60	2.43	3.17	2.05	1.07	2.74	1.20
6.0	0.67	1.62	1.12	2.05	1.75	2.53	2.37	3.08	2.01	1.01	2.64	1.14
6.5	0.65	1.55	1.08	1.96	1.68	2.44	2.28	2.93	1.94	0.97	2.55	1.10
7.0	0.64	1.53	1.06	1.91	1.62	2.34	2.17	2.78	1.89	0.93	2.53	1.09
7.5	0.63	1.49	1.04	1.88	1.57	2.27	2.09	2.66	1.85	0.90	2.47	1.06
8.0	0.61	1.43	1.00	1.84	1.56	2.23	2.06	2.60	1.78	0.86	2.40	1.02

炮眼数目和炸药耗量根据岩石性质、井筒断面大小、炸药性能结合炮眼布置而定。

炮眼布置与井筒断面形状有关,圆形断面多按同心圆布置。掏槽方式依眼深而定,一般采用锥形掏槽和直眼掏槽;中、深孔爆破常用直眼掏槽。采用光面爆破时,周边眼距E为0.4~0.6m;周边眼与相临一圈炮眼的间距W为0.6~0.8m,要求E/W≤0.8~1.0,周边眼距井帮设计位置约为200mm。崩落眼的眼间距一般为0.8~1.0m,掏槽眼的眼间距一般为0.6~0.8m。

某矿风井在中硬岩层施工井筒采用直眼多段复式掏槽,取得了较好的效果。爆破图表如图15-28和表15-3所示。

立井爆破网路联线方式,一般多采用并联;若一次起爆的雷管数目较多,宜采用串并联(图15-29)。

立井爆破作业必须严格遵守《煤矿安全规程》的有关规定。装药前工作面的工具设备要提到安全地点,放炮时所有人员必须升井离开井棚,打开井盖门,由专职放炮员进行放炮。放炮后,待炮烟排出后,并进行安全检查排除一切不安全因素后,方允许作业人员下井进行工作。

三、装岩提升

在立井掘进中，装岩提升工作是最费工时的工序，它约占整个掘进循环时间的50%～60%，是决定立井施工速度的关键工作。

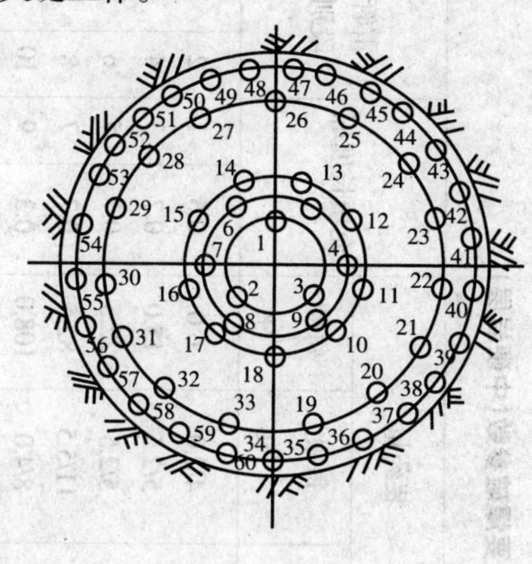

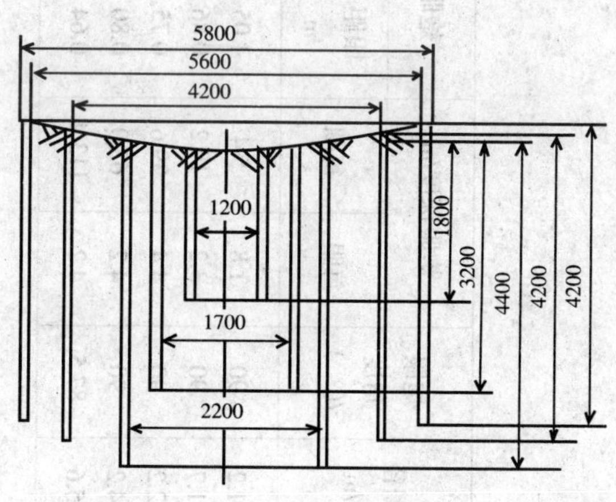

图15-28　某矿风井炮眼布置图

1～18——掏槽眼；19～33——辅助眼；34～60——周边眼

表 15–3　某矿风井主要爆破参数（中硬岩层）

圈别	每圈眼数	眼号	圈径/m	炮眼角度/(°)	炮眼深度/m		炮眼位置		装药量			充填长度/m		雷管段别		起爆顺序	联线方式
					每眼	每圈	眼距/m	圈距/m	每米/kg	每眼/个/kg	每圈/kg						
1	3	1 ~ 3	1.2	90	1.8	5.4	1.05		1.66	4/2.0	6.0	0.6	1	2	Ⅰ	并联	
2	6	4 ~ 9	1.7	90	3.2	19.2	0.86	0.25	1.00	5/2.5	15.0	0.7	3	4	Ⅱ	并联	
3	9	10 ~ 18	2.2	90	4.4	39.6	0.75	0.25	0.68	5/2.5	22.5	0.7	5	6	Ⅲ	并联	
4	15	19 ~ 33	4.2	90	4.2	63.0	0.80	1.00	1.57	11/5.5	82.5	0.7	7	8	Ⅳ	并联	
5	27	34 ~ 60	5.6	87.5	4.2	113.4	0.64	0.70	1.02	8/4.0	108.0	0.3	9	10	Ⅴ	并联	

(一)装岩工作

立井掘进使用的抓岩机按操作方式有:人力操作的长绳悬吊抓岩机(HS型)和NZQ_2-0.11型抓岩机;机械化操作的中心回转式(HZ型)、环行轨道式(HH型)和靠壁式抓岩机(HK型)。

NZQ_2-0.11型是过去常用的一种抓岩机(图15-30),此机由抓斗、升降器和操纵架三部分组成。该机悬吊在吊盘的气动绞车上,装岩时下放到工作面;作业完毕,提至吊盘下方距工作面15~40m的安全高度处。它适用于浅井和井径较小的井筒。

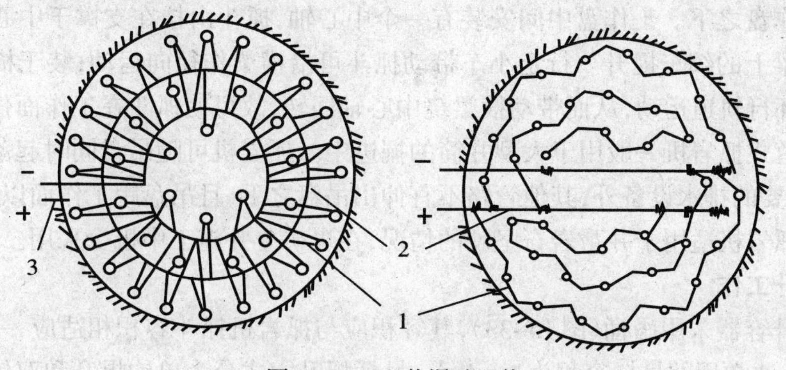

图15-29　立井爆破网络

(a)并联;(b)串并联

1——雷管脚线;2——爆破基线;3——放炮母线

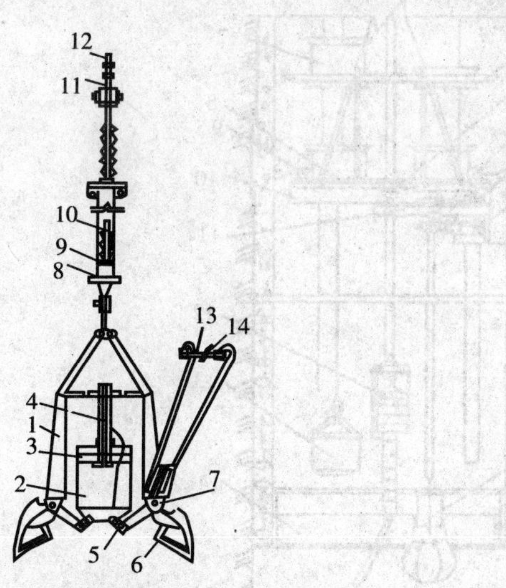

图15-30　NZQ2-0.11型抓岩机

1——机体;2——抓斗气缸;3——活塞;4——双层活塞杆;5——铰链板;6——抓片;7——小轴;8——起重器气缸;9——活塞;10——活塞缸;11——护绳环;12——钢丝绳;13——操作手把;14——配气阀

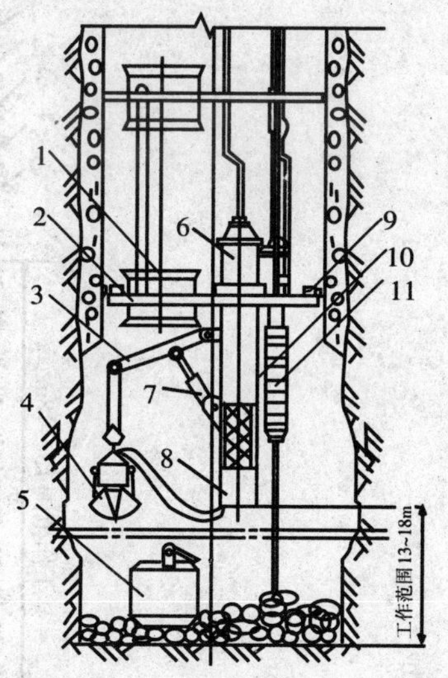

图15-31　HZ型抓岩机布置示意图

1——吊盘喇叭口;2——吊盘;3——臂杆;4——抓斗;5——吊桶;6—提升机构;7——变幅油缸;8——司机;9——撑紧装置;10——机架;11——吊泵

中心回转式抓岩机(图15-31)由抓斗、提升机构、臂杆、变幅油缸、固定装置、机架和司机室等主要部件组成。抓岩机固定在吊盘的下层盘或稳绳盘上。抓斗利用变幅机构作径向运动,利用回转机构作圆周运动,利用提升机构悬吊钢丝绳使抓斗作上下运动。司机坐在司机室内操纵控制抓斗在工作面任意位置抓取岩石,并将其投入吊桶。为了工作方便可靠,要求司机室距工作面不超过15m。抓岩结束后松开撑紧装置,将吊盘连同抓岩机提至安全高度后,再进行钻眼、爆破等其他工作。它适用于井径4~6m,井深400~600m的井筒。

环行轨道式抓岩机由抓斗、提升机构、径向行走机构、环行机构和中心回转机构等部件组成。抓岩机在井筒中的布置如图15-32所示。抓岩机以吊盘的下层盘为工作盘,环行轨道安装在工作盘之下。工作盘中间安装有一个中心轴,抓斗由挂在支撑于中心轴和环行轨道之间的横梁上的绞车提升。行走小车带动抓斗可沿横梁作径向运动;装于横梁一端的环形小车可沿环行轨道运动,从而带动横梁绕中心轴回转,故可使抓斗在工作面任意位置抓取岩石环行轨道式抓岩机一般用于大型井筒的掘进中。抓岩机可随吊盘同时起落。为便于抓取岩石,除必要的排水设备外,其他管路不宜伸出吊盘之下,且吊盘距工作面以15m为宜。

靠壁式抓岩机适用于井帮岩石坚硬的情况,在煤矿立井施工中极少采用。

(二)提升工作

凿井提升容器采用吊桶(图15-33),其容积应与抓岩机抓斗容积相适应,一般为抓斗容积的3~6倍,通常用的吊桶容积为1~$4m^3$。吊桶提升方式分为单钩提升和双钩提升。根据井筒断面大小,可以设1~2套单钩提升或一套单钩、一套双钩提升。

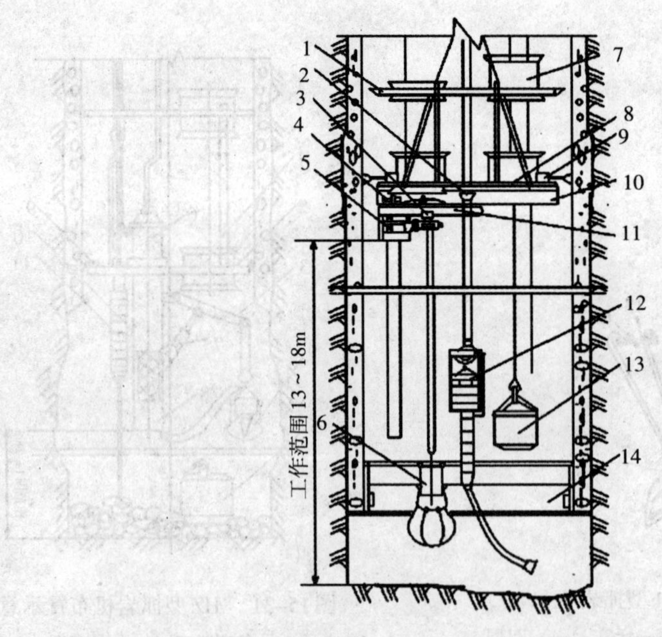

图15-32　HH抓沿机布置示意图

1——上层吊盘;2——抓沿机中心轴;3——行走小车;4——环行小车;5——司机室;6——抓斗;7——喇叭口;8——下层吊盘;9——固定装置;10——环行轨道;11——横梁;12——吊泵;13——吊盘;14——金属模板

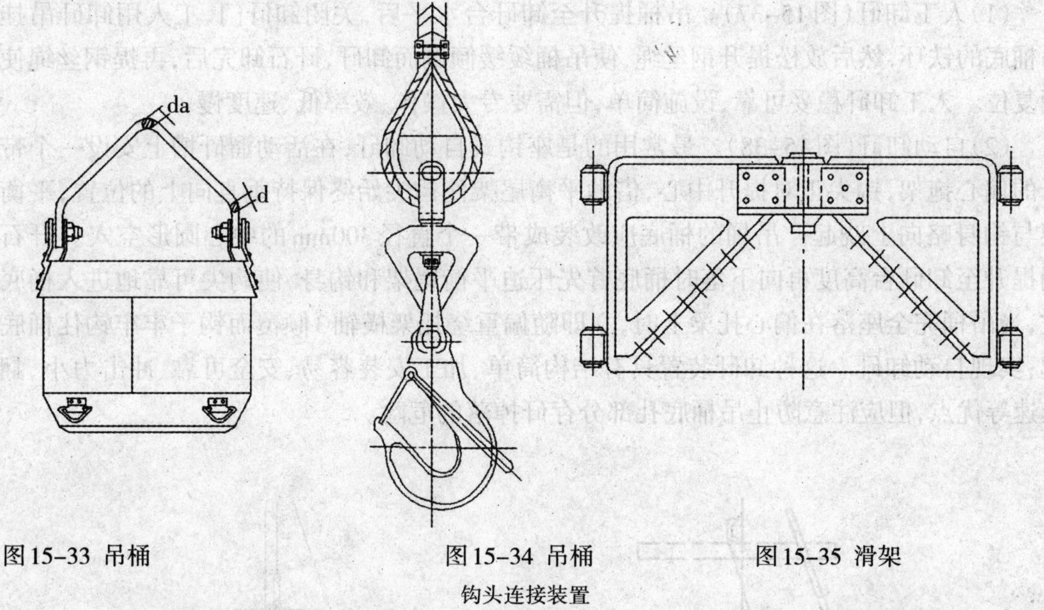

图15-33 吊桶　　图15-34 吊桶钩头连接装置　　图15-35 滑架

装岩时,因吊桶摘挂钩频繁,必须采用操作简便、安全可靠的连结装置(图15-34)。

吊桶在吊盘以上借助于滑架(图15-35)沿两根稳绳运行。稳绳的上端,通过天轮固定在凿井绞车上,下端固定在吊盘上,双层吊盘结构如图15-36所示。掘砌单行作业时,吊盘也就是稳绳盘。若掘砌平行作业,则在砌壁双层吊盘之下,掘进工作面上方,还应设稳绳盘。稳绳盘距工作面的高度不得超过40m。

吊桶装满矸石后,提升至地面卸矸平台卸载。卸矸方式有人工卸矸、翻笼自动卸矸和座钩自动卸矸等方式。

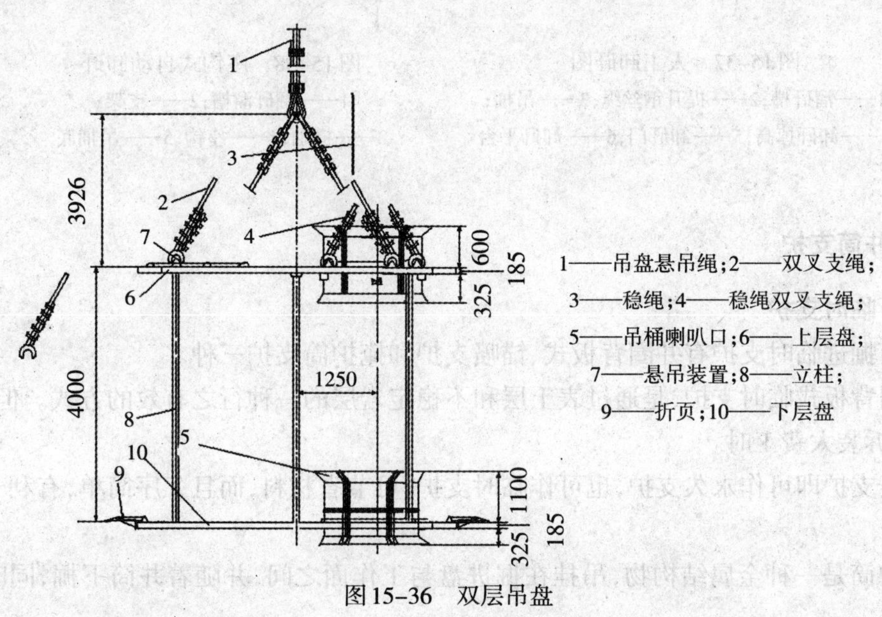

图15-36　双层吊盘

(1)人工卸矸(图15-37)。吊桶提升至卸矸台水平后,关闭卸矸门,工人用卸矸吊挂住吊桶底的铁环,然后放松提升钢丝绳,使吊桶缓缓倾倒而卸矸,矸石卸完后,再提钢丝绳使吊桶复位。人工卸矸稳妥可靠、设施简单,但需要专人操作、效率低、速度慢。

(2)自动卸矸(图15-38)。最常用的是座钩式自动卸矸,在活动溜矸槽上安设一个带钩子的偏心拖架,钩尖正对提升中心,借助平衡尾架使钩尖始终保持垂直向上的位置,平衡尾架与钩身略向上跷起。吊桶的桶底应改装成带一个直径300mm的中心圆形空穴。矸石吊桶提升至卸矸台高度再向下落时桶底首先压迫平衡尾架和钩身,使钩尖可靠地进入桶底空穴,当吊桶完全座落在偏心托梁上时,立即随偏重绕托架横轴3倾覆而钩子牢牢钩住桶底一起,实现自动卸矸。这种卸矸装置具有结构简单、加工安装容易、安全可靠、冲击力小、翻矸迅速等优点,但应注意防止吊桶底孔部分存矸掉落的危险。

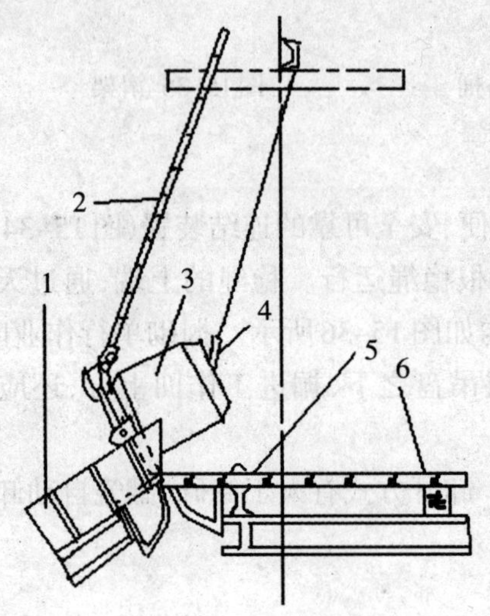

图15-37　人工卸矸图

1——溜矸槽;2——提升钢丝绳;3——吊桶;4——卸矸掉高;5——卸矸门;6——卸矸平台

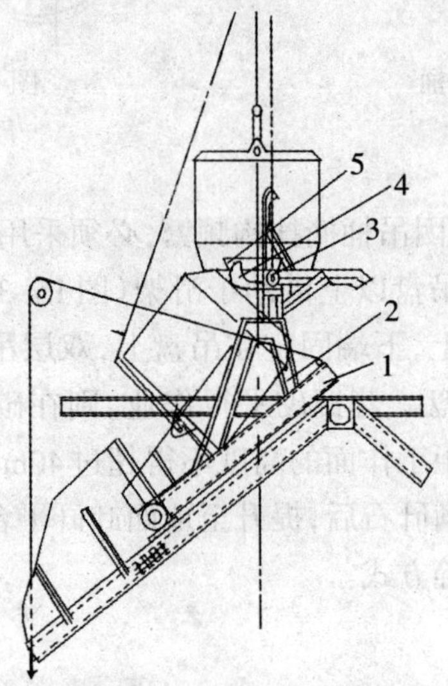

图15-38　座钩式自动卸矸

1——翻矸溜槽;2——支架;3——横轴;4——座钩;5——吊桶底

四、井筒支护

(一)临时支护

井筒掘进临时支护有井圈背板式、锚喷支护和掩护筒支护三种。

井圈背板式临时支护,是通过表土层和不稳定岩层的一种行之有效的方式。但是,材料消耗大,拆装太费工时。

锚喷支护即可作永久支护,也可作临时支护,可节省材料,而且工序简单,有利于加快建井速度。

掩护筒是一种金属结构物,吊挂在掘进盘与工作面之间,并随着井筒下掘,同时向下移动。它不起支护作用,而是用来隔离吊盘下方的岩帮,防止碎石落到掘进工作面。

(二)永久支护

永久支护有料石砌壁、混凝土浇注井壁和锚喷支护　　　。

料石砌壁,劳动强度大、效率低、整体性和封水性都很差,只有在小型矿井井筒涌水量不大、料石又可就地采取时采用。

混凝土井壁施工,都是在地面混凝土搅拌站将混凝土搅拌好,经输料管或用吊桶送至井下注入模板内。模板有木模板、装配式金属模板和伸缩式金属整体移动模板三种。为了节约木材,加快砌壁速度,因尽量采用金属模板。经验表明,短段掘砌时采用双缝单铰式整体移动模板,效果很好,其结构如图15-39所示。它由刃角、筒体、脚手架、伸缩缝、伸缩装置和浇注口预制盒等组成。它用钢丝绳悬吊,立模时将其放到预定位置,用伸缩装置将其撑开到设计尺寸。在距浇注口1.0～1.2m处的脚手架上进行浇注混凝土,当混凝土强度达到0.05～0.25Mpa时,可用伸缩装置脱模。伸缩装置可采用正反扣丝母,也可采用液压同步装置,模板的高度可根据围岩的稳定性来决定,在围岩稳定时可达到3～4m。

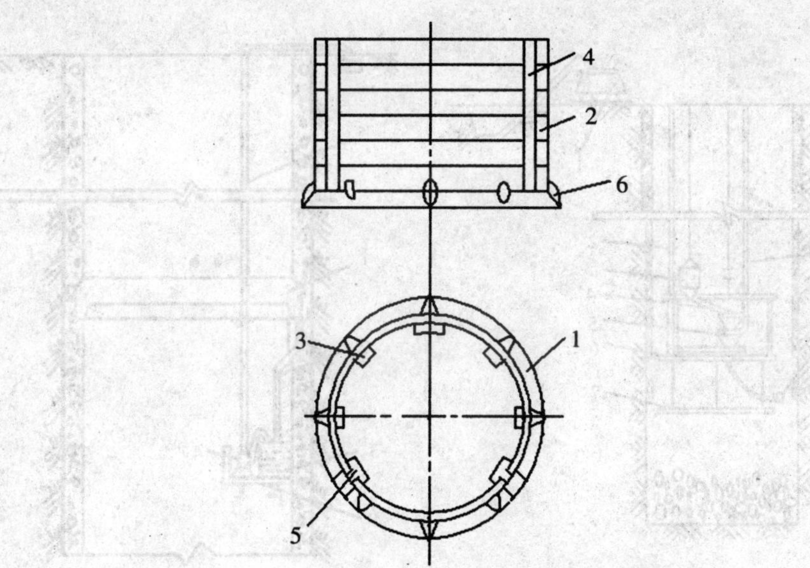

图15-39　伸缩式金属整体模板结构图

1——刃角;2——筒体;3——折叠式脚手架;4——伸缩缝;5——伸缩装置;6——浇注口预制盒

随着锚喷支护在平巷及硐室工程中的大量应用,在立井井筒中也得到广泛采用。实践证明,凡是在中硬以上稳定的岩层中,涌水量小于5m³/h时可以考虑采用锚喷支护作为井筒的永久支护。其施工工艺如图15-40所示。喷射混凝土材料在地面搅拌好,然后送到喷射机中,喷射机可设在井口也可设在吊盘上,在喷射平台上进行喷射,喷射机设在井口时要特别注意防止堵塞管道。锚喷支护作为永久支护,工艺简单,便于机械化施工,安全可靠,值得推广使用。

五、立井涌水处理

立井开凿时，井筒涌水对井筒施工有很大的影响。涌水处理得好坏，直接影响井筒的井壁质量，甚至关系到井筒施工的成败。对井筒涌水的处理方法有：排水及注浆堵水。

(一)排水

1.吊桶排水

通常利用小压气泵将水排入吊桶或排入充满矸石吊桶的空隙内，用提升机提起排到地面。适用与涌水量不超过6m³/h的情况。

2.吊泵排水

利用悬吊在井架上吊泵，将井筒工作面的积水直接排到地面或排到中间泵房内。利用吊泵排水，井筒涌水量以不超过40m³/h为宜。

为减少工作面的积水和淋水，改善施工条件和保证井壁质量，应采取截水措施将工作面上方的井帮淋水截住导入水箱或中间泵房内，再用水泵排至地面(图15-41)。

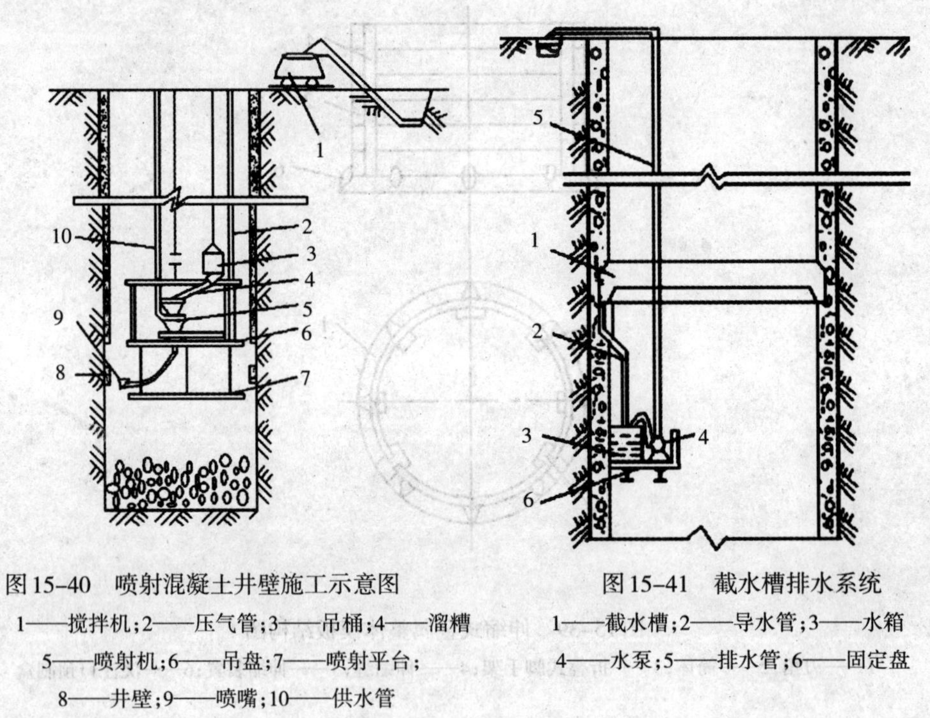

图15-40　喷射混凝土井壁施工示意图

1——搅拌机；2——压气管；3——吊桶；4——溜槽
5——喷射机；6——吊盘；7——喷射平台；
8——井壁；9——喷嘴；10——供水管

图15-41　截水槽排水系统

1——截水槽；2——导水管；3——水箱
4——水泵；5——排水管；6——固定盘

(二)注浆堵水

注浆堵水，就是利用注浆泵经注浆孔将浆液注入含水层内，使其充满岩层的裂隙并凝结硬化，堵住地下水流入井筒的通道，达到减少井筒涌水量和避免井壁渗水的目的。注浆堵水方法有两种：一是为了打干井，在井筒掘进前向含水层钻孔注浆堵水，称为预注浆，它又分为地面预注浆和工作面预注浆；二是为了封住井壁渗水，而在井筒掘砌后向含水层注浆封水，称为壁后注浆。壁后注浆，都是自上而下分段进行，分段高度一般为15～25m。为了防止后注浆液向下渗漏而影响注浆质量在各分段内则采用自下而上的注浆顺序。

在井筒围岩裂隙较大出水较多的地段，在砌筑井壁时应在出水位处提前置埋设注浆管，为了避免管路因注浆压力过大而被顶出，管子应穿过井壁进入含水岩层100～200m深，并在埋入井壁的部分焊上法兰状铁板。管端孔口还应采用卵石围砌，避免孔口被混凝土堵塞。管口需带丝扣，以便安装阀门。采用单液注浆的管路装置如图15-42所示。

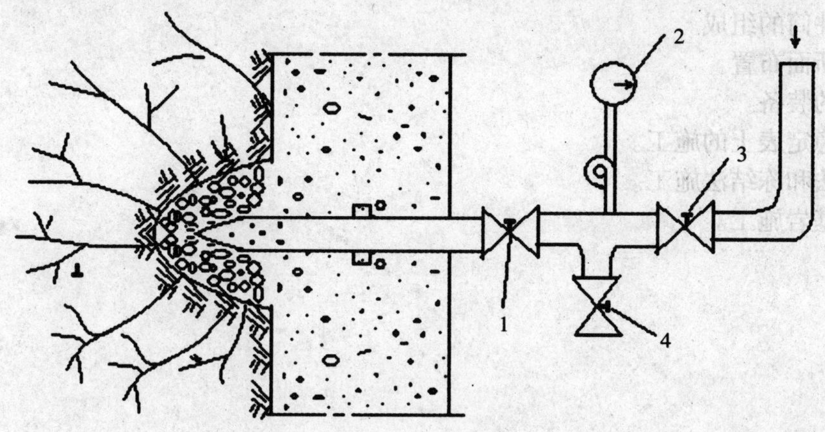

图15-42　单液注浆管路布置

1——注浆管阀门；2——压力表；3——进浆管阀门；4——卸浆阀门

第二部分　专业核心知识点

1.立井井筒的组成。
2.井筒断面布置。
3.立井的装备。
4.立井稳定表土的施工。
5.沉井法和冻结法施工。
6.立井基岩施工。

第三部分　专业技能训练

钻井柴油机工技能操作

一、使用压杆式黄油枪操作步骤

(1)左手握住黄油枪储油筒中部,右手向后拉活塞杆,使活塞紧贴在后端盖上并锁住拉杆。

(2)左手握住黄油枪储油筒中部,右手握住前端盖,将前端盖旋下。

(3)打开润滑脂桶上盖,用抹具将清洁的润滑脂装入储油筒内,应压实,不留空隙。

(4)将抹具拿出,盖上润滑脂桶上盖。

(5)旋上黄油枪前端盖,将拉杆解锁,恢复到工作状态,将黄油枪外表面擦干净。

(6)往复压动手柄,排出储油筒内空气。当发现油嘴处连续出现润滑脂时即可给润滑部位加注润滑脂。

(7)将黄油枪的油嘴对正润滑部位的油嘴插入,往复压动手柄,按保养规定将适量润滑脂注入润滑部位。

(8)注完油后拔出黄油枪。

(9)将润滑部位与黄油枪擦拭干净。

(10)摘下检修警告牌。

(11)回收工具,清理现场。

二、柴油机的启动操作步骤

(1)穿戴好劳保用品。

(2)完成启动前的检查工作。

(3)打开气源总旋阀,启动压力应保持在588~882kPa。

(4)扳下油压低自动停车手柄,使拨叉与齿杆上挡块脱开,推动齿杆至供油位置。

(5)按动预供油泵按钮,使预供油泵的油压升至98kPa后,按动启动按钮,完成柴油机的启动。

(6)柴油机启动后,应立即释放启动按钮,以免损坏气动马达。

(7)关闭气源总旋阀,以免柴油机运转中误操作而损坏气动马达。

(8)控制油门将转速调整在600r/min~800r/min,进入怠速运转。

三、柴油机的紧急停车操作步骤

应在现场出现易然、易爆气体或柴油机飞车等突发性故障和危及人身、设备安全时,采用紧急停车。

(1)切断油路,方法是:

①迅速扳动停车手柄至停车为止，中断向喷油泵供油，使柴油机停车。

②油门不起作用时，可将燃油切断，停止供油，迫使柴油机停车。

(2)切断气路，方法是：当工作现场出现易然、易爆气体或切断油路方法无法停车时，扳下防爆装置蝶阀使进气道关闭，迫使柴油机停车。

四、清洗冷却系统水垢操作步骤

(1)准备好工具。

(2)穿带(戴)好劳保用品，准备好清洗液。

(3)放尽发动机冷却水后，关好放水丝堵。

(4)将清洗液放入冷却系统中。

(5)启动柴油机，中速运转5～10 min。

(6)停机10～12 h。

(7)启动柴油机，中速运转10～15 min。

(8)停机放尽清洗液。

(9)注入清水。

(10)柴油机中速运行。

(11)反复清洗2～3次。

(12)加入合格软化水。

(13)回收所用物品。

(14)注意人身安全，防止清洗液烧伤。

(15)注意环境保护。

五、日常保养柴油机操作步骤

(1)准备检查、紧固工具。

(2)穿好工作服。

(3)检查燃油箱油位，必要时添加燃油。

(4)检查油底壳、喷油泵、调速器内的机油液面高度，必要时添加润滑油。检查其液面是否有异常的增高和下降现象；检查油质状况。

(5)检查散热水箱或冷却水池内的水位，必要时添加冷却水和防锈液。

(6)采用气启动时，检查气源压力；采用电启动时，检查电源充电情况。

(7)清洁柴油机表面。

(8)检查各联接、固定部位的紧固情况，有松动时上紧。

(9)检查各仪表是否正常。

(10)密切观察仪表指示的柴油机运行参数，要特别注意机油压力和油、水温度的变化。

(11)观察柴油机排烟状况，监听柴油机的声响。如有异常现象应及时查找原因，加以排除。

(12)检查并排除柴油机漏水、漏油、漏气现象，保持柴油机及使用环境的清洁。

(13)填好柴油机运行记录。

六、更换柴油机压力表操作步骤

(1)穿戴好劳保用品。

(2)准备工具:19~22mm开口扳手1把、125mm螺丝刀1把、新压力表1块、棉纱布1块。

(3)悬挂检修警告牌。

(4)从仪表盘上拆下要更换压力表的表头。

(5)从机体上拆下要更换压力表的传感器。

(6)检查新压力表的规格是否符合要求。

(7)将新压力表传感器装入传感器座孔并紧固。

(8)将新压力表的表头固定在仪表盘的相应位置。

(9)固定新装仪表的软尾线,注意不得折曲、急转弯和受挤压,要理顺整齐。

(10)摘下检修警告牌。

(11)按规定启动柴油机检查新压力表的工作情况,应与被换压力表失效前读数一致。

(12)擦净传感器、仪表盘处油污。

(13)回收工具,并擦拭干净

七、更换柴油机水泵操作步骤

(1)穿戴好劳保用品。

(2)准备工具和用具:12~14mm、17~19mm、19~22mm开口扳手各1把,12~14mm梅花扳手1把,12mm、14mm套筒各1件,棘轮扳手1件,盘车撬杠1根,新水泵1个,密封垫2个,棉纱布1块。

(3)悬挂检修警告。

(4)旋下放水丝堵,回收冷却系统内的冷却液。

(5)旋松水泵下方放水阀,放尽水泵内的冷却液,并回收。

(6)卸下与水泵相连进水管一端的螺母,拆下进水管固定卡子,移开进水管。

(7)旋下水泵固定螺栓,取下旧水泵。

(8)清理安装端面并涂抹适量平面密封胶。

(9)用手转动一下新水泵看其是否转动灵活,有无卡滞现象和异常响声;检查叶轮背帽是否紧固。

(10)装上密封垫,把水泵装入齿轮罩壳水泵座孔内,紧固水泵固定螺栓,紧固时对角交叉进行。

(11)装上密封垫,安装进水管,上紧螺母。

(12)将进水管卡子紧固。

(13)旋紧放水丝堵。

(14)盘车检查水泵安装正常后,加入冷却液,排除冷却系统内空气。

(15)摘下检修警告牌。

(16)按规定启动柴油机,检查新水泵工作情况,旋开水泵上端的放水阀少许,有强劲的水柱冲出则表示供水正常。

(17)用棉纱布擦净水泵及进水管表面。

(18)回收工具,并擦拭干净。

八、复合式空气滤清器操作步骤

(1)穿戴好劳保用品。

(2)准备工具、用具:12~14mm梅花扳手1把、19~22mm开口扳手1把、200mm螺丝刀1把、清洗盆和毛刷各1件、安全工作灯1盏、棉纱布1块。

(3)储备392~588kPa的压缩空气源。

(4)悬挂检修警告牌。

(5)用手捏动排尘鸭嘴,使灰尘自行下落。注意不要在柴油机工作中进行排尘,以免排出的灰尘又被吸入滤清器内。

(6)松开预滤器上卡箍,取下集尘杯。

(7)松开预滤器下卡箍,取下预滤器,拆卸时注意不要碰坏旋流管。

(8)松开空气滤清器顶部搭扣,取下上盖。旋下蝶形螺母,取出主滤芯,旋下槽形螺母,取出安全滤芯。

(9)用清洗剂清洗预滤器、积尘杯,并用392~588kPa的压缩空气吹干。

(10)清理主滤芯:用392~588kPa的压缩空气从主滤芯的内侧沿滤纸折叠方向向外吹,将沉积在滤纸外边的灰尘吹净。

(11)检查主滤芯:将安全工作灯放到主滤芯中间,从外侧观察主滤芯透光情况,看有无滤纸破损或脱胶现象。如有损坏时更换新滤芯。

(12)在主滤芯破损时,清理检查安全滤芯。清理检查方法同主滤芯一样。

(13)将安全滤芯安装到滤芯外壳支架上并紧固。

(14)将主滤芯安装到滤芯外壳支架上并紧固。

(15)装上滤清器上盖,扣上顶部搭扣。

(16)装上预滤器,上紧预滤器上卡箍。

(17)装上积尘杯,上紧预滤器下卡箍。

(18)装上排尘鸭嘴。

(19)用棉纱布擦拭滤清器外表面。

(20)摘下检修警告牌。

(21)收回工具,并擦拭干净。

九、清洗机油离心滤清器操作步骤

(1)穿戴好劳保用品。

(2)准备工具和清洗用具:14~17mm梅花扳手1把,24~27mm、34~36mm开口扳手各1把,油盆、毛刷各1件,塞尺1把,通针1根,木质刮片1把,棉纱布1块。

(3)将油盆内放入适量柴油。

(4)悬挂检修警告牌。

(5)清除滤清器外部灰尘,拆下罩壳盖形螺母,取下外罩壳。

(6)拆下螺母,将转子组从转子轴上取下。

(7)将外罩壳盖放回原处以防止灰尘落入滤清器内。

(8)将转子组固定,拆下扁螺母,打开转子壳,取下密封垫圈。

(9)将集油管从转子体上拆下,清洗集油管、滤网。清洗转子体,并疏通喷嘴。

(10)用木质刮片将转子壳内壁上的沉淀物刮掉,并对刮出的积污进行检查,检查有无金属屑,然后放入柴油盆内用毛刷清洗干净。

(11)用干燥的压缩空气将清洗后的零部件吹净。

(12)复装转子组,先将集油管旋入转子体螺孔,使其带孔一侧朝向转子中心,然后用扁螺母将其锁紧。

(13)转子壳与转子体装配时,装好密封胶圈,对准装配记号,用扁螺母紧固。

(14)将转子组装到转子轴上并旋紧螺母。用塞尺检查转子组轴向间隙,标准值为0.5~1.0 mm。

(15)用手转动转子组,应灵活,无卡滞现象。

(16)检查并安装密封胶圈,装上外罩壳,旋紧盖形螺母。

(17)摘下检修警告牌。

(18)按规定启动柴油机进行试车检查。

(19)清理现场,回收污油。

(20)回收工具,并擦拭干净。

十、更换“V”形皮带操作步骤

(1)穿戴好劳保用品。

(2)准备工具:14~17mm、19~22mm、24~27mm开口扳手各1把,14~17mm梅花扳手1把,尖嘴钳1把,200mm螺丝刀1把,新“V”形皮带5根,棉纱布1块。

(3)悬挂检修警告牌。

(4)拆卸“V”形带防护装置固定螺丝,取下护罩。

(5)旋下张紧轮拉杆上的螺母,取下弹簧座、弹簧。

(6)用尖嘴钳取下张紧轮与拉杆连接销的锁紧销,依次取下弹簧、拉杆、连接销。

(7)旋下张紧轮侧面拉板的螺母,取下侧面拉板。

(8)取下旧皮带。

(9)检查新皮带型号、质量。

(10)安装新皮带。

(11)装上张紧轮的侧面拉板,并用螺母旋紧。

(12)依次安装张紧轮的连接销、弹簧、拉杆并用锁紧销锁紧。

(13)安装张紧轮拉杆端部的弹簧座、弹簧,并旋上螺母。

(14)用拉杆将张紧轮拉起,旋转拉杆端螺母,调整新皮带初始张紧度。“V”形带初始张紧度以大拇指能按下15mm左右为宜。

(15)装上风扇皮带护罩并紧固。

(16)摘下检修警告牌。

(17)按规定启动柴油机进行试车检查。

(18)回收工具，并擦拭干净。

复习题

1.立井井筒的纵向组成包括哪几个部分？为什么？

2.立井井筒装备包括哪些，各有什么作用？

3.为什么井颈要比井壁段的支护加厚？

4.什么叫壁座？它有什么功用？通常布置在什么位置？

5.立井基岩施工有哪几种作业方式？其主要内容是什么？

6.立井施工时井筒涌水该如何处理？

7.不稳定表土施工方法有哪几种？简述淹水沉井法的施工方法。

技能训练题

掌握下沉井壁和壁后充填的工艺流程。能进行下沉井壁，扶正、固定井筒和壁后充填。

讨论题

如何编制立井施工二次改绞工程的安全技术措施？

提纲：

大多立井施工都存在二次改绞的问题，如何编制安全技术措施各有言辞，归纳起来应注意以下几点：

一、工程概况：

1.原工程情况。

2.现在要怎么样。

二、施工部署：

1.制定各项目标：(1)施工工期要求；(2)施工质量要求；(3)施工安全要求；(4)文明施工要求。

2.施工准备：(1)技术准备；(2)生产准备；(3)施工机械、施工材料准备。

3.施工组织：(1)组织机构表；(2)劳动组织表。

4.改绞方案、顺序、进度。

三、施工安全技术措施：

1.安全方针和目标；2.安全防范及重点；3.安全保障措施；4.明火作业安全措施。

第十六章　立井井筒延深

第一部分　系统理论知识

采用立井多水平开拓的矿井，为了使矿井尽快投产，井筒并不是一次开凿到最终的开采深度的，通常是先将井筒开凿到第一生产水平，然后施工井底车场、主要运输大巷以及采区巷道等，以形成完整的生产系统投产。矿井投产后，为了保证生产的正常接替，在第一生产水平开采的后期，就必须进行矿井井筒的延深和新生产水平的开拓工作。井筒延深的施工与井筒基岩施工基本上是一样的。但是由于受到原生产系统和设施的限制和影响，井筒延深工作比较困难，施工组织管理工作也比较复杂。

常用的立井井筒延深方案有三种：利用辅助水平延深；利用延深间（梯子间）延深；利用反井延深。

第一节　利用辅助水平延深井筒

这种延深方法是由生产水平通过延深辅助暗井到达辅助水平，并在此水平上布置延深用的巷道、硐室和安装延深施工设备，然后自上而下延深井筒（图16–1）。这种延深方法的特点是：施工独立性强，施工安全，对矿井正常生产的影响较小；但是延深辅助水平工程量大，延深准备期长，投资大，占用设备比较多。

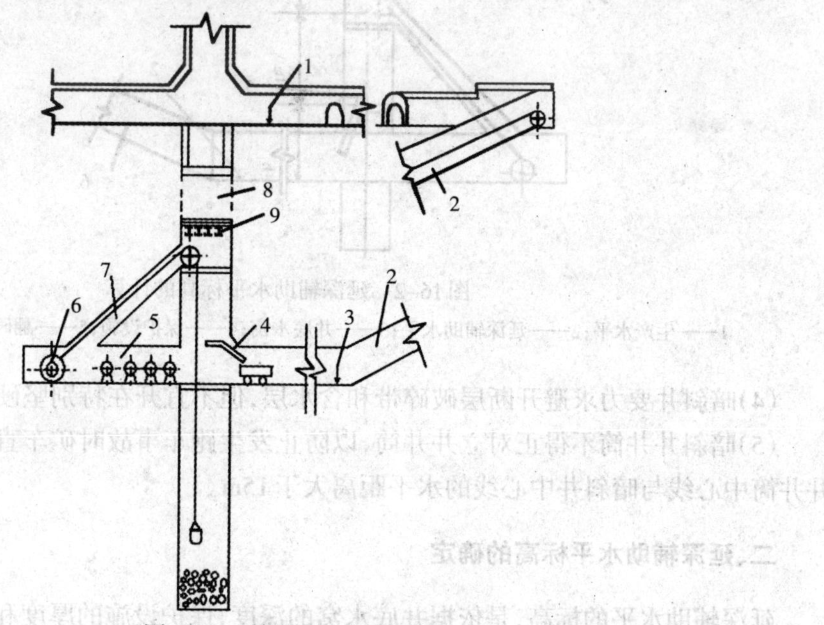

图16–1　利用辅助水平延深

1——生产水平；2——辅助暗斜井；3——延深辅助水平；4——翻矸台
5——稳车硐室；6——提升机硐室；7——绳道；8——保护岩柱；9——护顶盘

一、辅助暗井位置的选择

辅助暗井是由生产水平到达延深辅助水平的通道，担负着提运矸石、材料、设备、上下人员和通风等任务。暗井可以是暗斜井，也可以是暗立井，一般多采用暗斜井，其位置的选定应注意以下几点：

(1)为了减少暗斜井的工程量，以及便于人员上下和提升工作，暗斜井的倾角不宜太大又不宜太小，一般要求在25°~30° 之间。

(2)暗斜井上部车场应位于运输、通风、下管线和供给空车都比较方便的地方。上部车场与生产水平连接处，应尽量不影响生产水平的提升工作。

(3)尽量利用井筒附近的旧巷道和硐室，以减少延深辅助工作量。

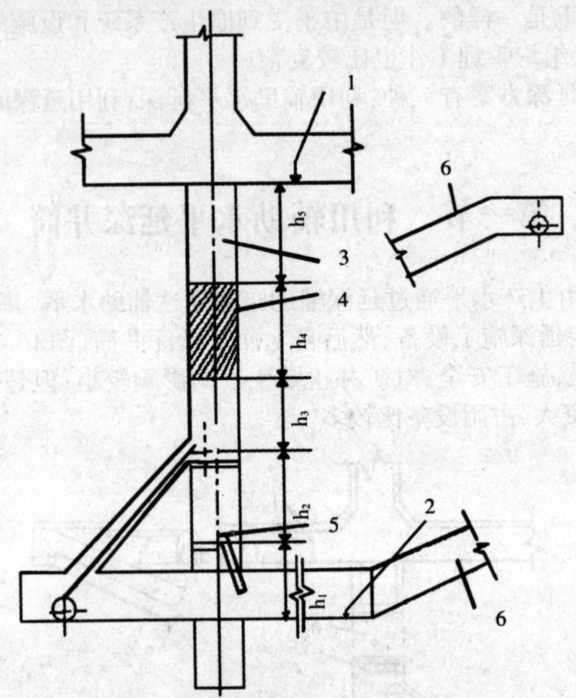

图16-2　延深辅助水平标高的计算

1——生产水平；2——延深辅助水平；3——井底水窝；4——保护设施；5——翻矸台；6——暗斜井

(4)暗斜井要力求避开断层破碎带和含水层，但不宜开在特别坚硬的岩石中。

(5)暗斜井井筒不得正对立井井筒，以防止发生跑车事故时矿车直冲井筒。一般要求立井井筒中心线与暗斜井中心线的水平距离大于15m。

二、延深辅助水平标高的确定

延深辅助水平的标高，是依据井底水窝的深度、保护设施的厚度和提升翻矸要求的高度决定的。延深辅助水平至生产水平的高度，如图16-2所示，按下式确定：

$$H=h_1+h_2+h_3+h_4+h_5 \tag{17-1}$$

式中 H ——延深辅助水平底板至生产水平底板的高度，m；

h_1 ——延深辅助水平至翻矸台的高度，一般为4m左右；

h_2 ——翻矸平台至提升天轮中心的高度(包括过卷高度)，一般为10～12m；

h_3 ——提升天轮中心至保护设施底部的高度，一般为2.5～3m；

h_4 ——保护设施的厚度，若采用保护岩柱时，为6～8m；若采用人工保护盘时，为2.5～3m；

h_5 ——保护设施顶部至生产水平的高度，通常相当于井底水窝的深度，m；

在保证施工安全和提升方便的前提下，应尽量减少延深辅助工作量，降低成本，缩短工期。

三、延深辅助水平巷道和硐室的布置方式

其布置方式主要有：

(1)主、副井共用一条暗斜井，主、副井各设一个辅助水平。这种延深方式如图16-3所示，提升运输特点是，共用一个暗斜井，将来自主、副井辅助水平的矸石提升至上部车场，经转运后再由生产水平的提升设备提至地面。延深所用的材料设备，由暗斜井分别运送到主、副井辅助水平。

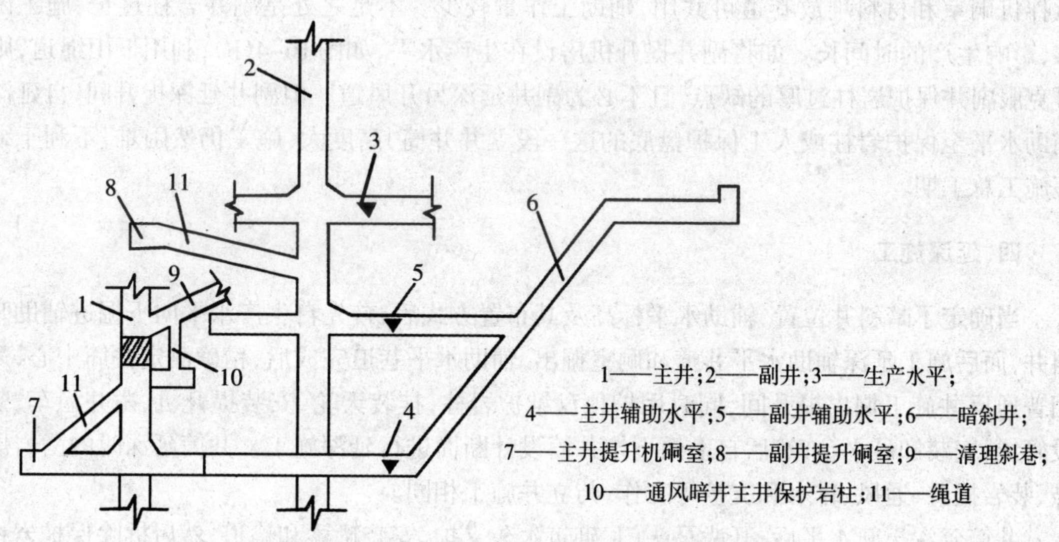

图16-3 主副井各设一个辅助水平的巷道布置

这种布置方式的优点是提升集中，主、副井辅助水平可以同时施工，有利于缩短工期。缺点是辅助工程量大；车场不集中，运输和管理各自独立，施工材料不便于互相调配。这种布置方式适用于主、副井井底标高相差较大的矿井。

(2)主、副井共用一条暗斜井，主、副井共用一个辅助水平。这种延深方式如图16-4所示，特点是由一个暗斜井和一个辅助水平进行提升运输，适用于主、副井井底标高相差不大的矿井。

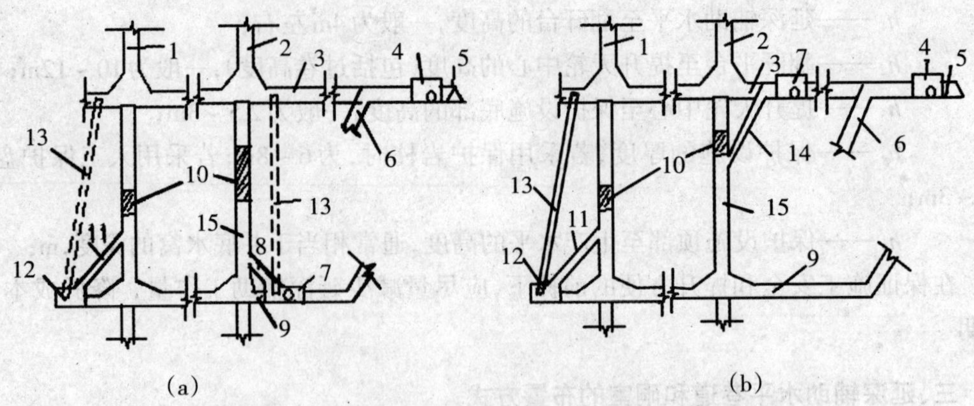

图16–4　主副井共用一个辅助水平的巷布置

(a)副井提升机房布置在辅助水平;(b)副井提升机房布置在生产水平

1——主井;2——副井;3——生产水平;4——暗斜井提升机房;5——生产水平井底车场;6——暗斜井

7、12——主、副井提升机房;8、11——主、副井提升绳道;9——主副井共用的辅助水平;

10——岩柱;13——风道;14——副井提升下山绳道;15——副井延深提升间

图16–4(a)所示方案的优点是管理集中,施工材料和设备可以互相调剂使用;下部车场、搅拌机硐室和材料堆放巷道可共用,辅助工作量较少。不足之处是副井岩柱过长,施工困难,影响生产的时间长。如将副井提升机房设在生产水平,如图16–4(b),利用下山绳道,则可克服副井保护岩柱过厚的缺点,且不必为副井延深另开风道。但副井延深提升间(自延深辅助水平至保护岩柱或人工保护盘底的这一段立井井筒)高度大,施工仍然困难,不利于缩短施工总工期。

四、延深施工

当确定了暗斜井位置、辅助水平标高及其布置方式后,首先自生产水平向下掘进辅助暗斜井,而后施工延深辅助水平巷道和硐室掘出,辅助水平巷道完成后,精确测定井筒中心,采用普通反井施工掘出提升间,同时用护顶盘维护岩柱,挂装天轮,安装提升机、凿井稳车,敷设管线,安装卸矸平台,然后自上而下按井筒设计断面进行延深施工。井筒延深时的凿岩爆破、装岩提升、通风、排水和支护等工作,与立井施工相同。

井筒延深至新水平后,开凿马头门,砌筑永久支护,安装罐梁和罐道,然后拆除保护岩柱或人工保护盘。保护岩柱的拆除,可自上而下全断面掘砌;也可自下而上先以小断面掘至生产水平井底,而后自上而下刷大到设计断面,为了保证施工安全,此时上部井筒的生产提升必须停止。岩柱拆除、砌壁和安装完毕后,将提升容器下放到新水平进行试运转,至此井筒延深工作结束。

第二节 利用梯子间或延深间延深井筒

在矿井设计时，若已考虑井筒的延深问题而预留有延深间；或者井筒的梯子间有足够的断面面积，可以将梯子等装备拆除作延深间用；施工时利用延深间或梯子间布置和吊挂井筒延深的施工设施，在原井底的下面留保护岩柱或修筑人工保护盘，然后自上向下全断面延深井筒。矸石用吊桶通过延深间提升至地面(或生产水平)卸载。因此，在选用这种延深法时，必须考虑原井筒的断面布置方式，地面和井下生产系统及运输方式，延深井筒深度等因素。

利用延深间延深井筒的掘砌施工方法与普通凿井基本相同，主要的是井筒的提绞布置不同。

一、延深井筒横断面布置

根据生产井筒断面布置和井内延深施工的设备布置情况，延深井筒横断面一般采用下列几种布置方式。

(1)利用预留延深间布置施工设备。在生产井筒断面设计施工时，预留出延深位置，待井筒延深时，可直接布置施工设备。它因受断面限制，只能布置小型提升容器，施工速度慢。

(2)利用梯子间布置施工设备。将原梯子间内的梯子平台和梯子梁拆除，布置施工设备。它的井筒断面利用率高，但改装工程量大，只适用于有梯子间的副井中。

(3)利用永久提升间布置施工设备。当生产水平为多套提升容器提升、又无预留延深间或梯子间，并对矿井生产提升影响不大时，可利用一套提升设备的提升间布置施工设备。并可利用原有的提升机，挂上吊桶即可施工，它的改装量小，可布置大吊桶，施工速度快。

二、井筒延深的纵断面布置

井筒延深时，施工的提绞设备与卸矸台可以布置在地面，也可以布置在井下(图16–5、图16–6)。应根据矿井井筒上下的生产系统、运输方式、井筒横断面的布置、延深井筒的总长度以及采用的施工设备情况而定，其布置方式一般有：

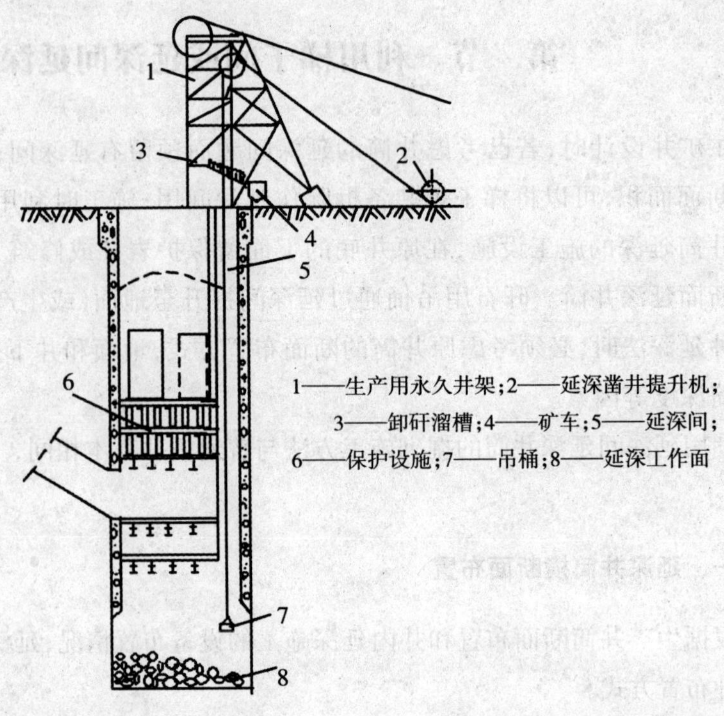

图 16-5　利用永久井架延深(卸矸台在地面)

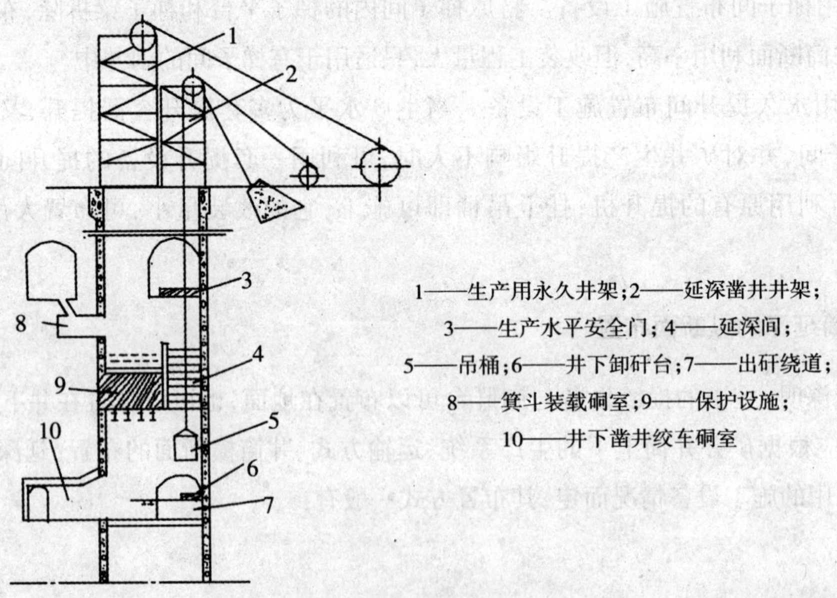

图 16-6　利用延深凿井井架延深(卸矸台在井下)

(1)提升机与卸矸台布置在地面(图 16-5)。这种布置方式只对地面生产和运输系统略加改造，即可布置提升机、卸矸台、材料场及其他施工设备，提矸、下料均在地面进行，充分利用生产设备及地面场地，大大减少井下临时工程量和延深准备工期，管理也比较集中，但由于可利用的井筒横断面有限，提升容器较小，随着延深深度的增加，吊桶的提升能力显著降低，故只适用于提升深度不超过500m的井筒。如果永久井架增设凿井天轮有困难，也可单独安装临时凿井井架，如图16–6中2所示。

（2）提升机设于地面，卸矸台设于井下（图16–6）。当地面布置卸矸台或运输线路受限制，或吊桶提升能力小出矸速度太慢，或为减少井筒改装量时，均可将卸矸台布置在生产水平或辅助水平。当利用梯子间延深时，不必全部拆除梯子间，只需在梯子间平台上凿出提升钢丝绳通过的孔口即可。这种布置井下辅助工程量较大，并且矸石经生产转运地面，与生产系统互相干扰。

（3）提升机房与卸矸台均设在生产水平时，延深施工过程（图16–7）如下：

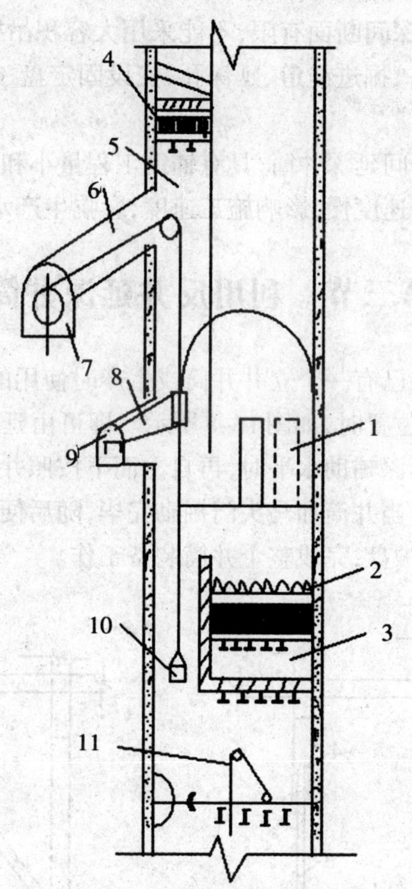

图16–7　利用延深间或梯子间延深井筒

（提升机和卸矸台均在生产水平）

1——生产水平；2——保护设施；3——水窝；4——延深间上部保护设施；5——延深间；6——绳道；7——延深提升机房；8——卸矸台及溜槽；9——出矸绕道；10——吊桶；11——悬吊钢丝绳

① 在生产水平合理位置开凿提升机房、绳道和其他巷道、硐室。

② 拆除生产水平以上15～20米高的梯子间,并用木板围严,上部安置保护设施。

③清除井底水窝积水和杂物,修筑钢筋混凝土隔水墙,同时安装提升机、挂装天轮。

④ 构筑人工保护设施。若留岩柱,则可向下掘进延深间,延深间为矩形断面(1.2×1.7～3.0米),密集井框支护,一般分两个间隔,即提升间和行人间。行人间内装有梯子;提升间内布置吊桶、稳绳。

⑤ 待延深孔掘够深度后,向下按设计断面掘6米左右并砌好井壁,同时在岩柱下用钢梁、木板构筑密背的护顶盘。在岩柱下3～4米处安设固定盘,用来放置凿井绞车。

⑥ 在生产水平安设封口盘,卸矸台。

⑦ 开始自上向下全断面延深井筒,直至新水平,开凿马头门, 进行井筒安装工作。

⑧ 拆除岩柱或人工保护盘并接砌井壁。

用这种方法延深井筒,具有辅助工程量小、准备时间短、工作比较紧凑、管理集中和施工总投资少等优点。然而因延深间断面有限,不能采用大容积吊桶,提升速度受到限制,施工速度慢。另外,安装提绞设备,掘进绳道、延深孔,安设固定盘、封口盘等都必须停止生产提升,延深工作独立性小。

总之,利用延深间或梯子间延深井筒,具有辅助工程量小和延深准备工期短等优点。其缺点是提升吊桶容积小,提升速度慢,影响施工速度,影响生产水平工作。

第三节　利用反井延深井筒

在立井延深施工前,如果已有一个立井井筒或生产时使用的下山已经到达延深新水平,并有巷道通往延深井的井底位置时,如图16–8所示。即可由延深新水平自下而上以小断面掘进井筒,待小断面掘进至延深辅助水平时,再自上而下按照井筒设计断面分段进行刷大和砌壁,这就是反井延深井筒。当井筒和马头门掘砌完毕,随后便进行井筒装备工作。最后拆除保护岩柱段井筒或人工保护盘,完成整个井筒装备工作。

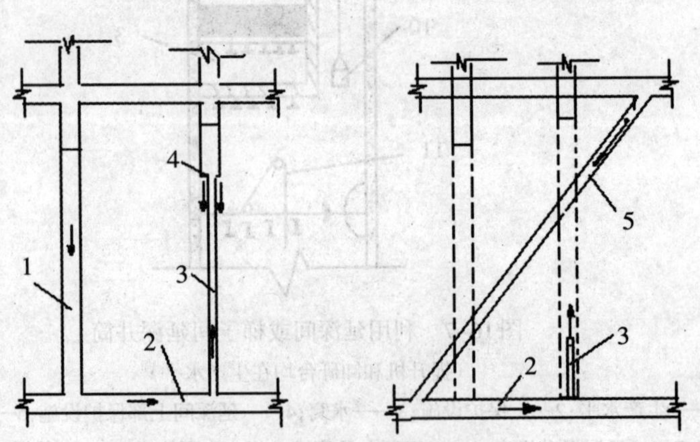

图16–8　利用反井延深示意图

1——已掘井筒;2——车场绕道;3——反井;4——刷大井筒工作面;5——通往新水平的下山

反井施工方法有普通反井法、吊罐法、深孔爆破法和钻进法。

一、普通反井法

普通反井法的施工情况如图16–9所示。反井断面为矩形或方形断面，面积为6～8m²，用木井框作临时支护。断面内布置有吊桶提升间1、梯子间2和矸石间3。提升间上口装设一个可随工作面掘进向上移动的定滑轮7，用来升降材料吊桶。梯子间除设有上下人员的梯子和梯子平台外，还安设有压气管、拱水管、风筒和电缆等。矸石间用作存放爆破下来的矸石，并通过其下端的溜矸槽9将矸石装入矿车。施工人员站在搭在最上层的井框上的临时工作平台4作业。

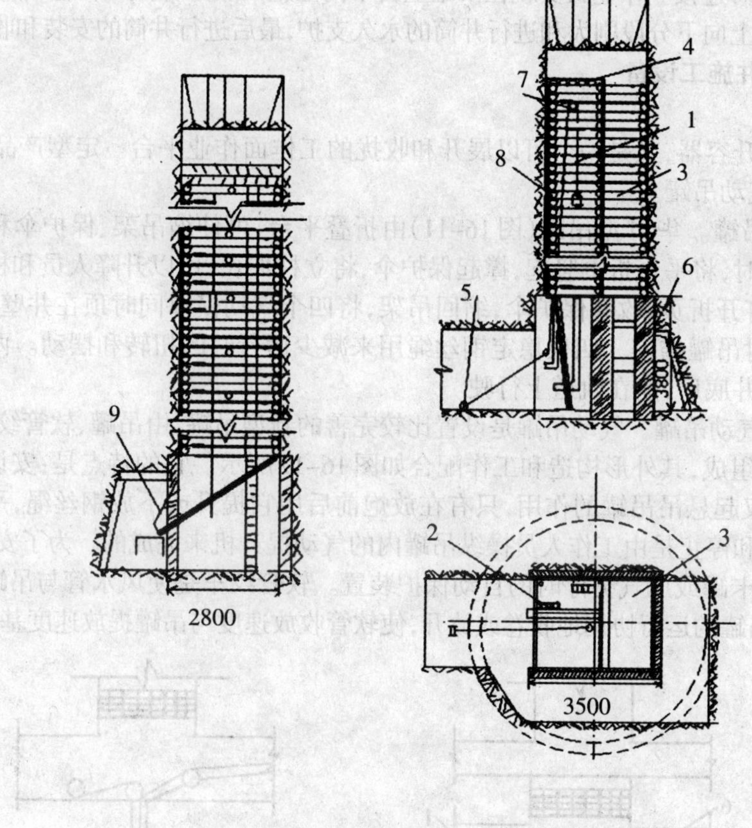

图16–9　普通反井延深施工法

1——吊桶提升间；2——梯子间；3——矸石间；4——临时作业平台；5——提升绞车；
6——反井基础；7——定滑轮；8——木井框；9——溜矸槽

首先通过精确的测量，在新水平定出欲延深井筒的中心，并在井筒断面范围内给出反井位置，其余部分用钢梁、板材维护，然后按照给出的位置和方向，由下向上掘反井2～3米后，安设溜矸槽，砌筑反井基础6。反井基础的作用是承托反井井框和安装反井下口的设备，使下口便于人员和材料设备的出入，保证施工安全。反井基础多为砖石结构，也可以采用金属或木抬棚支护；然后开始由下向上掘进反井（其施工方法与采区煤仓施工相同）；待反井掘至离井底水窝8～10米时暂停，改为由上向下掘进使延深间与反井贯通；然后自上向下将反井刷大至设计断面并砌筑永久支护及安设永久装备；最后拆除保护岩柱或人工保护盘，并将此段井筒砌好。

普通反井施工法与生产水平的相互影响小,延深辅助工作量小,需要的延深设备少。但施工人员爬梯子上下困难,劳动强度大,材料运输不方便,坑木消耗量大,通风条件差,工作面易集聚瓦斯,在地质和水文条件较差时将影响作业和安全。

二、吊罐反井施工法

(一)施工过程

这种施工法的主要施工过程如图16-10所示。在一般情况下,需要在生产水平之下,建立一个较小的延深辅助水平1,当辅助水平1和新水平3都到达井筒位置后,自辅助水平沿延深井筒中心钻一垂直钻孔2到达新水平3,将辅助水平安装的提升机5的提升钢丝绳穿过钻孔2至新水平3并与吊罐4连接。作业人员就在吊罐上自下向上施工反井,待小断面反井与延深辅助水平贯通后,再自上向下分段刷大和进行井筒的永久支护,最后进行井筒的安装和收尾工作。

(二)吊罐反井施工设备

1.吊罐

吊罐既是提升容器,又是一个可以展开和收拢的工作面作业平台。定型产品有华-1型吊罐和DT-2型气动吊罐。

(1)华-1型吊罐。华-1型吊罐(图16-11)由折叠平台、可伸缩吊架、保护伞和气动横撑组成。吊罐升降时,将平台折页竖起,撑起保护伞,将立柱伸长,用以升降人员和机具。吊罐升到工作面后,打开折页,收起保护伞,缩回吊架,将四个气动横撑同时顶在井壁上,起稳定作用,防止凿岩时吊罐摇摆。四根稳定钢丝绳用来减少运行时的扭转和摆动。两对行走轨轮使吊罐下放至井底后,能在轨道上行驶。

(2)DT-2型气动吊罐。气动吊罐是设置比较完善的新型吊罐,由吊罐、软管绞车、钢绳绞车和提升机配套组成,其外形构造和工作配合如图16-12所示。它的特点是:安设在辅助水平的钢绳绞车,仅起悬吊吊罐的作用,只有在放炮前后用它提升或下放钢丝绳,平时是闸住的。吊罐的上下和停止是由工作人员操纵吊罐内的气动提升机来完成的。为了安全,在气动提升机上还设有卡罐或压气突停时的自动保护装置。软管绞车是使风水管与吊罐间保持适当的拉力,随着吊罐的运行协调地收卷或放开,使软管收放速度与吊罐提放速度基本相同。

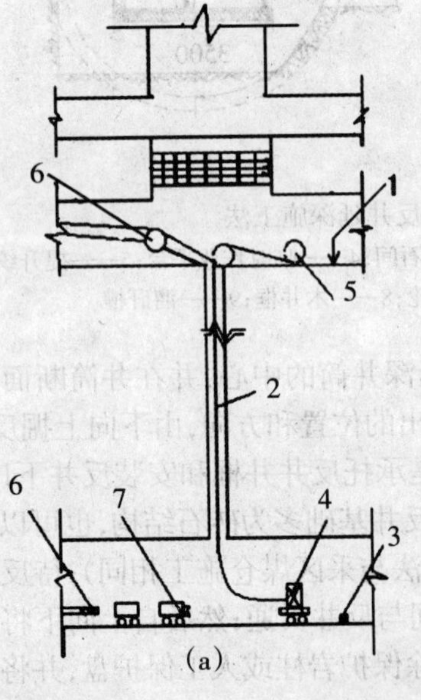

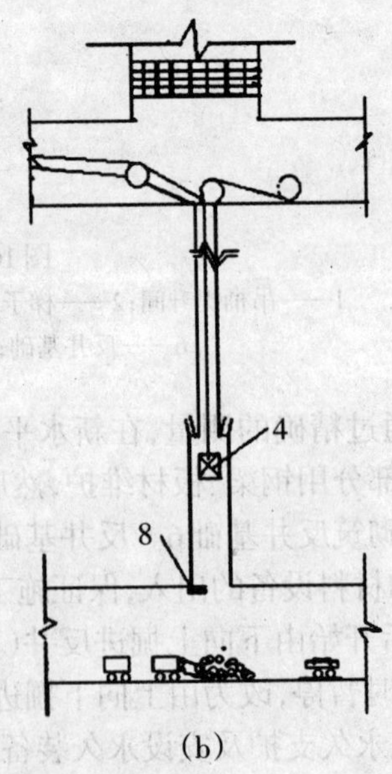

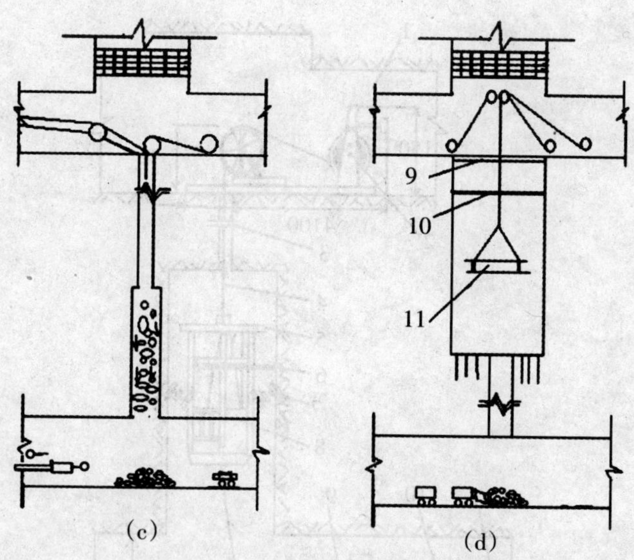

图16-10　吊罐反井施工示意图

(a)反井施工准备;(b)反井钻眼与装岩;(c)反井爆破通风;(d)井筒刷大

1——延深辅助水平;2——中心钻孔;3——新水平;4——吊罐;

5——提升机;6——通风机;7——装岩机;8——保护盖板;

9——封口盘;10——固定盘;11——吊盘

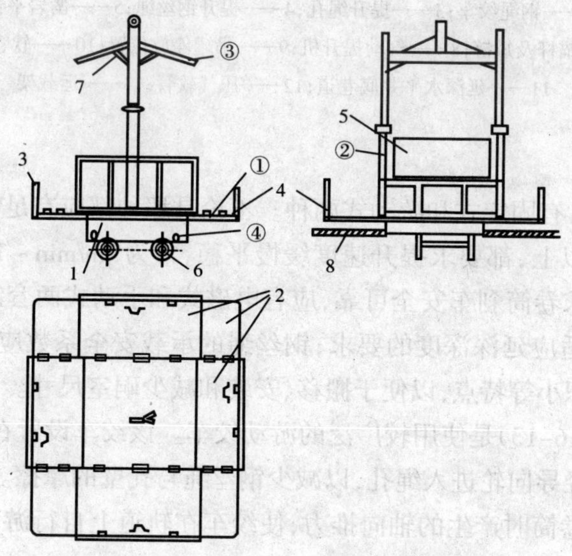

图16-11　华-1型吊罐构造

①——折叠式平台;②——可伸缩吊架;③——保护伞;④——风动横撑;

1——底座;2——折页;3——挡架;4——铰链;5——炸药箱;6——行走轮;7——支撑;8——撑绳

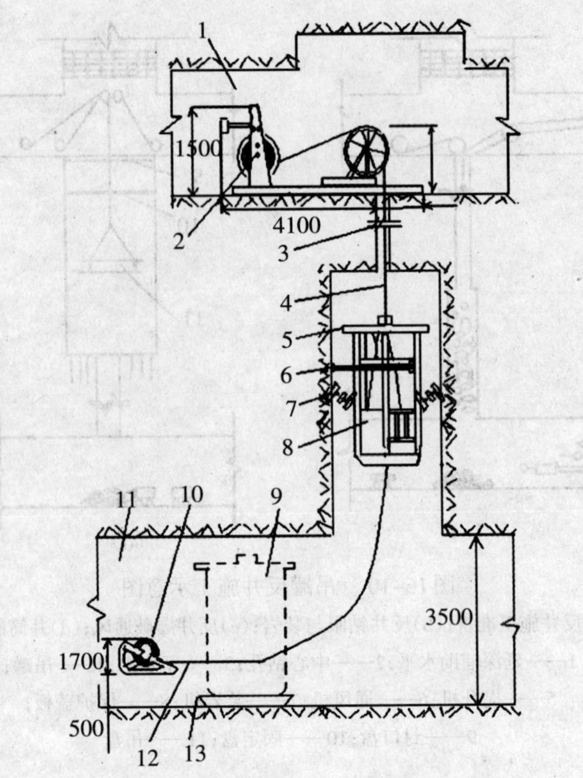

图16-12　气动吊罐反井施工示意图

1——辅助硐室；2——钢绳绞车；3——提升绳孔；4——提升钢丝绳；5——凿岩平台；6——风动横撑；
7——锚杆及短链；8——气动提升机；9——吊罐停放位置；10——软管绞车；
11——延深水平井底巷道；12——压气软管；13——运载架

2.提升绞车

提升吊罐的绞车，有固定式和游动式两种。不论是那种都应有足够的提升能力，一般为正常总荷重的1.1倍以上，都要求提升速度缓慢平稳，常为5m/min～7m/min，绞车电动机应采用双回路拱电；要求卷筒刹车安全可靠，应有电磁式和手动式两套制动器；绞车的卷筒应有足够的容绳量，以适应延深深度的要求；钢丝绳的承载安全系数应不小于13。提升绞车还应具有重量轻、体积小等特点，以便于搬移、安装和减少硐室尺寸。

华-1型绞车（图16-13）是使用较广泛的游动绞车。该绞车设置在经过绳孔上口的轻便轨道上，提升钢丝绳经导向轮进入绳孔，以减少钢丝绳与孔壁的摩擦。在提放吊罐时绞车不固定，靠钢丝绳缠绕卷筒时产生的轴向推力，使绞车在轨道上自行游动对准绳孔，并使钢丝绳在卷筒上依次缠绕而不紊乱。

已定型的游动绞车提升能力都较小，只适合于高度不超过100m深的反井施工。反井高度较大时可根据条件自行设计制造。在选择吊罐绞车时，除应满足吊罐反井施工的要求外，还应考虑在井筒刷砌施工时尽量不另设绞车。

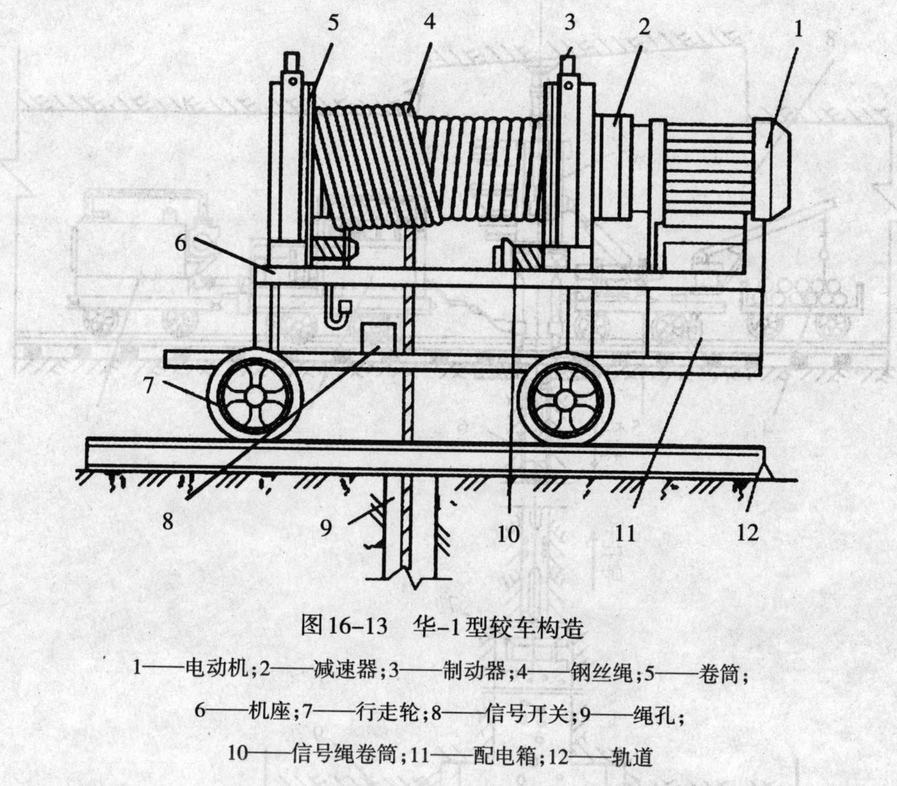

图16-13　华-1型较车构造

1——电动机；2——减速器；3——制动器；4——钢丝绳；5——卷筒；
6——机座；7——行走轮；8——信号开关；9——绳孔；
10——信号绳卷筒；11——配电箱；12——轨道

三、反井钻机法

目前，国内已使用多种型号的反井钻机，形成了一整套完善的机械化反井施工方法。钻机的钻进方式为向下钻进向上扩式，其施工工艺如图16-14所示。在上水平准确测定延深井筒中心线，布置安装反井钻机，开始从上向下钻一小直径先导钻孔，与延深水平贯通，卸下先导孔钻头，换上大直径扩孔钻头，然后自下向上扩孔钻进，破碎下来的岩屑落到延深水平装车外运。当扩孔距上水平还有3m时，应当慢速钻进，并密切注意基础的变化情况，如发现基础有破坏的征兆时，应立即停钻，待钻机全部拆除后，再用爆破法凿通。反井形成后，即可用钻眼爆破法自上而下将反井刷大至设计断面，进行永久支护。

反井钻机钻凿反井其优点：机械化程度高、劳动强度低、作业安全、适应性强、成井质量好、施工速度快、工期短、成本低。不足是使用设备多，操作技术较复杂。

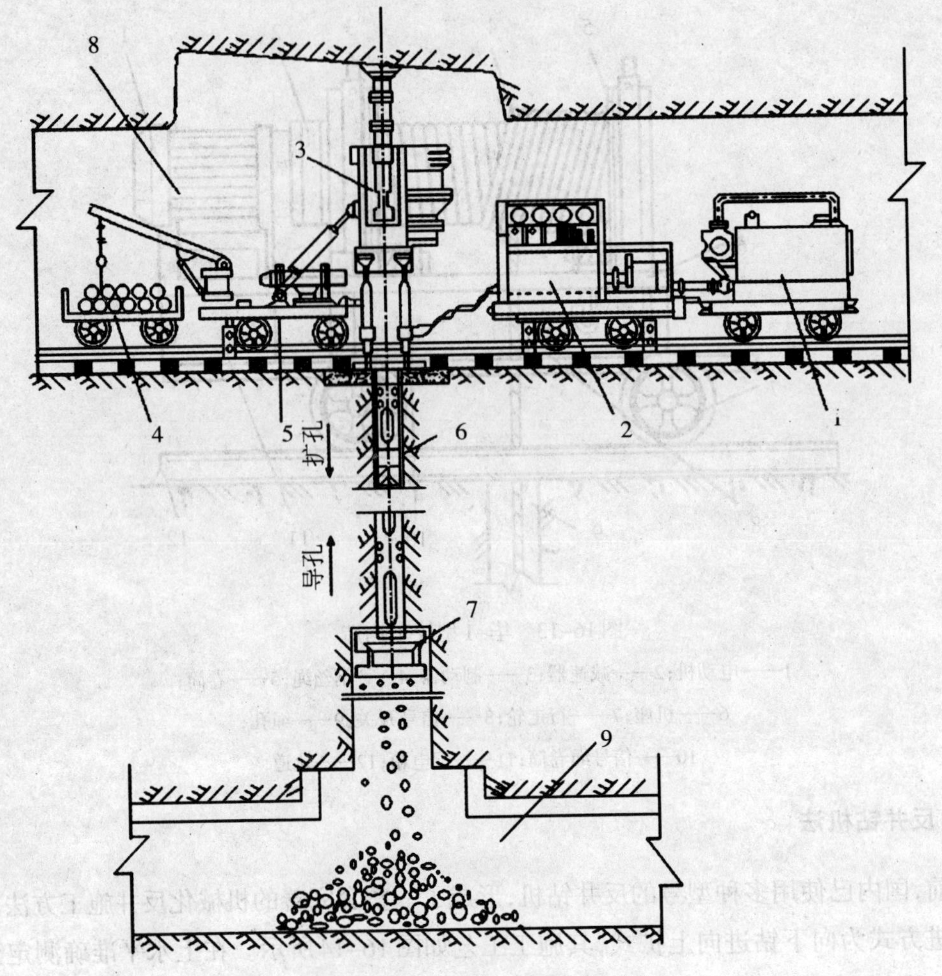

图16-14 反井钻机施工示意图

1——油箱车；2——液压泵车；3——钻机；4——钻杆车；5——主机平车；6——先导钻头；7——扩孔钻头；8——反井上部钻机硐室；9——延深水平

第四节 井筒延深的保护措施和延深方案的选择

一、井筒延深的保护设施

立井井筒延深通常要求在不停止生产水平提升的前提下进行施工，为了保证延深工作面施工人员的安全，使其免受生产水平提升容器、运输设备、矸石等坠落物的威胁。《煤矿安全规程》规定：延深立井井筒时，必须用坚固的保险盘或留保护岩柱与上部生产水平隔开。只有在井筒装备完毕，井筒与井底车场连接处的开凿和支护完成，制定安全措施后，才可拆除保险盘和保护岩柱。

延深保护设施通常有两种类型：一种是预留天然保护岩柱；另一种是人工构筑的保

护盘。

(一)保护岩柱

根据井筒延深方法不同,岩柱可以在井筒中全断面预留,也可以只占井筒部分断面。前者适用于由下向上延深井筒如图16-15(a)所示,后者适用于由上向下延深井筒如图16-15(b)所示。

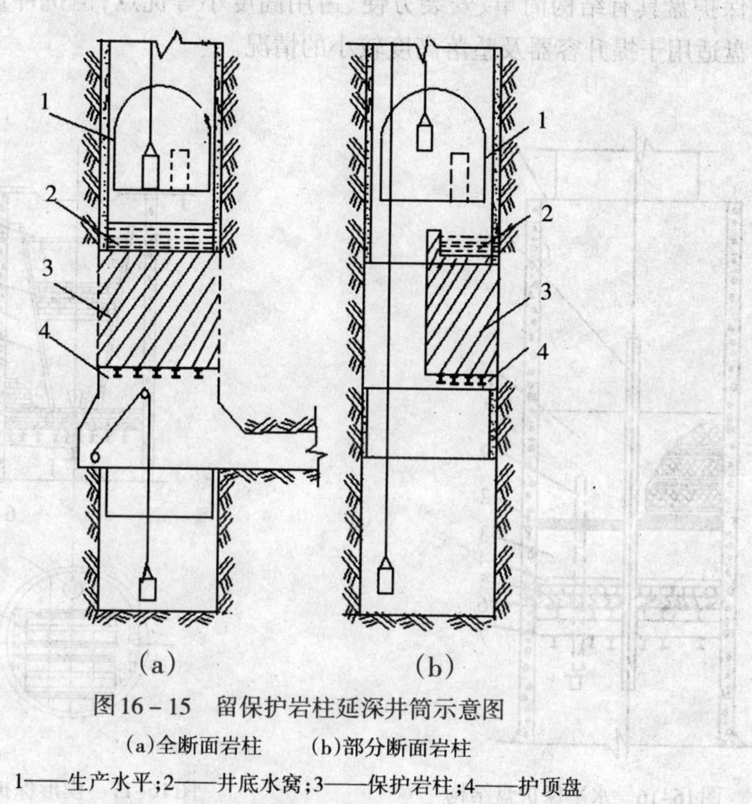

图16-15　留保护岩柱延深井筒示意图

(a)全断面岩柱　(b)部分断面岩柱

1——生产水平;2——井底水窝;3——保护岩柱;4——护顶盘

岩柱的厚度,取决于岩石的性质,一般取8~10m。在松软或遇水膨胀的岩石中,不宜留岩柱。为了防止岩柱下端的岩石风化松动冒落,保持岩柱的稳定性,在岩柱下面必须架设护顶盘。护顶盘是由两端插入井壁的数根钢托梁和密集木背板构成的。采用保护岩柱简单可靠,节省构筑人工保护盘的钢材和木材,但拆除工作较复杂。

(二)人工保护盘

人工保护盘需要材料较多,但不受井内岩石性质和水文条件制约,适应必性强。人工保护盘应具有足够的强度和缓冲能力,并要求结构简单,便于构筑和拆除。常用的有水平保护盘和楔形保护盘两种。

1.水平保护盘

水平保护盘由盘梁、隔水层和缓冲层构成(图16-16)。盘梁是人工保护盘的受力结构,它承托着保护盘的全部自重和坠落物的冲击力。盘梁一般采用工字钢,两端插入井壁200mm以上,并且要用沙浆灌注。隔水层由方木、钢板、黏土垫层和沙浆层或混凝土层组成，它可防止上段井筒中的泥水流入延深井筒内，影响工作，同时也可防止撒煤和矸石以及坠落的工具等坠入延深井筒内，威胁延深施工的安全。在保护盘的上部设有缓冲层，其作用在于吸收坠落物的冲击能量，减缓作用于盘梁上的冲击力，缓冲层越厚越好，但由于受井筒空间限制，缓冲层也不能太厚。缓冲层的材料应具有一定的可缩性，通常采用柴束、木垛和锯末等物。

水平保护盘具有结构简单、安装方便、占用高度小等优点，但抗冲击力较楔保护盘小。水平保护盘适用于提升容器及坠落高度较小的情况。

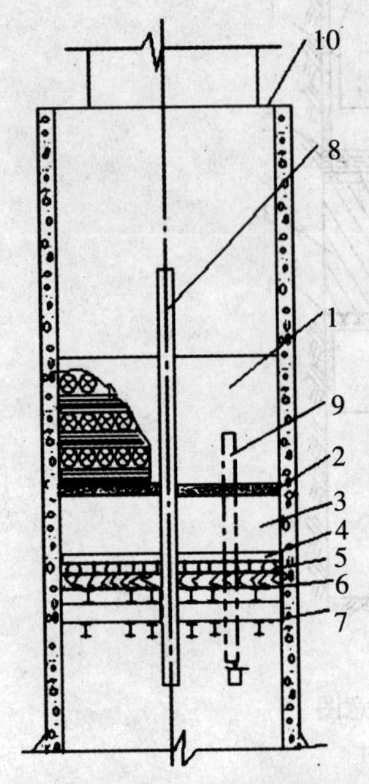

图16-16　水平保护盘结构

1——缓冲层；2——混凝土隔水层；3——黏土层
4——钢板；5——木板；6——方木；7——工字钢盘梁；
8——井筒中心线放线管；9——放水管；10——生产水平

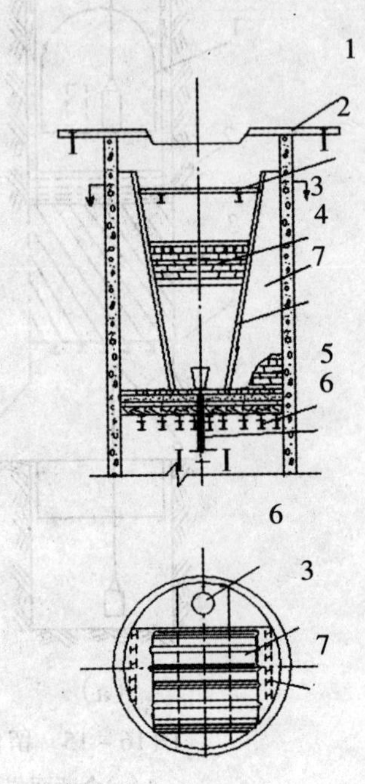

图16-17　楔形保护盘结构

1——生产水平；2——托罐梁；3——缓冲塞；
4——楔形砖砌体；5——钢梁；
6——放水管；7——钢轨

2.楔形保护盘

楔形保护盘由底盘、楔形盘体和缓冲塞构成（图16-17）。底盘由平放的钢梁构成，钢梁上铺有方木、木板和隔水层。楔形盘体处在生产提升容器的下方，构筑于底盘上面，盘体通常用砖砌筑，两个斜面由型钢镶成，要求它坚固平滑，斜面与竖直线夹角为18°～25°。缓冲塞可由方木或其他弹性物构成，并用扁钢将其紧固成一个整体。它的作用在于将坠落物的冲击力缓冲后经楔形盘体传递到井帮中去，并由它本身的压缩变形加大制动行程，延长冲击作用的时间，减少对保护盘的冲击力。

楔形保护盘的优点是坠落物体的主要冲击能量不是作用在底盘水平梁上，而是传给了井帮，因而它承受冲击的能力较大。其缺点是楔形盘较高，它的使用往往受到井底空间的限制，而且它的结构也比较复杂。

二、延深施工方案的选择

立井井筒延深是在矿井正常生产的情况下进行的，受到原有生产系统的限制，施工比较困难，施工组织管理也比较复杂，安全性要求高，因此必须根据延深工程的特点，结合矿井的具体条件，因地制宜地合理选择施工方案。

根据我国煤矿立井延深的施工经验，选择施工方案一般可考虑以下原则：

(1) 应保证矿井生产正常进行，尽量避免生产与延深互相干扰。

(2)在具有到达延深水平井筒位置的巷道以及岩石稳定性较好的条件下，应优先采用自下而上反井延深方案。在设备条件具备的井筒，应推广应用反井钻机延深；技术条件好的矿井，可采用深孔爆破法。吊罐反井法在我国许多矿井延深中使用，取得了较好的技术经济效果。

(3)在不具备反井施工条件时，一般利用辅助水平自上向下延深。利用延深间延深井筒受多种条件制约，只有在地面具备布置延深提升机和卸矸台的条件，提升总高度小于500mm，辅助工程量比利用辅助水平施工时的辅助工程量减少较多时，这种方法才有优越性。

第二部分　专业核心知识点

1.各种延深方法。

2.延深的几种保护措施。

复习题

1.立井井筒延深的方法有哪几种？其特点是什么？

2.简述延深辅助水平的巷道和硐室的布置方式。

3.利用梯子间或延深间延深井筒时井筒横断面的布置方式有哪几种？

4.简述吊罐反井延深井筒的施工过程。

5.立井井筒延深的保护设施有哪些？

6.保护岩柱留设的依据是什么？应注意什么？

技能训练题

试确定一套某矿的井筒延深方案。

讨论题

大断面全岩暗斜井炮掘一次成巷配套技术讨论。

提纲：

大断面全岩暗斜井下山延深一直是煤矿改扩建掘进施工的难题，特别是倾角大、延深井筒距离长时，下山扒矸困难，打眼放炮不方便，传统施工方式下山装矸绞车配矿车提升能力受限制，运料影响迎头扒矸作业，掘进水平一般只维持在月进40~45m左右。某煤矿在针对矿井采掘现状，经过技术研讨，在-600m水平延深主暗斜井（断面：13m²）施工中采取胶带输送机跟掘进工作面排矸，单轨吊机车跟迎头运料，实现连续排矸、快速运料，同时改进施工工艺、引进设备、改造机具，实现一次成巷掘进能力综合配套，进尺水平大幅提高，月进尺保持在100m以上。

1.影响下山延深施工的因素：

(1)迎头排水影响炮掘施工；

(2)炮眼布置不合理影响循环进度；

(3)运输能力低、排矸不连续；

(4)物料运送不及时，影响迎头掘进。

2.解决问题的方案：

(1)引进水射流自吸泵，保证迎头正常打眼、装药。

实现迎头快速排水，保证迎头打眼、装药工序的正常进行。

(2)及时修改炮眼布置方式,提高炮眼利用率。

针对下山炮掘施工的现状,采用光爆机理,周边眼两眼之间形成贯穿的裂缝是实现光面爆破的关键。

采用光面爆破,全断面一次爆破成型。

光爆设计如下:

在井巷掘进中采用光面爆破时,全断面炮眼的起爆顺序与普通爆破相同,但周边眼的爆破参数却有不同的计算原理和方法。

①不耦合系数;

②炮眼间距;

③最小抵抗线;

④给出光爆设计:

A.掏槽眼。

B.辅助眼。

C.二圈眼。

D.三圈眼。

E.底眼。

F.周边眼。

⑤绘制炮眼布置图:

针对不同的围岩情况,要合理确定炮眼个数及循环进尺,如岩石f值较大,则应适当增加炮眼个数、减小循环进尺;如岩石f值较小,则应适当减少炮眼个数、增大循环进尺。因此,要通过分析围岩情况,科学合理地确定炮眼参数,在坚持光面爆破一次成型的情况下,炮眼布置在不同岩性阶段有适当调整。

(3)采用胶带输送机运输,保证连续出矸。实现连续出矸,保证迎头快速掘进。

(4)采用单轨吊机车辅助运送材料能力。针对暗斜井延深物料输送问题,经过专业技术研究决定引进单轨吊机车。大型设备也可以采用单轨吊输送,缓解物料输送紧张的局面,实现快速、安全输送物料,降低工人劳动强度,为快速掘进提供保障。

3.取得效果。

4.结论与建议。

第十七章　矿用气动轴流局部通风机

在煤矿生产建设中，我们常常会遇到因计划停风、无计划停风、长距离掘进工作面供风不足等原因造成的瓦斯超限问题，使安全生产无法正常进行，湖南腾邦重工设备有限公司研究成功的矿用气动轴流局部通风机，填补了矿井局部意外断电、长距离通风时治理瓦斯领域的空白。

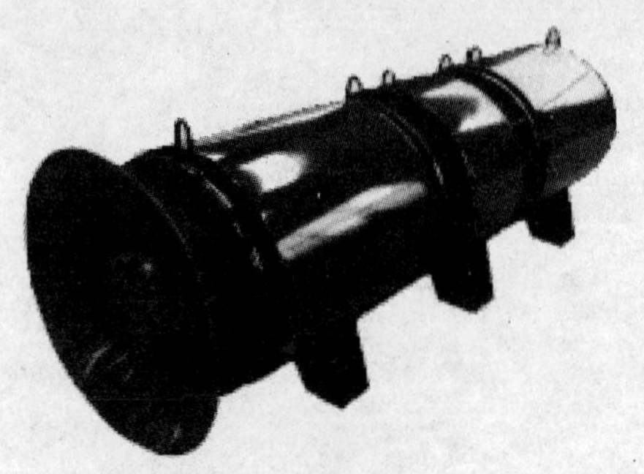

图18-1　矿用气动轴流局部通风机

一、通风机的结构及工作原理

（一）结构

气动局部通风机的结构包括：集风器、前消声器、后消声器、机壳、气动马达、叶轮及进排气管道等部件。其具体结构见图18-2。

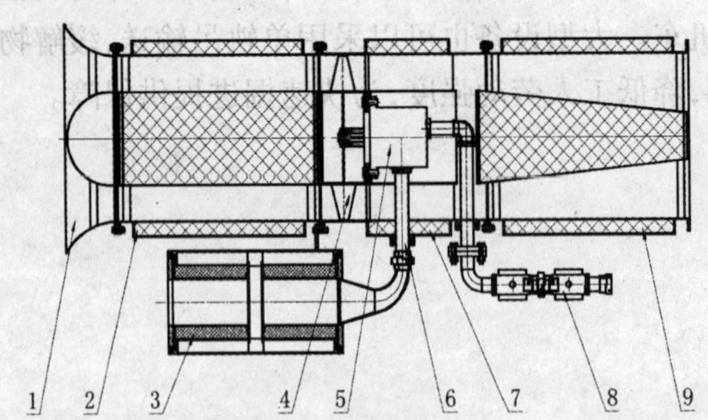

图18-2　矿用气动抽出式轴流局部通风机结构图

1——集风器；2——前消声器；3——马达消音器；4——叶轮；5——气动马达；6——排气管道；7——主机壳；8——进气管道；9——后消声器

（二）通风机工作原理

在停电的瞬间自动（手动）打开闸阀把压缩空气经进气管道送到通风机内，带动气动马达旋转,气动马达带动叶轮旋转,从而对采掘工作面和支巷道进行通风。

二、产品的特点

FQC№6.0气动局部通风机是在总结国内外同类产品结构与性能的基础上进行研制的新型产品。它具有以下特点:

(1)气动马达无需电也能正常工作,解决了因瓦斯含量超标而停电或矿难事故发生时井下停电,采用防爆电机的通风机停止工作,采掘工作面和支巷道无法通风的问题。

(2)进气管中安装了油雾器,改善了气动马达的润滑条件,有效延长了马达的使用寿命。

(3)改进风机消声器的结构设计,同时在排气管中增加了消音器,明显降低了风机的噪声。

(4)采用弯掠组合叶片设计技术,提高了风机出口的风压与风量,从而提高了风机的射程。

三、通风机的基本参数

(一)型号的规格表示方法

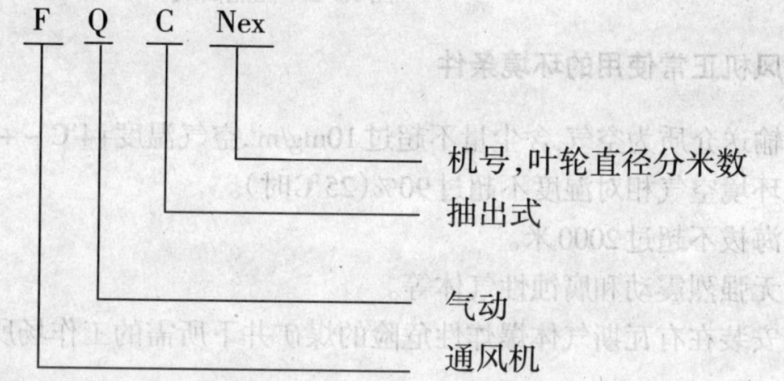

(二)气动轴流式局部通风机主要性能参数

叶轮直径(mm)	φ600
额定转速(r/min)	3000
风量范围(m^3/min)	200～300
静压(Pa)	220～1550
马达耗气量(m3/min)	15
供气压力(MPa)	0.3～0.6
风机重量(Kg)	480
外形尺寸(mm)	2530×1211×870
额定工况风量(m^3/min)	240
送风距离	–

(三)性能曲线图

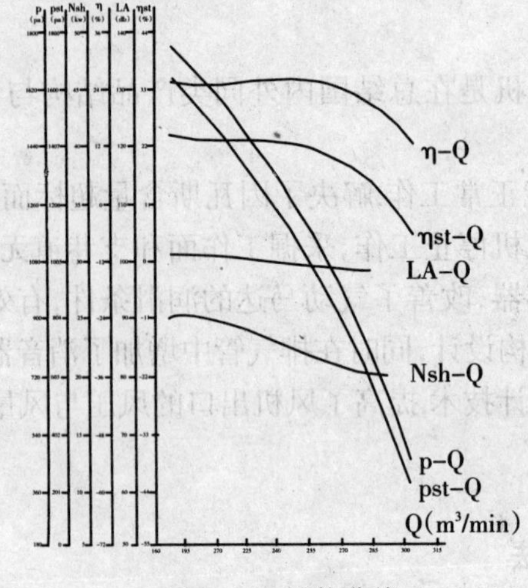

图18-3 性能曲线

四、风机正常使用的环境条件

(1)输送介质为空气,含尘量不超过10mg/m³,空气温度+4℃～+40℃。

(2)环境空气相对湿度不超过90%(25℃时)。

(3)海拔不超过2000米。

(4)无强烈震动和腐蚀性气体等。

(5)安装在有瓦斯气体爆炸性危险的煤矿井下所需的工作场所。

五、气动马达的工作条件

(1)气动马达的供气压力为0.3～0.7MPa。

(2)压缩空气必须经过过滤,应保证清洁和干燥。

(3)润滑油须随压缩空气进入气马达,每分钟流量为80～100滴,润滑油为20号机械油。

(4)气马达正常使用3～6个月后,应拆开检查清洗一次,发现磨损零件必须更换。

六、附件控制器的主要技术参数

(1)该控制器采用矿用隔爆型常闭式结构,作为直接开闭阀门的动力源。

(2)该控制器在公称压力范围内和流量接近于零或进出口压力差为零的情况下能正常开阀,因此工作可靠性高。

(3)该控制器内置有高效网状过滤器,能有效地阻挡介质中直径大于0.5mm的杂质流经阀体,从而避免有害杂杂质造成不良影响。

(4)该控制器具有手动、自动开启功能。

(5)额定控制电源电压:127V。

(6)压力适应范围:0.7Mpa。

(7)具有限压、过滤、定量自动供油的特点。

七、风机的安装和调试

(1)风机安装使用地点必须符合《煤矿安全规程》的有关规定并由熟悉相关安全要求的专业人员负责安装。

(2)联接风机进出口的风管有单独支撑,不允许将管道重量加在风机的部件上;安装时应注意风机的水平位置,风机与出风管道的联接应自然吻合。

(3)风机安装后应检查风机内部是否有遗留的杂物。

(4)用手或杠杆拨动叶轮,检查是否有过紧或擦碰现象,应保证叶片与外壳保护圈的间隙大于2.5mm。无异常现象下,方可进行试运转。

(5)试运转时,注意叶轮旋转方向和气流方向必须与机壳上叶轮旋向箭头和气流方向箭头一致。

(6)试车时人数不少于两人,一人控制气源,一人观察风机运转情况,风量时大时小应停止运转,检查管路是否漏气或者堵塞。

八、风机的使用和维护

(1)风机的使用环境应经常保持整洁,定期清除风机及管道内的灰尘等杂物。

(2)风机在运行过程中发现异常现象,应立即停机检查。为了保证安全,不允许在风机运行中进行维修。

(3)风机一般每六个月定期检查一次,要检查机器的全部零部件。

(4)气动马达的使用保养和维修:

①管路系统应安装油雾器和气水分离器(比马达进气口大一规格),雾状机油随压缩空气进入马达,润滑油选用20号机械油;

②在马达第一次使用时,应注入20号机械油,同时油雾器也应注满油,流量调整在80滴/分钟~100滴/分钟,然后马达才可以启动。马达在长时间存放后,不带负荷起动,应在低压有润滑条件下进行0.5~1分钟空转。

③气动马达在正常使用3~6个月后,应拆开检查清洗一次,如发现磨损零件必须更换。

④尽量避免马达空载高速运转。

⑤在正常工作情况下到第一次大修前,气动马达的使用期限不少于800小时。

九、常见故障及排除方法

故障原因分析与排除方法

故障现象	原因分析	排除方法	备注
有摩擦声、撞击声	叶轮松动或气动马达松动，偏离正常工作位置	重新定位，拧紧叶轮与气动马达轴的圆螺母、气动马达的固定螺栓	
有异常响声	气动马达缺少润滑油	油雾器注满油，流量调整在80滴/分钟~100滴/分钟	
气动马达停转	风机的进气口有异物黏附、堵塞。风筒折弯、被卡压或马达超负荷	停机清理进气口异物或理顺风筒	
机壳振动突然加大	叶轮上挂灰、泥土过多而失去平衡或马达缺油	停机清理叶轮表面或加油	

第十八章　山西省煤矿“六个标准”涉及内容

根据《山西省煤矿建设标准》煤矿建设工程施工及安全应遵循以下标准：

第三百四十九条　煤炭建设工程施工是指具有建筑施工资质的企业通过招投标程序取得对建设项目的施工权，将设计文本变成工程实体。

第三百五十条　凡国家投资、合资、集资以及利用外资建设的各类煤炭新建、扩建、改建工程建设项目，均应由取得国家建筑主管部门颁发资质证书的施工企业承建。

第三百五十一条　煤炭建设工程施工的依据是《建筑法》和国家有关建设工程的方针政策、技术规范标准和有关建设项目的批准文件，以及依法签定的施工合同和其他工程建设承发包合同。

第三百五十二条　从事煤炭建设工程施工活动，必须遵循守法、诚信、安全、科学的准则。

第三百五十三条　拟参加山西煤炭建设的施工企业都应到山西省煤炭工业厅基建局进行资质备案，建设单位应选择已进行了资质备案的施工企业参加投标，中标施工企业应持相应的合同文本到山西省煤炭厅进行中标项目备案。省煤炭工业厅基建局将各单位上述两个备案结果在“山西煤炭信息网”上公布，接受社会监督。没有进行上述两个备案的企业，不得在山西从事煤矿工程施工业务。

第三百五十四条　煤矿建设单位、施工单位必须设置安全生产管理机构，配备满足安全生产需要的专职安全生产管理人员和装备，按照《煤矿安全规程》、《防治煤（岩）与瓦斯（二氧化碳）突出规定》、《煤矿防治水规定》和《煤矿建设安全规范》等有关规定规范科学组织施工，确保煤矿工程项目施工安全。

第三百五十五条　煤矿建设项目开工前必须取得国家有关部门或地方政府规定的所有证照和批准文件。

第三百五十六条　煤矿建设项目的安全设施必须和主体工程同时设计、同时施工、同时投入生产和使用。

第三百五十七条　煤矿项目建设应达到规定的勘查程度。煤田地质勘查单位要按照《煤、泥炭地质勘查规范》、《矿区水文地质工程地质勘探规范》等要求，做好项目地质勘查工作，确保提供的井田范围内构造断层、瓦斯参数、煤层顶底板含（隔）水层、老窑、小煤矿分布和开采情况等资料不低于勘查程度要求，并对勘查成果负责。地质报告要经有关机构评审、备案。

第三百五十八条　煤矿建设、施工单位必须建立健全安全生产责任制度、安全目标管理制度、安全投入保障制度、安全教育与培训制度、事故隐患排查与整改制度、安全监督检查制度、安全技术审批制度、安全会议等制度。

第三百五十九条　煤矿施工项目部必须配备满足需要的矿建、机电、通风、地测等工程技术人员和特种作业人员；必须至少配备项目经理、技术负责人、安全负责人、机电负责人、工程质量负责人等五大成员(根据矿井施工安全需要,应适当增加)。

第三百六十条 煤矿建设项目要按照批准的施工组织设计合理安排工程进度,完善安全措施。项目进入二期工程前,必须安装矿井安全监测监控系统;高瓦斯、煤(岩)与瓦斯(二氧化碳)突出、有突水危险或水文地质条件复杂及以上的矿井进入二期工程前,其他矿井进入三期前,必须按设计建成双回路供电;高瓦斯、煤(岩)与瓦斯(二氧化碳)突出矿井,进入二期前,必须形成由地面主要通风机供风的全风压通风系统;煤(岩)与瓦斯(二氧化碳)突出矿井揭露突出煤层前,必须建成瓦斯抽采系统并投入运行,同时严格落实两个"四位一体"(突出危险性预测、防治突出措施、防治突出措施的效果检验和安全防护措施)综合防突措施;高瓦斯矿井进入三期工程前,必须形成瓦斯抽采系统;有突出危险或水文地质条件类型复杂及以上的矿井,进入三期工程前,必须形成永久排水系统。

第三百六十一条 单项工程施工组织设计由项目总承包单位负责组织编制,并根据年度施工进展情况进行调整。没有实行总承包的由建设单位负责组织编制。施工组织设计需经建设、设计、监理、施工等相关单位会审后组织实施,原设计变更的应作相应调整变更。

第三百六十二条 单位工程施工组织设计、作业规程、安全技术措施,由施工单位(工程处或项目部)组织编制,报上一级主管单位审批,批准后报送建设单位和监理单位;无上级主管单位的施工单位,报送建设单位批准实施。

第三百六十三条 施工单位必须严格按批准的设计、施工组织设计组织施工。当施工过程中发现设计存在重大缺陷,或者地质条件变化较大时,应立即停止施工并向建设单位报告。建设单位应及时组织相关各方制定应急安全防范措施,组织修改设计并按规定重新报批。

第三百六十四条 工程施工前,施工项目技术负责人必须组织作业人员学习贯彻施工组织设计和作业规程。施工中必须严格按照施工组织设计和作业规程作业。

第三百六十五条 煤矿建设单位必须对建设项目实行全面安全管理,对防范瓦斯、水害等重大灾害负总责,为施工单位提供必要的安全施工条件,不得随意压减工程造价影响施工安全投入,不得强令施工单位改变正常施工工艺,不得强令施工单位抢进度、冒险施工。

第三百六十六条 煤矿建设项目监理单位必须取得国家颁发的、与工程项目规模相适应的监理资质。现场监理人员必须取得监理资格证书,人员配备能够满足工程监理需要。

监理单位要强化责任意识,严格审查施工组织中安全技术措施及专项施工方案是否符合有关安全标准和规定,对存在事故隐患的,应当要求立即进行整改。

第三百六十七条 煤矿建设项目由2家施工单位共同施工的,由建设单位负责组织制定和督促落实有关安全技术措施,并签订安全生产管理协议,指定专职安全生产管理人员进行安全检查与协调。

第三百六十八条 煤矿施工单位各级主要负责人和安全生产管理人员必须具备相应的安全生产知识和管理能力,经由具备相应资质的培训机构培训并考核合格,取得安全资格证书。

第三百六十九条 煤矿施工单位特种作业人员,必须按照国家有关法律法规的规定接受专门的安全培训,经考核合格,取得特种作业操作资格证书后,方可上岗作业。

第三百七十条 煤矿施工单位必须对职工进行安全培训,经考核合格后方可上岗作业。新招收的井下作业人员必须进行不少于72学时的安全教育培训,考试合格后,必须在有安全工作经验的职工带领下工作满4个月后经考核合格,方可独立工作。露天煤矿建设工人必须进行不少于40学时的安全教育培训,经考核合格,方可上岗作业。调整工作岗位或离岗一年以后重新上岗的,应当重新接受安全培训。

不具备安全培训条件的煤矿施工单位,应当委托具有相应资质的安全培训机构,对员工进行安全培训。

第三百七十一条 煤矿施工单位必须建立员工安全培训档案,记录培训及考核情况。

第三百七十二条 煤矿建设单位在编制工程概算时,应保证工程建设期间的安全投入。施工单位应按国家规定提取使用安全费用。

第三百七十三条 煤矿井下施工使用的涉及安全生产的产品,必须取得煤矿矿用产品安全标志。未取得煤矿矿用产品安全标志的,不得使用。

第三百七十四条 煤矿施工单位必须建立各种设备、设施检查维修制度,定期进行检查维修,并做好记录。严禁使用国家明令淘汰的施工设备。大型施工设备改造,必须在具备资质的机构进行性能检测和鉴定后方可使用。

第三百七十五条 煤矿施工应积极推广使用新技术、新工艺、新设备、新材料,严禁使用国家明令淘汰的施工工艺。努力提高机械化施工水平。试验涉及安全生产的新技术、新工艺、新设备、新材料前,必须经过论证、安全性能检验和鉴定,并制定安全措施。

第三百七十六条 煤矿建设和施工单位必须建立领导干部值班和下井带班制度,保证井下24h有领导干部轮流带班,执行“双带班制度”,并建立下井带班登记档案。

第三百七十七条 入井人员必须戴安全帽、随身携带自救器和矿灯,严禁携带烟草和点火物品,严禁穿化纤衣服,入井前严禁喝酒。必须建立入井检身制度和出入井人员清点制度。

第三百七十八条 煤矿建设安全工作必须实行群众监督,发挥职工群众安全监督作用。职工有权制止违章作业,拒绝违章指挥;当工作地点出现险情时,有权立即停止作业,撤到安全地点;当险情没有得到处理、不能保证人身安全时,有权拒绝作业。

第三百七十九条 建设矿井必须建立专门的防治水机构并配足水文地质工程技术人员和专门探放水队伍,采取综合防治水措施,全面做好防治水工作,严格执行“预测预报,有掘必探,先探后掘,先治后采”的规定。

所有建设矿井必须编制水文地质类型划分报告,确定本矿井的水文地质类型。

第三百八十条 建设矿井必须加强“一通三防”管理工作,设置专门的通风管理机构,配足专业人员,确保通风系统合理、可靠。

施工项目部必须配备足够的专职通风瓦斯管理人员和通风、瓦斯检查人员。矿井进入二、三期工程施工时,项目部必须设立通风瓦斯管理机构并配备相应的专业技术人员,由项目部技术负责人直接领导,负责本施工区域的通风、防治瓦斯、防治粉尘、防灭火以及安全监控等工作;有煤(岩)与瓦斯(二氧化碳)突出危险的矿井,必须建立专职防突机构和专职瓦斯抽放队伍,并配备足够的专业人员。

第三百八十一条 矿井二、三期工程必须绘制通风系统图,标明风流方向、风量、通风设施、安全监测监控设备、防尘设施的安设地点,当系统发生变化时,必须及时补充完善通风系统图。

第三百八十二条 煤矿建设单位、施工单位应根据工程进展情况组织编制合理可行的应急预案，成立应急救援领导小组，指定兼职应急救援人员，配备必要的应急救援设备、器材，并进行维护、保养，保证正常运转。

应急救援领导小组应根据具体情况及时修订应急预案，每年必须至少组织1次矿井救灾演习。

第三百八十三条 井工煤矿建设必须及时填绘反映实际情况的下列图纸和资料：

(一)地质和水文地质图。

(二)井上、下对照图。

(三)巷道布置图。

(四)采掘工程平面图。

(五)通风系统图。

(六)井筒检查孔资料(斜井：沿与斜井纵向中心线平行线布置的检查孔不少于3个)。

(七)矿井井田范围内老空区及周边矿井的有关地质、测量的详查资料。

(八)当地质、水文地质、工程地质、瓦斯地质、勘探资料与实际情况出入较大时，建设单位必须及时安排相应的人员补充地质勘探工作。

第三百八十四条 矿井施工期间，施工单位必须建立下列主要基础资料：

(一)井筒地质预计及实测的井筒地质柱状或剖面图，构造复杂部位或层段可增做展开图。

(二)各类井巷工程实测的地质素描剖面图，局部构造复杂部位和层段可增做展开图。

(三)施工范围的涌水量台账。

(四)井下水动态观测成果资料。

(五)掘进工程实测平面图。

(六)井巷工程的实测导线、水准成果资料。

(七)各类工程的施工测量成果资料。

(八)反映井筒有关参数的成果、成图资料(主要包括井筒断面、井壁、罐道竖直程度、提升几何关系等)。

(九)工业场地及居住区实测平面图(包括地下管线的实际敷设)。

(十)首采(盘)区的井上下对照图。

第三百八十五条 掘进井巷和硐室时，必须采取湿式钻眼、冲洗井壁巷帮、水炮泥、爆破喷雾、装岩(煤)洒水和净化风流等综合防尘措施。

第三百八十六条 立井井筒内必须设有在提升设备发生故障时专供人员出井的安全设施，其中设计有永久梯子间的，该设施必须保留至永久梯子间安装到位并投入使用，永久梯子间未投入使用的，不得施工三期工程。安全设施可按工作面到吊盘、吊盘到地面分段设置。

第三百八十七条 表土段施工必须制定防片帮的专项安全措施。基岩爆破作业时必须制定防止爆破损坏井口及井内设施的专项安全措施。

第三百八十八条 立井的永久支护、临时支护到井筒工作面的距离及防止片帮的措施必须根据岩性、水文地质条件和施工工艺在作业规程中明确规定。

第三百八十九条 立井井筒穿过表土层、砂层、松软岩层或煤层时，必须制定专项措施。措施中必须明确规定一次开挖的深度、临时支护的形式。施工时应确保临时支护安全可靠，并及时进行永久支护。在建立永久支护前，每班应派专人观测地面沉降和临时支护及井帮变化情况；发现危险预兆时，必须立即停止工作，撤出人员，进行处理。

第三百九十条 延深立井井筒时，必须用坚固的保护盘或留保护岩柱与上部生产水平隔开。只有在井筒装备完毕、井筒与井底车场连接处的开凿和支护完成，制定安全措施后，方可拆除保护盘或掘凿保护岩柱。

第三百九十一条 施工时，掘进工作面煤、矸和其他堆积物不得超过巷道断面的1/3。

第三百九十二条 掘进巷道在揭露老空前，必须制定探查老空的安全措施，包括接近老空时必须预留的煤(岩)柱厚度和探明水、火、瓦斯等内容。必须根据探明的情况采取措施，进行处理。

第三百九十三条 开凿或延深斜井、下山时，必须在斜井、下山的上口设置防止跑车装置，在掘进工作面的上方设置坚固的跑车防护装置。跑车防护装置与掘进工作面的距离必须在施工组织设计或作业规程中规定。斜长较大时，还应在适当位置设置防跑车装置。

斜井(巷)施工期间兼作行人道时，必须每隔40m设置躲避硐。设有躲避硐的一侧必须有畅通的人行道，上下人员必须走人行道。必须设红灯和语音提示装置。行车时红灯亮并有语音提示，行人立即进入躲避硐；红灯熄灭后，方可行走。

参考文献

1.中国矿业大学等.井巷工程.煤炭工业出版社,1994年

2.全国煤炭高等职业教育采矿工程类规划教材:井巷工程.煤炭工业出版社,2005年

3.胡湘宏主编.中等职业教育国家规划教材:巷道施工技术.煤炭工业出版社,2005年

4.吕建青主编.全国煤炭高职高专(成人)“十一五“规划教材:井巷工程.中国矿业大学出版社,2009年

5.陕西煤矿学校编.中等专业学校教学用书:井巷工程.煤炭工业出版社,1986年

6.王文龙编.高等学校规划教材:钻眼爆破.煤炭工业出版社,1992年

7.王定平、霍成祥主编.山西焦煤集团有限责任公司员工职业技能培训丛书:巷道掘砌工.煤炭工业出版社,2004年

8.马念杰、潘玮、李新元编.国家专业技术人才知识更新工程(“653工程”)煤炭行业采煤工程领域培训教材:煤巷支护技术与机械化掘进.中国矿业大学出版社,2008年

9.国家安全生产监督管理总局、国家煤矿安全监察局编.煤矿安全规程.煤炭工业出版社,2011年2月

10.煤炭行业特有工种职业技能鉴定培训教材:巷道掘砌工.煤炭工业出版社,2009年5月第一版

11.煤炭行业特有工种职业技能鉴定培训教材:爆破工.煤炭工业出版社,2009年11月第一版

12.吴永平编.《人人都是通风员》煤矿安全新论, 人民出版社,2010年8月第一版

13.晋能有限责任公司“人人都是通风员”煤矿安全新论学习要点

14.山西省煤矿建设标准等六个标准